1 page a day, 365 days

Japan

毎日の習慣が
1年後の自分をつくる

1日1ページ、読むだけで身につく日本の教養365

齋藤孝［監修］
Saito Takashi
明治大学教授

文響社

This book is created by Bunkyosha under the Concept of The Intellectual Devotional series, which is credited to David Kidder and Noah Oppenheim.
The Concept usage arranged with TID Volumes, LLC c/o David Black Literary Agency, Inc., New York through Tuttle-Mori Agency, Inc., Tokyo

本書は、デイヴィッド・キダーおよびノア・オッペンハイムに帰属する「世界の教養」シリーズのコンセプトのもと、制作されたものです。
コンセプトの使用についてはTuttle-Mori Agency, Inc., Tokyoを通じて、TID Volumes, LLC（David Black Literary Agency, Inc., New Yorkが代理）により許諾されています。

Introduction
はじめに

◈

今日から毎日５分、新たに知的な習慣を身につけようとされている皆様へ

教養とは、私たちが生きていく上での糧となるものです。糧というのは、食べ物という意味ですが、つまり精神の食べ物といえると思います。

日本という国がどのように成り立ち、どのような歴史を持ち、どのような文化を紡いできたのかを総合的に知ることは、日本に暮らす私たちの立ち位置を再確認するということでもあります。

自分の足元がぐらついていると、自分のアイデンティティも曖昧になっていってしまいます。アイデンティティとはつまり存在証明であり、存在証明とは、自分は自分であるというだけでなく、本質的なものを他の人やものと共有することで実感できるものだと思います。

例えば、浮世絵を知っていると自分のアイデンティティが日本の文化とつながります。浮世絵好きの人は、日本の文化というものに自分が馴染んでいてよかったなと感じられるでしょう。例えば、お茶をたしなむ人は、「お茶を点てているときの自分」がアイデンティティの一つとなります。

もっと日常的なことでいえば、この気候の中で育ち、春には桜を愛で、秋になれば紅葉を見て心が和むということも、一つの日本の風土であり、文化といえるでしょう。そういうものが一つ一つ溶け込んで、自分というものを形作っているのです。

したがって、自分というものは「一人で成り立っているもの」ではなく、「この日本という大きなうねりの中でできているもの」といえます。そう感じられると、教養によって自分という存在の立ち位置がしっかり見えてくるはずです。そして「この世には自分と馴染みのあるものがこんなにある」、あるいは「今まで知らなかったけれども自分の足元にはこんなに素晴らしいものがたくさんあったのか」と思えると、自分の生きているこの世界は素晴らしいものだという実感を抱けると思うのです。

つまり、教養を身につけるということは、この世界には素晴らしいものがたくさんあるということに気づくこと、そしてそれによって自分自身を肯定できるようになることだと思います。「自分が、自分が」ということではなく、自分を取り巻くこの世界が素晴らしいものだと気づくことができれば、それは非常に良い意味で、教養を身につけることができたといえるでしょう。

日本の文化や伝統、あるいは自然を総合的にまとめて振り返るという行為は、学生時代を総復習するようなもので、有意義な体験になると思います。日本には素晴らしい自然、技術、文化があふれています。それでは、復習の快感というものを味わってみてください。

齋藤　孝

本書の使い方

◈

この本には、日本を知るために必要な365の知識がおさめられています。一日の終わりにベッドに腰かけて読んでいただいても、あるいは忙しい日々の隙間時間に読んでいただいてもよいでしょう。１日５分だけ、ご自身の教養を耕す時間にあててみてください。１年後には、自分が暮らす世界の見方が変わっていることでしょう。

本書の読み物は曜日ごとに以下の７分野に分かれています。

◈月曜日 —— 自然
私たちが暮らしている環境と、
ともに生きている動植物について

◈火曜日 —— 歴史
日本人の起源から、日本が近代化する歩みまで

◈水曜日 —— 文学
今も読み継がれる不朽の名作から、和歌や俳句、詩まで

◈木曜日 —— 科学・技術
古代の土木技術から、近代のノーベル賞受賞に至るまで

◈金曜日 —— 芸術
絵画、建築、彫刻など、世界に誇れる
日本の芸術品について

◈土曜日 —— 伝統・文化
今も日常に残っている習慣の始まりや、伝統的な風習の数々

◈日曜日 —— 哲学・思想
神道と仏教、お寺と神社、日本の神話から哲学まで

1 自然 ｜ 富士山

日本最高峰の富士山は、奈良時代初期の地誌『常陸国風土記（ひたちのくにふどき）』にも登場する日本のランドマークである。文化的な歴史は1000年以上だが、地学的には70万年以上を遡（さかのぼ）ることができ、現在も活動期真っ只中の活火山である。2013年、関連する文化財群とともに「富士山 —— 信仰の対象と芸術の源泉」の名称で世界文化遺産に登録された。

◈

富士山

世界的な景勝地として人気の高い富士山は、静岡県と山梨県にまたがる標高3776.24mの日本最高峰（剣ヶ峰）の独立峰で、駿河湾の海岸まで及ぶ山体を持つ活火山である。現在の富士山は、4段階の火山活動によって形成されたものだと考えられている。最古の山体は、約70万年前の更新世に形成された先小御岳火山と、続く小御岳火山であった。さらに8万年前頃から1万5千年前頃までの噴火で火山灰が降り積もり、標高3000m弱まで成長したのが古富士だ。その上を覆った新富士火山は、約1万年前頃から溶岩流や火砕流、山体崩壊など、様々な現象を引き起こし、現在の外観を形成したと言われている。

優美な風貌を持つ富士山は、古くから霊峰としても崇められてきた。3世紀後半から4世紀前半頃、噴火を鎮めるため、朝廷により富士山麓の山足の地に木花之佐久夜毘売命（このはなのさくやひめのみこと）を祀る浅間神社が建てられ、山頂部に奥宮が建立されたと伝わる。富士信仰は時代が進むにつれて多様化し、江戸時代には富士山登拝を行う富士講といった一派を形成していった。こうした信仰は、日本人と富士山の関係をより深いものとし、文学や芸術でも多くの作品の題材となっている。その中でも有名なのは浮世絵の名所絵で、1831年頃、浮世絵師の葛飾北斎（1760～1849）は、錦絵による富士図の連作版画『富嶽三十六景』を出版した。夏の赤富士を描いた『凱風快晴』や、富士をバックに荒れる大波を描いた『神奈川沖浪裏』などが知られている。

このように永く親しまれてきた富士山だが、宝永4年（1707）に起きた宝永噴火から約300年が経過しており、いつ噴火してもおかしくない状況にある。宝永と同レベルだと想定すると、30cm以上の降灰による避難対象者は静岡、山梨、神奈川3県で47万人。偏西風に乗って東京都全域や千葉県の一部でも、約2cm程度積もると予想されている。また溶岩流出による避難者は静岡、山梨両県で最大約75万人にのぼると試算されている。世界に名だたる勇壮な美と、最大級の自然の危険とを併せ持つ畏怖の対象が、富士山である。

豆知識

1. ダイヤモンド富士とは、富士山と太陽が重なり、山頂でダイヤモンドが輝いているように見える光景のことをいう。年2回、気象条件が揃った時に、山頂から西側の南北35度以内の範囲では日の出の時、東側の南北35度以内の範囲では日没の時に見られる。
2. 多くの画題として描かれてきた赤富士は、晩夏から初秋にかけての早朝、雲や霧に朝焼けが反射し、富士山が赤系色に染まって見える現象だ。近代日本画の分野では縁起物として描かれ、中でも平山郁夫（1930～2009）の『朱富士』が有名である。
3. 登山道を除く8合目以上は、静岡県富士宮市にある富士山本宮浅間大社の私有地の境内である。「関ヶ原の戦い」に勝利した徳川家康（1542～1616）は、御礼として浅間神社本殿・拝殿・楼門をはじめとする約30棟を造営。その後、安永8年（1779）、幕府は山頂が神社の敷地であることを正式に認めたという。現在でも境内については、県境と市町村境界が未確定となっている。

2 歴史 日本人の起源

人類が誕生したのは約500万年前といわれる。地質学でいう鮮新世の初め頃にあたり、続く更新世から完新世にかけて、猿人→原人→旧人→新人の順に進化していった。現在、DNAの解析により、世界各地の現代人の共通の祖先はアフリカに起源を持つことがわかっている。日本人もいわゆる「グレートジャーニー」と呼ばれる人類の世界拡散によってこの列島にたどりついた。

◈

人類のY染色体（男系）をたどる「ハプログループ」では、日本人の３割から４割が「D1a2」というグループに属しているという。この分類によれば、アフリカで形成された人類集団の一部「D1」が、６万～５万年前までにアジアに到達したと見られる。

およそ４万～３万５千年前、「D1」のうちチベットやモンゴル、中央アジアに住み始めた人類は「D1a1」と分類され、大陸をさらに東進した一部の人類「D1a2」が日本に到達した。これがおよそ３万年ほど前のことと考えられている。後期更新世にあたるこの時期、アジア大陸と日本列島はまだ地続きで、日本列島にはナウマンゾウやマンモスなどの大型の動物が移動してきた。一部の人類は、これら動物の群れを追ってきて列島に移り住んだようである。そのルートも多様で、朝鮮半島、中国南部、中国北部、南西諸島、ロシア東部などから列島へ移動したとされる。

後期更新世から完新世の人骨化石は、沖縄県港川、静岡県浜北、兵庫県明石などで発見されていて、いずれも旧石器時代の人々と見られる。特に1931年に明石で発見された人骨は、かつて「明石原人」と命名されたが、現在の研究では原人ではなく新人だという説が有力である。また港川と浜北の人骨は更新世のものだが、明石人骨は完新世の可能性が高い。

旧石器時代から縄文時代に至るまでに地球は暖かくなった。そのため森林が増え、草原が減ったことから、大型動物は衰退、絶滅し、ウサギ、シカ、イノシシなどの小型動物が増えた。この頃から、人類は現在の北海道から沖縄諸島までの広い地域に住み、狩猟や採集を主とした生活をするようになったと考えられている。

ちなみに、島根県出雲市にある砂原遺跡では、約12万年前の日本最古の旧石器が発見されている。しかし、現在の人類（ホモ・サピエンス）は７万～６万年前までのアフリカ以外にルーツを確認することはできないため、現日本人とは異なる旧人類が残したものと推測される。

豆知識

1. 女系のミトコンドリアDNAをたどる「ハプログループ」では、「M7a」という分類が日本人に多い。これは４万年以上前に誕生したアジア最大の母系グループである。

3 文学 『万葉集』

『万葉集』は8世紀後半の奈良時代末期に成立した、現存する日本最古の歌集である。編纂当時までに作られた歌の集大成として、20巻に4500首あまりが収録されている。後世に続く勅撰和歌集に多大な影響を与えたが、確かな評価を得たのは、江戸期の国学者たちによる研究がなされてからのことだった。

◈

当時は仮名文字がなかったため、『万葉集』は全文が漢字で書かれている。後に「万葉仮名」と呼ばれるようになった表記法で、漢字の意味に関係なく、音訓の読みだけを現在の片仮名、平仮名のように用いるものである。

書名の「万葉」は「数多の歌」を指すが、特に「葉」は「世・代」にも通じ、「万世・万代」にわたって長く語り続けようという祝福の意も込められており、まさにその名の通り、時代、地域、作者の身分的階層のいずれにおいても極めて幅広い作品を収めている。

最も古い時代の作者は第16代仁徳天皇（生没年未詳）の后、磐姫皇后（いわのひめのおおきさき）（？～347）で、4世紀初めから半ば頃の人物と見られる。また冒頭には、第21代雄略天皇（418～479）の長歌がある。ただし、いずれも実作であるとは考えにくく、後代の人が仮託した作品とする説が有力だ。実質的には629年に即位した第34代舒明天皇（593～641）の御製（歌）以降を万葉時代とし、最終歌が作成された759年までの約120年を第1期（629～672）、第2期（673～710）、第3期（711～733）、第4期（734～759）のように4期に分けるのが定説である。

作者は天皇や皇族、貴族ばかりではない。特に巻十四に収められた230首あまりは、すべて作者不明とされており、実際は下級役人から庶民に至る、名もない人々による歌である。また詠まれた場所も都の周辺ではなく、現在の東海から関東、東北に至る地方で、これらを「東歌（あずまうた）」と総称する。東歌は当時の庶民の生活実態や、使われていた方言などを知る極めて貴重な資料でもある。

江戸時代の国学者で、歌人でもある賀茂真淵（かものまぶち）（1697～1769）は、『万葉集』全体に見られる歌風を「ますらおぶり」と評し、和歌の理想であるとした。「男性的で大らかな歌風」という意味だが、これは平安時代以降、和歌の世界では「たおやめぶり」（女性的で優雅な歌風）が主流として続いていたことへの反発でもあったろう。いずれにしても、この賀茂真淵の提唱により、忘れられていた万葉時代の作品群が、高い評価を受けるようになった。

豆知識

1. 新元号「令和」の典拠は「初春令月、氣淑風和」（初春の令月にして、気淑（よ）く風和ぎ）という一節である。これは、梅の花を題材にした歌会で詠まれた32首の序文で、『万葉集』巻五に収められている。「梅花の宴」と呼ばれるこの歌会は、大宰府の長官だった大伴旅人（665～731）の邸宅で開かれた。梅は唐から渡来した植物で、当時としては珍しかったという。現在確認されている元号の典拠としては、初めて「漢籍」でない書物が採用されたことになる。

4 科学・技術 ｜ 古墳

古代の日本では、時代が進むにつれて「墓」の大きさや、死に対する考え方が変化していったが、これは古代中国の影響と考えられている。近畿地方では盛り土をして周囲を溝で囲んだ「方形周溝墓」、さらに土で塚を築く「墳丘墓」が巨大化し、後の古墳へとつながっていった。こうして造られた前方後円墳は、高度な土木技術が結晶した日本独自の古墳だった。

◈

大仙陵古墳(伝仁徳天皇陵)

縄文時代から弥生時代へと文化が発展していくと、日本人の「墓」に大きな変化が見られるようになった。弥生時代には、墓の共同化および集団化が進むのと同時に、身分が高い者のためとされる巨大な墓も造られるようになった。

4世紀後半になると、巨大な前方後円墳が築かれるようになる。造墓の巨大化や精神的基礎となる来世観は、古代中国の価値観が東アジアへ広がった物証と考えられている。前方後円墳は現在、岩手県から鹿児島県まで全国で約4700基が確認されており、大規模なものは近畿地方に集中している。古墳は単に土を盛った墓ではなく、精密に測量、採寸、設計し、その規格通りに土地を開拓、地ならしをして造成した建造物である。

前方後円墳の外部構造を見てみよう。まず、土や石を高く盛って固めた部分が「墳丘」で、古墳の中心部分だ。大型の古墳になると、斜面が階段状であったり、石垣のようになっているものもある。表面に積まれた石は丸い川原石や割石が使われたが、これは「葺石(ふきいし)」と呼ばれる。葺石は盛った土の流出などを防いでいたようだ。ただし、葺石は古墳時代前期から中期にかけての趣向で、古墳の規模が縮小していく後期には見られなくなっていく。前方部と後円部の接合するくびれには「造出」という突出部分がある。ここに土器や埴輪を並べ、祭祀を行っていたようだ。古墳の中で一番高い部分が「墳頂」で、この内部に棺とそれを覆う槨(かく)を安置した石室があり、被葬者が安置される「主体部」となっている。槨の下には排水溝が設けられ、防腐のための水銀朱などの塗料が槨内外、石室に塗布されることが多かった。

また墳丘の周囲は水のない「壕」で囲まれていたが、平野部では灌漑用に水を入れた「濠」になっていった。古墳造りには、高度な土木技術だけではなく水管理技術も投入されていたのだ。巨大な古墳が完成するまでには多くの従事者が必要だった。長くて数十年の期間がかかったと考えられ、当時、それだけ大きな権力を持った首長がいたことがわかる。

豆知識

1. 4世紀後半から巨大な古墳が全国で造られる。これはヤマト政権の勢力拡大を意味するが、明確な理由は不明で「空白の4世紀」と呼ばれる。日本最大規模の百舌鳥(もず)古墳群は、当時の海岸線上に築造されたが、外国の使節に王の権力を見せつけるためだったようだ。
2. 前方後円墳は日本独自の形式の古墳だ。ただし内部構造については、5世紀初めに登場した墳丘の側面から掘り進む横穴式石室が百済との交流で生まれたようだ。朝鮮半島南部でも5世紀後半から6世紀前半に築造された前方後円墳が10数基発見されている。当時の日本の有力者が同地に渡った可能性や、在地系勢力の模倣などが指摘されている。
3. 大阪府の百舌鳥古墳群は世界遺産の古墳群だ。宮内庁によって3基が天皇陵に、2基が陵墓参考地に、18基が陵墓陪冢(ばいちょう)に治定された。最も大きなものは大仙陵古墳(伝仁徳天皇陵)で、表面積としてはクフ王ピラミッドおよび始皇帝陵をしのぐ世界最大の墳墓である。

5 芸術 ｜ 土偶と埴輪

素朴でありながら、一度見たら忘れられないほどインパクトのある土偶。ユーモラスなデザインの遺物が数多く発掘されているが、そこには豊作や安産など古代の日本人の願いが込められているとされる。また埴輪(はにわ)も盾や家の形を模すなど、そのバリエーションは豊かである。どちらも「粘土を材料にした焼き物」で同じような遺物に思えるが、実は出土場所や作られた年代は違い、使用目的も異なっていたと考えられている。

◈

馬の埴輪

両者とも土製品ではあるが、大きな違いがある。まず土偶は今から約1万4千年前から紀元前3世紀までの縄文時代に作られたとされるが、埴輪はそれよりずっと後の3世紀後半から6世紀頃に製造されたと目されている。また土偶は北・東日本を中心とした集落などから出土するケースが多いとされ、基本的には妊婦など女性の姿をしている。そのため当時の人々の間で豊穣や安産、子孫繁栄などを祈る際に用いられたと考えられている。そして土偶は一部が破損した状態で見つかるケースが多い。これは諸説あるが、意図的に壊すことで病気やケガなどの災厄を祓う「身代わり」の役目を土偶に担わせていたとの意見もある。

土偶といえば、目が極端に強調された姿のものを思い浮かべる人も多いだろう。これは「遮光器土偶」と呼ばれるスタイルで、顔に日除けのゴーグルをかけているように見えることから、その名が付けられた。ほかにも顔がハート形をした「ハート形土偶」や、胸に手を当てたりしゃがんだりする姿を表した「ポーズ土偶」など、ユニークな土偶が存在する。さらに、豊満な女性の身体を滑らかな曲線で表現した「縄文のヴィーナス」と呼ばれる土偶は国宝にも指定されている。その縄文のヴィーナスとは対照的に、逆三角形の胴体を持ちスリムな姿をした「縄文の女神」や「仮面の女神」「合掌土偶」「中空土偶」と称される土偶も国宝に指定されている。

一方、埴輪は集落ではなく古墳から出土し、形は人型以外にも円筒形や家形、動物形など実に多種多様だ。これらは墓に眠る有力者の権威を示すために埋葬されたと推測される。埴輪の中で、唯一国宝に指定されているのが「埴輪武装男子立像」である。これは太刀を佩(は)いた武人像で、きりっと結ばれた口元や深く切り込まれた目には、他の埴輪には見られない風格が漂っている。また同じ武人像で、冑(よろい)の鋲留(びょうどめ)を粘土粒で表した「短甲の武人」や、方形の椅子に座った女性を象(かたど)った「腰かける巫女」は、国の重要文化財に指定されている。さらには「踊る男女」という人物埴輪も有名である。これは片手を上げた2体の人物埴輪だが、その姿がまさにリズムをとって踊っているように見えるため、この名で呼ばれている。ただ剽軽(ひょうけい)な姿とは裏腹に、葬送の場で人々が死者を弔うために舞う姿を模した埴輪ではないかとの説もある。

豆知識

1. 土偶は女性像が圧倒的に多いが、福島県楢葉町からは男性の性器を模した土偶が見つかっており、非常に珍しい例とされている。
2. 埴輪の「埴」とは、きめの細かい黄赤色の粘土のことである。

6 伝統・文化 ｜ 元号

元号とは紀年法の一つで、歴史上の年を数えるために主権者が定めたものである。元には「はじめ」の意味がある。年号ともいう。元号は、古代中国・前漢の武帝（紀元前157～前87）の時代に始まった。紀元前115年頃、武帝が「建元（けんげん）」という元号を創始したのである。以降、皇帝の交代または治世方針の改正の際に元号は改められた。近隣諸国も中国の支配下時は同じ元号を使用した。

◈

日本で元号が使われるようになったのは、遣唐使が中国の暦（こよみ）を日本に持ち帰ってからだといわれている。暦とは、時間を日や月、年などの単位で区切り、数字や言葉を割り当てることでわかりやすくしたもので、元号も含まれる。

日本で最初に使われた元号は「大化」である。645年に始まった古代日本の一大政治改革である大化の改新の一環として初となる元号が制定された。『日本書紀』の大化元年７月（645年８月）の条に「明神御宇日本天皇（あきつみかみとあめのしたしらすやまとのすめらみこと）」の文言があり、「日本」という国号の使用は、大化の元号が定められて以降に始まったといわれている。

大化の後、元号は使用されたりされなかったりという時期が続いたが、701年に「大宝」という元号が制定され、頒布された「大宝律令」で元号の使用が定められて以降、定着した。

日本の元号は伝統的に２文字で、元号に用いることのできる文字数は明確に制限されていないが、聖武天皇・光明皇后の時代から約四半世紀、天平感宝、天平勝宝、天平宝字、天平神護、神護景雲の５つしか例外は存在しない。

飛鳥時代末期から奈良時代前期までの元号は、祥瑞（しょうずい）（縁起のよい前兆）を機に改元するのが一般的だった。例えば、「慶雲」は非常に綺麗な雲が空に現れたことをめでたいこととして改元したものだ。また、「霊亀」は甲羅に北斗七星のような模様がある珍しい亀が朝廷に献上されたことを祝して改元された。

逆に地震や火災、天災が続いて凶作になるといった良くないことが起こった時にも改元は行われた。つまり改元は、縁起の良いことにあやかって政治を良い方向に運んだり、凶事をリセットし悪いことが続くのを防ぐために行われていたのである。それだけでなく、「和銅」のように朝廷が「和同開珎」という貨幣を鋳造したことを契機に改元した例もある。「明治」以降は、天皇の即位時に新元号に変えることになり、天皇在位中に元号が変わることはなくなった。

豆知識

1. 「昭和」は62年と14日間あり、日本の元号の中で最も期間が長い。これは日本だけでなく、元号を用いていたすべての国の元号の中で最長である。最も期間の短い日本の元号は、２カ月と14日間の「暦仁」。最短だが、期間内に元日を挟んでいるため２年まである。
2. 「令和」の典拠は、『万葉集』の巻五（梅花の歌 三十二首 并（あわ）せて序）にある一文である。令和は確認される限りにおいて、初めて漢籍ではなく国書から選定された元号で、「令」の漢字が元号に使われるのも初。レイが先頭にくる元号は「霊亀」以来２例目でおよそ1300年ぶりとなる。

7 哲学・思想 ｜ 神道(八百万の神)

神道は日本の古代信仰に起源を持つ日本独自の宗教だ。仏教やキリスト教のような開祖（創唱者）を持たない自然宗教で、古代日本人の自然に対する畏怖や感銘、また道徳観などから自然に成立した。当初は地域や部族ごとに独自の信仰があったものと思われるが、部族間の交流や統合などを通して共通した宗教観が形成されていった。天皇家を中心とした豪族集団の勢力が国内全域に及ぶようになったのに伴って、神道の原型が形成された。

◈

神道は日本で成立した日本人の信仰である。しかし、その起源を明確にするのは難しい。すでに縄文時代には神を崇拝する習俗があったことは土偶などの祭祀遺物からわかっているが、縄文人の信仰観や祭祀（神を祀る儀礼など）が神道に受け継がれたのかは明らかになっていない。一方、弥生時代の信仰に関しては、稲作を重視するなど神道との共通点が多く見られることから、神道の原型がこの時代に成立したと考える説がある。また、八百万いるといわれるように、動植物の神をはじめ自然現象、山や海といった地形、水や岩などの物質など、様々な神が信仰されていることからアニミズム（すべてのものに神が宿るという信仰）として説明されることもあるが、神道の中心的な神は天照大神や須佐之男命などの人格神なのでアニミズムだけで説明できるものではない。

日本の神は大きく分けると、『古事記』『日本書紀』に登場する神と特定の地域や民間で信仰されてきた神の2種類だ。天照大神や住吉大神などは前者、恵比寿（夷）神や竈神は後者に当たる。古代においては人と神は明確に区別されていて人が神になることはなかったが、奈良時代末頃より怨みを持って死んだ人を神として祀るようになり、時代が下ると人並みはずれた能力を持った者も祀るようになった。

神道は日本の信仰ではあるが、その成立・発展の過程で海外の信仰・思想の影響を受けてきた。すでに『古事記』『日本書紀』に中国の陰陽五行思想や神仙信仰などの影響が見られる。仏教に対しては、復古的な建築（社殿）や儀礼を重視することで差別化や対抗を図る一方、神道には欠如していた教義や宗教美術などの面で影響を受けていった。そして、神社の境内に仏塔や仏殿が建てられたり、神前で読経がなされるといった神仏習合（神と仏を一つのものとする考え方。「神と仏」125ページ参照）が進んでいった。

神道には創始者がいないので、仏典や『聖書』に相当する聖典はなく、神話がその代わりを果たしてきた。神話と神社、祭り（これには日常的な祭祀も含まれる）によって、神道が理想とする神々が活躍した古代を再現し、神に対する敬いと畏れを伝えてきた。なお、神道では『古事記』『日本書紀』の神話部分や古くから伝えられてきた祝詞を、聖典に準じるものとして扱っている。

豆知識

1. 神々を天津神と国津神の2種類に分けることもよく行われている。天津神は天上にある高天原に住む神で、天照大神などの天皇の祖先神や、早くから朝廷に従った豪族の祖先神などが多い。国津神は地上に住む神のことで、大国主神はその最高神とされる。しかし、代表的な天津神である神産巣日神の子で大国主神の国造りを助けた少名毘古那神は、天津神に分類されることも国津神に分類されることもあり、両者の線引きは明確ではない。

8 自然 | 日本列島の形成

日本の国土ができあがったのは、およそ5600万〜3400万年前の始新世とされている。ダイナミックな地殻変動でユーラシア大陸から分離し、現在のような姿が形成されたという。日本人の祖先が様々なルートを通り、この地にやってきたのは４万年前のこととされている。日本列島、そして本州は、幾重もの偶然が折り重なることで、豊かな自然と日本人の文化が熟成した国土となったのである。

◈

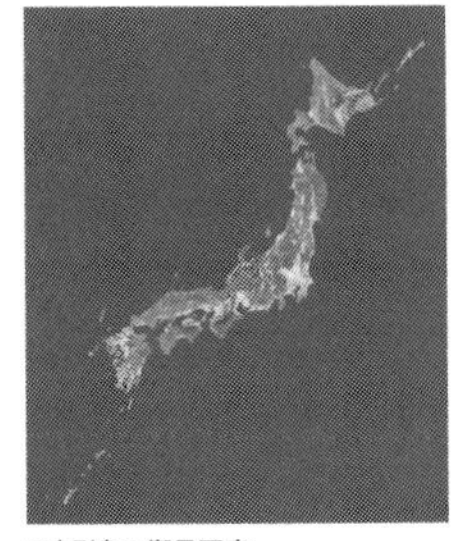
日本列島の衛星写真

日本はユーラシア大陸東端の沿岸沖に位置する弧状列島である。陸地面積の75％が山地、山麓で、全体は6852の島々で構成されている。その列島内に地球上の火山の約７％があるといわれている有数の火山国である。

日本列島は、始新世（5600万〜3400万年前）頃から原型が形成されたといわれている。中新世（2300万〜530万年前）に起きた地殻変動で大陸に低地ができ始め、海水が浸入して日本海が形成された。ユーラシア大陸と分離した後、西南日本は長崎県対馬南西部付近を中心に、時計回りに回転、東北日本は北海道知床半島沖付近を中心に反時計回りに回転したと考えられている。この変動で列島の関東以北は南北に、中部以西は東西に延びる形となった。西南日本と東北日本の間は浅い海であったが、移動してきた火山噴出物や大陸からの堆積物と、海洋プレートの上に堆積した岩石で埋められた。また東北日本も海に覆われた状態だったが、太平洋プレートによる圧縮で隆起し、奥羽山脈、出羽丘陵、中央高地、日本アルプスが形成されている。日本が現在のような弧状になったのは、第三紀鮮新世の初期だ。こうして完成した列島は、大部分は温暖湿潤気候に属し、降水量が多い海洋性気候であるが、長大なため南北の気温に大きな差があり、中央の山岳地帯を境に、太平洋側と日本海側の気候にも差が出る。また、中緯度の大陸東岸に位置するため季節風の影響を強く受ける。このため四季折々の豊かな自然や生態系を有するが、同時に台風、豪雪など気象を原因とする自然災害も少なくない。

日本人の祖先は、約３万８千年前以降に、ユーラシア大陸東部より３つの道をたどってきたと考えられている。やがて、その一群は、列島中央の大和盆地を中心とした大和朝廷を形成し、住民の大半を大和民族として統合した。最古の歴史書『古事記』で、「大倭豊秋津島」「天御虚空豊秋津根別」と表記された本州で、大和民族は独自の文化を育みながら発展した。

豆知識

1. 日本はジェット気流の強い中緯度に位置している。一方、台風は風の弱い低緯度で発生して北上するが、上層風の強まりが衰弱させる方向に働く。しかし、台風中心の北側の上昇流や、対流の活発化が中心気圧を低下させ、衰弱が遅れることもあり、台風は変形しながら発達する場合も。この相互作用で、台風を流す風が強まることもある。
2. 720年に成立した歴史書『日本書紀』では、日本を「大八洲国（おおやしまくに）」、「本州」を「大日本豊秋津洲（おおやまととよあきつしま）」と表記。八洲とは「８つの島」の意味で、712年成立の『古事記』では、本州、九州、四国、淡路、壱岐、対馬、隠岐、佐渡などを指し、日本神話において、８は聖数とされている。
3. 初期の日本は、氷河期などには海水準が低下し、対馬海峡の一部と津軽海峡の一部が再び大陸と陸続きになることがたびたび起こったという。その際、大陸に生息する多くの動物が、北や南から渡って南下したと考えられている。

9 歴史 旧石器時代の遺跡

群馬県の岩宿(いわじゅく)遺跡はそれまでの定説を覆し、初めて日本における「先土器(無土器)文化=旧石器時代」の存在を証明した遺跡として知られている。現在は日本全国に1万カ所以上、同時代の遺跡が確認されており、岩宿時代とも呼ばれるこの時期の研究に大きく貢献した。1979年に国の史跡に指定されている。

◈

独学の考古学研究者だった相澤忠洋(ただひろ)(1926〜1989)が、群馬県新田郡笠懸村(現・みどり市)で更新世後期の地層(関東ローム層)から石器を発見したのは1946年のことだった。赤城山の南東、渡良瀬川の右岸地域にある切り通しで露出していた赤土層を相澤は何度も調査し、次々に石器を見つけたが土器を発見することはなかった。関東ローム層は、火山灰を含む河原や畑の土が堆積してできた地層で、縄文時代より古い、1万5千年以上前のものである。

当時、日本人の起源は縄文時代だとされていて、それより前の旧石器時代に、日本に人類はいなかったと考えられていた。1949年、ついに相澤はこの地層から長さ約7 cm、幅約3 cmの黒曜石でできた槍先形尖頭器を発見する。その時の驚きを相澤は著書にこう記している。

「赤土の断面に目を向けたとき、私はそこに見なれないものが、なかば突きささるような状態で見えているのに気がついた(中略)私は危く声をだすところだった。じつにみごとというほかない、黒曜石の槍先形をした石器ではないか。完全な形をもった石器なのであった(中略)最古の土器文化よりもっともっと古い時代の人類の歩んできた跡があったのだ」(『「岩宿」の発見——幻の旧石器を求めて』講談社)

相澤はこの大発見を考古学者に説明して回ったがまともに取り合う者は少なく、ようやく明治大学と合同の発掘調査が行われ、数多くの石器が出土した。また、これらの地層から土器を発見することはできず、日本における「先土器(無土器)文化」の存在が確かめられたのだ。

岩宿遺跡には、約3万5千年前、約2万5千年前などの異なる段階の石器群があり、素材や形状の違いから生活や技術の変化を推測することができる。古い時代には、石を打ち欠いて打撃用とした楕円形の石器が多く、やがてナイフのような切断機能を持つもの、相澤が発見した動物を突き刺す槍先のようなものも出てきた。この石器の発達段階は世界の旧石器文化と共通している。また、石器が発見される場所は見晴らしの良い丘の上が多く、動物を追うのに適した場所であるため、そこで狩猟民が生活を営んでいたことがうかがえた。

この岩宿遺跡の発見を機に、日本各地で同時代の石器や遺跡の発見が相次ぎ、1990年代にはアジアにおける研究も進んだことから、日本にも「先土器(無土器)文化」、すなわち「旧石器時代」があったと考えることが一般的になった。

豆知識

1. 相澤は東京の学者に石器の鑑定や調査協力を依頼するため、群馬から東京へ自転車で往復9時間かけて通ったという。自転車は相澤が生業としていた納豆の行商に使うものだった。

10 文学 『古事記』

『古事記』は、天武天皇（？～686）および元明天皇（661～721）の事業として、皇室および諸氏族の伝承を整理、統一したものである。現存するわが国最古の歴史書であると同時に、神話や伝説、歌謡といった創造性豊かな内容を多く含んでいることから「日本で最初の文学作品」とも評価されている。

◈

『古事記』は、第43代の女帝、元明天皇の勅命によって編纂された。

序文によると、元明天皇の叔父にあたる天武天皇が、皇室および諸氏族に伝わりながら散逸してしまった『帝紀』と『旧辞』という古い歴史書にある天皇の系譜や伝承を整理、統一しようと企画した。そこで、極めて記憶力の優れた稗田阿礼（生没年未詳）に、それらを誦習（繰り返し声に出して読み習うこと）させたが、やがて天武天皇は崩御してしまう。元明天皇がこの事業を引き継ぎ、阿礼の言葉を書き起こし、編纂するよう太安万侶（？～723）に命じたとされている。

上巻では天地開闢、伊邪那岐命・伊邪那美命の国生みなどの世界と国の成り立ちにまつわる神話が描かれている。中巻・下巻は初代の神武天皇（生没年未詳）から第33代推古天皇（554～628）までの系譜や物語が皇位継承順に沿って書かれており、特に下巻は極めて記録的、現実的な内容であることから、天皇の実在性を根拠づける史料ともなっている。

『古事記』編纂当時の日本には、まだ話し言葉をあらわす文字（ひらがな、カタカナ）がなかったため、文章はすべて漢字で書かれた。特に歌謡は一字一音式の仮名（万葉仮名）で表記されている。

例えば、「夜久毛多都　伊豆毛夜幣賀岐　都麻碁微爾　夜幣賀岐都久流　曽能夜幣賀岐袁」の歌は、「八雲立つ　出雲八重垣　妻籠みに　八重垣作る　その八重垣を」のように書き下すことができる。「八雲立つ」は地名「出雲」にかかる枕詞で、後世の『古今和歌集』では、これが「和歌」の始まりであると指摘している。以来、「八雲」は「和歌」のことを指すようにもなった。

『古事記』は『日本書紀』に比べ、漢文の拙さや変則性も目立つことから、国史編纂事業としては初歩段階だともいえる。しかしその内容は、奈良時代までに伝わっていた古代人の感情や様子が生々しく躍動的に描かれており、文学的な評価は極めて高い。

豆知識

1. 『古事記』は、現存する「日本最古の書物」としても知られているが、原本は残っていない。3巻の揃ったものとしては、およそ600年後の14世紀末、南北朝時代に書かれた写本（「真福寺本」）が最も古く、国宝に指定されている。
2. 江戸時代の国学者・本居宣長は、『古事記』こそ、外国の影響を受けていない日本の本質（道）を知るための第一の資料だと説き、注釈書『古事記伝』44巻を著している。

11 科学・技術 鋳物

金属加工は、古代文明の発達を大きく後押ししてきた技術である。社会を便利にする道具は、すべてるつぼで溶かされ、鋳造された金属で造られてきたともいえる。古代エジプトのピラミッドを造った鋳造技術は大陸を渡り、弥生時代に日本に伝わった。

◈

人類の文明の発展にとって、金属の発見と利用は欠かせない要素であった。金属を加工して、装飾品や武器、工具、農機具を作るようになったのは紀元前数千年前のことだ。前1500年頃のエジプト文明の記録には、足踏みふいごで風を送り、るつぼで銅を溶かして鋳造する作業の様子が描かれている。ピラミッドは鋳造された青銅の工具で造られたのだ。

技術のノウハウは、古代からほとんど変わっていない。まず鋳造したい物の原型を木などで作り、そこから砂で型を作る。ただし砂は崩れやすいので、現在では粘土や樹脂を混入した砂型が用いられる。この砂型に溶けた金属が湯口から流し込まれ、冷えた時点で型が崩されて製品が完成する。砂が利用されるのは、成形が容易であることや、金属が固まる時に放出するガスが砂粒の間から抜けやすいこと、また、流し込んだ金属がゆっくり冷却されるため良質の鋳物ができるからだ。砂だと製品を取り出す時に、型が崩せるため複雑な造形が可能となる。

この技術はエジプトからメソポタミアへ、さらに中国大陸、朝鮮半島へと伝わり、弥生前期末頃日本に伝播した。鋳造技術は日本の文化を開花させた。例えばこの技術で、奈良や鎌倉の大仏、寺院の梵鐘、和同開珎などの貨幣が造られたのだ。

日本で「鋳物の街」といえば埼玉県川口市だが、この地に鋳造技術が根づいたのは、平安時代中期に起きた「平将門の乱」を平定するために従軍した鋳物師たちが紛争後もとどまったため、あるいは鎌倉時代に大陸から来た鋳物師がここに鋳物場を起こしたためともいわれている。江戸時代には14名ほどの鋳物師がいて、日用品だけでなく砲身や貨幣などを幕府に納めていた。

明治時代以降、こうした歴史を背景に、川口は近代的な金属工業として鋳物産業を集積した街になっていった。その他、鋳物は桑名、山形、佐野、新潟などでも発展した。

豆知識

1. 砂型に使う砂は、通常は粘土や薬品を混ぜて固めるが、さらさらな状態のまま特殊なフィルムで覆って真空状態にして固める方法もある。これはVプロセスと呼ばれる日本生まれの方式で、廃棄物や有毒ガスの発散が少なく、環境に優しい鋳物づくりができる。
2. 1964年の東京五輪で使用された高さ2.1m、重さ約4tの聖火台は、川口市の鋳物師の鈴木萬之助・文吾親子によって製造された。実際は1958年のアジア競技大会用に製作されたものだが、これだけ大きい鋳造物は前例がなく途中で失敗し、萬之助は一週間後に亡くなってしまう。その後、文吾と川口の職人たちが不眠不休で完成させた。東京五輪では、当時の担当大臣の「命を賭けた聖火台をなぜ使わないのか」という鶴の一声で、再使用されることになったのだった。
3. 現在、鉄製のベーゴマを造っているのは、日本では川口の日三鋳造所一社だけだ。

12 芸術 | 祭器

日本列島が弥生期に入ると、大陸から様々な文物が流入するようになる。その中でも、光り輝く銅剣や銅矛、銅鏡などは、当時の人々を大いに魅了しただろう。これらは当初単なる道具として扱われたが、その眩(まばゆ)さから古代人は神の存在を意識し、やがては祭器として用いられるようになった。

◈

弥生時代に大陸からもたらされた大量の金属製品は、新たな美である「祭器」を生み出すこととなった。祭器とは祭事に用いられる道具のことで、まず日本列島では朝鮮半島から文物が流入したが、その中で祭器として扱われるようになったのが銅矛や銅剣、銅戈(どうか)などの青銅器である。

それまでの石を素材にした武器とは全く違う威力の強さに、当時の人々は驚いたことだろう。そして、その研ぎ澄まされた金属の美しさに古代の日本人は神々しさを感じ、次第に祭器として用いるようになったと考えられている。実際、弥生時代後期に製造された「中広形銅矛」は、刃が退化して戦闘には向かない一方、刀身に文様が施されるなど、祭器としてのスタイルが如実に表れている。やがて弥生時代の中頃になると、中国からも青銅製の祭器が伝来するようになった。それが銅鏡である。銅鏡は中国・漢の時代からさかんに作られていたが、陽光を反射して眩い光を発する鏡は権力の象徴として崇められると同時に、強力な呪力を秘めた祭器として日本の支配者層にも愛好されるようになった。中でも、当時の人々の造形デザインに影響を与えたとされるのが神獣鏡である。これは鏡の背面に神仙世界と青龍などの聖獣を組み合わせた文様がある青銅器で、古代中国の思想が凝縮された遺物といえる。この鏡の縁の断面が三角形状になっているのが有名な「三角縁神獣鏡」で、これまで出土した数は全国で500面以上というから、いかに人々の心をとらえていたかがうかがえるだろう。また福岡県の平原方形周溝墓から出土した「内行花文鏡(ないこうかもんきょう)」も国内最大の銅鏡として名高く、国宝にも指定されている。銅鏡の中には中国の年号が記された、いわゆる紀年銘鏡が存在する。例えば「方格規矩四神鏡(ほうかくきくししんきょう)」と呼ばれる銅鏡には、中国・魏の年号である青龍三年（235）の文字が記されており、国内最古の紀年銘鏡と伝えられる。このような鏡は国内に10数面存在し、考古学上の貴重な資料として重視されている。

また、銅鐸も弥生文化を代表する遺物だが、これも祭器として用いられていたとの意見が強い。銅鐸は日本独自の青銅器で、内部に取り付けられた「舌」と呼ばれる棒を鳴らして使用していたと推測される。具体的な用途は不明だが、銅鐸の澄みきった荘厳な音を響かせることで、神に豊作の祈りを捧げていたとする説もある。銅鐸はこれまでに約500個発見されたが、香川県で出土したと伝わる「袈裟襷文銅鐸(けさだすきもんどうたく)」には、狩猟や農作業など弥生期の日常生活の風景が精妙なタッチで描かれており、国宝に指定されている。

豆知識

1. 銅鐸の「鐸」は「大きな鈴」を意味し、外から叩く「鐘」と違い内側から鳴らすためにこの字があてられたと推測される。
2. 銅鐸はいまだ謎が多く、日時計として用いられたとする説や、金を精製したとする説、入浴用の湯沸かしであったなど様々な珍説も存在するという。

13 伝統・文化 | 正月

正月とは、一年の初めに新しい年を無事に迎えられたことを祝い、その年の豊作と家族の健康を約束してくれる歳神様をお迎えする行事である。歳神様とは、先祖の霊の集合体（ご先祖様）で、正月にこの神様を家々に迎えて祀ることで、その年の豊作と家族の健康が約束されると古くから信じられてきた。

正月はお盆とともに先祖を祀る行事として６世紀半ばには行われていたことが確認されている。しかし、仏教が伝来し、その影響が色濃くなるにつれて、お盆は仏教行事の盂蘭盆会（うらぼんえ）と融合して先祖供養の行事となり、正月は歳神様をお迎えして、その年の豊作を祈る「神祭り」として区別されるようになったといわれている。元旦に顔を合わせた人に「明けましておめでとうございます」と言うが、これはもともと歳神様を迎える挨拶であるといわれている。また、年末に門松を立ててしめ縄を張り、神棚や床の間に鏡餅を飾るが、これは正月に歳神様を迎えるための準備である。だが、物品が手軽に入手できるようになった江戸時代に入るまでは、庶民には行き渡っていない習慣だった。

鏡餅は、歳神様へのお供え物である。大小２つの丸い餅を重ねることで、魂を示す神器である鏡の形を模している。飾る時は三方の上に裏白（シダ）を敷き、橙（だいだい）や昆布、ゆずり葉などを載せるのが通常だ。門松は、歳神様が宿る依代（よりしろ）（神霊が依り憑くもの）で、歳神様が訪れる際の目印になるよう、家の戸口に立てる。材料に松と竹を使うのは、昔から常緑樹に神様が宿ると信じられているからである。しめ縄は、歳神様をお迎えする神聖な場所を区別するために、神棚や玄関に張る魔除けである。種類も大根じめ、ごぼうじめ、輪飾りなど様々で、飾り方も地方により異なる。

また、正月三が日の間は、お屠蘇やお雑煮を食べるのが古くからのならわしだ。この時期には、お節料理も食される。お節料理は、五穀豊穣や子孫繁栄を祈願する料理であると共に、正月三が日は台所仕事をしなくて済むよう保存食としての役割も果たしている。１月７日にその一年の無病息災を願って食べるのが、春の七草や餅などを具材とした七草がゆだ。このかゆは、正月の祝膳や祝酒で負担がかかり弱った胃を休めるために食べるともいわれている。下って、11日にはお供えした鏡餅を食べる鏡開きが行われる。

そのほか、正月の習慣として前年にお世話になった人や知人などに年賀状を送るというものがあるが、これは、年初に「お年始」として家に挨拶に行ったり、人が訪ねてきたりする古来の習慣が簡素化されたものといわれている。

豆知識

1. 新年のお祝いとして子どもに金品を贈る「お年玉」は、そもそも歳神様に供えたお餅を子どもたちに食べさせせることを「御歳魂（おとしだま）」と呼んだことに由来するといわれている。
2. お節料理とは、神様にお供えしたおさがりをいただくもの。まめ（まじめ）に働き、まめ（健康）に暮らせるようにという願いが込められた「黒豆」、よろ“こぶ”に加え、“子生”と書いて子孫繁栄、巻物の形から学業成就を願う「昆布巻き」、“五万米”とも書き、五穀豊穣を願う「田作り」、漢字で“金団”と書き、黄金を表し、金運アップを祈る「栗きんとん」など、一年の幸せを祈るための縁起物ばかりが詰められている。

14 哲学・思想 ｜ 仏教伝来

紀元前５世紀の末頃インドで成立した仏教は、中央アジア・中国・朝鮮半島を経て日本に伝えられた。『日本書紀』などによるとそれは６世紀半ばであったとされる。仏教の受容に対しては反対論もあり武力衝突にも発展したが、蘇我氏をはじめとした受容派が勝利し、急速に普及していった。しかし、仏教の教理が正しく理解されるようになるのは、聖徳太子（574〜622）以降のこととなる。

◈

飛鳥大仏（法興寺）

仏教は紀元前５世紀頃のインドで釈迦（ガウタマ・シッダールタ）によって創始された。釈迦の生没年については紀元前463〜前383年、前566〜前486年、前624〜前544年などの説がありはっきりしないが、考古遺物などから実在の人物であったと考えられている。釈迦の教えは都市部の豊かな人々を中心に広まり、やがてアショーカ王（在位紀元前268〜前232）などの保護を受けて大きな教団に発展した。やがて仏教教団の中に自らが悟りを得ることより他者の救済を重視する一派が現れ、自分たちの教えを多くの人が乗れる船にたとえて「大乗」と呼んだ。大乗仏教は中央アジアを経て紀元前１世紀頃に中国に伝えられ、さらに朝鮮半島には372年に伝えられてほどなく半島全土に広まった。日本へはその朝鮮半島にあった百済（くだら）から伝えられた。

『日本書紀』によれば、552年に百済の聖明王から欽明天皇へ釈迦の金銅像と経典数巻が献上されたといい、これを仏教の公伝とする（公伝を538年とする史料もある）。しかし、これ以前に日本にやってきた渡来人には仏教の信奉者が含まれていたと思われるので、仏教という宗教の存在はすでに知られていたとする説もある。欽明天皇は日本でも仏教を取り入れるべきか臣下たちに尋ねたところ、蘇我稲目（そがのいなめ）が賛成したのに対し物部尾輿（もののべのおこし）と中臣鎌子（なかとみのかまこ）は反対を表明した。この対立は朝廷での権力闘争を背景としていたため武力衝突に発展し、受容派の蘇我氏が勝利を得た。蘇我氏らが仏教の受容を進めようとしたのはその教えに惹かれたからではなく、百済との同盟関係を重視したのに加え、仏教とともに伝えられる建築や金工などの最新技術が魅力的であったためと思われる。蘇我馬子（そがのうまこ）（？〜626）はそれらを用いて596年に法興寺（飛鳥寺）を建てた。

伝来当初、仏のことは異国の神と受け止められていたが、聖徳太子は経典の注釈書を書くなど仏教への深い理解を示し、「十七条憲法」を制定するなど仏教の教えを政治にも取り入れようとした。

豆知識

1. 長野市の善光寺に伝わる伝説によると、善光寺の本尊は百済の聖明王から欽明天皇に献上された像だという。仏像は物部尾輿らによって難波の堀江に捨てられたが本田善光に拾われ、信州に運ばれたのだとされる。
2. 『日本書紀』によると、仏教の受容をめぐって蘇我氏と物部氏が戦った時、まだ少年だった聖徳太子も蘇我氏側で参戦したという。太子は自ら四天王の像を彫って束ねた髪の上に置き、戦勝を祈願したとされる。大阪市にある四天王寺は戦勝の報恩に太子が創建したものと伝わる。

15 自然 海岸線と海域

日本は、海岸線に囲まれた国である。国土が複雑な地殻変動により成り立っていることを証明するように、海岸線には湾や岬が多く、複雑で屈曲に富んでおり、その総延長は約3万4000kmに達する。小さな島国と思われがちだが、日本を取り巻く領海と排他的経済水域（EEZ：Exclusive Economic Zone）を合わせた面積は世界第6位の広さである。

◈

四方を大洋に囲まれた島国・日本と海との関係は深く、47都道府県のうち39が海に面している。その海岸線には、半島、岬、島などがあり、海岸線が入りくんだ地形になっている。日本を取り巻く海岸線は、気候の変化や地殻変動、また人間の文明活動によって長い時間をかけて現在の形となった。

約1700万年前に遡ると、埼玉県秩父地方には古秩父湾が存在し、大型の海棲哺乳類などの生物相が存在していたことが確認されている。この湾は日本列島がユーラシア大陸から分裂する過程で生まれ、地盤が隆起し現在の列島の形に至る過程の約1500万年前に消滅したとされている。

また、最終氷期である約1万9千年前の最寒冷期後には、地球規模で起きた氷床の融解により日本付近の海水面がおよそ100mちかく上昇した。この海面上昇の影響で形成されたのが青森県八戸市から宮城県牡鹿半島までに代表されるリアス海岸だ。リアス海岸では、深く切れ込んだ湾と細い岬が連続してギザギザとした地形になっている。元々は陸から海へと流れる川が連続してあった場所の海面が上昇したことで、入江が深い切込みのような状態へと変化したのだ。リアス海岸の入江の中では波が穏やかであるため、現在は牡蠣や海苔、真珠などの養殖がさかんに行われている。

また、東京地方では、陸地が増えて縄文人が住み着いたと考えられる時代になっても、当時の東京湾は入江として深く入り込み、その周囲は低湿地となっていたという。この湿地は、やがて他所からの移住者で人口を増やしていき、近世には日本の中心地・江戸へと発展していった。しかし、江戸時代になっても、浜松町から日比谷公園、さらに皇居外苑と丸の内までは、海が深く入り込み「日比谷入江」と呼ばれていた。その後徳川家康（1542～1616）は、17世紀初めに入江を、神田山を削った土砂で埋め立て、そこに大名屋敷を建てた。つまり江戸・東京は、巨大な埋め立て都市ともいえる。

このように日本は、様々な条件のもとに生まれた海岸線の恩恵を享受しながら、時には都市づくりのために海を埋め立て文明を築いてきた。現在、国の主権が及ぶ水域「領海」と、独占的な資源の採取や開発が許されるEEZとを合わせた面積は、世界で第6位の広さにもなる。日本のEEZは、国土面積の11.8倍である。

豆知識

1. 日本の海岸線の長さは約3万4000kmあり、これは地球一周の長さの約85％に相当する。
2. 「日比谷入江」の一部は江戸城の内堀として残された。現在は皇居の日比谷濠にその名残を見ることができる。
3. 近年、国内の海岸線では砂浜がなくなる異常事態が続いている。原因は港や防波堤の工事などで潮の流れが変化し、河川工事で内陸から供給されるはずの砂が減り、海に流される砂の方が多くなってしまったためだ。海岸浸食は年間160haにも及んでいる。

16 歴史 ｜ 三内丸山遺跡（縄文時代）

縄文時代の中期にあたる約5900年前から約4200年前までの大規模集落跡が、青森県の三内丸山遺跡である。この遺跡の存在は江戸時代から知られていたが、県営野球場建設の事前調査として1992年から発掘調査を開始したところ、大型建物の跡などが見つかったことから遺跡として保存されることになった。

◈

山内丸山遺跡の大型掘立柱建物（復元）

縄文時代はおよそ１万年を超える期間続いたと考えられており、草創期、早期、前期、中期、後期、晩期の６つに区分するのが一般的である。

東京ドーム９個分ほどの規模をもつ三内丸山遺跡で発掘された遺構の中で、最も注目されるのは６つの柱穴を持つ「大型掘立柱建物跡」である。現在、柱穴跡はドームで覆って保存されており、別の場所に復元した建物が展示されている。その大きさは、建築に相当な労働力、団結力、それを率いる指導者が必要だったことをうかがわせる。また、柱穴はすべて直径２m、深さ２mで、柱の間隔は4.2mである。この統一された長さから、すでに高度な測量の技術が当時の人々にあったことが推測できる。発見された柱には周囲を焦がす防腐加工も施されており、文明や技術に乏しい原始社会という、それまでの縄文時代のイメージを一新させることになった。ほかには、32mの長楕円形平面の大型竪穴住居（集会場または共同作業場に使われていたと思われる）や、500棟以上の住居跡の存在が確認されている。この集落では、1000年以上にわたり500人ほどが定住していたと考えられている。

この時代の文化を象徴するのは「縄文土器」の発生である。三内丸山遺跡からは段ボール４万箱分に及ぶ土器と石器を中心とした遺物が出土した。土器は口が少し開いたバケツ形の「円筒土器」と呼ばれるもので、縄目の模様が付けられている。煮炊きの調理に用いられるものが主だが、使用済みの土器は棺などにも使われ、埋葬された形で発見されている。

当時の食生活は、クリ、オニグルミ、トチなどの木の実の採集と、ムササビ、ノウサギ、カモといった小動物、鳥の狩猟によって支えられていた。遺跡からはブリやサメ、クジラ、アシカの骨などのほかフグの骨も見つかっており、除毒の知識と技術が当時すでにあったと考えられている。また、三内丸山遺跡での居住が始まった頃、クリの林が人工的に作られたのではないかとも考えられている。クリは食料としてだけでなく建築資材としても活用されていて、この大規模な集落が離散した原因も気象変動によるクリの木の減少などが考えられるが、詳しいことはわかっていない。

豆知識

1. 同遺跡からはヒノキ科の針葉樹の皮を素材にして編んだ小さな袋が出土し、「縄文ポシェット」と名付けられた。ほぼ完全な形で見つかったものは、これが日本で唯一である。中にはクルミが入っていた。
2. 赤漆塗りの木製皿も出土している。漆は樹液の採取量が少なく、精製に高度な技術が必要なことから、集落に専門的な技術者がいたと考えられる。

17 文学 『日本書紀』

遣唐使の開始、百済と高句麗の政変、白村江の戦いなど、中国大陸や朝鮮半島との関係が強まり始めたことから、天皇および政府はその正統性を国外に表明しなければならなかった。そこで取り組んだのが『日本書紀』の編纂だ。『古事記』に比べ格段に「歴史書」としての性格を強くするが、古代の言語や文章に関する貴重な資料として文学的にも評価されている。

◈

『古事記』の成立からわずか8年後の720年に完成したとされる『日本書紀』。この2つの書物は合わせて「記紀」と呼ばれ、日本文学の始まりを告げるものである。

『日本書紀』の編纂も、きっかけは『古事記』と同様に、天武天皇(?～686)の勅令によるものだった。天武天皇は、兄である第38代天智天皇(626～672)の第2皇子、川島皇子(657～691)ほか、臣下12名に命じて、『帝紀』『旧辞』のほか、政府の記録や寺院の縁起、個人の手記など、膨大な資料をもとに、国家の公式な歴史となる「正史」の作成を開始。資料の中には『百済三書』など国外の記録も含まれていた。完成までには、約40年もの期間がかかり、天武天皇の死後、天武天皇の孫(元明天皇の皇女)にあたる第44代元正天皇(680～748)に対して、記30巻と系図1巻が、天武天皇の第3皇子、舎人(とねり)親王(676～735)らによって上奏された。

巻数は『古事記』の10倍にもなるが、収録されている歌謡の数はほとんど変わらず、神話のエピソードも大部分が省略されている。出来事を年代順に記載する「編年体」という形式をとり、歌謡部分以外は、ほぼ純粋な漢文で書かれている。この形式と文体は、中国の正史にならったものであり、『日本書紀』の編纂が、外交的な性格を持つ事業であったことがわかる。『日本書紀』が30巻で扱うのは、神代に始まり、初代神武天皇(生没年未詳)から第41代持統天皇(645～702)までの歴史である。最初の2巻のみが神話の時代にあたり、『古事記』に比べると、全体に占める割合は格段に少ない。

『日本書紀』の成立後は、平安時代の前期にかけて『続日本紀』『日本後紀』『続日本後紀』『日本文徳天皇実録』『日本三代実録』の5つの史書が相次いで編纂され、第58代光孝天皇(830～887)までの皇室の系譜、歴史が公式にまとめられた。これらは「六国史(りっこくし)」と呼ばれる。しかしこれ以降は国史編纂が実現せず、明治期に始まった『大日本史料』の編纂が、第59代宇多天皇(867～931)から第121代孝明天皇(1831～1866)までの欠落部分を埋めるべく続けられている。

豆知識

1. 完成した720年当時、純粋な漢文を読める人はほとんどいなかったので、翌年には、博士(朝廷の職名)が貴族に『日本書紀』の内容を講義する機会が設けられた。『古事記』編者の太安万侶(?～723)も博士の一人である。開講から閉講までは数年を要した。
2. 『大日本史料』の刊行は、東京大学史料編纂所によって現在も続いている。編纂の対象となるのは980年間(887～1867)である。

18 科学・技術 ｜ 鍛冶

金属を自在に加工する技術「鍛冶」によって人類の文明は発展していったが、それは戦争のための技術でもあった。鍛冶の技術は大陸からもたらされており、弥生時代前期のものとされる福岡県の赤出手遺跡などでは、初期の鍛冶工房跡が発見されている。この時期、すでに鉄製工具の製作が行われていたのだ。やがて日本特有の環境で発達していったのが「たたら製鉄」という独自の冶金技術だった。

◈

日本において鉄の生産や、鉱石や砂鉄を還元する精錬がいつ頃行われ始めたかには諸説あるが、弥生時代後期（３世紀）から末期（３世紀後半）にかけてとの説が有力である。広島県の小丸遺跡では、集落跡に直径50cm、深さ25cmの製錬炉の跡と思われる穴が発見されている。また、島根県の湯谷悪谷遺跡では住居跡から砂鉄の製錬炉が出土している。

この精錬・製鉄法が大きく進歩したのが日本独自の「たたら製鉄」で、たたらと呼ばれるふいごで炉に大量の空気を送り込み、炉内の温度を上げていた。その最初の記録は『日本書紀』で、「水碓(みずうす)を造りて冶鉄(かねわか)す」とある。これは水車でふいごを動かし、砂鉄を溶かしたと考えられている。

ふいごを使った炉は古代中国にもあるが、日本では鉄鉱石がないかわりに良質な砂が取れ、また木炭生産のための森林資源が豊富などの条件が相まって、たたら製鉄は独自の製鉄・精錬法として特異に発達した。法隆寺の釘や日本刀の製作には欠かせない玉鋼を生んだ、砂鉄を原料とする日本伝統の製鉄技術となった。製鉄は、単純に砂鉄や鉄鉱石を溶かせばよいものではない。鉄鉱石や砂鉄などは、酸化鉄のように化合物として分布している。そのため、鉄を取り出すためには還元の工程が必要であり、さらに銑鉄(せんてつ)や鋼を生み出すためには炭素と結合させなければならない。たたらの工程はこうだ。まず、炉の中で木炭を燃やし、下部に配置した羽口を通してふいごから炉内に送風し、炉内温度を1200～1300℃に上げる。その段階で炉上部から砂鉄と木炭を交互に投入。低温で加熱するため、リンや硫黄、クロムや銅、砒素、アンチモン、バナジウムなどの不純物濃度が低くなり、純度の高い鉄を生産できるのである。このたたらの技術が江戸時代に完成の域に達すると、大規模な永大(えいだい)たたらの鍛冶工房ができ、明治期中盤まで日本の鉄需要の大部分を供給したのだった。

豆知識

1. 明治になると、近代的な製鉄技術の導入によりたたらの技術は途絶の危機に見舞われた。しかし、近年の研究で、たたら製鉄による玉鋼がないと良質な日本刀を作ることが困難であることがわかり、日本刀専用の素材として製造が続けられている。公益財団法人日本美術刀剣保存協会が運営する「日刀保たたら」は、現在、唯一操業する製造元のたたらである。
2. 「たたら」の語源は不明だが、古代インド語であるサンスクリット語で熱を意味する「タータラ」に由来するとされる説がある。また、北アジアのモンゴル高原やシベリアなどで活動した民族タタール族の技法が日本にもたらされたためとする説もある。
3. たたら製鉄による高純度の玉鋼は酸化に強い。飛鳥時代の法隆寺に使われている釘は1300年以上も前のものであり、その内部はいまだに新品同様の状態を保っている。

19 芸術 高松塚古墳壁画、キトラ古墳壁画

巨大古墳の築造がピークに達していた5世紀半ば、石室の内部や石棺に色鮮やかな装飾が施された墳墓が出現した。いわゆる装飾古墳である。最初はシンプルな幾何学文様、後に馬や鳥、人物像に船などの画がきらびやかな色彩で描かれるようになったが、7世紀後半を過ぎると古墳造りも終焉を迎えるようになる。高松塚古墳やキトラ古墳は古墳時代の最後期に当たる墳墓で、そこに描かれた壁画からは、新たな世界観を獲得した権力者の姿を垣間見ることができる。

◈

1972年3月21日、奈良県明日香村の高松塚古墳において歴史的な大発見があった。高さ5m、直径23mの小規模な円墳の内部から、極彩色の壁画が見つかったのである。彩色された壁画の発見は日本で初めてであったため、当時は大きな話題を呼んだ。ただこの発見は偶然の産物でもあった。発掘調査のきっかけは、住民がショウガを貯蔵しようと墳丘近くで穴を掘ったところ、そこから切石が発見されたのだ。

壁画に描かれているのは4人1組、計16名の男女群像である。中でも西壁の女子群像は色鮮やかで、その美しさから「飛鳥美人」とも呼ばれるようになった。彼女たちは、色とりどりの縦縞のスカート状の衣類に丈の長い上着を着用。また儀式の際に円翳（おおは）と呼ばれる天皇の顔を隠すためのアイテムなどを手にしており、このことから当時の宮廷の風俗を反映したものと考えられている。

この発見から11年後の1983年11月、同じ明日香村にあるキトラ古墳でも彩色された壁画が見つかる。実は高松塚古墳壁画の出現直後、付近の住民が「近くに同じような古墳がある」と証言しており、そのことが発見の糸口となったのである。実際、キトラ古墳も円墳で、高さ4m程度と高松塚古墳とほぼ同じ規模。築造時期も同じ7世紀末とされる。もっとも壁画には高松塚古墳にあった人物像は見られず、代わりに獣の頭と人間の身体を合わせた獣頭人身十二支像と呼ばれる像が描かれている。また、両古墳の壁画には共通した画題がある。それが天文図と四神だ。四神とは天の四方を守護する中国の霊獣で、東の青龍、西の白虎、南の朱雀、北の玄武を指す。高松塚古墳では壁の中央にそれぞれの四神が配置され（朱雀は欠如）、東壁と西壁ではその左右に男女群像が描かれている。一方キトラ古墳では四方の壁に1体ずつ四神が描かれ、その下に3体ずつ十二支像がいるという構図。中でもキトラ古墳の朱雀は、翼を大きく広げ、今にも飛び立とうとする瞬間を描写しており、相当な傑作といわれている。

ところで四神のような古代中国の思想が壁画に取り込まれたのは、時代背景によるところも大きいと考えられる。当時、東アジアでは唐が文化の最先端を走り、日本でも唐に倣った律令制が敷かれるなど、その存在は極めて大きかった。当然大陸の宗教文化も国内に浸透していたと考えられ、壁画にもその影響が及ぶようになったと推測されている。

豆知識

1. 高松塚古墳の被葬者は、確証はないが天武天皇の皇子ではないかとも推測されている。
2. キトラ古墳の名の由来は、中を覗くと亀と虎の壁画が見えたため「亀虎古墳」と呼ばれたとする説や、古墳の南側の地名「小字北浦」が省かれ、訛ったとする説などがある。

20 伝統・文化 | 節分

現在の節分は「鬼は外！　福は内！」という掛け声とともに豆をまいて鬼を祓う日だが、元々は読経を行ったり、物忌み（静かに家にこもること）をしたりする日だったといわれている。元来節分とは、邪気（鬼）が忍び込みやすいといわれる季節の変わり目のことをいい、かつては立春、立夏、立秋、立冬のそれぞれの前日を指す言葉であった。現在では立春の前日である２月３日を節分と呼ぶ。

◈

節分の日に豆まきをするのは、悪魔のような鬼の目（魔目）をめがけて豆を投げれば、"魔滅"、すなわち、魔が滅するからだといわれている。豆と魔目の音がかぶっていることからもわかるように、豆は鬼を祓う道具でありながら、鬼そのものととらえられていたようだ。豆＝鬼だから豆を家の外に投げる時に「鬼は外」と唱えるのである。

豆まきは、中国から大儺（たいな）の風習が伝わり、文武天皇の時代の706年に「追儺（ついな）（鬼やらい）」という宮中行事となったことから、日本で始まったといわれている。

追儺の行事は、方相氏（ほうそうし）という役人が４つの目のついた黄金の面を被り、矛と盾を持って悪鬼を追い払う儀式である。追儺の行事は、悪霊を祓うための年中行事として、大晦日の夜に宮中で盛大に行われていたようだ。追儺の行事は室町時代に宮中から社寺に普及した。社寺では毎年、年男（その年の干支に生まれた男）が炒った大豆をまいていたという。旧暦の太陰太陽暦では立春と正月が重なることが多かったため、いつしか追儺と節分が結びつき、節分の行事として豆まきが行われるようになったといわれている。

豆まきのことが記された最も古い文献は、室町時代の伏見宮貞成（さだふさ）親王（1372～1456）の日記である『看聞日記』と足利義満（1358～1408）以後３代の室町幕府将軍に関する記録『花営三代記』である。この頃にはすでに都の公家や武家の間で豆まきが広まっていたようだ。

庶民の間に豆まきの風習が広まったのは江戸時代以降である。最近では、家族の中で父親が鬼の役をすることが多いが、父親は本来、豆をまく年男の役を務めていたといわれている。

豆まきのほかに、鬼が嫌うヒイラギの枝に焼いたイワシの頭を刺したものを戸口に立てておく風習もある。戸口にヒイラギとイワシを立てるのは、鬼がイワシの悪臭とヒイラギの葉の棘を嫌って退散すると考えられていたからだ。これは、イワシの頭のようなつまらないものでも信仰すれば尊いものに見えるという意味の言葉「鰯の頭も信心から」の語源だといわれている。また、「福は内」と家の中にまいた豆は、後で拾い集めて炒り、年の数だけ食べるという古い風習も残っている。

豆知識

1. 節分の日に「福を巻き込む」といわれる太巻き寿司を恵方（めでたい方角）を向いて、切らずに一本丸ごと無言で食べきると一年間健康でいられるという「恵方巻き」の風習。なぜ無言でなくてはならないのか由来は不明だが、一般的には話しながら食べるのは恵方にいる歳徳神に失礼だからだといわれている。
2. 「恵方巻き」の風習を行っていたのは江戸時代の大坂の商家で、1990年代後半に日本全国に広まったようだ。

21 哲学・思想 | 神奈備

神奈備とは神が宿る場所・物の意とされるが、主に神が住むとされる山を指す。奈良の三輪山（御諸山）が代表的な例で、三輪山のようにきれいな円錐形をした成層火山（コニーデ）であることが多い。しかし、『万葉集』では川に対しても神奈備を用いており、必ずしも立体物に限っていたわけではない。

◈

三輪山

神奈備は甘南備・神名火・神名樋とも書く。語源は定かではないが、神が宿る場所・物を指す言葉として用いられた。『万葉集』や『風土記』、「出雲国造神賀詞」といった古い祝詞などに見られる。

『万葉集』では神社や神事が行われる聖地、神聖な川などにも使われているが、神が宿ると信じられた山に対して用いられるのが一般的で、多くの場合、奈良県桜井市の三輪山（御諸山）に対して使われた。神奈備と呼ばれる霊山は三輪山のようにきれいな円錐形をしていることが多い。これはそうした山を好んで神が宿ると古代人が考えていたことによる。京都市北区の上賀茂神社（賀茂別雷神社）の境内には、鋭い円錐形に整えられた立砂という砂山が２つあるが、これは祭神が降臨した神山を表したものとされ、神奈備信仰に基づいたものといえる。

ひときわ大きく高い木に神が宿る（降臨する）といわれるのも同様の信仰によるもので、このほかに巨大な岩にも神が宿ると信じられた。神が宿る巨石は磐座と呼ばれ、神社の神体となっているものも多い。

神奈備や磐座は、現在のような神社が建てられるようになる前の祭祀の名残である。当時は神奈備や磐座の前に祭壇を作って供物を供えて神の降臨を願い、神事を行った。神奈備や磐座がない場合は、一定区画を祭場として区切って清め、ここに神の依り代（神が宿って一時的な神体となるもの）となる神籬を置いた。神籬には、神奈備や神木に倣って中央に榊の枝など棒状のものが立てられた。

なお、神奈備や磐座を神体にする神社はそれらを本殿の中に奉安することができないので、拝殿のみで本殿は建てられないことがある。三輪山を神体とする大神神社がその代表例であるが、ほかにも埼玉県児玉郡神川町の金鑽神社や大阪府交野市の磐船神社なども本殿を持たない。また、熊野那智大社の別宮の飛瀧神社は滝（那智の滝）を神体としているため、やはり本殿を持たない。

豆知識

1. 神奈備の代表である三輪山に宿る神は大物主神という。大神神社の祭神となっているが、古来、蛇の姿をしていると信じられてきた。また、美男子や丹塗りの矢に化身して美女のところに通った神としても知られる。

22 自然 フォッサマグナ

日本の地下には、大規模な地溝帯であるフォッサマグナが存在する。この東西を地質学的に分けるフォッサマグナは、日本が地震国であることの証拠といえる。それと同時に、その中央部を火山の列が貫き、雄大な景観を持つ日本の山々を生み出したもとにもなっている。プレートテクトニクス理論の証拠となったフォッサマグナだが、現在では、地下のプレートがさらに複雑であることがわかり、地質学にさらなる発展のヒントを与えている。

◈

地震のニュースや科学番組などでよく耳にするフォッサマグナとは、ラテン語で「大きな溝」という意味を持ち、古い地層でできた東北日本と西南日本の境目となる、U字形に掘られたような日本最大規模の「地溝帯」を指す。西縁は新潟の糸魚川から静岡に走る糸魚川－静岡構造線（糸静線）、東縁は同じく新発田から小出への新発田－小出構造線、および柏崎から千葉への柏崎－千葉構造線と考えられている。

フォッサマグナの西側は西南日本、東側は東北日本と呼ばれる。西南日本の飛騨山脈の地下の大部分が、中生代や古生代にあたる5億5000万～6500万年前の地層なのに対し、北部の頸城（くびき）山塊付近は、新第三紀・第四紀の2500万年前以降の堆積物や火山噴出物だ。この地質構造の違いは、日本が大規模な地殻変動によって形成された証拠でもある。

現在のプレートテクトニクス理論では、フォッサマグナは北アメリカプレートとユーラシアプレートの境界に相当し、周辺にはフィリピン海プレート、太平洋プレートがあると考えられている。原始日本列島は、アジアに近い位置に、南北に直線的に存在していたと考えられているが、約2000万年前に北アメリカプレートとユーラシアプレートの沈み込みに伴って、巻き返しの反発力で海溝の内側のプレートを押し広げる背弧海盆の形成が始まった。この時、列島は中央部が回転するように、折れる形でアジア大陸から分離。その後、数百万年間、折れた間の海には砂や泥などが堆積していったが、フィリピン海プレートが近づいたことで2つの列島が圧縮、間の海が隆起し、堆積物が現在の地層になったと考えられている。日本列島の中央部を、北から新潟焼山、浅間山、八ヶ岳、富士山、箱根山といった火山が連なっているのは、圧縮によってできた断層にマグマが貫入し、地表に噴出したからだといわれている。この地殻の動きが、日本の雄大な自然を作ってきたのである。

豆知識

1. 1885年、初めてフォッサマグナの論文「日本群島の構造と起源について」を発表したのは、ドイツの地質学者ハインリッヒ・エドムント・ナウマン（1854～1927）である。ナウマン象の研究、報告でも知られる。東京帝国大学（現・東京大学）の地質学教室の初代教授であり、地質調査所（現・独立行政法人産業技術総合研究所地質調査総合センター）の設立に関わった人物である。
2. ナウマンの考えたフォッサマグナの東縁は、新潟県直江津と神奈川県平塚を結ぶラインだった。東縁については、その後、何度か修正が繰り返されているが、これは糸魚川－静岡構造線ほど境目が明瞭に残っていないためである。
3. フォッサマグナ北部では、第三紀層の褶曲（しゅうきょく）によって生じた頸城丘陵、魚沼丘陵などの丘陵地形が多い。この地域に、天然ガスや石油の埋蔵が多いのは、この時の褶曲によって形成されたものだと考えられている。

23 歴史 狩猟と農耕

紀元前6000年から前5000年頃、中国大陸では黄河の中・下流域で粟やきびを栽培する農耕文化が始まりつつあった。この頃、日本は縄文時代で、その生活はすでに１万年ほど続いていたが、社会は大きく変動することもなく、これが狩猟採集文化の限界を物語っているともいえる。一方で農耕文化の流入は、大きく社会の様相を変えていった。

◈

弥生式土器

縄文時代早期から、陸地ではドングリやクルミなどの木の実（堅果類）の採集や植林栽培、弓矢や槍による哺乳動物などの狩猟が行われ、海では貝や魚の漁労も活発に行われるようになった。縄文中期には海岸線が現在の形に近くなり、大型貝塚の形成が確認されている。土器による加熱はこれらの食料を消化しやすくし、安全な摂取とある程度の保存を可能にした。ただし縄文土器は壊れやすいので、移住生活には適さない。定住が進み、集落の規模が広がるほど大きい土器が作られるようになっていった。

イネの栽培については、「熱帯ジャポニカ」と呼ばれる種類の炭化米が熊本や鹿児島の縄文遺跡から発掘されていて、これは南西諸島を通って伝播した日本最古の稲作と考えられる。しかし、縄文時代の水田跡は発見されておらず、陸稲として栽培されていたようだ。

朝鮮半島南部から九州に伝わった水稲は、現在まで続く「温帯ジャポニカ」という種類で、陸稲に比べて収穫量が多い。同時に鍬（くわ）や鋤（すき）といった木製の農耕具、刈り取り用の石包丁などの磨製石器、集落の周囲に堀をめぐらす環濠集落という文化も流入した。これらを伝えたのは朝鮮半島南部から移住してきたと見られる渡来人だった。水稲は九州から近畿、関東へと200年ほどかけて広まっていき、本州各地は徐々に食料の大半を稲作に頼る農耕社会へと移行していった。ただし南西諸島と北海道では水田が作られていない。

1884年、現在の東京都文京区弥生の貝塚で発見された土器（壺）は縄文土器に比べて薄くて堅く、色も明るく、発見地名から「弥生式土器」と命名された。各地で同じような土器が出土すると、弥生式土器が用いられた時代を「弥生式時代」と呼ぶようになり、後に「弥生時代」と呼ばれるようになった。現在の「弥生」という時代区分は、土器の発生ではなく水稲農耕技術が安定的に受容された時代を指している。その結果、弥生時代の開始期は当初の区分では紀元前５世紀頃とされていたが、現在は600年ほど前倒しされ、紀元前1000年頃からと考えられている。弥生時代のもう一つの大きな変化は青銅器や鉄器の出現である。これらは生産に高度な技術を要するため、集落の中にこれらの生産に携わる専門の人々がいたと推測されている。すなわち、分業制の誕生である。

豆知識

1. かつて弥生時代の特徴とされていた、稲作、農耕、高床式倉庫、大規模集落、木工技術、布の服などは、1990年以降の発掘調査の進展で、縄文時代にすでに存在していたことがわかっている。

24 文学 ｜ 柿本人麻呂

柿本人麻呂（かきのもとのひとまろ）（生没年未詳）は、万葉前期を代表する歌人の一人である。７世紀末から８世紀初めにかけて活躍した人と考えられ、持統、文武朝に仕えたと見られる。『続日本紀』などの正史には記載がなく、手掛かりとなるのは『万葉集』に収録された作品と、そこから派生した後世の歌集での注釈などに限られている。

◈

柿本人麻呂

柿本人麻呂の作品のうち、年代がわかるもので最古の歌は、689年に草壁皇子（662〜689）を悼んで詠んだ挽歌、最も新しいものは700年の明日香皇女（？〜700）の死に際した挽歌である。ちなみに『万葉集』の中で最も長い歌は、高市皇子（654？〜696）を悼む挽歌で、柿本人麻呂の作である。

このように、人麻呂は長歌、挽歌に極めて優れた歌人であり、『万葉集』には長歌19首、短歌69首が掲載されている。人麻呂の活躍時期は、ほぼ持統天皇（645〜702）の在位時期と重なっており、天皇の行幸を記念する歌なども多く詠んでいる。

「やすみしし　我が大君　神ながら　神さびせすと　吉野川　たぎつ河内に　高殿を　高知りまして　登り立ち　国見をせせば」
（『万葉集』巻一・38番歌　抜粋）

この長歌は、持統天皇の吉野行幸における「国見」を詠んだもので、最後は「山川も　依りて仕ふる　神の御代かも」と締めくくられている。冒頭に「我が大君　神ながら」とあるように、人麻呂は持統天皇を神として讃えている。その神聖さは、「山や川も天皇に仕える」ほどだ、というのが歌の意味である。

人麻呂が「宮廷歌人」だったという説もあるが、実際はそれで生活していたのではないという見方が有力である。しかし、人麻呂は多くの皇族の死にあたって挽歌を残しており、これらは依頼を受けて作られたと思われる。そこでは、身分の格差から考えて面識もなかったはずの、妻に先立たれた皇子や、夫に先立たれた皇女の心情を見事に歌い上げていて、特別な才能を認められていたのは間違いない。

平安時代になって編纂された『古今和歌集』の序文（仮名序）は、人麻呂を「うたのひじり（歌の聖）」であるとし、彼の歌によって「天皇と臣下は一心同体となった」と評している。

豆知識

1. 紀貫之（？〜945）の『古今和歌集　仮名序』において、柿本人麻呂と並び称されたのが山部赤人（やまべのあかひと）（生没年未詳）である。紀貫之によれば、その歌風は「あやしうたへなり」（神秘的で巧妙である）。人麻呂と比べて優劣をつけることは難しいとされ、どちらも三十六歌仙の最古参として後世に名を残している。

25 科学・技術 和船

日本の船の起源は縄文時代の丸木船にある。縄文人は、丸木船を交通や漁猟に用い、時には外洋まで乗り出している。海洋国である日本の造船技術、操船技術は丸木船を経てついには「和船（わせん）」として独自に発達した。そして江戸時代の弁才船（べざいせん）に代表される大型船を生み出して東廻海運、西廻り海運を確立する。幕末以降に洋式船舶が導入されるまでの間、和船は全国で用いられ、日本を発展させた。

◈

古代日本人が使っていた丸木船は、単材をくり抜いて造ったものだったが、やがてこの単材刳船（くりぶね）を大型化し、複数の刳船部材を前後に継いだ形の複材刳船が現れた。中世になると、海では複材刳船の両舷に舷側板を付けて船底までの深さを増し、積載量と耐航性を大きくした準構造船が登場する。16世紀中頃までには、船底の刳船部材を板材に置き換えた棚板造りの船が現れた。こうした船を現在では、日本独自に発達した船として和船と呼ぶ。

西欧の船は、前後方向の「竜骨」や、横方向の「肋材」といった骨組みに板を張っていくフレーム構造だったが、和船は厚板のつき合わせによる構造船であった。基本的に木造船は、地域ごとに独自の形を持っていた。これは地域ごとに使える材木が異なることが原因で、例えば瀬戸内海・太平洋ではクスが船材として好まれ、日本海ではスギのような直材が主な船材であった。船材の特性を活かそうとすると、必然的に異なった構造になる。

国内海運の主力廻船だったのが弁才船で、地方型の代表が北前船だった。こうした和船は、江戸時代前期に日本海沿岸の酒田から津軽海峡を経て太平洋を回航し、東北地方と江戸とを結ぶ海上輸送路の東廻海運、そして日本海沿岸を酒田から大坂に向かい、紀伊半島を迂回して江戸に至る西廻海運を確立。日本の海運を大きく発展させた。和船の推進力は帆によって得るが、一般には、西欧の横帆を張った船よりも性能が劣るといわれることがある。しかし、帆走は帆に風を受けるだけでなく、風で膨らんだ帆で発生する揚力を使って逆風の中前進する。江戸中期以降の弁才船は、下部の帆桁がなくなり、帆の下部をすぼませることで上手に揚力を使えるようになったため、横風や逆風での帆走性能は、沿岸を走る内航では横帆よりも優れていたとの説もある。もし本当に性能が悪ければ、東廻り海運、西廻り海運を確立することは不可能だったろう。

江戸時代には、一時的に大船建造禁止令が制定されていたが、時代を経ると、幕末には洋式帆船技術が導入され、和船と洋船の折衷化が始まるのだった。

豆知識

1. 1609年、江戸幕府は西国大名の500石以上の船を没収。1635年には武家諸法度を改訂して大船建造禁止令を制定し、500石以上の船の建造禁止を全国化した。これは大名の水軍力を削ぐ政策であったが、商船まで禁じたのでは海運ができなくなる。時代が進むにつれ、この方策は死文化することに。だが外国への渡航を禁じる鎖国が強まると、再び大船の禁止令は盛り返すことになる。
2. 江戸時代に国内海運は飛躍的な発展を遂げた。巨大都市の大坂・江戸を中心として全国に水運網が張り巡らされ、商品流通が活発化したのである。和船では、大坂から木綿や油などの日用品を積んだ菱垣廻船や、灘、伊丹などの酒を積む樽廻船が有名だ。
3. 大正時代には、昔ながらの帆装は日本海の北前船や越中船に多かったが、瀬戸内・太平洋では少なくなっていく。和船の和洋折衷化は漁船にまで広がり、今日では純粋な和船は姿を消した。

26 芸術 | 古代の仏師

6世紀半ば、朝鮮半島の百済より仏教が伝来すると、それに伴い布教に必要な技術者や知識人も数多く派遣された。これにより、国内では仏教文化が花開き、仏像を制作する仏師も誕生するようになる。奈良時代では仏師の第一号として鞍作止利（生没年未詳）が我が国の歴史に名をとどめ、その後も康尚（生没年未詳）、定朝（？～1057）などの優れた仏師が登場し、仏教美術の発展に寄与することとなった。

◈

日本において仏師のパイオニアといえる存在が鞍作止利だ。彼の祖父は仏教を日本に伝えたとされる渡来人の司馬達等（生没年未詳）で、蘇我馬子（？～626）のもとで活躍した。止利自身もまた、蘇我氏や厩戸王（聖徳太子、574～622）に重用され、飛鳥時代の仏像制作の中心人物となった。

代表作としては、623年に厩戸王の病気平癒を祈願して制作された法隆寺本尊の釈迦三尊像が挙げられ、これは国宝にも指定されている。この釈迦三尊像で表現されている痩せた肉体、アーモンド形の目、アルカイック・スマイル（古拙の微笑）などの特徴を持つ仏像は、やがて「止利様式」と呼ばれるようになった。この止利様式の仏像は法隆寺を中心に10点ほど現存し、また『日本書紀』には飛鳥寺の釈迦如来像も止利の作であることが記されている。ただ支援者であった蘇我氏の宗家が645年の乙巳の変によって滅亡すると、その後は止利様式の仏像も表舞台から消え去ることになった。止利と同時代の著名な仏師としては、法隆寺金堂四天王像の広目天像を制作したとされる山口大口費（生没年未詳）の名が挙げられる。彼も渡来人の血を引く仏師と見られ、『日本書紀』によれば、650年に勅命を受け千体の仏像を造立したといわれている。

時代が下って平安時代中期になると、仏師の世界に革新をもたらす人物が現れる。それが康尚である。それまで多くの仏師は官営の工房に所属していたが、康尚は独立した私工房を設け、上級貴族などから広く造像の注文を受ける体制を確立。そのため康尚は「仏師職の祖」とも称されている。東福寺の塔頭・同聚院の不動明王像が彼の作品と見られ、藤原道長（966～1027）の発願により制作されたと伝わる。

その康尚の弟子で子ともいわれるのが定朝だ。定朝は複数の木を組み合わせて仏像を作る「寄木造」の完成者として名高く、仏像を短時間で効率的に制作できる様式を生み出した。宇治平等院鳳凰堂の阿弥陀如来像は定朝の作で、その穏やかで円満な造形は「定朝様」として後世の仏像制作に大きな影響を与えることになった。

豆知識

1. 鞍作止利はその姓が表すように、もともと馬具を作る技術者であったとされる。

27 伝統・文化 ひな祭り

３月３日のひな祭りは、女の子の健やかな成長を祈る節句（伝統的な行事を行う季節の節目となる日）の年中行事だ。女の子のいる家ではひな人形を飾り、白酒や草餅、菱餅、桃の花を供えて、女の子の健やかな成長と幸せを祈る。３月3日は上巳（じょうし）と呼ばれるため、ひな祭りは「上巳の節句」、または桃が咲く時期と重なることから「桃の節句」とも呼ばれる。

◈

ひな人形のお殿様・お雛様（男びな・女びな）

ひな祭りのルーツは、古代中国で行われていた、川で身を清めて不浄を祓い、宴を行ったという上巳の行事である。また、もう一つのルーツといわれているのが、現在でも行われている、人形で身体を撫でて穢（けが）れや災いをその人形に移し、川に流す古（いにしえ）よりの風習「形代（かたしろ）」だ。この風習が中国から伝わった上巳の行事と結びつき、３月３日に行われるようになったといわれている。

奈良～平安時代に入ると、宮中の貴族たちは３月３日に「曲水の宴」を形代とともに行うようになった。「曲水の宴」とは、庭園などの水の流れの縁に出席者が座り、流れてくる盃が自分の前を通り過ぎるまでに詩歌を詠み、盃の酒を飲んで次へ流し、別堂でその詩歌を披講するという遊びである。

室町時代に入ると、上巳の行事の祓いに使う人形が立派になり、行事が終わっても流さないことが増えてきた。江戸時代前半、幕府が上巳を含む五節句を式日と定めた頃、上巳の行事の祓（はらえ）と平安時代から貴族の子どもたちの遊びだった「ひいな遊び」（ひな人形を使ってする女児の遊び）が結びつき、女の子の幸せを願ってひな人形を飾るひな祭りになったと言われている。庶民にひな人形を飾る風習が広まったのは、江戸時代の半ばである。また、昔は９月９日の重陽の節句にひな人形をもう一度飾る「後（のち）の雛」という習慣もあったそうだ。

ひな人形は、宮中の婚礼を模しており、箪笥（たんす）、鏡台、茶道具などの調度品は嫁入り道具である。ひな飾りの最上段の男女の人形は、紫宸殿（ししんでん）で結婚の儀を行う天皇と皇后（もしくは親王と親王妃）を模している。男女の人形は一般的に「お内裏（だいり）様」と呼ばれるが、内裏は宮殿のことを指す言葉なので、実は正確ではなく、「男びな・女びな」または「お殿様・お雛様」と呼ぶのが正しいといわれている。

豆知識

1. 関東では男びなを向かって左に飾るが、関西では昔から左を尊ぶ風習があり、男びなは向かって右に飾られる（つまり、天皇が左に座る）。また、４段目に飾られる貴族の護衛役である２人の随身は、関東と関西ともに左が上位で、向かって右に位の高い老人の人形を飾る。
2. ひな祭りの日に供えられる草餅は、香りの高いヨモギでできており、邪気を祓うといわれている。平安時代はヨモギではなく、春の七草の一つであるゴギョウで作っていたそうだ。

28 哲学・思想 天照大神(伊勢神宮)

天照大神は神道の最高神だ。伊邪那岐命・伊邪那美命の御子神で、月読命・須佐之男命とともに伊邪那岐命・伊邪那美命が生んだ神の中でも最も尊い3柱の神「三貴子」と呼ばれる。天皇家の祖先神(皇祖神という)として皇室・朝廷の崇敬を受けてきた。天照大神を祀る神社は多いが、三種の神器の一つである八咫鏡を神体とすることから伊勢神宮(内宮)は別格の扱いをされてきた。

◈

天岩戸

天照大神は日本の神々の中で最も尊いとされる女神である。『古事記』では天照大御神と表記する。また、大日孁貴尊などの異称もある。伊邪那岐命・伊邪那美命の御子神とされるが、『古事記』と『日本書紀』では誕生の状況が異なる。『古事記』では伊邪那岐命が黄泉の国(死者の世界)に行って穢れた身体を清めるために禊(清らかな海や川に体を浸して穢れを祓うこと)をした時、左目を洗うと天照大神、右目を洗うと月読命、鼻を洗うと須佐之男命が生まれたとされている。一方、『日本書紀』では日本の国土を生み終えた伊邪那岐命・伊邪那美命(『日本書紀』の表記は伊弉諾尊・伊弉冉尊)が、天下の主となるものを生み出そうと相談して生んだとされている。天照大神はその高貴さから、誕生とともに高天原(天上の神々の世界)を治めることが定められる。ところが、訪ねてきた須佐之男命が高天原で乱暴狼藉をはたらいたことに腹をたて、天の岩屋に隠れてしまう。このため天上も地上もまっ暗になり、悪い神が騒ぎだし災いを引き起こした。困った神々は天の岩屋の前で榊の木に鏡と曲玉を吊るし、女神に踊らせるなどして天照大神を誘い出した。この話を天の岩戸神話という。

天照大神は孫の邇邇芸命に地上統治を命じて送り出したという「天孫降臨神話」でも知られる。邇邇芸命のひ孫が初代天皇の神武天皇とされており、こうしたことから皇祖神としても崇敬されてきた。邇邇芸命は地上に天降る際に、天照大神から八咫鏡・八坂瓊曲玉・草薙剣の三種の神器を託され、鏡を天照大神の分身として身近に置いて祀るよう命じられた。歴代天皇もこれを受け継いできたが、第10代の崇神天皇の時代になると神器に宿る神の霊威が強すぎて宮中で祀るのが難しくなってしまった。そこで八咫鏡を皇女に託して祭祀にふさわしい場所を探させることになった。第11代の垂仁天皇の時代に、天照大神の託宣により八咫鏡は伊勢で祀られることになった。これが伊勢神宮内宮の起源とされる。

豆知識

1. 伊勢神宮外宮で祀られる豊受大神は、八咫鏡の鎮座地を求めて皇女が各地を旅していた時に、丹波で天照大神を接待した神とされる。伊勢に鎮座することを望んだ天照大神であったが、独りでいるのは不便だとして、第21代雄略天皇の夢枕に立って豊受大神を丹波から招いてくるよう望んだという。これが伊勢神宮外宮の起源と伝えられる。

29 自然 | 火山

日本には、世界の火山の７％以上が集まっている。現在、火山は数百年、数千年単位ではなく、数万年の周期で活動を繰り返すものがあることがわかっており、かつて「死火山」「休火山」と呼ばれたジャンル分けはあまり意味をなさないと考えられている。日本人は、いつの時代も噴火の危険性と隣り合わせで暮らしてきたが、同時に古代より多くの恩恵を受けてきた。

◈

現在も噴火活動を続ける桜島（鹿児島県）

環太平洋造山帯の日本は、世界の1500の活火山のうち、111もが所在する火山大国である。プレートが沈み込むところにできる収束帯の火山が、日本の火山で、この分布の太平洋側の限界は「火山フロント（前線）」と呼ばれている。日本列島の火山は、千島海溝から日本海溝、小笠原海溝に沈み込んでいく太平洋プレートによってできた火山フロントと、南海トラフが囲むフィリピン海プレートがユーラシアプレートの下に沈み込んでできた火山フロントで、噴火する火口が海溝やトラフに平行に並び、火山列を形成しているのが特徴だ。日本列島中央を新潟焼山から富士山、箱根山などが連なっているのは、北アメリカプレートとユーラシアプレートの境界の圧縮でできた断層にマグマが貫入し、地表に噴出したからだと考えられている。

現在、活動している火山を「活火山」と呼ぶ。これは火山噴火予知連絡会・気象庁の定義で「概ね過去１万年以内に噴火した火山及び現在活発な噴気活動のある火山」のこと。かつては、目立った活動のない火山を「休火山」と呼んだが、年代測定法の発達によって、数万年周期の噴火活動があることが判明した。有史時代の記録だけでは火山活動を判断できないことがわかってきたため、「死火山」とともに、現在ではあまり使われない用語となった。この見直しは、死火山と思われていた木曽御嶽山が、1979年に水蒸気爆発を起こしたことがきっかけだった。

こうした火山は、日本人の生活に大きな役割を果たしてきた。平地の形成には、噴火による大量の土砂をもたらす火山が重要である。火山灰は農作物の生産には欠かせない土壌であり、山体内部に蓄えられた多くの水による湧水や地下水は生活用水としてだけでなく、農業用水や工業用水にも利用されている。また日本人は、黒曜石を石器に、溶結火砕流を石垣に使ったように、縄文の時代から噴出物を様々に工夫して利用してきた。

豆知識

1. 主に火山の地熱を用いる発電方法が地熱発電である。1919年、大分県別府で地熱用噴気孔の実験が始まってから、その歴史は100年にもなる。最初の営業運転は、1966年に岩手県の松川地熱発電所で行われた。日本の地熱発電の発電量は、2010年段階で、総発電量のわずか0.2％だが、これは国定公園、国立公園の規制や温泉地からの反対の声が主な原因である。しかし地球温暖化防止や大気汚染対策にもなるため、各国で利用拡大が叫ばれている。
2. 日本には3000を超える温泉地がある。古いものでは、縄文時代の遺跡から温泉が利用されていた痕跡が見つかっている。奈良時代初期の地誌『伊予国風土記』には、大国主命（おおくにぬしのみこと）が「速見の湯」（別府温泉）を「道後温泉」へと導き、少名毘古那神の病を癒したとの神話が記されている。医療技術が十分に発達していなかった時代、入浴やミネラル分の多い温泉水を飲用するなどして、多くの病人が回復療法を試みていたという。

30 歴史 吉野ヶ里遺跡(弥生時代)

現在の佐賀県神埼市および神埼郡吉野ヶ里町に広がる吉野ヶ里遺跡は、弥生時代における「クニ」の中心的な集落の全貌を示す、現存するものとしてはわが国最大の遺跡である。1986年から本格調査が始まり、1989年に大規模な環濠集落が発見される。1992年には国営歴史公園として整備されることが決定した。

◈

吉野ケ里遺跡

吉野ヶ里丘陵の周辺部には、縄文時代後期にはすでに人が生活していたと推定される。貝やカニなどの食料が豊富に得られる有明海が近く、定住には好条件の土地であった。

弥生時代の前期、中期、後期と、約700年をかけて、この集落は拡大発展していった。特に中期には丘陵地帯を一周する環濠が出現し、防御が厳重になった。また、多くの文化財が出土した墳丘墓も、この頃造られたと考えられる。後期になると、さらに広く周囲をめぐる環濠が掘られ、集落は内堀と外堀で囲まれていった。1m四方の柱穴を持つ物見櫓(やぐら)が建てられるなど建物も巨大化し、竪穴式住居跡は100軒以上が確認されている。埋葬に用いられた甕棺(かめかん)の数などから、3世紀頃をピークに、約1200人が集落に住んでいたと推測される。

この集落では、農耕による生産と生活の向上に伴って分業や階級の仕組みが成立しており、すでに原始的な「クニ」が形成されていたようだ。建物や広場は、古代中国の考え方の影響を受けて北が上位、南が下位という配置だった。北部には王や支配者層の住まい、祭殿、墳丘墓、祭りや交易に用いる酒、絹布、祭器を作る作業場、集会場などがあり、南部のムラには一般の人々が居住、西部には市場や取引所、裁判所もあった。

高床式倉庫も南北にそれぞれ建っており、南の倉庫には米などの穀類や武器類、交易のための絹などが備蓄されていたと考えられている。北の倉庫は神聖な空間として、祭器や王の宝物などが納められていたと推測される。墳丘墓からは銅製の剣や頭の飾り、ガラス製の管玉(くだたま)、銅鏡、銅鐸(どうたく)などが出土していて、それらは国の重要文化財に指定されている。また、実用品としての農具や工具、武器は鉄製で、こちらも多くの遺物が発見されている。

3世紀後半頃、環濠には土器が投入されて埋められ、一般の人々が生活していた南部一帯には墓が築かれるようになった。人々は離散し、弥生時代の終焉とほぼ同時期に集落は終焉を迎えている。これは戦乱の時期が終わり、人々が丘陵から平地に移住し、水田を開拓するようになったためだと考えられている。

豆知識

1. 住民が離散した後の吉野ヶ里遺跡周辺(神崎郡)には、奈良時代になって大宰府から国府へつながる街道が整備され、平安時代以降は皇室領の「神崎荘」として、日宋貿易の拠点となり、港も造られた。

31 文学 漢詩・漢学

現存する日本最古の漢詩集『懐風藻』は、天平勝宝３年（751）に成立したとされている。編者は大友皇子（648～672）のひ孫にあたる、奈良時代末期の代表的な文人・淡海三船（722～785）とする説が有力である。

◈

昔から中国では、「詩作」が「君子」にとって欠かすことのできない素養であると考えられてきた。日本にもその考えは伝わり、宮中の上流階級に属する男性は、君子たらん、と漢詩作りに励んだという。彼らにとっては外国語で詩を書くようなものであり、容易なことではなかったはずだが、詩作の能力が出世や昇進につながることを思えば、単なる趣味や余芸とあなどることはできなかったのである。

『懐風藻』には、近江朝から奈良朝に至るまでの天皇や皇族など64人の作者の詩が収められている。漢詩を作る際には、過去の有名な詩や中国の故事に通じていることを引用などで暗示する必要があり、そのような技巧、学識の披露に偏った作品も多い。日本特有の風物や詩人の心を詠む作品が少ないなか、優れた詩として知られるのが大津皇子（663～686）の作品である。

金烏臨西舎　鼓聲催短命　泉路無賓主　此夕離家向
（金烏西舎に臨らひ、鼓声短命を催す。泉路賓主無し、此の夕家を離りて向かふ）
太陽（金烏）は西に傾き、時を告げる太鼓の音が残り短い命を催促するようだ。
黄泉の道には客も主人もおらず一人きりで、この夕暮れに家を離れて死出の旅に向かう。

父の天武天皇（？～686）が崩御した後、謀反の疑いをかけられ自害した大津皇子が、その死を目前にして詠んだ詩である。同じ時の心情は短歌として『万葉集』に収められている。

ももづたふ磐余の池に鳴く鴨を今日のみ見てや雲隠りなむ
（大津皇子『万葉集』巻三・416番歌。「磐余」は大津皇子の自邸がある地名）

日本文学研究者のドナルド・キーン（1922～2019）は、「大津皇子がこれを漢詩として詠んだのは、別に学識をひけらかしたかったためではなかろう。（中略）自分の感情に哲学的な余韻をもたせようとした結果生まれたものである。一方、和歌のほうからは、死を間近に控えた瞬間でさえ、風景への親密な思い入れがあったことがわかる」（『日本文学の歴史 古代・中世篇１』中央公論社）と、この漢詩と和歌の違いについて比較検証している。

豆知識

1.『懐風藻』収録作者64人のうち、『万葉集』に名を連ねているのは21人である。

32 科学・技術 酒造

現在では生活の中で気軽に酒を酌み交わすことは一般的になっているが、日本人にとって酒とは、古くは神に供えるための神聖なものであった。酒造りの歴史は古く、縄文時代の中高期頃にはすでにアルコールを含んだ飲み物があったとされている。その製法は、夏場は特に高温多湿となる日本の気候条件のもとで、杜氏たちの知恵を結集し現在の形へと発展してきた。

◈

日本での酒造の歴史は古い。紀元前1000年前後の縄文式竪穴から、酒を造るための酒坑が発見されている。米を原料とした酒が記録に現れるのは奈良時代だ。醸造法は人間の唾液中のデンプン分解酵素を使った「口嚼(くちかみ)ノ酒」、そして麹カビを使った酒である。古くから酒は、米や餅と並んでハレ（非日常）の日に神に供える最上の馳走として扱われており、祭祀の場を除いては人々が口にすることはほとんどなかった。しかし平安時代になると、曲水の宴など風流を楽しむ宴が貴族文化に登場し、祭祀の場以外でも酒が嗜まれるようになった。更に鎌倉時代には武士が出陣前に勝利を祈願して酒を飲む風習が生まれ、江戸時代になると料理茶屋の増加や、酒を流通させる樽廻船の発展などにより庶民にも酒が楽しまれるようになった。しかしそれもあくまでハレの日の特別な宴の場であることが多かった。庶民に日常的な飲酒の習慣が広まったのは明治期、日清戦争・日露戦争の頃で、出陣前の決起や戦勝地での祝杯の習慣を持ち帰った兵士たちによるものといわれている。

現在の清酒の醸造は、配合した原材料の米を、麹菌と酵母という２種類の微生物を働かせ発酵させることで行う。発酵工程の前に、麹、水、蒸米に種となる清酒酵母を加え、乳酸の強い酸性下で微生物を分離して大量に増殖させて酒母を造る。黄麹菌の胞子を種麹として、蒸米にふりかけて培養する。これにより米のデンプンが麹の酵素で糖に分解され、その糖を酒母の酵母がアルコールに転換するのだ。発酵中の状態を「モロミ」といい、発酵が終了し熟成したモロミを圧搾して、酒と酒粕に分離させる上槽を行う。この酒を60～65℃ほどの低温加熱で殺菌（火入れ）し、酒の香味を変質させる酵素の働きを止める。それから６カ月から１年間ほど貯蔵、熟成させて日本酒が完成する。

日本酒の醸造方法は、同緯度の国にも類を見ない湿潤なこの国の気候条件を反映している。特に夏場は高温多湿になるため、温度や湿度に敏感な麹菌の働きを制御できない。冬の間に仕込む「寒仕込み」、余分な菌を殺菌し発酵を助ける「火入れ」などの行程は、このような条件下で生まれた日本独自の手法である。特に「火入れ」の工程は世界でも珍しく、明治期に日本酒の製法が世界に紹介された際、西洋の学者たちを驚かせたという。最近では2013年に「和食」が無形文化遺産に登録されて以降、世界でも改めて日本酒への注目が高まっている。

豆知識

1. かつては酒蔵が変われば、酒の質は大きく異なった。原因は風通し、日当たりなど蔵の環境の「蔵ぐせ」や、蔵自体に生存する「家つき酵母」などの影響が酒質に反映したからと考えられる。現在は施設が完全殺菌できるので、酒質レベルが向上している。
2. 日本の酒造メーカーには、地元に密着した小規模な酒蔵も多い。メーカーは昭和30年代の4000社をピークに、平成27年度には1400社程度まで減少。市場の日本酒離れと同時に、杜氏や蔵人ら職人が減少しているのが原因だという。しかし、一度廃業すると材料や酵母などを再現することは困難で、後世に引き継がれないまま技術が失われてしまう可能性が高い。

33 芸術｜阿修羅像（興福寺）

3つの顔に6本の腕、いわゆる三面六臂の阿修羅像（あしゅらぞう）は、数多ある仏像の中でもとりわけ異形の姿をしている。だが、奈良・興福寺の阿修羅像はスリムな体型といい、しなやかに伸びた細い腕といい、実在の少年をモデルにしたような仏像で、何より憂いを帯びた表情には人の心を虜にして離さない趣がある。

◈

天平文化を代表する作品として国宝に指定され、今なお高い人気を誇るのが興福寺の阿修羅像だ。この像は734年に聖武天皇（701～756）の妃・光明皇后（701～760）が母の一周忌に興福寺西金堂を建てた際に制作されたと考えられている。

阿修羅の名はサンスクリット語のアスラの音写とされ、古代インドにおいては邪神と位置づけられていた。アスラは帝釈天（たいしゃくてん）と何度も戦いを繰り広げたが、やがて釈迦の教えに諭され改心し、仏教を守護する神になったと伝わる。そんな戦いの神という出自のため、阿修羅像は威圧的な表情で造られるケースが多い。例えば、法隆寺にある阿修羅像は目が吊り上がってお世辞にも優しい顔とはいえず、京都・三十三間堂の阿修羅像に至っては、明らかに忿怒（ふんぬ）の表情を浮かべていて、武闘派の神の姿を色濃く残している。

だが興福寺の阿修羅像は例外的に物憂げな表情を浮かべているのである。その理由は阿修羅像が『金光明最勝王経（こんこうみょうさいしょうおうきょう）』と呼ばれる、光明皇后が信仰していた経典をもとに作られたためとされる。経典には“懺悔を説く教え”が記されており、この内容が表情の造形に反映されたと考えられているのだ。つまり阿修羅像の表情には過去の行いを悔い改め、釈迦の教えを守り続けるという覚悟が表れていると言っていいだろう。

この阿修羅像の像高は約153cmだが、体重は約15kgと驚くほど軽い。これは脱活乾漆造（だつかつかんしつぞう）という技法のなせる業だ。まず心木に粘土を盛りつけおおよその形を作り、次に漆を含ませた麻布を張り重ねて原型を象（かたど）っていく。その後、中の粘土を取り除き、麻の繊維などを混ぜペースト状にした漆（乾漆）を塗って最後に細部を彫刻するのだ。この技法を用いると仏像の中が空洞になるため、相当な軽量化が可能になるという。

この魅力あふれる阿修羅像を伝える興福寺は、奈良時代に栄えた仏教宗派・法相宗の大本山である。もともとは藤原鎌足（614～669）の妻が夫の病気平癒のために創建した京都の山階寺が前身で、710年の平城京遷都に伴い藤原不比等（659～720）によって現在の地に移転。その際に興福寺と名付けられた。現在所蔵する国宝は40を超え、興福寺自体も世界遺産に登録されている。

豆知識

1. 2009年に興福寺創建1300年を記念し阿修羅展が東京で開催されたが、入場者が94万人を超えるなど、一大阿修羅ブームが巻き起こった。

34 伝統・文化 | 花見

花見とは、主として桜の花を観賞するために酒宴などを催すことであり、「観桜（かんおう）」ともいう。鑑賞する花は桜ではなく、梅や桃の花の場合もある。花見は現在、日本人にとってはおなじみの行事となっているが、かつては定められた節日（季節の変わり目にあたって祝事をする日）に行われ、禊（みそぎ）の行事でもあった磯遊びなどと同様の意味を持って実施されていたという。

◈

平安時代の812年２月12日（太陽暦では４月１日）に嵯峨天皇（786～842）が神泉苑で催した宴「花宴の節」が日本で初めて行われた花見だといわれている。平安時代初期に編纂された勅撰史書『日本後紀』にその記述がある。

もともと中国には、寒さに耐えて花を咲かせる梅を縁起の良いめでたい木として尊ぶ風習があり、古くは梅の花見が日本でも好まれていたが、平安時代から梅よりも桜のことを詠む歌が増え、花見といえば桜となったといわれている。安土桃山時代の1598年３月15日（太陽暦では４月20日）、豊臣秀吉（1537～1598）が開催した大規模な花見が「醍醐の花見」である。秀吉の妻である淀殿（1569？～1615）や北政所（？～1624）ら約1300人もの女性を招き、醍醐寺の三宝館で催されたといわれている。醍醐山の山腹に至るまで伽藍全体に700本の桜が植樹されたこの花見は、「北野大茶湯」と双璧を成す秀吉一世一代の催し物として知られている。

庶民も盛んに花見を行うようになったのは江戸時代で、第８代将軍の徳川吉宗（1684～1751）が庶民に娯楽を与えるために桜の植樹を行い、隅田川堤、御殿山、飛鳥山など、江戸の各地に桜の名所が生まれてからだと言われている。

庶民は桜を観賞しながら酒宴を開き、花見だんごや桜餅などの行事食を楽しんだ。花見だんごとは、紅、白、緑の３色のだんごを串に刺したもので、江戸時代から花見の季節になると茶店で売りに出された。風流より実利を選ぶことのたとえである「花よりだんご」ということわざは、この花見だんごから生まれたといわれている。また、関東の桜餅は、薄く焼いた小麦粉の皮を２つ折りにしてあんを包み、塩漬けの桜の葉を巻いて作る。江戸・向島の長命寺の門番が考案したもので、門前で売り出したのが始まりといわれている。一方、関西の桜もちは、あんを蒸した道明寺粉で包み、塩漬けの桜の葉を巻いたものである。

江戸時代に庶民が花見を楽しむ様子は、「長屋の花見（貧乏花見）」「花見の仇討ち（桜の宮）」「花見酒」などの落語にも描かれている。

豆知識

1. 日本は世界で最も桜の種類が多く、美しい花を咲かせる品種が多いことで知られている。古くから多くの園芸品種が生み出されており、その代表がオオシマザクラとエドヒガンをかけ合わせてできたソメイヨシノ。ソメイヨシノは幕末の頃、江戸の染井村（現在の巣鴨・駒込）で売り出されたことからその名が付いたといわれている。
2. 時代劇「遠山の金さん」の主人公である江戸町奉行・遠山金四郎景元の刺青で知られる桜吹雪。それは、風などにより数多くの桜の花弁が舞い散る美しい光景を指す。また、桜の花が散り、若葉が出始めた状態からを葉桜という。

35 哲学・思想 ｜ 大国主命(出雲大社)

大国主命は出雲神話の最高神で、地上を開拓した「国造りの神」とされる。出雲大社で祀られるほか、全国各地に大国主命を祭神とする神社がある。『古事記』に載せられている「因幡の白ウサギ」「国譲り」の神話が有名だが、『出雲国風土記』や『播磨国風土記』などには笑話めいた神話もある。

◈

大国主命像

日本の神話では神は天上の高天原に住む天津神と地上に住む国津神に分けられるが、大国主命は国津神を代表する神で、その王にあたる。大国主命はたくさんある称号の一つで、本来の名は大穴牟遅神（『日本書紀』では大己貴神）という。

大国主命は、天照大神の弟の須佐之男命の子孫（『古事記』では6代の子孫、『日本書紀』では御子）で、八十神という多くの兄たちがいた。この八十神たちが八上比売（因幡の非常に美しい姫神）に求婚しようと因幡に向かった時、大国主命は荷物持ちをさせられていたが、皮を剝がれて苦しんでいたウサギを助けたことから八上比売の結婚相手に選ばれた。しかし、そのために八十神たちから逆恨みされることとなり、二度にわたって瀕死の重傷を負わされてしまう。さらなる迫害を避けるために須佐之男命のいる根の国（地下の世界）へ行ったところ、須佐之男命の娘の須勢理毘売命と出会い恋仲になる。須佐之男命は、大国主命が娘の夫にふさわしいか試すため恐ろしい試練を課すが、須勢理毘売命の助力によって切り抜け、須佐之男命の宝物をもって地上に逃げる。そして、その宝物を使って八十神たちを討ち、地上の王となった。

その後、少名毘古那神と協力して地上の開発を進めた大国主命であったが、天照大神の使者から地上の統治権を譲るよう迫られ、壮麗な宮殿を自分のために建てることを条件に受け入れた。これが出雲大社の起源とされる。

一方、『出雲国風土記』では大国主命は「天の下所造らしし大神」と呼ばれており、創造神に近い存在となっている。また、『播磨国風土記』には、暴れ者の御子神を島に置いてきぼりにしようとして失敗する話や、少名毘古那神（『播磨国風土記』の表記では小比古尼命）と我慢くらべをして負けてしまう話など、笑話めいた神話も収録されており、庶民に親しまれた神であったことが推察される。

豆知識

1. 大国主命は別称（その多くは称号）が多いことでも知られる。本名の大穴牟遅（大己貴・大汝）のほか、葦原色許男（葦原醜男）・八千矛（八千戈）・宇都志国玉（顕国玉）・大国玉などがある。
2. 大国主命は御子神が多いことでも知られ、『日本書紀』ではその数181柱とされる。

36 自然 | 地震

「地震・雷・火事・親父」という言葉があるほど、日本は地震に悩まされてきた。大きな被害を及ぼした1995年の兵庫県南部地震（阪神・淡路大震災)、2011年の東北地方太平洋沖地震（東日本大震災）などは記憶に新しい。地震が起こるメカニズムは、日本の国土の複雑な構造に関係している。日本では古くから地震に対するいろいろな研究、対策がなされているが、それでも災害を未然に防ぐことはできない。

◈

地球上の陸地はプレートと呼ばれる岩盤に載っている。日本周辺では、海洋側の太平洋プレート、フィリピン海プレートが、陸地側の北米プレートやユーラシアプレートの方へ１年あたり数cmの速度で動いており、海側が陸側の下に沈み込んでいく。この時、地下へ引きずり込まれていく陸のプレートには大きな力がかかり歪みが発生する。その力に耐えられなくなったとき、プレートがはね上げられる力で断層がずれたり、摩擦の振動を発生させる現象が地震と呼ばれ、その振動が地上へと伝わって災害をもたらす。日本の国土には複数のプレートによる複雑な力がかかっているので、世界有数の地震多発地帯となっている。

プレート境界の地震では「平成15年（2003）十勝沖地震」や「平成23年（2011）東北地方太平洋沖地震」、沈み込むプレート内の地震では「平成６年（1994）北海道東方沖地震」がある。また陸域の浅いところで起きる地震は、「平成７年（1995）兵庫県南部地震」「平成28年（2016）熊本地震」で、規模は小さいものの、人間の居住地域付近で発生するために被害が大きくなる。こうした過去の地震で生じた傷が断層である。断層にはプレートに対する応力が集中しやすく、周期的に地震が発生するといわれている。その中で現在も動いている場所を活断層と呼び、国内では約2000カ所が発見されている。

これまでの経験や研究成果を活かそうとするのが地震予知で、様々な法整備や観測研究が進んでいる。学会では、決定論的な地震予知は「現時点では困難」との見解も明確にしながら、例えば高い確率での発生が予想される「南海トラフ地震」に関しては、全域に観測網を整備している。現在は様々な異常を検知できるようになり、小さな情報でも、災害軽減対策に活用できるよう考えられている。

豆知識

1. 日本人は地震を独特なイメージで解釈してきた。例えば「地中深くには大ナマズがいて、それが暴れることで地震が起きる」との伝承から、鹿島神宮ではナマズを抑える要石が信仰されている。江戸時代には1855年の安政の大地震の後、「鯰絵」という錦絵が流行ったといわれている。
2. 「震度」と「マグニチュード」はよく混同されるが、震度は揺れの大きさ、マグニチュードは規模の大きさの尺度だ。震度はマグニチュードの規模と深さや場所などによって変わってくる。人類の観測史上、最もマグニチュードが大きかったのは1960年のチリ地震(9.5)といわれている。
3. 菅原道真(845～903)は870年に方略試という国家試験を受けたが、そのうち一問が「地震について述べよ」というもの。道真は地震の原因を様々な知識で論じ、儒教的には「君主に対する戒め」、道教的には「陸を支える大亀が時折交代するため」と答えたという。道真はめでたく合格したが、これらの回答はこじつけだとされ、成績は「中の上」だったといわれている。

37 歴史 卑弥呼

弥生時代後期の 2 世紀後半、小国同士が相争う内戦の時期があったことが「倭国の大乱」として中国の複数の史書に記述されている。長く続いたこの争乱は、邪馬台国を中心とした30ほどの国が同盟を結び、その倭国連合の王に卑弥呼がついたことで収まったとされる。

◈

卑弥呼は邪馬台国に住み、「鬼道」という呪術や占いを用いるシャーマン的存在であったという。すでに成人（一説には高齢）していたが、夫はなく、表立った政治は弟に任せており、普段女王の姿を見る者は少なかったという。ちなみに、邪馬台国には租税制度や、大人や下戸といった身分秩序もあったとされていて、当時としてはかなり先進的な支配体制が敷かれていたと思われる。

邪馬台国には、対立する倭人の国「狗奴国」があり何度か戦いをしかけているが、征伐することはできず、卑弥呼はその戦いの最中に亡くなった。

卑弥呼が死ぬと、直径100数十メートルの円形と思われる巨大な墓が造られ、奴婢100人以上が一緒に葬られた。古墳時代にはこれが埴輪にとって代わられるが、卑弥呼の時代には生きた人間が殉葬者となった。卑弥呼を失ったことで国内は一時乱れたが、卑弥呼の宗教上の後継者である女王・台与（壱与）が即位し、再び平和を取り戻した。台与は三国時代の後、中国を統一した晋に朝貢をしている。しかし、これ以降、中国の歴史書から邪馬台国や倭国に関する記述は姿を消した。そもそも、卑弥呼登場以前の倭には100以上の小国があり、そのうちいくつかの国は朝鮮半島の楽浪郡を窓口にして、中国皇帝へ朝貢の使者を送っていた。例えば紀元57年、「奴国」の首長が光武帝から、「漢 倭奴国王」の金印を得たのも、こうした朝貢によるものである。この金印は、江戸時代に現在の福岡県志賀島で出土したと伝わるもので、現在は国宝に指定されている。

紀元107年には「倭国」の王を名乗る首長が生口（奴隷）160人を献上したという記録も残っている。中国王朝（宗主国）と周辺国（従属国）の間で行われたこのような外交関係を冊封体制という。卑弥呼も三国時代の中国・魏に難升米という大夫（高官）を派遣し、「親魏倭王」の称号と金印、銅鏡100枚を得ている。また難升米は魏から「黄幢」という黄色い旗を授けられていて、狗奴国との戦いなどで用いたと推測されている。

豆知識

1. 邪馬台国がどこにあったのか、その論争は現在も活発に続けられている。学説は九州説と畿内（大和）説に大別される。卑弥呼の墓は初期の古墳だったとも考えられるが、その所在もやはり九州説（石塚山古墳、平原遺跡、祇園山古墳）と大和説（箸墓古墳、ホケノ山古墳）、四国説（八倉比売神社）がある。

38 文学 『古今和歌集』

第60代醍醐天皇（885〜930）の勅命により編纂され、905年に奏上された和歌集で、現在は日本最古の勅撰和歌集とされているのが『古今和歌集』である。『古今集』とも略される。撰者は紀友則（生没年未詳）、紀貫之（？〜945）、凡河内躬恒（おおしこうちのみつね）（生没年未詳）、壬生忠岑（みぶのただみね）（生没年未詳）の４人である。序文のうち、日本初の本格的な歌論として名高い「仮名序」は、本集の中心的な撰者である紀貫之の筆による。

◈

『古今和歌集』の写本

『古今和歌集』全20巻には、『万葉集』に収録されなかった古い時代の歌から、同時代の歌まで1100余りの和歌が収録されている。127人の歌人が入集したが、多くの歌が選ばれたのは撰者の４人で、紀貫之が最多の102首、凡河内躬恒60首、紀友則46首、壬生忠岑35首となっている。

多くの歌には、詠まれた背景を説明する「詞書」や「左注」が付されている。撰者はこれらを歌と不可分な重要なものととらえており、時には非常に詳しく書かれることもある。例えば、後の歌道で「花」といえば「桜」を指すのが常識になったが、当時はまだそのようには確立しておらず「桜の花を見て読みける」のように「詞書」を添える。「左注」は作者名について異説がある場合などに短く付けられるのが一般的である。

【詞書】題知らす
【作者】よみ人しらす
【歌】心さし　ふかくそめてし　折りけれは　きえあへぬ雪の　花と見ゆらむ
【左注】あるひとのいはく、さきのおほきおほいまうちきみの歌なり
（『古今和歌集』巻一・春上７番歌。「おほきおほいまうちきみ」は太政大臣のこと）

歌風は「３つの時代」に分けられる。１つ目は全体の４割を占める作者不明の「よみ人しらすの時代」。万葉調で素直に感情を述べた歌が多い。２つ目は「六歌仙の時代」。「仮名序」に歌風が紹介された、僧正遍昭（816〜890）、在原業平（825〜880）、文屋康秀（生没年未詳）、喜撰法師（生没年未詳）、小野小町（生没年未詳）、大友黒主（生没年未詳）の作品を指す。感情表現は華麗で明るく、技巧的である。最後は「撰者の時代」で、全体の２割にあたる４人の撰者の歌を指す。比喩や縁語、掛詞を多用した優美で繊細な歌である。

これら『古今和歌集』全体を通じた歌風を「たおやめぶり」と呼ぶ。『万葉集』の「ますらおぶり」に対するもので、女性的で優雅、繊細な歌風であり、以降、近世・近代に至るおよそ1000年もの間、詩歌の頂点として、他のどの歌集よりも尊重されたのである。

39 科学・技術 ｜ 農具

現在では当たり前の道具と考えられている農具は、古代においては、製鉄技術、農耕技術とともにもたらされたハイテク・ツールであった。単純な構造の道具ながら、その存在によって農作業は格段に効率化する。古代における人口や集落の急増は、農具の性能のおかげなのだ。やがて農具は、世界的巨大都市・江戸の食料需給を支えるまでに発展していく。

◈

千歯扱き

初期の人類が農作物の栽培を始めた時期は不明だが、最古の農業痕跡はイスラエルで発見された、２万3000年前の後期旧石器時代のものだ。米類は紀元前6200年頃までには中国で栽培が開始されており、最古の記録は紀元前5700年頃とされる。こうした農業には、作業を効率化させる道具が必要で、紀元前3000年前の古代シュメールの遺跡からは、粘土を焼いて作った収穫用鎌が出土している。日本でも初期の農業には、木製の鍬や木槌などを使っていたと考えられている。

やがて、大陸から米作りの技術が輸入されると、同時期に青銅や鉄器、続いて製鉄技術も導入された。この鉄製農具の普及で、農業生産技術は飛躍的に高まった。鉄製の鋤や鍬、また牛や馬の力を利用する農具である犂や馬鍬も使われ始め、耕作地を効率的、強力に耕すことができるようになったのである。ある研究では木製農具に比べ作業効率が約４倍に伸びたという。弥生時代後半以降の集落の増加、大型化、それに伴う人口の急増は、農具の性能を物語るものである。製鉄は当時の最先端技術で、農具は武器とともにハイテク器具の一つだったのだ。吉野ヶ里遺跡は、鋤や鍬の鉄製刃先や鉄鎌など鉄製品が多く出土し、特に力のあった集落であることがわかっている。古墳時代になると、律令制のもとで、723年に三世一身法が実施。約600万人と推定される人々を動員し、農家各戸に鍬１個が支給され、田を開くことが進められた。また平安朝中期には、鉄製農具の所有数によって生産力の格差が生じ、それを背景に武力を備えた農場主の武士団が台頭していく。

時を経て、江戸時代には画期的な脱穀具「千歯扱き」が登場した。櫛状の歯に籾を漉きとらせる千歯扱きは作業期間を短縮した。同じ時期に輸入された「土臼」も、回転させて籾殻を脱穀する器具だ。新発明の備中鍬は土を深く耕すことができた。こうした作業効率を飛躍的に上げる農具の登場で、100万都市江戸の需要は賄われたのだ。

豆知識

1. 第一次世界大戦で登場した新兵器「戦車」は、農業用トラクターの軍事転用として改造されたものだった。
2. 弥生初期は籾の直播きが主流で農具は木製だったが、機能はよく考えられたものだった。土を掘り起こす刃幅の狭い狭鍬。多量の土をかき寄せる幅の広い広鍬を使い分けていた。また収穫の際は、石包丁で穂の部分を刈り取った。
3. 直接的な道具ではないが、大事な農具が「案山子」である。一説には「かかし」の読みの語源は、「嗅がし」に由来するといわれている。かつては髪の毛や魚の頭、獣肉を焼き焦がし、串に通して地に立てて、臭いで鳥獣を避けており、この「嗅がし」が清音化されたという説だ。案山子の字は、中国宋代の禅書『景徳伝灯録』に「僧曰、不会、師曰、面前案山子、也不会」とあり、かかしの当て字に「案山子」が用いられるようになったと考えられている。

40 芸術 | 大仏

大仏とは基本的には立像なら一丈六尺（約4.8m）、坐像ならその半分（約2.4m）以上の大きさのある仏像を指す。この基準は釈迦の身長が一丈六尺であったとする伝承に因んだものとされる。日本ではこれまで300体を超える大仏が建立されたが、中でも著名な大仏としては東大寺の盧舎那仏（るしゃなぶつ）、飛鳥寺の飛鳥大仏、高徳院の鎌倉大仏が挙げられる。

◈

日本最大の国宝彫刻として名高い奈良・東大寺の盧舎那仏は、耳の長さだけでも254cm、台座を含めた全体の高さは約18mと圧倒的なスケールを誇る。奈良時代、聖武天皇（701～756）が当時相次いだ反乱や疫病の流行といった社会不安を仏法の力によって鎮めようと建立を発願した。745年に造立が始まり、完成したのは７年後の752年である。その際には盛大な「大仏開眼供養会」が行われた。

古代の人々がこのような巨大な仏像を作り上げたプロセスは、以下のようなものであったと考えられる。まず木材で大仏の骨組みを作り、粘土を塗り固めて原型を作る。その外側にさらに粘土を塗り型を取っていく。これが鋳型になる。次に原型と鋳型の間を削って隙間を作り、そこに高温で溶かした銅を流し込んでいく。高さのある像なので周囲に盛り土をして、１段ずつ上げる形で作業を行う。最後に土を崩すと大仏が出現するというわけだ。建造のために使われた清錬銅は約500トン、動員された人数も延べ260万人以上というから一大国家的プロジェクトであったことは間違いない。

この盧舎那仏と双璧をなすのが高徳院の鎌倉大仏だ。台座を含めた高さも13mと決して見劣りはしない。ただ鎌倉時代の歴史書『吾妻鏡』によると、1252年に建造が始まった記録はあるものの完成年は不明。国が積極的に関与したわけではなく、造営目的もよくわかっていない。また鎌倉大仏は露座だが、当初は大仏殿も設けられていたという。しかし度重なる天災によって建物は倒壊し、室町時代には現在のような姿になったとされる。

上に挙げた２体よりも歴史が古いのが飛鳥大仏だ。完成したのは609年とされ、盧舎那仏に比べ顔は面長で眼差しも強い。その姿には大陸の仏教美術の影響が色濃く残っているとされ、江戸時代の国学者・本居宣長（1730～1801）も「げにいとふるめかしく、たふとく見ゆ」と感想を述べている。

少し変わり種の大仏としては東京・上野公園の上野大仏がある。これは顔だけが壁面にはめ込まれた大仏だ。もとは高さ６mの大仏だったが、関東大震災での倒壊や第二次世界大戦中の金属類回収令などにより顔だけが残る形になったのだ。また現在、日本で一番大きな大仏は1993年に建立された茨城県牛久市の牛久大仏で、高さは実に120mである。

豆知識

1. 東大寺の大仏と大仏殿の建造費は現在の貨幣価値に換算すると約4657億円であるという。
2. 牛久大仏は、「青銅製立像として世界一の高さ」であると1995年にギネスブックに認定された。

41 伝統・文化 ｜ 端午の節句

5月5日の端午(たんご)の節句は、現在、国民の祝日「こどもの日」になっている。端午とは、5月の最初の5日のことである。昔は端午の節句に菖蒲で作ったかずらを冠につけてかぶったり、家の軒に挿したり、葉や根を浸した菖蒲酒を飲んだり、菖蒲湯につかったりして邪気を祓うなどの風習があった。菖蒲を使うため、別名「菖蒲の節句」とも呼ばれる。

◈

菖蒲は、強い芳香を持つ薬草で、古くより邪気を祓うと考えられてきた。菖蒲で邪気を祓う風習は、奈良時代に中国から伝わったという。

また、端午の節句には、日本でも古くから薬猟(くすりがり)（鹿の若角や薬草を摘むこと）を行う風習があった。『日本書紀』には611年に薬猟が行われたという記述がある。

平安時代に入ると、端午の節句に菖蒲の根の長さを競い、歌などを詠む遊戯「菖蒲合わせ」が流行したといわれている。

平安時代には、端午の節句に天皇が武徳殿に出て、群臣とともに宴を行い、弓を射る儀式「端午の節会」が行われていた。その華やかな様子は平安文学の代表作の一つとされる清少納言（生没年未詳）の随筆『枕草子』にも描かれている。

江戸時代に入り、江戸幕府が五節句を式日として定めると、菖蒲の音が「尚武（武を重んじること）」に通じるということで、端午の節句は男の子の節句になったといわれている。

端午の節句は、次第に武家から庶民にも浸透し、庶民たちも武者人形や鯉のぼりを飾ったり、ちまきや柏餅を食べたりして、男の子の成長と立身出世を願うようになった。

鯉のぼりは、端午の節句に武家の旗指物（戦場で目印とした小旗）や吹流しの代わりに町人たちが立てたものだ。始まりは庶民が武家を真似たものだったが、次第に武家の方も鯉のぼりを立てるようになったといわれている。

端午の節句で飾られる武者人形は、「五月人形」とも呼ばれ、金太郎や源義経（1159～1189）、加藤清正（1562～1611）ら英雄豪傑たちを人形としたものである。

端午の節句にちまきを食べる風習は、紀元前３世紀頃の中国から伝わったものとされている。川に身を投げた楚の国の詩人・屈原を弔うため、命日の５月５日に川に餅を投げたのが始まりという。端午の節句に柏餅を食べるのは、日本独自の風習だ。柏餅は江戸時代半ば以降に江戸で生まれたもので、柏の木は新芽が出なければ古い葉が落ちないことから、家系が絶えない、子孫繁栄の縁起物として武家の間で尊ばれ、広まったといわれている。

豆知識

1. ちまきは笹の葉で餅を巻いて作る。古くは霊力があると信じられてきた茅の葉で餅を巻いていたことから「茅巻き」の名が付いたといわれている。
2. 江戸時代、鯉のぼりは黒い真鯉のみだった。しかし、明治時代に入って赤い緋鯉が作られるようになったといわれている。童謡「こいのぼり」の緋鯉は子どもたちとされているが、昭和40年代頃に子鯉が追加され、現在、緋鯉はお母さんの鯉となっている。

42 哲学・思想 ｜ 法隆寺

法隆寺は聖徳太子（574～622）によって建立された奈良県生駒郡斑鳩町にある寺院であり、聖徳宗総本山だ。聖徳太子が自らの宮殿・斑鳩宮に隣接して斑鳩寺を建てたことに始まる。現存するものとしては世界最古の木造建築である。伽藍（境内の建物）がほぼ完全な形で残っている唯一の古代寺院でもあり、世界文化遺産に選ばれている。

◈

法隆寺

法隆寺創建の由来については金堂に安置されている薬師如来坐像の光背に刻まれた銘文に述べられている。それによると用明天皇（？～587）は発病を機に寺院の建立と薬師如来像の造立を思い立ったが実現する前に崩御してしまった。そこで皇子である聖徳太子と推古天皇（554～628）がその思いを引き継いで607年に寺を建立したという。

聖徳太子は用明天皇の第２皇子として574年に生まれた。聖徳太子は死後に贈られた敬称（諡号という）で名は厩戸皇子または厩戸豊聡耳皇子という。推古天皇は即位の翌年の593年に聖徳太子を皇太子とするとともに摂政に任じた。以後、権力者であった蘇我馬子（？～626）とともに仏教伝来後間もない時期の政治を担った。601年に斑鳩宮の造営を始め、４年後に移り住んでいるので、斑鳩寺の建設は移住後すぐにとりかかったものと思われる。聖徳太子は斑鳩に宮と寺院を建てただけではなく、広域にわたって道路整備などを行っていたことが近年の発掘調査などによって明らかになった。聖徳太子は天皇の宮がある飛鳥と難波の港を結ぶ要地である斑鳩を拠点として、政治・経済・文化の掌握をはかろうとしたものと思われる。しかし、即位の日を迎えることなく49歳で没した。現在の本尊の釈迦三尊像は、聖徳太子が病に伏した際に妃や御子たちが病気平癒を願って制作を発願した太子等身大の像であるが、完成したのは太子の死の翌年であった。『日本書紀』には、法隆寺は670年に全焼したと記されており、これが事実であるのか学会で論争が起こったが、境内から焼けた寺院の遺稿が発見され事実だと確認された。しかし、現在の金堂は670年の火災以前に建てられた可能性が指摘され、現存する建物の建築年代については議論が続いている。いずれにしても法隆寺の建築が世界最古級の木造建築であることは間違いなく、境内の主な建物は国宝に指定されており、世界文化遺産にも選ばれている。また、飛鳥時代から平安時代にかけての優れた仏像を数多く所蔵していることでも知られ、そのほとんどが国宝や重要文化財に指定されている。

豆知識

1. 法隆寺には七不思議があると言い伝えられてきた。(1) クモが巣をかけない、(2) 南大門前に鯛石という大きな石がある、(3) 五重塔の相輪（屋根の上の金属製の柱部分）に鎌が刺さっている、(4) 伏蔵（地下に埋められた蔵）がある、(5) 境内のカエルには片目がない、(6) 夢殿の礼盤（読経をする僧が座るところ）の裏が汗をかいている、(7) 雨だれが地面に穴をあけない、の７つである。
2. 「柿くへば鐘が鳴るなり法隆寺」は、正岡子規（1867～1902）の代表作の一つである。前書きに、『法隆寺の茶店に憩ひて』とあり、子規が法隆寺を訪れた際に詠んだ句である。

43 自然 | 山地

国土の半分以上が山地の日本は、地質構造的に複雑な成り立ちで形成されてきた。国内には、様々な姿の山地や山脈があるが、それらはすべて長い時間をかけた造山運動の産物で、日本列島自体も巨大な山脈といえる。

◈

中央アルプス

国土の約75%が山地の日本は、造山運動の褶曲(しゅうきょく)による褶曲山地や断層に囲まれた断層山地、浸食に抗して残った浸食山地、火山活動で成長した火山性山地などを有している。褶曲山地は、海洋プレートが大陸プレートの下に沈み込むことで、沈み込み域の上部の地層が褶曲し、上昇して山地となったもの。日本列島自体も、中生代から新生代にかけて形成された褶曲山脈である。一方、地盤の割れ目である断層に圧力がかかり、ずれが生じて形成されたのが断層山地だ。

日本の山地は、一つの山地、山脈の中でさえも、古生代から第４紀までの様々な時代、種類の複雑な地層、岩石で構成されている。これは日本が長い時間をかけ、地質構造的に複雑な成り立ちで形成されたことを示している。火山や火山麓を作るのが第４紀火山岩、そのほかは山地と丘陵を作っている堆積岩、第３紀以前の火山岩と深成岩が占め、残りが変成岩という具合である。

日本の代表的な山脈では、本州中央部の中部山岳地帯の骨格となる飛驒山脈（北アルプス）、木曽山脈（中央アルプス）、赤石山脈（南アルプス）の３つを合わせた「日本アルプス」が有名だ。この呼び名は、1881年、日本考古学の父と呼ばれる化学兼冶金技師のイギリス人、ウィリアム・ゴーランド（1842〜1922）が旅行ガイドの中で「信州飛驒山岳地方を日本のアルプスと名付けてよいだろう」と記したことに由来する。こうした高い山々は気流を上昇させ、水蒸気を雨に変えていく。そして、水分が山地の植物を養い、山の地下でろ過されたのちに川となって山を削り、平野に土砂を運び、人間に水や水力エネルギーを供給する。また、海に流れ込んだ栄養豊富な水は、植物性プランクトンを育て、豊かな食物連鎖を築く。日本人は命を脅かす災害とともに、山々から大きな利益も享受してきた。日本人は古来、山そのものを神とし、信仰の対象として敬ってきたが、自然への畏怖と共生の歴史こそがその由縁であろう。

豆知識

1. 山地、山脈、高地をわかりやすく分類すると、山地とは平野や台地に相対する言葉で、高低差のある山々が連なっている場所のこと。高地は、山地の中でも起伏が少なく、幅を持って広がっているところである。山脈は、山地の中でも、山頂と山頂を結ぶ山稜線（尾根）が細長くつながって脈状に連続している場所を指す。
2. 海底にも山はある。細長く連なる海底の大山脈が海嶺で、3000〜4000mの高さで、数百〜２万kmの長さ、急傾斜の側面を持っている。形成の仕方は、まず海洋プレートが両側に引っ張られることで割れ目ができ、そこにマントルが上昇。そのマントルの一部が、深海底地下の環境で減圧融解を起こしてマグマを発生させることで、火山活動が起こり、新しいプレートが生成される。このプレートが割れ目の両サイドに広がってできるのが海嶺である。

44 歴史 纒向遺跡

奈良盆地の東南部、三輪山麓にある纒向(まきむく)遺跡は、弥生時代末期から古墳時代前期にかけての遺跡で、当時としては最大級の面積を持つ集落跡である。1971年以降、発掘調査が進んでいるが、まだ全体の数パーセントの面積しか調査がなされていない。

◈

「卑弥呼」の項（43ページ参照）で触れた、「卑弥呼の墓は大和にある」という仮説が想定しているのは箸墓古墳とホケノ山古墳で、どちらも纒向遺跡にある。もちろん邪馬台国の畿内（大和）説を唱える者にとっては、この遺跡こそ邪馬台国の中心部だということになる。2018年には、遺跡内で発見された大量のモモの種が、放射性炭素測定による分析の結果、紀元135年から230年のものである可能性が高いと発表され、卑弥呼の活動時期と重なる部分もあることから、邪馬台国・畿内（大和）説にとって有力な根拠の一つとして加えられた。

遺跡内に６つある古墳のうち、代表的なのは箸墓古墳である。最古の巨大前方後円墳と見られており、全長は280m（前方部長が125m、後円部径が155m）。この古墳は「倭迹迹日百襲姫命(やまとととひももそひめのみこと)」という第７代孝霊天皇皇女の陵墓とされているため、立ち入りは制限されている。

ホケノ山古墳からは多くの埋葬品が出土している。主なものは鏡や太刀などの武器類で、特に鏡は「画文帯神獣鏡」や「内行花文鏡」という、よく知られる「三角縁神獣鏡」よりも古いものである。これらは中国との交流によって入手された可能性もあり、その点で、卑弥呼との関連がうかがえる。時代的には箸墓古墳に先立って造立されたと思われる。

纒向遺跡で発見される土器は、他地域から搬入されたものが全体の15％を占めていて、その半数は古代から交流が盛んだった伊勢、東海で造られたものである。ほかには北陸、山陰、近江、関東、瀬戸内海など搬出地は全国に広がっているが、九州の土器はほとんどない。また、出土する遺物は生活用具が少なく、土木工事に用いられる工具が多いことから、住居ではなく都市的機能を持った場所であったと推測されている。祭祀施設および祭祀道具も多く見つかっており、４世紀に誕生した日本最初の王権「ヤマト政権」の都宮だったという説もある。

なお、『古事記』『日本書紀』には、第10代崇神天皇、第11代垂仁天皇、第12代景行天皇の皇居である「磯城瑞籬宮(しきのみずかきのみや)」「纒向珠城宮(まきむくのたまきのみや)」「纒向日代宮(まきむくのひしろのみや)」はこの地にあったとの伝承が記載されている。

豆知識

1. 邪馬台国九州説の提唱派は、箸墓古墳から魏との交流をうかがわせる埋葬品が出土していないため、この古墳を卑弥呼の墓ではないとしている。
2. 纒向を詠んだ歌は『万葉集』に数多く収録されている。「巻向の　山邊とよみて　行く水の　みなあわの如し　世の人われは」（柿本人麻呂　巻第七・1269番歌）

45 文学 紀貫之

『古今和歌集』の「仮名序」では「やまとうた」を定義、分類し、「歌聖」、「六歌仙」を批評するなど、中世を代表する歌人の一人である紀貫之（きのつらゆき）（？～945）。その才能は散文作品でも大いに発揮された。中でも『土佐日記』は、その後の仮名日記文学、女流文学に多大な影響を与えた。

◈

紀貫之

「やまとうたは、人の心を種として、よろづの言の葉とぞなれりける」

紀貫之が『古今和歌集』の「仮名序」冒頭に記したこの一節は、極めて画期的な定義であった。詩歌が人間の感情の発露として、言葉を用いて作られるということは実は当たり前のことではない。日本を含め洋の東西を問わず、神話や英雄の戦争譚などが詩歌によって語られることは多く、それらは人間の感情ではなく道徳や宗教、政治的な真理から発したものである。しかし、日本文学における「やまとうた＝和歌」は、確かにその後も紀貫之が定義したように発展した。特に「生きとし生けるものいずれか歌をよまざりける。力をも入れずして天地を動かし、目に見えぬ鬼神をもあはれと思わせ、男女の仲をも和らげ、猛き武士の心をも慰むるは歌なり」と続く力強い宣言が、千数百年も前に書かれたとは驚きを禁じ得ない。

930年、貫之は土佐守に任じられ、土佐国（現在の高知県）に赴任した。４年の任期を終え、京都に戻るまでの55日間、ほとんどは海上の旅だったが、貫之は帰京後、その間の出来事を『土佐日記』として著した。

冒頭に「をとこもすなる日記といふものを　をむなもしてみむとてするなり」とあるように、女性が書いたという建前で全編が仮名で記されている。これは一つには、土佐国着任中に娘を亡くした悲しみを表現するのに、仮名がふさわしかったという理由が考えられる。もう一つは、日記内に和歌や歌論を収録する構想があったためで、文中には和歌が56首含まれており、一部にはこの日記が貴族の子弟に向けて書かれた和歌の入門書ではという説もある。

仮名で書かれた日記は、漢文で書かれたものよりも私的で、率直な心情を表現することができた。それ以降の、本物の女性によって書かれた仮名日記文学と比べると、『土佐日記』にはそこまでの率直さはないが、和歌や仮名による表現が、漢詩・漢文に決して劣らないことを証明してみせた、極めて大きな価値がある作品といえる。

豆知識

1.『土佐日記』は土佐から京都までの旅の記録ではあるが、紀行文にはなっておらず、風景描写はほとんど見られない。
2. 他の平安日記文学と異なり、『土佐日記』は日付入りで、毎日欠かすことなく書かれている。

46 科学・技術 | 宮大工

1000年以上の歴史を持つ木造建築物が残るのは、日本だけである。それらの建築物は、激しい風や繰り返される自然災害を何度も乗り越える耐久性を持っていた。そのテクノロジーを実現してきたのが宮大工だ。日本の建築を支えてきた宮大工のルーツは、飛鳥時代まで遡る。

◈

1000年の時を経て、現在も日本に残る木造建築の重要な文化的遺産である神社仏閣。その大型建造物や宮殿の建築、メンテナンスを行う技術者が宮大工である。

通常の大工との違いは、まず材木を接合する時に釘を使わない「木組み」などの特殊な技術のほか、何百年も前の工法や道具の使い方を熟知していること。そして、修繕や改築を行うため、技術以外に歴史や美術も学ぶなど、極めて専門性が高い職種であることだ。

宮大工の歴史は古く、そのルーツは飛鳥時代まで遡る。６世紀末に日本最初の仏教寺院として建てられた奈良の飛鳥寺は、『日本書紀』によれば、百済から僧と技術者（寺工２名、鑪盤（ろばん）博士［金属加工技術者］１名、瓦博士４名、画工１名）が派遣されて建立されたという。また『日本書紀』には同時期、四天王寺の建立のため、聖徳太子（574〜622）が百済より３人の宮大工を招聘したとある。そのうちの一人、金剛重光が創業した金剛組は、現在も四天王寺お抱えの宮大工である。仏教は建築様式に変革をもたらし、豪族らの威光を示すものは古墳から寺院建立に代わっていったのである。

宮大工が神社仏閣の建築に使う技術は、現代の研究でも完全には解明されないハイテクノロジーである。彼らが用いる「木組み」の技術は、寄せ木細工やパズルのように材木を接合する技術で、釘はあくまで仮止めで、接着剤やボルトを使わないため耐久性が高く、木組みが生むわずかな隙間により、地震や大風などの物理的な外力にもたわむことで免振機能を果たす。五重塔などの木造多重塔では、複雑な木組みの隙間による柔構造、真ん中を貫く「心柱」が地面に固定されずに宙づり状態であること、各重がつながらず独立していることで、巨大な地震にも耐える制振システムを構成している。また張り出した軒がヤジロベエの役割を果たしているとの説もある。それぞれの構造の成り立ちは、現代の建築理論でも完全に解明されているわけではない。その中で、唯一、修繕や改築の技術を受け継いでいるのが、現代に残る宮大工たちなのだ。

豆知識

1. 宮大工の株式会社金剛組は、578年創業の世界最古の企業だ。聖徳太子に招かれた金剛重光により創業された。現在は髙松コンストラクショングループの孫会社である。
2. 通常の大工の場合、見習いから一人前になるまで２〜３年くらいの修業を積む。一方で、宮大工は一人前になるまでに10年ほどの時間を費やす。覚えなければならない知識や、習得する技術量が膨大だからである。資格はないが、国家資格である技能認定制度の建築大工技能士を取っている職人も多いという。ちなみに年収は、見習いで350万〜400万円、一人前になると600万円。中には、年収1000万円を稼ぐベテランもいるという。
3. 四天王寺の年中行事として１月11日に行われる「ちょんな始め」という宮大工の仕事始めの儀式がある。ちょんなとは手斧の意味で、金剛家代々の当主は正大工職として、この行事に出仕している。

47 芸術 ｜ 正倉院宝物

756年に聖武天皇（701～756）が亡くなると、その冥福を祈って光明皇后（701～760）が東大寺の盧舎那仏に夫の遺愛の品を奉献し、後にそれらは同寺の財物を保管する倉庫（正倉）に収蔵されることになる。これが正倉院宝物のルーツである。正倉院には国内の優れた工芸品のほか、シルクロードの彼方から持ち込まれた国際色豊かな品々が保存され、その宝物は9000点にものぼった。

◈

奈良・東大寺大仏殿の北西に位置する正倉院は、８世紀中頃に築造された高床式校倉造の建物である。間口約33m、総高約14mという豪壮な造りで、国宝にも指定されている。床下には直径約60cmの丸柱がどっしりと立ち並び、皇室の至宝を守る建物を支え続けている。保存されている美術・工芸品は、楽器や調度品、鏡、飲食具、装身具、仏具、武器、さらには遊戯具など多岐にわたるが、中には正倉院にしか現存しない貴重な宝物もある。例えば「螺鈿紫檀五弦琵琶」。インドが起源とされる五弦琵琶は、頭部が折れ曲がらない直頸形式が特徴で、撥の当たる面に描かれた熱帯樹やラクダに乗る楽人の姿は異国情緒にあふれている。

調度品としては「鳥毛立女屏風」が有名だ。描かれている女性は唐の仙女とされ、その着衣などにヤマドリの羽毛が貼られていたことから「鳥毛」の名が付けられたという。絵屏風には死後の聖武天皇を取り囲む役目があったとされ、天皇に仙女のいる世界に往生してもらいたいという願いが込められていたと考えられている。

またワイングラスのような「瑠璃坏」も正倉院を代表する宝物として名高い。紺碧の海を思わせる色合いのガラスはササン朝ペルシア（226～651）で作られ、銀製の台脚は唐で制作されたと伝わる。外側に合計22個張り付けられたガラスの輪も特徴的である。

さらに正倉院展で人気が高いのが「伎楽面」だ。伎楽とは古代日本の仮面舞踊劇のこと。７世紀初期に新羅から伝わったとされ、面の種類は正義の味方である「力士」、仏法を守護する「迦楼羅」、インドの高僧である「婆羅門」など14種類とバラエティ豊かだ。中でも半人半獣の「崑崙」は、悪役でありながら、どこか愛嬌のある表情をしたものが多い。

さらに正倉院には、「香りの宝物」もある。それが香薬の類で、とりわけ「黄熟香」と呼ばれる沈香は「天下の御香」として大変珍重され、足利義政（1436～1490）や織田信長（1534～1582）といった権力者にも愛された。ちなみに黄熟香には「蘭奢待」という雅号があるが、この三文字にはそれぞれ「東」「大」「寺」の文字が隠れている。

豆知識

1. 現在、宝物は正倉院にはなく、近くの鉄筋コンクリートでできた東倉庫・西倉庫で管理されている。
2. 奈良・平安時代の各地の役所には重要物品を保管する建物があり、それを「正倉」と呼んだが、次第に数が減り最後の一つに残ったのが東大寺の正倉院である。

48 伝統・文化 ｜ 七夕

七夕とは、７月７日の夕方を意味している。七夕を「たなばた」と呼ぶようになったのは、奈良時代に中国から伝わった行事「乞巧奠」と織姫と彦星の七夕伝説が、日本古来の棚機つ女(はたを織る女)の習俗と結びついたからだといわれている。現在七夕は願い事を書いた短冊を笹竹に吊るす日として多くの人に認知されている。

◈

『東京名勝年中行事 市中の七夕』(三代歌川広重)

乞巧奠とは、織女(織女星)が空に瞬く７月７日の夜、裁縫の仕事を司るその星に対して、手芸や機織りなどの技巧上達を願う中国の行事である。それが日本に伝来し、７月７日の夜、貴族たちが梶の葉に歌を書いて歌の上達を願うようになったという。また、乞巧奠とともに中国から伝わった七夕の伝説がある。

織物が得意な娘・織女(織姫)と働き者の牛飼いの青年・牽牛(牽牛星彦星)の２人は結婚した途端に遊び暮らすようになったため、織女の父である天空で一番偉い神様・天帝が激怒し、織女と牽牛を引き離した。しかし、悲しみで毎日泣き暮らしてばかりの織女と牽牛を不憫に思った天帝は、年に一度、７月７日の夜にだけ２人を会わせると約束した。世にいう「七夕伝説」だ。織女星と牽牛星はそれぞれ、西洋の星座に当てはめると「琴座のベガ」「鷲座のアルタイル」にあたるが、七夕伝説と西洋の星座に特別な関連はない。しかし、織女星と牽牛星は７月７日の夜に天の川を挟んで最も光り輝いて見えるといわれており、琴座のベガと鷲座のアルタイルも琴座、鷲座の中で最も明るい恒星として知られている。また日本には古くから、穢れのない女性が天から降りてくる水神に捧げるための神聖な布を、棚造りの小屋にこもって織るという習俗「棚機つ女」があり、この棚機つ女が乞巧奠、七夕伝説と組み合わさり、日本の七夕が生まれたといわれている。

江戸時代、幕府によって七夕が五節句の式日と定められると、願い事を書いた短冊や飾り物を笹竹に吊るす風習ができた。この七夕の風習は特に江戸の市中で盛んに行われ、笹売りから買い求めた笹を家ごとに飾っていたといわれている。子どもたちは寺子屋で学ぶ手習いの上達を願って、短冊に願い事を書いて吊るしたという。七夕の時期に笹が飾られた様子は、浮世絵にも数多く描かれている。また、７月７日は、先祖の霊を迎えて祀るお盆の前に穢れを祓い清める七夕祭りの日でもあった。青森のねぶた祭りや秋田の竿燈まつりなどは、現在も禊の行事としての姿を残す七夕祭りの一種である。

豆知識

1. 江戸時代には、七夕の“七”にこだわり、７枚の梶の葉に７種の歌を書く風習もあった。梶の葉を使ったのは、裏に細かい毛が生えていて、墨のノリが良かったからといわれている。
2. 平安時代中期に編纂された『延喜式』には、「七夕にそうめんを食べると大病にかからない」という記述がある。元々は素麺の起源とされている索餅(奈良時代に中国から伝わった唐菓子)を食べていたが、それが次第にそうめんに代わっていったらしい。全国乾麺協同組合連合会では、７月７日は「そうめんの日」と定めている。
3. 七夕飾りはいつまでも家に置いておいてはいけないとされ、昔は七夕の翌日に七夕飾りやお供え物を水に流す七夕送り(七夕流し)の風習があった。

49 哲学・思想 | 神社

神社は、神道の祭祀施設であり、神を祀る場所として日本人の信仰心の拠り所となってきた。古来寺院とともに重視され、「社寺」とひとくくりにされることも多いが、神社と寺院は性質が大きく異なる。一言でいえば、寺院が人のための場所であるのに対し、神社は神のための場所である。それゆえ、参拝する際には手水（ちょうず）などで清める必要がある。

◈

神社

神道は日本古来の信仰であるが、神社の起源が神道の始まりにまで遡るのかについては議論がある。一般的な説では、古代には今のような常設の神社はなく、聖地に神籬（ひもろぎ）という仮設の祭壇を設え、ここに神を呼び寄せて神事を行っていたとされる。社殿が建てられるようになったのは仏教伝来以後のことで、寺院建築に対抗する必要から復古的な社殿建築が成立したとされている。神社の中に神が宿るとされる山や岩などを神体として本殿をもたないところがある（奈良県の大神（おおみわ）神社、埼玉県の金鑽（かなさな）神社など）のは、こうした説を裏づけているように思われる。

しかし、伊勢神宮のように本殿（御正殿）はあるが拝殿をもたない神社もあるので、上記の説とは違う形で成立した神社もあった可能性がある。実際、考古学の進展により縄文・弥生時代にも神殿らしきものを造っていたことがわかってきており、それらを神社の起源と考える説もある。

神仏習合の影響もあって神社と日本の寺院は一見よく似ているが、大きく異なる点がある。一つは、寺院が僧や信者が修行をする場であるのに対し、神社は神を祀る場所であることだ。また、寺院の本尊は参詣者の前に公開されていることが一般的だが、神社の本殿は宮司（神社の最高責任者）でもみだりに中を見ることはできない。仮に本殿の中を見ることができたとしても、そこにあるのは神が宿るとされる神体だけなので、それを見ただけではどんな神が祀られているのか判断は難しい。

神社の主な施設は以下の通りである。本殿（祭神の神霊が宿った神体を奉安した社殿）、拝殿（本殿を礼拝するための社殿）、神楽（かぐら）殿（舞殿ともいう。神に捧げる芸能などを演じるための社殿）、摂社・末社（その神社に所属する小型の社（やしろ））、手水舎（手と口を清めるための施設）、鳥居（神社のシンボルであり、その内側が神聖な場所であることを示すもの）、社務所（神社の庶務を行うところ。神札や朱印などを授ける授与所を兼ねることもある）などだ。神社によっては本殿と拝殿が一体化していることもある。

豆知識

1. 社名の最後につく「神社」「宮」「大社」などは神社の格式を表している。最も高いのが神宮で、狭義では伊勢神宮のみをいう。宮も格式が高く、かつては天皇の許しがなければ名乗れなかった。大社は地域の中心となっているような神社で使われる。

50 自然 平野(関東平野)

関東地方1都6県にまたがる関東平野の成り立ちは古く、1650万年前まで遡る。関東平野の代表的な土質「ローム」は、更新世中期以降の火山砕屑物などが積もったものだ。歴史ある土地に住み着いた日本人は、平野の特性を利用しながら日本の中心地となる首都を完成させた。

◈

日本の人口の約9割が平野に住んでいる。日本の平野のほとんどは山地形成の副産物としてできたもので、形成された山が浸食されて生じた土砂を川が搬出し、海岸や盆地を埋め立てた堆積平野である。河川の堆積作用による平野は、谷底平野、扇状地、氾濫原、三角州などがある。また、海洋の堆積作用による海岸平野もある。原初の日本人は、この平野に住み着き、農耕技術を発展させて栄えていった。

日本の代表的な平野は、関東地方1都6県にまたがる日本最大の関東平野だ。その広さは約1万7000km^{2}あり、四国(1万8297.78km^2)の面積に匹敵する。この関東平野の成り立ちは古く、1650万年前の日本海の拡大末期まで遡る。新第三紀から、平野中央部を中心にした沈降によって周囲の山地が隆起する、関東造盆地運動により形成されていった。関東平野には、周囲の山地から流入した土砂が厚く堆積し、さらに隆起することで丘陵や台地が多く存在する。河川の運んだ土砂が堆積することで陸地化も起き、縄文時代末期から弥生時代初期には、現在の地形になっていたと考えられる。

関東平野で特徴的なのは、「赤土」と呼ばれる赤い土だ。これは、含有する鉄分が風化により酸化した「ローム」で、富士山や箱根山、愛鷹(あしたか)山といった周辺の諸火山から降下した、約258万年前から約1万年前の更新世中期以降の火山砕屑物などの総称である。関東ローム層は粘土質のため水はけが悪く、かつては、あまり農業に適さない土地だった。

関東平野の気候は、沿岸部を流れる黒潮(暖流)の影響により、南部を中心に温暖である。夏は季節風による梅雨前線の影響で雨が多い。冬は湿気の多い日本海からの季節風が三国(みくに)山脈で遮られ、北側の山地では降雪する。また、山地を越えることで乾燥した季節風は、強いからっ風となって関東平野に吹き下ろす。しかし近年は、都市部とその周辺を中心に温暖化やヒートアイランド現象の影響を受け、平野の気候も変わりつつある。

豆知識

1. 日本の平野の多くは海岸沿いにある。形成過程において、海の浸食作用を受けるとともに海面変動の支配を受けているからだ。10万年前、関東平野も古東京湾の海面下にあった。平野は海に接近しているが、山の成長が原因で形成されたものがほとんどなので、山に守られた形のところに多い。濃尾平野や大阪平野は、伊勢湾と大阪湾の奥深い湾に面し、関東平野は房総半島という防波堤の内側にある内陸の平野である。
2. 日本の平野が、山地に由来する堆積物で形成されたものが多いのは、土砂を運搬するための大きな河川を育む雨が多いという、気候による要因が大きい。
3. かつて関東ローム地帯では農産物の生産量が十分ではなく、全国に配置した天領(幕府直轄地)から米などを集め、船で江戸へ運んだ。江戸期の第5代将軍・徳川綱吉の時代になって土壌の改良が盛んに行われ、現在のように野菜や米の生産量が増えた。

51 歴史 天皇家

2019年５月１日に新天皇が即位した。初代神武天皇（生没年未詳）から126代を数えるとされる日本の皇室は、ギネス記録でも最古の歴史を有する家系の一つとされている。これにはいわゆる「神話」に属する部分も含まれており、実在の天皇の始まりについては諸説研究されてきた。

◈

天皇家の紋章である菊の御紋

『古事記』、『日本書紀』（以下、『記紀』）の両書には様々な異同があるが、共通した記述で、いわゆる「神代」の概要をまとめると以下のようになる。伊邪那岐命・伊邪那美命の二神が国土を生み、さらに天照大神・月読命・須佐之男命を生んだ。天照大神は高天原に送り上げられたが、須佐之男命がそこで暴れたため、天照大神は岩戸に隠れた。須佐之男命は出雲に降り、大国主命がその血統に生まれた。大国主命が国を譲ったので、天照大神の孫である邇邇芸命が豊葦原中国（地上世界）に降臨した（天孫降臨）。この降臨の際、天照大神から授けられたのが、後に皇位の象徴となる「三種の神器」（八咫鏡、草薙剣、八尺瓊曲玉）である。『皇統譜』において、初代の天皇とされている神武天皇は、邇邇芸命の曽孫にあたる。『記紀』の記述に基づくと、神武天皇の即位は紀元前660年２月11日（建国記念の日の由来）となるが、歴史的には縄文時代にあたることから、三種の神器のようなものが国内にあったとは考えられず、その実在性にはかなりの疑いが残る。

一方、中国の史書には、倭国の「讃・珍・済・興・武」という５人の王についての記述がある。「倭の五王」と呼ばれるこの王らは５世紀に、当時の中国南朝の「宋」に朝貢を行ったという記録が残っている。『記紀』では５人の王をそれぞれ天皇に比定しているが諸説があり明らかでない。最も蓋然性が高いのが「武」王を第21代雄略天皇とする説である。『記紀』では、雄略天皇の実名は「ワカタケル」であるとされていて、「タケル」が「武」に通じる。また、埼玉県行田市の稲荷山古墳で出土した鉄剣にある銘文「獲加多支鹵（ワカタケル）大王」は、雄略天皇を指すと推測できる。この鉄剣には「辛亥年」という年号があり、471年がそれにあたることから、史書との整合性も極めて高いといえる。倭王による中国への朝貢は武王を最後に打ち切られていて、この時代には天皇（大王）の権力が国内で確立したと考えられるのである。

実在の天皇については、現在までの研究で、雄略天皇を除き、第25代武烈天皇までは実在性が薄く、第26代継体天皇以降とする説が有力である。また、「天皇」という号を初めて使用したのは第40代天武天皇（？〜686）といわれている。

豆知識

1. 歴代天皇が定められたのは大正時代末期のこと。今上天皇は第126代にあたり、2019年５月１日に即位した。
2. 「三種の神器」の実物は、鏡が伊勢神宮（内宮）、剣が熱田神宮、曲玉（璽）が皇居に存在するとされている。鏡と剣の形代（分身）は、それぞれ皇居・吹上御所の「宮中三殿の賢所」と「剣璽の間」に安置されているが、完全非公開で皇族も見ることはできない。

52 文学 『竹取物語』

成立年や作者などが不明にもかかわらず、かぐや姫を主人公にしたこの『竹取物語』は、著されたとされる平安初期から現在まで、子どもから大人まで誰もが知る、日本で最も有名な物語として語り継がれてきた。筋立てや登場人物の設定がわかりやすく、平安時代の文章を学ぶ入門作品としても適している。

◈

月岡芳年『かぐや姫』

「今は昔、竹取の翁といふものありけり。野山にまじりて竹をとりつつ、よろづのことにつかひけり」という冒頭文で始まる『竹取物語』は、現在小学生が初めて触れる古文として、多くの国語の教科書に掲載されている。

『源氏物語』には、「物語の出で来はじめの祖なる竹取の翁」という記述があり、日本最古の物語といわれている。成立は9世紀後半から10世紀前半と考えられており、『竹取物語』というのは後世の通称である。当初は「竹取の翁」、「かぐや姫の物語」、あるいは単に「竹取」などと呼ばれていた。作者も不明だが、仮名の文章力に長じ、漢籍の教養も深い人物が想定される。諸説としては僧正遍昭(へんじょう)(816〜890)、源融(みなもとのとおる)(822〜895)、源順(みなもとのしたごう)(911〜983)などの名が挙げられている。

文体は淡々と事実を述べ、主観を排した素朴なものであり、物語は古い説話に残されている竹取翁伝説、妻争い説話、羽衣伝説が下敷きになっている。物語に組み込まれている要素、例えば異常な出生、急成長、長者になる、求婚者に難題を出すなども別の説話に見られるものが巧みに利用されており、完成度は高い。貴族や帝が求婚に苦労する部分などには、一部風刺的、反体制的な要素もあることから、作者は当時の権力者であった藤原氏の係累ではないと考えられている。

和文で書かれた初めての伝奇的物語という『竹取物語』の性格は、後の『宇津保物語』に受け継がれた。こちらは全20巻からなる長編で、やはり作者は不明である。「うつほ」は主人公が母とともに住んだ杉の巨木の空洞を指している。主人公に貴公子を配していること、上流階級の教養とされていた楽器の「琴」の音楽が題材であることなどから、朝廷後宮の女性サロンで評判となり、『枕草子』には、『宇津保物語』に登場する藤原仲忠、源涼のどちらが主人公にふさわしいかという論争があったとの記述がある。

『落窪物語』もまた、同じ時期に成立し評判となった物語として『枕草子』に言及がある。主人公である美しい姫君が、継母のいじめを受けながらも、貴公子と結婚するといういわゆるシンデレラストーリーである。主人公が畳の「落ち窪んだ」部屋に住まわされていたことが題名の由来になっている。構成は単純だが、当時の貴族社会を写実的に描写していて、『宇津保物語』と同様、『源氏物語』へと続く物語文学の流れを作った。

豆知識

1.『竹取物語』は現在では様々な外国語に翻訳されているが、1番最初はイギリスの日本文学研究者、フレデリック・ヴィクター・ディキンズによる英訳だった。

53 科学・技術 ｜ 武器

人類の発展は、テクノロジーの進歩でもある。中世ヨーロッパの神学者、哲学者のヨハネス・エリゲは「7つの機械技術」として、農業、紡績、鍛冶（かじ）、戦争、航海、狩猟、医療を挙げたが、確かにその7つは、互いに影響し合いながら世界の国々を進歩させてきた。これは日本でも同じである。戦争の道具「武器」は、他の発明品と同時に発達し、日本に大きな変革をもたらしたのだ。

◈

弥生時代前期から中期にかけ、大陸から九州北部へ青銅器と鉄器が同時に輸入されるようになり、やがて鍛冶の技術が伝わった。このことで一気に進歩したのが、農業、戦争、狩猟である。鉄器によって効率化し拡大した農業と狩猟は、集団を巨大化させ国家を形成するとともに社会に格差を生み、金属の武器によって国家同士の戦争に発展した。

当初、青銅や鉄製の武器は輸入品で、青銅製の矛、剣や直刀、弓類、盾は、一部の階級しか持つことのできない高級品であった。4世紀後半にヤマト政権が朝鮮半島南部へ進出したのも、冶金技術や鉱物資源を得るためだと考えられている。

5世紀、古墳時代中期頃から日本でも製鉄が始められると、鉄鉱石の代わりに砂鉄や餅鉄（べいてつ）を材料に鋼が生産され、武器も国産となっていく。この時、製造が鍛造によって行われたのは、当時の炉の性能が低く、鉄の融点にまで温度を高められず、鋳造技術にまで達しなかったためだと思われる。しかし逆に、鍛造や砂鉄や餅鉄という限定的な条件は、日本の武器を進化させていくことになった。また、平安時代になると剣が廃れ、刀も直刀から反りをもった形状へと独自の変化が始まった。

やがて日本のたたら製鉄法の一つ、16世紀に生まれた「鉧押し（けらおし）」によって製錬された鋼の中で良質なものは玉鋼と呼ばれ、日本刀の製造に使われ始める。玉鋼は、炭素以外の不純物、脆さなどの要因となる硫黄やリンをほとんど含まない、極めて純度の高い鋼である。

第二次世界大戦後、GHQ（連合国軍最高司令官総司令部）は日本刀の全面廃棄に動いたが、関連団体の請願で、登録制での所持と、新たに作り続けることが認められることになった。これは武器が、美術品・文化として認められた世界でも珍しいケースである。

豆知識

1. 日本の武器体系とは違った流れを持つのが、沖縄の琉球古武術の武器である。琉球古武術では、刀剣類以外にヌンチャクやトンファーなどの武器も使われた。その起源はわかっていないが、馬具や農具などから発生したとの説や、中国や東南アジアの武器が輸入されて発展したとの説がある。後にヌンチャクはアメリカに輸出され、警察用警棒として採用されている。
2. 集団戦がなくなった江戸時代の刀は、戦国の時よりも肉薄で、装飾性の強いものになった。この時期には、十手、袖がらみなどの治安維持用の捕物武器が発達した。

54 芸術 | 蒔絵と螺鈿

日本では古来、漆を用いた工芸、いわゆる漆工が盛んであった。海外からの認知度も高く、江戸時代に長崎からオランダ船に積み込まれた漆器は「japan」と呼ばれるほどだった。「蒔絵」と「螺鈿」はその漆工における装飾技法の一つである。これらの技法によって漆器はより贅を尽くした美術品へと進化するのである。

◈

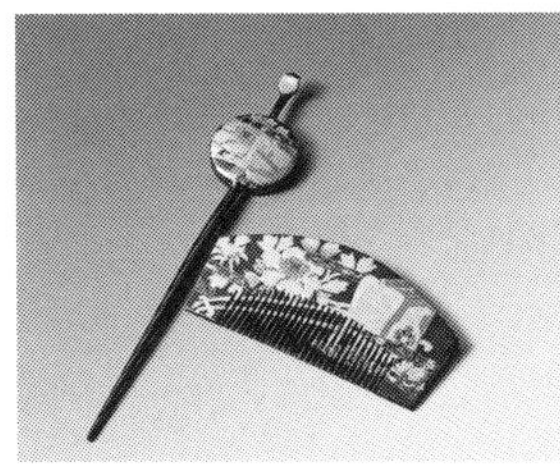

蒔絵の櫛とかんざし

蒔絵とは器物の表面に漆で文様を描き、金銀などの金属粉を「蒔いて」付着させる日本独自の技法だ。蒔絵の最古の資料としては、正倉院宝物の「金銀鈿荘唐大刀」が挙げられる。この大刀の鞘には鳥獣や雲のデザインが施されているが、ここで用いられたのは漆に鑢でおろした金を混ぜて文様を描いた「末金鏤」と呼ばれる技法で、これが蒔絵の起源とされている。また制作年が確認できる最古の蒔絵としては京都・仁和寺が所蔵する国宝「宝相華迦陵頻伽蒔絵冊子箱」(919頃)があり、空海(774〜835)の真筆を納めた箱と伝えられている。

蒔絵は大別して3種類あり、最も早く現れたのが末金鏤を発展させた「研出蒔絵」だ。これは金粉を蒔いた後に全面に漆を塗り、乾燥後に木炭で研磨し、下の蒔絵層を出す技法である。漆器の表面が平滑になるのが特徴だ。次が「平蒔絵」で、これは金粉を蒔きつけた部分にだけ漆を塗り研磨するというもの。この技法を用いると蒔絵面が盛り上がって見えるため、文様が強調される効果がある。最後は「高蒔絵」。これは上塗りを施して乾燥させた蒔絵の部分に、さらに漆を厚めに塗るなどして、より立体的に文様を表現したものだ。この技法が用いられた作品としては、室町時代に作られた重要文化財「春日山蒔絵硯箱」が名高い。東山文化が華やかなりし時代に生まれた硯箱で、室町将軍・足利義政(1436〜1490)にも愛された品であるという。

一方、螺鈿は夜光貝などの貝類を素材に細工を行う。使用するのは主に虹色光沢を持った真珠層と呼ばれる部位である。基本的な工程は、貝殻を文様通りに彫刻して漆地にはめ込み、その表面に漆を塗って、平滑になるまで研磨するというもの。螺鈿があしらわれた漆器は、見る角度によって文様の輝き方が変化するため、蒔絵の美しさとは異なった趣がある。

螺鈿の起源は諸説あるが、ササン朝ペルシアなど西方の国々からシルクロードを経て唐に入り、日本には奈良時代に伝来したとされる。螺鈿細工の逸品としては平安時代後期の作である国宝「片輪車螺鈿蒔絵手箱」が有名だ。陰影表現に優れた作品として評価が高く、また作品名にあるように蒔絵の技法が併用されているのも、見どころの一つだろう。

豆知識

1. 螺鈿の「螺」とは巻き貝などを指し、「鈿」には「金の飾り」といった意味がある。

55 伝統・文化 お盆とお彼岸

お盆とは、「盂蘭盆会(うらぼんえ)」を略した言葉である。先祖や亡くなった人たちの霊が灯りを頼りに帰ってくると考えられており、先祖の魂を家に迎え入れる。彼岸は仏教用語からきた言葉で、正しくは「到彼岸(とうひがん)」という。生死を繰り返す迷いの世界であるこの世(此岸(しがん))を離れ、苦しみのない安らかな彼の世(彼岸)へ行くという意味がある。

◈

「盂蘭盆会」とは、7月15日に餓鬼道で苦しんでいる死者を救うために行われる仏教行事で、飛鳥時代に中国から伝わり、奈良時代の733年から宮中の行事となった。この盂蘭盆会が、日本で古くから行われていた魂祭(たままつり)(先祖の霊を祀る行事)と結びつき、現在も行われているような先祖の霊を供養するお盆になったといわれている。

お盆は現在も旧暦の7月にあたる8月13日から15日に行われることが多い。一般的には13日にお墓参りをして、迎え火を焚き先祖の霊を迎える。これを「迎え盆」という。反対に送り火を焚いて霊を送るのが、15日の「送り盆」である。

先祖の霊を迎えるために13日の朝に精霊棚(しょうりょうだな)を作り、その奥、中央に先祖の位牌を置く。位牌の前には、先祖の霊が「きゅうりの馬」に乗って早く来てくれますように、「なすの牛」に乗ってゆっくり帰りますように、という願いを込め、なすやきゅうりで作った牛や馬を供える。14日、もしくは15日に僧侶を家に招き、お経があげられ、供養が行われる。13日はおむかえ団子、14日はおはぎ、15日はそうめん、16日はおくり団子と日によってお供え物を変える。だが、これらの風習は地域によって様々で宗派によっても異なるため、これが正式というわけではない。

「彼岸」とは、春分の日と秋分の日を真ん中として、その前後3日間ずつを合わせた7日間のことを指す。初日を「彼岸の入り」、最終日を「彼岸の明け」と呼ぶ。

昼夜の長さがほぼ同じである春分の日と秋分の日は、暑くも寒くもないちょうどいい気候で、太陽が真西に沈むため、西方の極楽浄土にいる阿弥陀仏を礼拝するのにふさわしいという考えから、彼岸は浄土を偲ぶ日、あの世にいる祖先を偲ぶ日と考えられるようになったという。

彼岸にぼた餅とおはぎを供する風習があるが、あずきは古くから邪気を祓う効果があるとされており、それが先祖の供養と結びついて、彼岸にぼた餅やおはぎが食べられるようになったといわれている。

豆知識

1. 「送り盆」は江戸時代までは8月16日に行われていた。お盆の行事である京都の「大文字送り火」は、今も16日の夜に行われている。
2. ぼた餅とおはぎは一見同じものだが、食べる時期の違いによって名前が異なる。春の彼岸にお供えする場合は、季節の花である牡丹をイメージして「牡丹餅」。秋の彼岸にお供えする場合は、季節の花である萩をイメージして「お萩」と呼ばれる。また、ぼた餅は一般的にこしあんを、おはぎはつぶあんを使う。

56 哲学・思想 | 祭

日本では祭祀のことを「(神を) 祀る」という。この「まつる」あるいは「まつり」は、服従する・つき従う・仕えるといった意味の言葉「まつらふ」から発生したとされる。すなわち、神に仕えてその望むことを行うことが祭祀であり祭りであったのだ。神に米などの供物を供え、音曲や舞踊などを演じて喜ばせ、霊威を高める。そして、災害や疫病といった祟(たた)りを止め、豊作などの恩恵をもたらすことを願う。

◈

湯島天神例大祭

もともと日本の神は人間の望みをかなえる慈悲深きものではなく、禁忌が犯されたり気に入らないことがあると祟りを起こす畏れるべきものであった。「祀り」はそうした被害が起きないように神を喜ばせることであり、神の超人的な力を幸いの増大に役立てようというものであった。ちなみに、祟りなどを起こす神の状態を荒魂(あらみたま)といい、祭祀を受けることなどによって恩恵をもたらす状態になったものを和魂(にぎみたま)という。

神に捧げる供物は初収穫されたものが特によいとされた。農作物にしろ狩猟の獲物にしろ収穫物には神の霊力を高める力があるが、初収穫物は特にその力が濃厚だと信じられていたからだ。その代表が初収穫の米、初穂である。そうした供物を受けることによって、神は霊威を高め、その霊威は供えた供物にも及ぶ。祭祀者や参列者もそれをいただくことによって自らの霊力を高めて災厄を除き、幸運に恵まれるとされる。これを「神人共食」といい、神道の特徴である。

祭祀の３分類のうち朝廷祭祀は、天皇もしくは朝廷の神祇官によって行われた国家祭祀のことをいう。祈年祭・新嘗(にいなめ)祭など国家鎮護や五穀豊穣を祈るものが多い。現在の宮中祭祀はこの伝統を受け継いでいるが、政治的な要素は排除されている。

神社祭祀は朝廷祭祀と呼応して各地の平穏や繁栄を祈るものと、土地の伝統的な信仰に基づくものがある。その神社にとって由緒ある日に行われる祭りは例祭（例大祭）と呼ばれる。また、七五三詣でや地鎮祭などの個人的な祈願も神社が対応している。

民間祭祀は巫女などの民間の宗教者あるいは地域の人々によって行われる祭祀儀礼のことをいう。庚申待ち・月待ち（二十三夜講ほか）・富士講などで、ひな祭りや七夕などもこれに含むことがある。寺院での儀礼も祭祀の一種であるが、「まつり」には含めないのが一般的である。ただし、縁日や御開帳（秘仏を特別に公開すること）のように多くの参詣者が集まる行事は「まつり」と呼ばれることがある。

豆知識

1. 日本には古来、大晦日などの節目の日には神が訪れて幸いをもたらすという信仰がある。これを来訪神信仰という。秋田県のナマハゲや鹿児島県のトシドンといった儀礼、「大歳(おおとし)の客」「笠地蔵」といった昔話はこうした信仰に基づくものである。また、水源のない村に泉を湧かしたといった弘法大師伝説は、真言宗の僧などが来訪神信仰を布教に利用したものである。

57 自然 ｜ 名山

列島の中央を背骨のように山脈や山地が連なっている日本は、国土の約４分の３が山地である。日本列島が複雑な地殻変動で形成されたことを物語るように、その山地を造っている岩石の成分も様々な特色を持つ。そのため山地の形も多様で、古くから名峰、名山と呼ばれる山も多い。

◈

乗鞍岳の山並み

例えば、岐阜県と長野県にまたがる活火山の「乗鞍岳」は、四季を通じて美しい景観で知られ、観光地、保養地として発展した。日本百名山にも選ばれている。平安時代の892年に編纂された歴史書『日本三代実録』にも、「大野郡愛宝山に三度紫雲がたなびくのを見たとの瑞兆を朝廷に言上した」と記されており、当時から霊山として信仰されていたことがわかる。古名・愛宝山は、1645年頃に乗鞍岳と呼ばれるようになったといい、飛驒側から眺めた姿が馬の鞍のように見えることから、ほかにも「騎鞍ヶ嶽」「鞍ヶ嶺」と呼称されていた（信州側では最初に朝日が当たる山だとして「朝日岳」とも）。

乗鞍岳は、23峰といわれる火山が南北に並ぶ複合火山である。日本の火山としては富士山、御嶽山に次ぐ高さで、最高峰の剣ヶ峰の標高は3026mだ。その剣ヶ峰の噴火で直下西に火口湖の権現池が生まれ、約9000年前に現在の山容が形成された。

日本百名山を選定した小説家・随筆家の深田久弥（1903～1971）が、名山の一つに選んだ乗鞍岳では、直下に所在する位ヶ原からの眺めを「日本で最もすぐれた山岳風景に数えている」と書いている。

深田の選定による名山には、ほかに北海道の利尻岳、羅臼岳、大雪山、青森の八甲田山、岩手の岩手山、宮城と山形の蔵王山、福島の安達太良山、新潟と群馬の谷川岳、山梨の大菩薩嶺、鳥取の大山、徳島の剣山、愛媛の石鎚山、熊本の阿蘇山、鹿児島の宮之浦岳などなど、登山愛好家にはお馴染みで、古くから地元の人間に愛されてきた山々が名を連ねている。

豆知識

1. 深田久弥は山を愛する登山家でもあり、名山の選定も、彼の少年の頃からの山岳紀行の経験がもとになっている。その基準は、山の品格（誰が見ても立派だと感嘆する山であること）、山の歴史（昔から人間との関わりが深く、崇拝された山であること）、山の個性（芸術作品と同じく、山容や現象、伝統などほかにはないような顕著な個性を持っていること）である。
2. 乗鞍岳は、気象庁による常時観測対象の47火山に含まれ、定期的に発表される火山活動解説資料は気象庁のホームページで見ることができる。
3. 日本の名山としては、日本山岳会の『山日記』編集メンバーが深田の百名山に200の山を加えた「日本三百名山」（1978年選定）がある。

58 歴史 ｜ 前方後円墳

古墳時代の始まりとされる３世紀の中頃、纒向（まきむく）遺跡に造られた箸墓古墳が、わが国最古の前方後円墳と見られている。その後、日本各地に同形の古墳が次々に造られるようになった。北海道、青森県、秋田県、沖縄県を除く都府県に約4700基が確認されている。

◈

「前方後円墳」は、日本の古墳を代表する墳丘形式の一つで、上方から見ると鍵穴型をしている。主に埋葬は後円部、祭祀が前方部で行われていたようだが、一部は、前方部にも埋葬がされている。弥生時代の墳墓の主流は「円墳」（円形）で、そこに低く狭い形で付設された祭祀の場（造り出し）が、時代とともに、高く広く造られるようになったという説が有力である。方形部分が小さい古墳はその形状から「帆立貝式古墳」と呼ばれる。

確認されている最大の円墳の直径は100mほどだが、前方後円墳ではより大型のものが多く、同形では最大の「大山陵古墳」の後円部直径は250mもある。

そもそも「前方後円」という語を初めて用いたのは、江戸時代後期の国学者・蒲生君平（がもうくんぺい）（1768～1813）である。蒲生は『山陵志』という著作で、墳丘を「宮車」（霊柩車）に見立て、その進行方向から方形が前、円形が後と定義した。『山陵志』は大和国（現在の奈良県）31カ所、山城国（現在の京都府）30カ所、河内国（現在の大阪府）13カ所を含む全92カ所の古墳を実地調査し、築造方法や地元の伝承を考慮しながら、被葬された天皇を特定した貴重な資料である。この調査結果をもとに、近代以降は宮内省（現・宮内庁）が天皇陵の管理を行うこととなった。ただし、蒲生が唱えた「宮車」については、古墳の築造当時にそのようなものがなかったと考えられ、現在ではその説が否定されている。

国内最大の前方後円墳である「大山陵古墳」は『記紀』に、第16代仁徳天皇が埋葬されたと記されているが、被葬者が確認されたわけではない。出土した埴輪などの特徴から５世紀前期から中期の築造と目される。宮内庁は「百舌鳥耳原中陵（もずのみみはらのなかのみささぎ）」として管理しており、その名は、築造中の現場に飛び込んで絶命した鹿の耳から百舌鳥が出てきたという伝承に由来している。墳丘の全長は525m、最大幅は前方部分の347mで、世界でも最大級の墳墓である。2019年、「大山陵古墳」を含む「百舌鳥古墳群」（大阪府堺市）が世界遺産に指定された。

豆知識

1. 「百舌鳥・古市古墳群」にはかつて100基以上の古墳があったとされているが、半数以上が住宅地などの開発で破壊されてしまった。現在は半壊のものも含めて45基の古墳がある。
2. 宮内庁によれば「百舌鳥・古市古墳群」には仁徳天皇のほかに、第17代履中天皇、第18代反正天皇の陵墓があり、それぞれ「百舌鳥耳原南陵」、「百舌鳥耳原北陵」と呼ばれる。

59 文学 『蜻蛉日記』

『蜻蛉日記』では、妻であり母である作者、藤原道綱母（936？～995）が、ひたすらにわが身の不幸を嘆き続ける。内容に客観性はほとんどなく、時には病的とも思える率直さで、平安時代の結婚生活に縛られた女性の寂しさ、悲しさ、怨みや嫉妬の感情が綴られている。わが国で特有の発展を遂げた女流日記文学における最高傑作の一つとされる。

◈

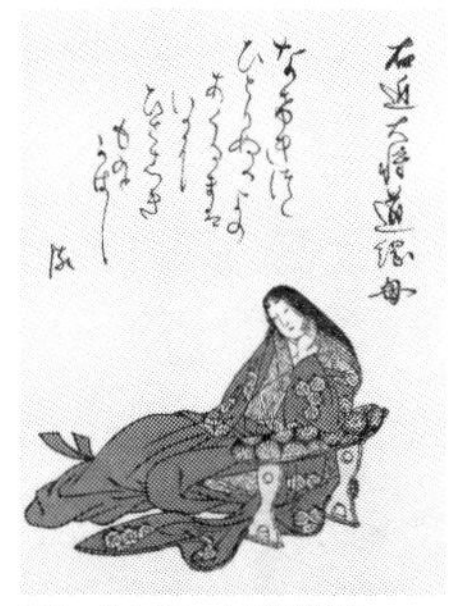

百人一首かるた・右大将道綱母

藤原道綱母は、藤原兼家（929～990）の２番目の妻である。兼家との間にもうけた子の名から、道綱母と呼ばれている。兼家は摂政、関白、太政大臣も務めたほど身分の高い貴族で、藤原家摂関政治の最盛期を代表する道長の父にあたる。息子である藤原道綱（955～1020）は大納言、右近衛大将となり、道綱母も小倉百人一首では「右大将道綱母」と呼ばれている。

冒頭、作者はこの日記を書く理由について、こう語る。

「（ある女は）容貌は人より劣り、才能もなく、無為に過ごしている。世間にある古い物語を読んでみるが、作り事ばかりで、身分の高い者の妻が（本当のことを）日記に書いたら、目新しいだろうと思う」

ただし、実際の作者は、ある史料によれば当時の日本で三大美人の一人に挙げられており、和歌においても勅撰集に36首が採られ、小倉百人一首にも名を残すほどの才能を持っていたらしい。それでもなお書き手を不幸な女性に設定したのは、当時の女性がどんなに美しく理知的であっても、必ず男性に支配されるという社会への不満と、その情熱の表れだったのかもしれない。

『蜻蛉日記』には、作者が兼家に最初の恋文をもらった時から、もう夫に会うことはあるまいとあきらめる時までの21年間が描かれている。これほど身分の高い貴族の妻でありながら、日記には宮廷の華やかな暮らしや恋愛模様などはまったく出てこない。そもそも出来事に年号の明示がなく、日記というよりも自伝だという評価もある。全３巻のうち、初めの２巻はかなり時間が経過してから書かれたもので、３巻は比較的、出来事と書かれた時期が近い。

作者は２番目の妻であるので、夫は毎日家に来るわけではない。日記には夫の来訪を待ちわびる思い、来なかった時の挫折感、久しぶりに来訪した夫との感情のすれ違いなどが綴られている。作者は常に寂しく孤独であり、たまにかけられる夫からの愛情にも決して満足していない。それでもある年の新年には「三十日三十夜を我がもとに」と願ったりもする。夫の愛人が子を産んだと聞いた際も、作者は嫉妬の気持ちを隠さないが、間もなくその子が死んだと聞かされた時には「いまぞ胸はあきたる」（胸がすっとした）と書いている。同じような境遇にある他の女のことは気にかけず、作者は自分の心情のみを驚くほど率直に表現している。

豆知識

1.『蜻蛉日記』は現代の創作者にも影響を与えている。小説家の堀辰雄は、『蜻蛉日記』を題材に『かげろふの日記』、『ほととぎす』という二つの作品を書いた。

60 科学・技術 | 武具

敵を攻撃する武器と同じくらい重要なツールが、「鎧（よろい）」などの防御のための武具だ。武具は弥生時代に大陸から輸入され、やがて日本国内で独自に発達していった。平安時代から鎌倉時代にかけて戦術が騎射戦から徒歩戦に変化していくのに伴い、デザイン、機能も変わっていった。

◈

鎧兜

日本に鋳造金属器が持ち込まれたのが紀元前３世紀の弥生時代である。鉄斧（てっぷ）や鉄製鍬先（くわさき）など農工具に加え、剣などの武器、鎧などの武具が大陸から輸入されている。この時代の遺跡からは、甲（鎧）の一種「短甲」の一部と思われるものが出土している。日本独特の防具である短甲は、枠に防御板を革紐や鋲でとめて作られるが、木製や革製、植物繊維を編んで漆を塗った有機質材料のものもあった。やがて短甲には鉄製のものが現れ、古墳時代に日本全国に広がり、古墳の副葬品である埴輪や石人にも着装したものが見られる。４世紀後半から５世紀にかけ、家畜化された馬が持ち込まれると、馬具も日本へもたらされるが、その中には金属製の馬用の防具もあった。やがて短甲は、５世紀中頃以降に登場した挂甲（けいこう）に代わられ、６世紀には見られなくなる。胴体の周囲を覆う挂甲は、大陸遊牧民の騎馬民族の鎧の影響を色濃く受けたもので、鉄や革でできた小札（防御用小片）を紐で綴じ合わせて作られ、肩甲や膝甲などが付属する。この挂甲が、後の日本の「大鎧」や「胴丸」に変化していったと考えられている。

大鎧は、騎射戦が主流だった平安から鎌倉時代に作られた鎧で、主に上級武士が着用した。胴丸は平安時代中期頃に生まれたもので、下級の徒歩武士の徒歩戦に適した鎧である。同じく徒歩戦用の軽便な武具が、鎌倉時代後期頃に簡易な鎧の「腹当」から発展した「腹巻」である。

続く戦乱の中で、日本は独自に武器、武具を発展させていく。室町時代後期から安土桃山時代になると、集団戦や西欧から伝来した鉄砲に対抗するため、小札が大型化し、曲線や傾斜を多用して強化された「当世具足」が生じる。そして泰平の江戸時代になると、武士が甲冑（かっちゅう）を着る機会はなくなり、実用性よりも、見栄えを重視した鍛鉄技術や工芸的技術に重きが置かれるようになる。幕末となり強力な洋式銃や大砲などが兵器の主流になると、甲冑はその役割を終えたのだった。

豆知識

1. 小具足は面頬や籠手など、身体の各部分を防御するための小さな装甲である。戦場において敵陣で孤立した場合、重い鎧を排除して自陣に生還することが要求される。その時、小具足姿で、素手と脇差を用いる格技（柔術）を使うが、これを「小具足術」とも呼ぶ。馬上の重い鎧をつけた敵を頭から落として首の骨を折ったり、組討で相手を倒して頸動脈を切ったりと、実戦的な技術であった。
2. 古墳時代、死者と共に葬られる副葬品として埋められたのが金属製の馬具である。遺跡からは鞍や鐙（あぶみ）、馬用の面といった武具も出土している。
3. 戦国時代には、南蛮貿易により西欧の甲冑が輸入されている。この甲冑を改造したのが南蛮胴具足だ。これは銃弾を防ぐのに有効だったが、一枚の鉄板のため重量があり高価であった。やがて、この南蛮胴の技術を取り入れた国産品も作られるようになっていった。

61 芸術 雅楽

雅楽は日本を代表する伝統音楽である。古代から受け継がれ続けてきたその音色は、「笙は天界の妙音を響かせ、龍笛は空を翔け上る龍のようにこだまし、篳篥が人の声のように笑う」と表現されるほどで、荘厳さと気品に満ちている。1200年以上変わらず保たれた雅楽の精神性は、まさに日本人の持つ音楽的感性の原点といえるだろう。

◈

雅楽を演奏する様子

雅楽の歴史は非常に古く、『日本書紀』によると、5世紀半ば允恭天皇（生没年未詳）の崩御の際に、新羅の楽人が葬送の音楽を奏でたことが始まりであるという。雅楽はその起源系統によって３種類に大別できる。まず１つ目が日本古来の祭祀音楽であった「国風歌舞」。種目としては神に祈りを捧げる神楽歌や、貴人を偲ぶ誄歌などがある。２つ目は「大陸系の楽舞」。これは５～９世紀の間にアジア大陸から伝わった音楽と歌を日本風にアレンジしたもので、唐楽と高麗楽に二分される。厳粛な国風歌舞と違い、芸能的な趣があるのが特徴だ。そして最後が平安期に成立した「歌物」。これは漢詩などを唐楽器の伴奏で歌うスタイルで、民謡を歌詞とする催馬楽と漢詩に旋律を付けた朗詠がある。さらに雅楽は演奏の形態によっても、外来の楽器で奏する「管弦」、音楽と歌に伴って舞う「舞楽」、楽器の伴奏で歌う「歌謡」に分類される。管弦の『越殿楽』は最も有名な楽曲で、神社や宮中でも演奏される機会が多い。古くは唐で演奏されていたと伝わるが、このメロディーに歌詞を付けたのが黒田節である。また舞楽では『青海波』が名高い。ゆったりと袖を振って舞う姿は実に優美で『源氏物語』にも取り上げられたほどだ。

演奏で用いられる楽器は、篳篥や神楽笛などの管楽器や、和琴、琵琶などの弦楽器、そして鉦鼓や大太鼓といった打楽器類など14種存在する。中でも篳篥は、雅楽の全種目に用いられメロディラインの中心となる楽器だ。竹製の縦笛で本体の長さは約18cmと小ぶりながら大音量を出すことができ、音を滑らかにつなぐ「塩梅」という奏法も可能だ。また雅楽では装束も見どころの一つだ。最も多くの演目で用いられるのが「襲装束」で、これは平安期の武官の装束を原型にしたものだ。袍と呼ばれる鮮やかな緋色の上着がひときわ目を引く。また装束には曲目ごとに特定された「別装束」もあり、先に挙げた青海波では「青白波に千鳥」の意匠が施されている。演目によっては面を着ける場合もあり、例えば舞楽『蘭陵王』では頭に竜が載り、目球が上下に動く奇怪な仮面が登場する。

雅楽を担う現代の機関が宮内庁式部職楽部で、楽師を志す者は小学校または中学校卒業後にここで６～７年間に及ぶ研修期間を経ることになっている。宮中での重要な儀式や祭祀での演奏に加え、毎年春秋に公開演奏会を開催するほか、近年では海外公演も実施するなど雅楽の普及に寄与している。

豆知識

1. 宮内庁の楽師は雅楽のみならず洋楽も演奏できる。
2. 清少納言（生没年未詳）は篳篥の音色が嫌いだったのか『枕草子』の中で「騒々しく、くつわ虫の鳴声のようだ」と記している。

62 伝統・文化 ｜ お月見

お月見は月、主に満月を眺めて楽しむ秋の風物詩で、別名では観月ともいわれる。月は古くから観賞の対象とされており、中でも中秋の名月（十五夜）は格別に素晴らしいといわれている。中秋とは旧暦の８月15日のことで、中国ではこの日に月見の祭事を行っていたが、これが伝来して日本でも行われるようになったという。英語圏には中秋の名月の時期の満月を表す「Harvest Moon」や「Hunter’s Moon」という表現がある。

◈

月見だんご

平安時代、中秋の名月になると、貴族たちは池で舟遊びをして歌を詠み、月を愛でる宴を催していた。貴族たちは月を直接観賞せずに杯や池にそれを映して楽しんだという。中秋の名月を観賞することは、貴族から次第に武士や町民へと広まっていった。また、中秋の名月の時期はちょうど収穫の時期だったため、新米でだんごを作り、月に里芋などを供えた。そのため、中秋の名月は「芋名月」とも呼ばれている。

日本で生まれた「十三夜」という独自のお月見もある。旧暦の９月13日に行う行事で「後の月」ともいい、中秋の月見をして、十三夜の月見をしないことを、「片月見」といって嫌う風習もあった。十三夜の時期は、大豆や栗の収穫時期だったことからそれらの収穫物が供えられたため、十三夜は、「豆名月」や「栗名月」とも呼ばれた。満月は豊作の象徴とされており、十五夜も十三夜も庶民にとっての収穫祭だったといわれている。

昔の人は満月だけでなく、その前後の月を観賞するのも楽しんだ。それぞれに名前が付けられており14日の月は「小望月」、翌日の十五夜を待つという意味で「待宵の月」とも呼ばれる。16日は十五夜より月の出が少し遅れることから、月がためらっているとして、躊躇するという意味の古語“いざよう”から「十六夜」。立って待っている間に出るという17日の月は、「立待月」と呼ばれる。逆に18日の月は、座って待つ間に出るから「居待月」。19日は寝て待っている間に出る月なので「寝待月」。20日の月は夜10時頃にならないと出てこないので「更待月」とそれぞれユニークな名前が付けられている。

月に供えられる「月見だんご」は、十五夜にちなんで15個盛られることが多いが、月の数の12個（旧暦で閏月のある年は13個）という地方もある。盛り方も下から９、４、２、または８、４、２、１など様々だ。十五夜では、月見だんごのほかに、その時節に収穫される里芋を煮ころがしやきぬかつぎにして供える。月見だんごと一緒に置かれるススキは、その姿を稲穂に見立てられ、米の豊作を祈るお供え物になったといわれている。

豆知識

1. 月見だんごが丸いのは満月に見立てられているためだという。月見だんごを載せる台である三方は、胴に穴のない方が前で、お盆の部分に継ぎ目がある方が後ろとなり、月に継ぎ目が見えないように置くのが正しい置き方とされている。
2. 長崎県五島の一部に「まんだかな」という十五夜の風習がある。それは、お月見のお供えが済むと子どもがそれを取って行ってしまうというもの。十五夜の日だけは「お月さまが持って行ってくださった」となり、めでたいから許されるのだそうだ。

63 哲学・思想 ｜ 祝詞

祝詞は神事の際にそれを司る神主（斎主）が神に対して唱える文のことをいう。僧が唱える経典や真言と同類のように見えるが、経典のように教えが説かれているのではなく、神を誉め称え恩恵をもたらすよう願うことなどが書かれている。すなわち、祝詞は神と人とのコミュニケーションの手段ということができる。古典語で書かれており、独特の抑揚で読まれるため聞き取りにくいが日本語である。紙面には宣命書きという独特の表記法で漢字のみを使って書かれる。

◈

祝詞の起源は不明だが、『古事記』『日本書紀』には天照大神が天の岩屋に隠れた際に天児屋命が太詔戸言を岩屋の前で唱えたことが記されている。「太詔戸言」の「太」は「素晴らしい、立派な」といった意味の美称で、祝詞と同類のものと考えられる。もとより神話であり、歴史的事実とするわけにはいかないが、『古事記』『日本書紀』編纂時には祝詞が神話時代から用いられていたと考えられていたことが読み取れる。祝詞は表現法から宣命体と奏上体の２種に分類される。宣命体は文末が「……と宣う」とあるもので、祭りの場に集まった者たちに神の言葉を告げる形式になっている。奏上体は文末が「……と申す」となっているもので、神に対して神事の目的などを告げる形式になっている。

神事における祝詞奏上は仏事における読経と同一視されることがあるが、上記のことからもわかるように性質がまったく異なるものである。読経は経典の朗読なので僧が内容を変えることはないが、祝詞は神事ごとに新たに書き下ろすことが原則である。なお、仏事で祝詞に相当するものは表白または啓白という。927年に成立した『延喜式』（律令の施行細則集）には27種の祝詞が収録されており、平安時代の神事の様子を知ることができる。この中の大祓（６月晦日と大晦日に国中の穢れを祓う神事）の祝詞などは今も一部を変更して用いられている。中世以降の祝詞も残されているが神仏習合の影響が大きいので、『延喜式』の祝詞が古典として重視されている。

こうした祝詞の神道資料としての価値を発見したのは、江戸時代の国学者たちであった。特に賀茂真淵（1697～1769）の『祝詞考』以降、研究が進んだ。祝詞は宣命書きという特殊な表記が用いられる。言葉そのものは古典的な日本語なのだが、名詞や動詞の語幹だけではなく、助詞や助動詞、活用語尾も漢字（万葉仮名）で書かれる。その際、名詞などと区別するために小さく書くこととなっている。

豆知識

1.『万葉集』には大伴家持の「酒を造る歌」と題した次のような歌が収録されている。「中臣の太祝詞言言ひ祓へ贖ふ命も誰がために汝れ（中臣の太祝詞言を唱えて命を長らえようとするのは、ほかならぬお前のためなんだよ）」。ここから酒造りの際にも祝詞が唱えられたのではないかといわれている。

64 自然 | 名川

国や文明の発達には、河川が必要とされる。水は飲料に使われるだけでなく、農耕地や漁場を豊かにする。日本の発展にも様々な河川が役立ってきた。数万年もの歴史の中で日本の国土を育ててきた名川には、日本人の歴史を形成してきた文化的側面もある。しかし豊かさの半面、洪水氾濫という恐ろしい災害につながる存在でもある。

◈

四万十川

面積の小さな島国である日本の河川は短く、標高の高い山地が多いために流れが急である。例えばカンボジアを流れるメコン川は、水源から河口まで1000kmの流路で100mの標高差だが、木曽川では流路200kmで標高差は800mを超える。日本で一番長い川である信濃川は、長野県の標高2200m地点から、367kmの流れを経て日本海に注ぐ。富山県の常願寺川は水源から河口まで56kmの流路で、標高差が約3000mもある世界有数の急流だ。明治時代、常願寺川の治水工事のために派遣されたオランダ人技師デ・レーケ（1842〜1913）が「これは川ではなく滝である」と語ったという逸話もある。日本の河川が、大陸やヨーロッパのものと大きく異なるのは、国土の地形がまったく違うことに起因している。この短くて急な河川は、飲料水だけでなく、下流の農耕地を潤し、山地からたくさんの栄養を海にもたらして漁場を豊かにするものでもあった。

こうした日本の発展に大きく寄与してきた河川の中には、古くから「名川」として親しまれてきたものがある。高知県西部を流れる四万十川は、静岡県の柿田川、岐阜県の長良川とともに「日本三大清流の一つ」と呼ばれている。支流も含めて、増水時には水面下に沈んでしまう沈下橋が47カ所あり、そののどかな景観は四万十川の代名詞になっている。高知県では1993年に生活文化遺産として保存する方針を決定した。新潟県と長野県を流れる信濃川は、長野県内では千曲川と称される。水源地域の川上村には、高天原の神々の戦争で流された血潮で千曲川（血隈川）ができたとの伝承があり、万葉の頃から多くの詩歌にも歌われてきた。

河川は日本人の文化と強く結びついた自然だが、同時に災害の要因となることもある。国土交通省によれば日本における洪水氾濫域の面積は国土の10%を占めている。

豆知識

1. 環境庁（現・環境省）は、1985年に湧水地や河川、地下水など全国各地の「名水百選」を、2008年には「平成の名水百選」を選定した。名水百選では宮城の広瀬川、岐阜の長良川など19河川。平成の名水では、岩手の中津川綱取ダム下流、埼玉の元荒川ムサシトミヨ生息地、和歌山の熊野川（川の古道）など30河川が選ばれた。
2. 日本は降水量の年変動と季節変動が大きく、河川の流量の差が著しく変化する。関東地方の利根川の降雨時は平常時の100倍、中部地方の木曽川は60倍、近畿地方の淀川は30倍にもなる。外国はイギリスのテムズ川で8倍、ドイツのドナウ川で4倍、アメリカのミシシッピ川で3倍。日本の河川では、雨がいかに一気に流れ出るのかがわかる。
3. 日本の河川は、洪水・氾濫防止、流量の安定化などを図るため、様々な治水工事がなされてきた。中でもダムの数は、世界第2位といわれている。

65 歴史 聖徳太子（厩戸王）

飛鳥時代の前期、６世紀末から７世紀初めに、第33代推古天皇（554〜628）の摂政を務めたと伝えられる聖徳太子（574〜622）。この呼び名は死後に贈られた諡号（しごう）で、現在は歴史の教科書でも「厩戸王（うまやどのおう）」あるいは「厩戸皇子」にカッコつきで付記するようになっている（本項でも以下、厩戸王とする）。果たしたとされる偉業のあまりの多さから、実在性が疑われる伝説上の人物ではないかという説もある。

◈

聖徳太子（厩戸王）

６世紀半ば、朝鮮半島では高句麗、百済、新羅による覇権争いが繰り広げられ、わが国と関係が深い小国の伽耶（あるいは加羅とも）は新羅に攻め滅ぼされる。百済はわが国に対し、仏教文化とそれに伴う技術、鉄などの資源を送り、見返りに軍事行動を求めた。これがいわゆる「仏教伝来」である。当時は第29代欽明天皇（？〜571？）の御代で、厩戸王の祖父にあたる。

第31代用明天皇（？〜587）は仏法を重んじた。重臣のうち、廃仏派の物部守屋（？〜587）と崇仏派の蘇我馬子（？〜626）が政治的に鋭く対立し、用明天皇の第２皇子である厩戸王は蘇我馬子を支持した。用明天皇の崩御後、蘇我馬子と厩戸王らは、兵を起こして物部氏を討ち果たし、第32代崇峻（すしゅん）天皇（？〜592）が即位したが、蘇我馬子と対立し間もなく暗殺された。蘇我馬子は、崇峻天皇の姉で第30代敏達（びだつ）天皇（538？〜585）の皇后であった額田部皇女に要請し、推古天皇が即位する。『記紀』は史上初の女性天皇であると記す。すでに39歳だった推古天皇は若き厩戸王を摂政に置き、仏教を広めて大陸の文化や技術を取り入れる政治を進めることとした。蘇我馬子は、日本で初めて瓦葺き屋根を持つ飛鳥寺を建立し、厩戸王も四天王寺、斑鳩寺（後の法隆寺）など「聖徳太子建立七大寺」として伝えられる寺院を建てている。推古天皇と厩戸王は603年「冠位十二階」を制定し、世襲にとらわれず有能な人材を登用、翌604年には「和を以て貴しと為す」、「篤く三宝を敬え」などで知られる「十七条憲法」で、貴族や役人の心構えを説いた。また607年には小野妹子（生没年未詳）に「日出ずる処の天子、書を日没する処の天子に致す。恙無しや」の書き出しで始まる国書を託し、中国（隋）に派遣した（現在ではこれが第２回目の「遣隋使」とされる）。晩年、仏教典の注釈書『三経義疏』や『国記』、『天皇記』などの歴史書を編纂するなど、知的に優れた人物だった。一度に10人の話を聞き分けたとされるが、これは「耳が良い＝頭脳明晰」ということを表す後世の逸話である。厩戸王には４人の妃がおり、そのうち膳大郎女（かしわでのおおいらつめ）（？〜622）とともに磯長陵（しながのみささぎ）に合葬された。当時としては非常に珍しいことだ。また、別の妃である橘大郎女（たちばなのおおいらつめ）（生没年未詳）は、夫が死後、天寿国で暮らす様子を刺繍に残した。これが日本最古の刺繍、「天寿国曼荼羅繍帳」で、奈良県斑鳩の中宮寺に所蔵される国宝である。

豆知識

1. 聖徳太子は、1930年から1986年までに発行された紙幣（日本銀行券）の肖像に数多く採用された。100円（４回）、1000円（１回）、5000円（１回）、10000円（１回）の計７回に及ぶ採用数は史上最多である。

66 文学 『源氏物語』

『源氏物語』は、書かれてから1000年以上が経った現在も、日本文学史上の最高峰と評される。20カ国以上の言語に翻訳され、国際的にも高い評価を受けており、世界最古の長編小説ともいわれる。作者・紫式部（生没年未詳）にとって唯一の物語作品でありながら、400字詰めの原稿用紙に換算して約2000枚という長編であり、その文章力は現在も色あせない。実に多様な登場人物の心情と社会風俗の描写を通して、本居宣長（1730～1801）が平安時代の物語の本質と説いた「もののあはれ」を象徴する名作である。

◈

土佐光起『源氏物語絵巻 五帖 若紫』

幼い頃から文学的教養に恵まれていた紫式部は、その才能が評判となり、第66代一条天皇（980～1011）の中宮・彰子（しょうし）（988～1074）の女房兼家庭教師として仕えることになった。物語は主人公、光源氏の誕生から死没までの50年余りと、死後の10数年を合わせた約70年に及ぶ時代を背景に描かれる。登場人物は500人ほどで、その心情に即した和歌が700首以上含まれている。

第一部、光源氏は、幼い頃に亡くした母に似た藤壺（父・桐壺帝の中宮）への恋を皮切りに、空蟬、夕顔、六条御息所（ろくじょうのみやすんどころ）など多くの女性と恋愛遍歴を重ねる。第二部、光源氏の兄である朱雀院が、末娘の女三宮を光源氏に嫁がせるが、光源氏の本妻である紫の上はそのことを苦に病に倒れる。光源氏は最愛の妻の看病をするが、その間に女三宮は青年貴族の柏木と恋に落ち、男子・薫を産む。光源氏はそれを知り自らの過去の行いを悔いるとともに、老いた自分を感じる。やがて紫の上は亡くなり、光源氏は出家を決意する。光源氏の死は41帖「雲隠」に暗示されていたと伝えられるが、本文が伝存しておらず、巻名のみが残されている。第三部は、光源氏の死後、孫の世代にあたる薫や匂宮と周囲の女性の恋愛が描かれていく。特に最後の45帖「橋姫」から54帖「夢浮橋」までは舞台が都から宇治に移るため、「宇治十帖」と呼ばれる。

『源氏物語』が日本文学に与えた影響は大きく、後に続く「物語文学」の模範となり、近現代になっても多くの作家が新訳に取り組んだ。特に本作の主題は何か、という研究は古くから行われ、江戸期の国学者である本居宣長が『源氏物語玉の小櫛』において、本作全体の主題を「もののあはれ」であると説き、この論説が最も広く受け入れられるところとなった。ただし、この主題をめぐる議論と研究は、現在も活発に行われている。

豆知識

1. 作者は、当時の最高権力者である藤原道長（966～1028）からも重用され、宮中では「藤式部」と名乗った。後に「紫式部」と呼ばれるようになったのは、本作の登場人物「紫の上」が由来であるといわれる。

67 科学・技術 ｜ 織物

機織りで作られた織物は先史時代からあり、世界各地で衣服や日用品、そして調度品や芸術品として利用されてきた。日本の織物は縄文時代に始まり、8世紀から残る正倉院裂(ぎれ)や法隆寺裂にはオリエントや大陸からもたらされた染織品もある。日本の織物は、大陸からの技術を取り込んで、独自の高い品質を獲得し、やがて主要な輸出品へと成長していった。

◈

西陣織

日本の織物の歴史は縄文時代に始まる。青森県の三内丸山遺跡から、イグサ科の植物を利用して編んだ通称「縄文ポシェット」と呼ばれる小さな袋が出土している。このポシェットは、実際は編み物でも織物でもなく、独自の製作法で作られた日本最古の布であった。こうしたものは各地の縄文遺跡から発見されている。古代から日本にある織物は、麻、絹、科、楮(こうぞ)、芭蕉、楡、藤、葛などの内皮の繊維を利用して作られており、縄文時代にアジア各地から日本へ移住してきた人々が、その技術を持ち込んだと考えられている。中国の歴史書『三国志』の「魏志」によれば、すでに弥生時代には日本に絹製品と製法が伝来しており、麻の栽培や養蚕で繊維を採って織物を織っているとの記録もある。

飛鳥時代になり律令制が始まると、成年男子には「租庸調」の現物税が課せられ、「調」として麻や綿、粗い絹で織った布の貢納が義務付けられた。しかし、納税のための絹織物の生産は盛んになっていたものの品質は中国絹には及ばず、貴族階級は大陸からの絹を珍重した。そのためこれが交易の目的の一つになっていた。また奈良時代までは木綿も中国から輸入されていたため、綿織物も高価なものとして珍重されていた。菅原道真が編纂した勅撰史書『類聚国史』には、綿花が日本で生産されるようになったのは799年、インド人の船が漂着して綿の種を伝えてからとの記録もある。

鎌倉時代、京都の織物職人たちは中国から渡来した技術者が逗留していた堺を訪れ、技術を学んだ。ここから飛躍的に高品質な織物が生産されていくのだが、原料の生糸には中国から輸入された絹と綿が使われていた。安土桃山時代になっても、西陣織などの生糸は南蛮貿易のポルトガル商人、後には長崎の中国商人からの輸入に依存していた。その対価が石見銀山の銀であった。国産生糸の増産が始まるのは、ようやく江戸中期になってからで、外国貿易が始まった18世紀後半から、高品質の絹は日本の主要な輸出品となった。

豆知識

1. 7世紀後期の律令制において、大蔵省より送付された金、銀、絹をはじめとする皇室の財産管理の出納事務を担当するのが内蔵寮。この部署が担当する絹を、再び大蔵省に属する機関・織部司に送る。織部司は織染の高度な技術を持ち、朝廷用の錦・綾・紬・羅などの織染を職掌としていた。
2. 室町時代には日本産「山繭」の絹に代わり、養蚕で生産された絹が中国から大量に輸入されるようになった。周防(現・山口県)の大名・大内氏は、京都から絹織職人を召喚して絹織物を生産したが、これは例外。一般的には輸入品の絹と綿が使われていた。
3. 日本の近代化だけでなく、絹産業の技術革新にも貢献した日本初の本格的な器械製糸が群馬県富岡の富岡製糸場で、2014年、「富岡製糸場と絹産業遺産群」として世界遺産に登録されている。

68 芸術 曼荼羅

9世紀初め、唐に渡った最澄(767〜822)と空海(774〜835)は当時最先端の仏教思想である密教を国内に持ち帰る。しかし密教はあまりにも真理が深いため、言葉による説明だけで伝えるのは困難とされた。そこで教えを視覚化すべく密教美術が盛んに作られるようになり、その中でも平安時代の人々に強烈なインパクトを与えたのが「両界曼荼羅(りょうかいまんだら)」である。

◈

曼荼羅とは複雑な密教の世界を見える形で表現した図像だ。密教に限らず、仏教の究極の目的は悟りを開くことだが、曼荼羅はそのために生み出された一つの見取り図なのである。

曼荼羅には、密教の本尊で宇宙の真理を表す大日如来を中心に様々な如来、菩薩、明王などの姿が網羅的に描かれ、仏界における諸尊の位置や役割などが図式化されている。そして空海が唐から持ち帰った曼荼羅は5m近い大きさの「両界曼荼羅」であったと伝わる。

両界とは「胎蔵界」と「金剛界」を意味し、胎蔵界ではすべての生命が母親の胎内で育まれる子どものように、仏の慈悲によって守られることが説かれ、金剛界では永遠に壊れることのない金剛(ダイヤモンド)のような仏の智慧が描かれているという。密教ではこの2つが揃うことで仏の世界が完成すると考えられている。そのため密教寺院では両界が向かい合わせになるように掛けられ、この2つの曼荼羅に挟まれた空間で僧侶たちが様々な儀式を行っていた。

また空海は嵯峨天皇(786〜842)から京都・東寺(教王護国寺)を授けられたが、この寺院には彩色された曼荼羅としては日本最古の「西院本(さいいんぼん)両界曼荼羅」が存在する。東寺内の西院(現・境内北西の御影堂周辺)に掛けられていたことが名の由来だが、宮中の密教道場である真言院で使用されたという記録が見られるため「伝真言院曼荼羅」とも呼ばれていた。

サイズは両界ともに縦185cm、横164cm程度で9世紀頃の作とされる。胎蔵界は12院(エリア)に区分され、その心臓部には大日如来を中心に四菩薩・四如来が取り巻く「中台八葉院(ちゅうだいはちようい ん)」という区画が据えられる。そして外周部には仏教を守護する四天王や十二天が配置され、実に414尊が整然と並ぶ構図となっている。

一方、金剛界は9つの「会」という枠に分かれるが、そのいずれにも大日如来がおり、中央の「成身会」にはなんと1061尊もの仏が描かれているという。両界で描かれる仏は円に近い丸顔で、小さい鼻に左右が波状に連なった眉と、どこか異国的な風貌だ。また色彩も原色を多用し鮮やかさが強調されている。当時の唐や西域との文化的なつながりが曼荼羅に反映されたためと考えられている。

豆知識

1. 東寺の五重塔は約55mで、木造の建築物としては日本一の高さである。
2. 空海が持ち帰った曼荼羅の原図は消失したが、これを参考に描かれたと伝わるのが京都・神護寺に残る高雄曼荼羅である。

69 伝統・文化 ｜ 七五三

七五三は、３歳の男女、５歳の男子、７歳の女子が11月15日に晴れ着を着て、お宮参りをする日本の年中行事である。神社では厄除けのお祓いをしてもらったり、長生きするようにという願いを込めた千歳飴を買ってもらって記念撮影をしたりする。もとはそれぞれの年齢で行う別々の異なった行事だったが、現在は七五三という名前から、その年齢の時に行う同じ行事のようにとらえられ、そうなりつつある。

◈

『七五三祝ひの図』三代歌川豊国（歌川国貞）作

「七五三」のルーツは、中世から宮中や武家で行われていた「髪置き」「袴着」「帯解き」の儀式である。「袴着」は、平安時代に貴族の間で始まった幼児に初めて袴をはかせる儀式で、男女の区別なく、３歳から７歳までの間の良い日を選んで行われたといわれている。

鎌倉時代に入り、武家社会になると「袴着」が武士の間にも広まり、それに加えて「髪置き」という儀式も行われるようになった。これは、３歳になった幼児に絹糸で作った白髪の鬘（かつら）をかぶせ、白髪になるまで長生きするように祈る儀式である。昔の赤ん坊は男女ともに頭を剃っており、髪を伸ばすタイミングで行われた。「帯解き」は、中世末期から行われるようになった儀式で、子ども着の付け紐から正式な帯に替えるお祝いの儀式である。実施する年齢については諸説あるが、男女ともに11月の吉日に行ったといわれている。

江戸時代に入ると、３歳で男女ともに「髪置き」の儀式を行い、男の子は５歳で「袴着」の儀式を、女の子は７歳で「帯解き」の儀式を行うようになった。

なぜその時期に儀式を行ったのかというと、昔は幼児の死亡率が高かったので、縁起が良いとされる奇数の年齢の時にその後の健やかな成長を祈るためだったといわれている。「七五三」が11月15日に決まったのは、第５代将軍・徳川綱吉（1646～1709）の時代だとされるが、第３代将軍・徳川家光（1604～1651）の時代との説もある。なぜ11月15日なのかといえば、この日が旧暦の二十八宿中の鬼宿（きしゅく）といわれる最吉日であるからだという。

七五三の祝いの土産である千歳飴の起源については２つの説がある。大坂の平野甚右衛門が浅草寺の境内で売り始めたという説と、元禄・宝永年間（1688～1711）に浅草の飴売り七兵衛が売った飴が起源という説である。

豆知識

1. 千歳飴が長いのは、子どもの長寿を祈るためだと言われている。また、千歳飴の袋には長寿の象徴である鶴亀や無病と健康を祈る松竹梅、めでたい高砂の尉（じょう）と姥（うば）などが描かれている。
2. 昔は数え年で祝われたが、現在では満年齢で祝うことが一般的である。

70 哲学・思想 | 巫女

現在では巫女（みこ）というと神社の神事において神主の補佐をしたり舞を奉納したりする女性のことを指すが、本来は神を憑依させて託宣（神の意思を告げること）を行う女性宗教者のことで、必ずしも神社に所属するものではなかった。神話においても天宇受売命（あめのうずめのみこと）や神功皇后（じんぐう）など巫女的な性格を持つ神が重要な働きをしており、巫女が神事のみならず政治においても大きな位置を占めていたことがわかる。

◈

巫女

古代の巫女の活動の様子は、『古事記』中巻の仲哀天皇の段に詳しく書かれている。その時、天皇は熊襲（くまそ）（南九州に居住していた大和朝廷に反逆的だった部族）を討つために筑紫の香椎宮に滞在していたが、天皇自ら琴を弾き、武内宿禰（たけのうちのすくね）を審神者（さにわ）（沙庭、託宣の内容を確かめる役割）とし、后の神功皇后に神を依り憑ける役割として神の託宣を求めた。すると、皇后に乗り移った神は「西の方に金銀宝石があふれる国があるので、それを天皇に授けよう」と告げた。しかし、天皇はその言葉を信じずに琴を弾くことをやめてしまったために神の祟りで死んでしまったという。ここで神功皇后が行っていることが、まさに巫女本来の役目であった。

『古事記』『日本書紀』によれば、こののち神功皇后は仲哀天皇に代わって新羅遠征を行い大勝利を得たという。このように、古代においては皇后や皇女といった高貴な女性も巫女を務めることがあった。邪馬台国の女王・卑弥呼も「鬼道を事とし、能（よ）く衆を惑わす」と『魏志倭人伝』にあるので、託宣型の巫女だったと考えられている。このような神霊を憑依させて託宣をしたり異界のことを語ったりする信仰のことをシャーマニズムという。

しかし、大和朝廷が全土を掌握し、中央集権が進んでいくと、神道からシャーマニズムのような呪術性は次第に薄れていき、儀礼性が強まっていった。これに伴って巫女の重要性も失われていき、神主の補佐的な役割を果たすものに変わっていった。シャーマン的な巫女は民間信仰の中で生き残り、現在も東北のイタコや沖縄のユタなど、ごくわずかながらも活動をしている。

なお、零落した巫女の一部は遊女（あそびめ）となった。「あそび」とは本来、神を楽しませることを意味する言葉で、それを行うのが巫女の務めであった。彼女たちの喜ばせる対象が神から男に変わった後も「あそび」という言葉が残り、「遊女」と呼ばれたのである。ちなみに、現代では神主になるためには神社本庁などが定める資格が必要であるが、巫女には資格の必要はない。

豆知識

1. シャーマンには神霊を自身に憑依させる霊媒（憑霊）型と自身の魂を霊界などに送る脱魂型がある。日本の巫女は霊媒型であるが、説話の中には神仏などに案内されて地獄極楽を見聞したという話が少なからずあるので、脱魂型のシャーマンもいたと思われる。ただし、脱魂型の説話は男を主人公とするものがほとんどなので、脱魂系のシャーマニズムは巫女ではなく男の宗教者によって担われたのかもしれない。

71 自然｜海流

日本の周辺海域には暖流と寒流がぶつかる潮目があり、そこは豊かな漁場となっている。中でも日本の南側に沿って流れる世界最大級の海流・黒潮は日本の気候にも影響を及ぼしていると考えられており、研究が進められている。

◈

四方を海で囲まれた日本の周囲には、地球規模で起きる海水の水平方向の水流「海流」が複数存在する。ほぼ一定方向に長時間流れる海流は、その性質により、温かい暖流と冷たい寒流の２種類に大別される。２つの寒流とは、北海道・本州の東側を流れる「親潮（千島海流)」、北海道・本州の西側を流れる「リマン海流」だ。暖流は、日本列島の南側（太平洋側）を流れる「黒潮（日本海流)」、日本列島の西側・日本海側の、対馬を含む海域を流れる「対馬海流」である。太平洋側の暖流「黒潮」と寒流「親潮」がぶつかる潮目は、豊かな漁場となっている。黒潮は貧栄養であるが、北大西洋のメキシコ湾流と並ぶ巨大海流で、海の底を巻き上げることでプランクトンの大発生を促す。一方、親潮は栄養分が豊富な海流である。この黒潮と親潮のぶつかる三陸沖が、プランクトンが大発生する「世界一豊かな漁場」となる。

中でも黒潮はその規模もさることながら、流れの速さも世界最速だ。黒潮はフィリピン沖から日本の千葉県銚子沖にかけての約3000kmを幅100km、深さ1000mという規模で秒速2.5mの速さで流れている。黒潮が１秒間に運ぶ水の量はおよそ5000万トンにおよび、これは東京ドームを柄杓にしたときの50杯分に相当するので、いかに黒潮の流れが強力かがわかるだろう。また黒潮は世界で唯一、ときおりその進路を大きく左に変更する「大蛇行」が起こる海流でもある。気象庁によると、2017年８月に起きた黒潮の大蛇行は2005年以来12年ぶりの発生で、2020年８月現在も未だに続いている。大蛇行が起こると東海から関東地方の潮位が上昇する傾向にあり、その影響で台風を引き起こしやすいと考えられている。

実は、海流が発生するメカニズムは詳しくは分かっていない。有力な説はこうだ。海流には、大きく分けて表層循環と深層循環がある。赤道周辺の海は、太陽の光を強く受けて温められる。逆に南極・北極周辺の海は、太陽の熱があまり届かないため冷たいままである。すると水には温かいところから冷たいところへ流れる性質があるため、赤道の海水が両極へ向かう流れが起きる。こうした温度や塩分の濃淡による密度の不均一が起こす「熱塩循環」が深層循環である。これに加え、地球の自転をエネルギー源とする強い風、北緯45度を中心としたあたりで西から東へ吹く偏西風と、北緯15度を中心としたあたりで東から西へ吹く貿易風の摩擦運動による「風成循環」の表層循環が起きる。この海水の動きに、地球の自転、陸地や海底の地形が影響して、海流の向きが決まっていくという。

海流そのものや、海流がもたらす天気への影響はまだまだ解明されていない部分が多く、世界で研究が進められている。

豆知識

1. 黒潮続流や北太平洋海流が作る渦は、北アメリカと日本沖の近海から海洋ゴミを引き込む。その影響で西経135度から155度、北緯35度から42度の範囲の海域に浮遊プラスチックなどの海洋ゴミが集中。これを太平洋ゴミベルトと呼ぶ。
2. 黒潮は、貧栄養であるためプランクトンの生息数が少なく透明度が高い。このため海色は青黒色となり、名前の由来となっている。親潮は栄養分が黒潮の５～10倍の濃さで、「魚類を育てる親の潮」という意味で付けられた。

72 歴史 | 遣隋使・遣唐使

隋の記録では初めての「遣隋使」は600年に送られたとあるが、『日本書紀』には記録がない。どうやら倭国の使者と隋の初代皇帝・文帝（541～604）との間でのやりとりが倭国にとって侮辱的なものであったため、記録しなかったようだ。隋の滅亡後は、後の王朝となった唐に「遣唐使」を派遣するようになる。

◈

「聖徳太子」の項（71ページ参照）で触れた、607年の第２回遣隋使・小野妹子が託された「日出ずる処の天子、書を日没する処の天子に致す。恙無しや」で始まる国書。これを読んだ中国・隋の第２代皇帝・煬帝は「無礼なる者あらば、復た以聞することなかれ（無礼な者は、二度と報告するな）」と怒りをあらわにしたという。当時、煬帝は世界全体を統(す)べる皇帝だと自負しており、小国の王が、自分と同等の「天子」だと名乗ったところが不快だったのだろう。

当時、隋は朝鮮半島北部の高句麗征討を目前にしていて、東方の戦略上、倭国を無視できなかったことから、608年に裴世清(はいせいせい)を使者として倭国に派遣した。同年、小野妹子は再び「東の天皇、つつしみて西の皇帝に曰す（もうす）」と記した国書を持って隋を訪れる。あくまで対等な関係を築こうとし、臣下の礼をとることはなかった。これが第３回の遣隋使で、高向玄理(たかむこのくろまろ)（？～654）、僧旻(みん)（？～653）、南淵請安(みなぶちのしょうあん)（生没年未詳）を含む８人が留学した。

こうして続いてきた遣隋使だが、618年に隋が滅亡してしまったため、614年の第４回、犬上御田鍬(いぬかみのみたすき)（生没年未詳）が派遣されたのが最後となった。中国の王朝は唐にとってかわった。

遣唐使が始まったのは630年、最後の遣隋使だった犬上御田鍬が再び派遣され、一行は皇帝太宗に謁見した。太宗は、倭から唐への行程が長いことに同情し、毎年の朝貢を取り止めるように伝えた。838年が実質最後の遣唐使となる約200年の間に、数え方には諸説あるが、およそ10数年ないし20数年の間隔で12～20回の派遣が行われ、唐の文化や制度、仏教などを日本へ伝播、普及する大きな功績があった。当時の遣唐使の航海は、往路・復路ともに大変な危険を伴っていた。回を重ねるごとに乗船する人数や物資が増加し、船が巨大化したことや、朝鮮半島南部の新羅と唐の関係が悪化し、ルートが変更されたことなどが理由として挙げられる。特に五島列島から東シナ海を横断する「南路」では、唐の僧侶・鑑真（688～763）が暴風雨による遭難、漂着を繰り返し、失明を負って日本に到着したのは６回目の渡航であった（唐当局による渡航禁止や遺留なども含む）。

894年、50数年ぶりとなる遣唐使が企画されたが、唐の混乱や日本国内の文化発達などを理由に、菅原道真（845～903）の建議により停止した。大使、副使などを任命しただけで、実際の派遣は行われていない。907年に唐は滅亡した。

豆知識

1. 717年に遣唐使として渡った阿倍仲麻呂（698？～770？）は、唐の役人となり、753年に帰国を試みるものの漂流により失敗し、770年に亡くなるまで故郷の地を踏むことはできなかった。百人一首にも選ばれた仲麻呂の和歌「天の原　ふりさけみれば　春日なる　三笠の山に　いでし月かも」は、唐での宴席、あるいは唐へ向かう船上で日本を思い、詠まれたものと伝えられている。

73 文学 『枕草子』

作者の清少納言(生没年未詳)は、一条天皇(980〜1011)の中宮(後に皇后宮)定子(977〜1001?)に仕え、その周辺に集まる女房たちの興味や感想など、宮廷社会と文化を鋭い感性と簡潔な文体で書きとめた。日本で初めて随筆文学というジャンルを開拓した作品であり、紫式部(生没年未詳)の『源氏物語』と常に並び称され、また比較される中古女流文学の傑作だ。

清少納言

◈

紙が大変貴重だった当時、内大臣・藤原伊周(974〜1010)が定子に紙を献上したという。定子が「これに何を書こうか。帝は『史記』を書写されたが」と清少納言に尋ねたので、「枕が良いでしょう」と答えた。するとこの紙はすぐに清少納言に与えられたという。このやりとりは、本作の末尾にある跋文に記されていて、『枕草子』の書名の由来となっている。ここでの「枕」の解釈には、①枕元(身辺)に置く手控え、②歌枕や枕詞、③天皇の『史記』(鞍褥=鞍の上に敷く敷物)に対する「枕」(馬鞍)という洒落、など諸説がある。

清少納言は、当時の著名な歌人であった清原元輔(908〜990)の娘で、父の死後、定子に仕えるようになったという。女房名の「清」は「清原」の一字を採ったものだが、「少納言」という役職名については判然としない。博学で才気にあふれる、社交的な人物として知られ、紫式部とたびたび対比される。

『枕草子』の完成は、1001年頃と見られ、この頃定子が亡くなり、清少納言も宮廷を去った。写本によって異なるが、著名な「三巻本」によれば、全体は318段と跋文で構成され、内容は①類集的章段、②日記的章段、③随想的章段に大別される。

類集的章段は、本作の特長と評価される「ものづくし」を含む章段で、「山は〜」「峰は〜」などの書き出しで始まるもの、「すさまじきもの」「にくきもの」などの形で始まるものがある。ただし、有名な冒頭文の「春はあけぼの。やうやう白くなりゆく、山ぎは少し明かりて、紫だちたる雲の細くたなびきたる。夏は夜。月のころはさらなり〜」は、「春は〜」で始まるので類集的章段のようだが、随想的章段と解されるのが通説で、その分類は難しい。

日記的章段は定子周辺の宮廷社会を中心に、作者が特定の場所、日時に見聞きしたことを記録したもの、随想的章段は日常生活や四季の自然についての感想を述べたものが中心である。一般的に、『源氏物語』の感情的な「もののあはれ」に対し、『枕草子』は知性的な「をかし」を主題にしていると評され、これもまた平安文学を代表する美的理念の一つとされる。

豆知識

1. 『枕草子』が一般に広く読まれるようになったのは江戸時代に北村季吟(1624〜1705)によって書かれた注釈書『春曙抄』がきっかけである。与謝野晶子(1878〜1942)や樋口一葉(1872〜1896)など、近代に至るまで、この注釈書によって本作を読む人が多かった。

74 科学・技術 | 染物

日本の織物、編み物が縄文時代から始まっているのは出土した遺物からわかっているが、染織製品を作り始めた時期は明確ではない。有機物である染織品の色素は脆弱で遺存しにくいからだ。日本の染物が発展するのは６世紀半ば、仏教とともに技術が移入されたと考えられている。

◈

染色技術の歴史は古く、中国では紀元前3000年頃、ヨーロッパでは紀元前2500〜800年頃には盛んに行われていた。最も原始的な染色では、布生地に植物の葉や花、あるいは巻貝や昆虫の色素を卵白や動物の血液で定着させる手法が用いられ、最終的に、色素と繊維を一緒に煮る染色法にたどり着いたと考えられている。着色に用いる材料のうち、鉱物などの水や油に不溶のものは顔料、溶けるものは染料と呼ばれる。

古代の代表的な植物由来の染料には、根を乾燥すると赤黄色から橙色となるアカネ科のアカネ、ジーンズのインディゴと同じ青色の染料に使われるタデ科のアイ、紅色染料や食用油の原料として使われるキク科のベニバナ、江戸時代末期まで栽培が行われ、生薬「紫根」としても使われていたムラサキ科のムラサキなどがある。『三国志』の「魏志」では、200年代に倭から魏に、斑布(はんぷ)、倭錦(やまとにしき)、絳青縑(こうせいけん)などが献上されたとの記録が残っているが、これらがどのような染織品だったかはまったくわかっていない。その後、３〜５世紀頃に大陸や朝鮮半島から織物に関わる工人が渡来して技術を伝えた記録もあるので、本格的な染色技術のスタートも、その頃だったと思われる。日本の染物が飛躍的な発展をとげたのは、６世紀半ばに仏教が伝来して以降で、隋や唐の絹織物などの染織品と、その技術が移入されてからである。８世紀頃の染織遺品は、法隆寺と東大寺の正倉院に伝来した「法隆寺裂」「正倉院裂」など約5000件、断片を含めると10数万点が保存されている。その後、染色技術は独自に発展し、時代を経て、江戸時代中期には京都で友禅染の生産が開始されるまでになった。

明治の世に入ると、国外から色が落ちにくく品質も一定で大量生産が可能な化学染料が大量輸入され、染色の中心となっていく。これにより自然由来の天然染物が減少した半面、同時に伝統的染物に併用されることで、それまでの技術をさらに発展させていったのであった。

豆知識

1. 位階を冠や、衣服の色によって分ける制度「衣服令」は、603年の聖徳太子の「冠位十二階制」、647年「七色十三階制」、664年「七色二六階制」など、飛鳥時代から奈良時代にかけて変遷を繰り返している。中世にはかなり細かい色使いができていたことの証左である。
2. 伝統的な「浸け染め」は、布全体を染液に浸す技法だが、近世には染料が改良され、刷毛で染料を塗る「引き染め」が可能になった。友禅染の技法である「糊防染」と「色挿し」も染料の改良によって可能となり、江戸時代に「型染め」という同一の柄を大量に生産できる技術が考案された。
3. 石炭の高温乾留で得られるドロリとした黒色の油状液体コールタール。実は化学染料の多くを占めるのがコールタールを蒸留したベンゼンやナフタリン、アントラセンなどを原料として合成するもの。コールタール染料とも呼ばれる。

75 芸術 やまと絵・唐絵

奈良・飛鳥時代を中心に大陸から持ち込まれた中国の絵画、あるいはその様式に倣って国内で制作された絵画は「唐絵」と呼ばれた。一方、平安時代後期からは大陸の影響を受けない日本独自の文化を背景にした絵画が描かれ始める。それが「やまと絵」だ。やまと絵は当初宮中の文化サロンの中で育まれたが、やがては土佐派の絵師たちに継承されていくことになる。

◈

遣唐使による文化交流で唐風文化が栄えた平安時代前、宮中や貴族の邸宅に飾られた絵画は中国由来の絵画、「唐絵」が主流であった。ことに嵯峨天皇（786〜842）は唐絵を好んだとされ、その治世では内裏に樹下の仙人や深山幽谷など中国をモチーフにした障壁画が多く描かれていたという。だが9世紀後半になると「やまと絵」が登場するようになる。やまと絵とは、端的にいえば日本の四季の風景やそこに生きる人々を優美に描いた絵画様式のことだ。飛鳥部常則（生没年未詳）なる宮廷絵師が藤原道長（966〜1027）の娘の入内のために屛風に描いた絵が、文献上最初に見られるやまと絵であるという。また、清和天皇（850〜880）の女御・高子（842〜910）の御殿には大和の竜田川に紅葉が流れる景色を描いた屛風が飾られていたと伝わる。

やまと絵が台頭した背景には唐の衰退、そして滅亡（907年）があったと考えられる。つまり外来文化のよりどころを失った日本は、おのずと自らの力で独自の文化を作り上げていく必要に迫られたというわけである。初期のやまと絵としては秦致貞（はたのちてい）（生没年未詳）が1069年に描いた『聖徳太子絵伝』が挙げられる。これは太子の一生を描いた説話画で、横14m余りに及ぶ大作である。また京都・神護寺に伝わる国宝『山水屛風』（作者不明）は現存する日本最古のやまと絵屛風と伝えられている。これは13世紀初期の鎌倉時代の作で、柔和な墨線で描かれた広大な山並みは、唐絵には見られない穏やかさがある。同じ屛風図では室町時代に作られた『日月山水図屛風』（作者不明）も有名である。釣鐘を伏せたような雄大な山といい、枝や幹をくねらせた松の姿といい、躍動感にあふれた見事な逸品だ。そしてこの時代から、やまと絵の伝統は土佐派の絵師に引き継がれていくことになる。特に土佐光信（みつのぶ）（生没年未詳）は、水墨画の流れるような輪郭線や透明感のある彩色を取り入れることで、やまと絵に革新をもたらした。代表作としては亡者の審判を行う王の姿を描いた『十王図』や『清水寺縁起絵巻』などがある。

土佐派は一度絶えるが、江戸時代に入ると土佐光起（みつおき）（1617〜1691）が再興する。代表作の一つ『春秋花鳥図屛風』は満開の桜に柳が芽吹く春の景色があでやかな色彩で描かれており、いかにもやまと絵らしい繊細な作風となっている。

豆知識

1. 唐は滅亡したが、室町期に中国から伝来した宋元画などは「唐絵」と呼ばれている。

76 伝統・文化 ｜ 年祝い

年祝いとは、一定の年齢になったことを祝う儀礼のことで、「賀の祝い」「賀寿」とも呼ばれる。年祝いの折は、家族や親類が集まり、人生の節目としての長寿を一同で祝うとともに、ご神前にお参りして今後ますます健康で長生きができるように祈る。

◈

年祝いは近年、一般的に還暦（61歳）、古稀（70歳）、喜寿（77歳）、米寿（88歳）、白寿（99歳）などを祝う。しかし、年祝いをする年齢は地方によっても異なっており、厄年とされる年を祝うところもある。

昔は、女性は13歳の時に「髪上」、男性は15歳の時に「元服」という年祝いを行っていた。「髪上」とは、成人に達した女性が垂れ髪を初めて結い上げる儀式。また、「元服」とは、成人に達した男性が髪形、服装を改め、初めて冠をつける儀式で、それまでの幼名を廃し、元服名が新たに付けられる。

東大寺の寺誌『東大寺要録』に聖武天皇（701～756）の四十の賀寿が行われたという記述があるように、年祝いは平安時代には宮廷や公家の間で広く行われていたようである。

古稀、喜寿、米寿、白寿などが祝われるようになったのは中世からだという。近世以降にはさらに還暦を祝うようになったそうだ。一方、現在では40歳、50歳の年祝いを行うことは一般的ではない。

61歳の「還暦」には、干支が一巡して生まれた歳（赤児）に返ったということで、赤い頭巾やチャンチャンコを贈る。「本卦がえり」とも呼ばれ、長寿祝いの色は赤である。

70歳の「古希」は、中国の詩人・杜甫（712～770）の詩「人生七十古来稀なり」がもとになっている。紺、紫が長寿祝いの色とされている。

77歳の「喜寿」は、喜の略字が七・十・七と分解されることから付けられたといわれている。長寿祝いの色は紺、黄、からし、紫である。

88歳の「米寿」は、米という字が八・十・八に分解できることから付けられたとされる。長寿祝いの色は黄、からし金、金茶である。

99歳の「白寿」は、百の字から一をとると白という字になることから付けられたという。長寿祝いの色は白である。

年祝いの贈り物には、縁起が悪いとされる語呂を含むもの、別れを連想されるものは避けるべきといわれている。例えば、櫛。言葉の響きから「苦」や「死」を連想させるほか、昔から櫛の歯が欠けるのは縁起が悪いとされているので、避けるのがベターだ。

豆知識

1. 現在では61歳の還暦で厄を祓い、「古希」から年祝いをするケースが増えてきている。
2. 還暦は赤など、長寿祝いの色はそれぞれ決まっているが、100歳を超えた祝いには基調の色がなくなる。

77 哲学・思想 | 御柱祭

御柱祭（おんばしらさい）は長野県諏訪市・茅野市・下諏訪町にある諏訪大社（４つの宮から構成されている）の祭であり、正式には式年造営御柱大祭という。巨大なモミの柱を４本、社殿の周りに立てるもので、寅年と申年に行われる。祭は木の選定、切り出しから始まり、勇壮な木落としなどを経て境内に運ばれる。毎度けが人が出て、時には死者も出る荒々しい祭であるが、諏訪の者にとって祭に参加することは名誉なこととされる。

◈

御柱祭の木落とし

諏訪大社は全国にある諏訪神社の総本社にあたる。建御名方神（たけみなかたのかみ）という武神を祀り、必勝不敗・五穀豊穣などの神徳で武士などの信仰を集めてきた。御柱祭はこの諏訪大社の代表的な祭であるとともに、日本三大奇祭の一つともされる。また、長野県指定無形民俗文化財にも指定されている。社殿を囲むように四方に柱を立てる理由については、社殿の造営の代替、神の依り代、聖域の結界などの説が出されているが定かにはなっていない。祭の起源も不明だが、すでに８世紀末には行われていたという記録がある。

鎌倉時代から戦国時代頃までは御柱を立てるだけではなく、鳥居や社殿の建て替えも行われ、その費用を信濃国一国でまかなうことになっていた。このため信濃国では御柱祭が行われる寅（とら）年と申（さる）年は結婚式や元服式、家の新築などが禁じられた。現在ではそうしたことはなくなったが、諏訪大社の氏子の間では祭年は結婚や新築を遠慮する風習があるという。祭は御柱にする木の選定から始まる。諏訪大社は上社本宮・上社前宮・下社春宮・下社秋宮の四宮からなるので16本の木が必要となる。下社では祭の３年前、上社では２年前に選定をする。

祭当年の２月に「曳行順抽籤式（えいこうじゅんちゅうせんしき）」があり、御柱ごとに曳行（引いて運ぶこと）に当たる地区が定められる。続いて御柱を曳く縄をなう「綱打ち」が行われる。４月には切り出した御柱を山から下ろす「山出し」がなされる。この時、宮川の崖を引き落とす「木落とし」が一番の見所となっている。10トンを超える御柱にまたがって崖を滑り降りるのが諏訪の男の度胸試しとされる。５月上旬に御柱を境内に運ぶ「里引き」が行われ、社殿の四隅に立てる「建御柱（たておんばしら）」で一連の御柱祭は終了する。諏訪大社の御柱祭が終わると、諏訪地域の大小の神社での御柱祭が始まる。これを小宮祭という。柱の大きさや祭の習俗は神社によって異なり、諏訪大社のように「木落とし」をするところや、仮装などの芸能を伴うところもある。個人宅内の屋敷神の祠（ほこら）にも小さな柱が立てられる。

豆知識

1. 日本の近現代美術を代表する岡本太郎（1911～1996）は、1980年の御柱祭で「山出し」に参加している。曳き子に交じって御柱を曳いたのち、御柱に乗って「木落とし」も体験しようとしたが周囲の者に引き止められたという。

78 自然 | 日本海

古代には『日本書紀』にも記載され、江戸時代には海外から来た宣教師も世界地図に記載してきた「日本海」は、日本の様々な歴史の舞台となってきた。日本海は、太平洋とはまったく違った表情を持つ日本の「もう一つの玄関」である。

◈

日本列島や朝鮮半島、沿海州などに囲まれた海が「日本海」だ。日本は4000万年前まで大陸の一部分だったが、約2600万年前頃から始まった火山活動により、少しずつユーラシア大陸から離れ始めた。やがて引き伸ばされた大地は次第に窪み大きな湖のような状態になり、さらに分離が進んで海水が入り込むことによって形成されたのが日本海である。平均水深は1752m、最深部は3742mで、深層には「日本海固有水」と呼ばれる、水温1℃以下の溶存酸素に富んだ海水が存在する。日本海沿岸の気候の特徴は、多量の雪に覆われる冬と日射の多い夏に象徴される。これは季節風の影響で、冬と夏では風向も反対になる。

日本海に分布する魚類の種数は全体で500種余りで、太平洋より少なく、固有種も乏しい。これは日本海の形成時代があまり古くないためだと考えられている。ヒラメやマダイ、ズワイガニやホッコクアカエビなどの底魚類の生息域は、水深200mを境界として、浅海域の「おか場」と深海域の「たら場」に区分される。「おか場」には暖かい対馬海流の影響下にある種類が、「たら場」には冷たい日本海固有水の影響下にある種類が分布している。暖流の対馬海流の影響で、南方系の魚類の北限が太平洋岸よりも北方に延びている。また、古くからクジラの回遊経路として知られ、かつては近海捕鯨が行われていた。

日本海の名称が初めて確認できるのは、イタリア出身の宣教師マテオ・リッチ（1552～1610）が1602年に北京で作った世界地図の一種『坤輿(こんよ)万国全図』である。古代の日本では、『日本書紀』に「北海」の記述があるが、その後、1802年に蘭学者・山村才助（1770～1807）が「日本海」という名前を用いたのが最初であった。現在は、海図上の呼称の国際基準となるIHO（国際水路機関）の「大洋と海の境界」（1953年版）でも「Japan Sea」の呼称が用いられている。

同じ日本を囲む海でも太平洋とは大きく性格を異にしている日本海だが、古代から中世にかけては、中国、ロシア、朝鮮半島に向いた日本の玄関口でもあった。

豆知識

1. 1905年5月、日本海軍の連合艦隊とロシア海軍のバルチック艦隊の間で争われた「日本海海戦」は、日本海で行われた最大規模の戦闘である。連合艦隊はバルチック艦隊のほぼすべてを損失させ、ロシア側を講和交渉の席に着かせることに成功し、開国間もない新進国・日本の勝利は世界を驚かせた。
2. 太平洋側との魚類の分布の違いは、暖流が大きく影響している。南方系の魚類の回遊範囲は太平洋岸より北上。北方系魚類の境界ははるかに南下している。またサザエなどは、日本海側では青森まで漁獲されるが、太平洋側では関東以北になるとほとんど獲れない。

79 歴史 奈良の大仏

724年に即位した第45代聖武天皇（701～756）だったが、737年に天然痘の大流行、740年に藤原広嗣の乱と、天災・人災に見舞われ続けた。奈良時代の仏教は、王権の安泰と国家の平安を守る「鎮護国家」の宗教という役割が色濃くあり、聖武天皇は仏教の力を借りて、この不安定な国の情勢を治めようとした。そういった背景のもと、造立されたのが奈良の大仏である。

◈

天然痘の大流行は、聖武朝の政府高官のほとんどが病死するという大惨事となった。藤原広嗣の乱は、大宰府に転任となった広嗣がこれを左遷と思い、不満を抱いたことから起こった挙兵と内乱である。官軍によって鎮圧されたが、聖武天皇は広嗣の乱を恐れ、奈良の平城京から山城国（京都府南部）の恭仁（くに）へ行幸し、そのまま恭仁京を都としてしまう（740年）。さらに紫香楽宮、難波宮と遷都を続け、再び平城京に戻った（745年）。この５年にわたって繰り返された遷都は、聖武天皇の心の乱れ、ひいては世の乱れを象徴しているといえよう。

唐の先例にならい、聖武天皇は741年、国分寺、国分尼寺を造立する詔を発した。国ごとに七重塔を造り、天皇が書き写した金字の「金光明最勝王経」を納め、僧寺を「金光明四天王護国之寺」、尼寺を「法華滅罪之寺」と命名するという内容である。さらに743年、大仏造立の詔が発せられる。天皇は全国に協力を要請し、当初、大仏造立地として計画されていた近江・甲賀寺（滋賀県甲賀市）で体骨柱を立てる際には、天皇自らが縄を引いたと伝えられている。都が再び平城京に戻されるとともに、大仏造立地は現在の東大寺に変更された。災いの続く世の中にあって、民間では僧侶の行基（668～749）が民衆を集め、寺院建立や溜池の掘削、橋の建設、布施屋（一時宿泊所、救護所）の設立といった社会事業を進めていた。当初は、朝廷から弾圧を受けることもあったが、大仏造立にも行基と民衆の支持は必要とされ、聖武天皇は行基を大僧正として迎えた。

745年に造立が開始された大仏は、749年に鋳造が完了し、752年に開眼供養会が参列者１万人を超える大儀式として開かれた。鍍金（金メッキ）は済んでおらず、光背や台座の彫刻も未完成だったが、この年は『日本書紀』によると仏教伝来200年の節目であり、その年の釈尊誕生日に合わせて行われたと考えられる。また、行基もすでにこの世を去り、聖武天皇（当時は太上天皇）の健康も危ぶまれたため、開催が早められたという説もある。長さ1.2mある大仏の目に、導師であるインドの僧・菩提僧正が筆を進め、その筆から伸びた五色の紐が聖武太上天皇、光明皇太后ほか参列者の手に握られていた。筆の実物は現在も東大寺正倉院に所蔵されている。

大仏と大仏殿は12世紀末と16世紀半ばの２度焼失している。台座の一部などが造立当時のまま残されているが多くは後世の補修によるものだ。1958年、国宝に指定された。

豆知識

1. 奈良の大仏の国宝としての正式名称は「銅造盧舎那仏坐像」。像の高さは台座も含め約18ｍである。ちなみに同じく国宝である鎌倉の大仏（「銅造阿弥陀如来坐像」）の台座を含む総高は約13m。

80 文学 『小倉百人一首』

『小倉百人一首』は、新年の風物詩である「かるた取り」でも用いられ、日本人にとって最もなじみの深い「和歌集」であると言えるかもしれない。『小倉百人一首』は藤原定家（1162〜1241）が編んだ秀歌撰である。実際に定家が編んだか、別人が定家の名声だけを借りたものか、という議論が長年なされてきたが、現在では定家本人によるものであることが確実視されている。ただしいくらか後世の人によって手を加えられている可能性はある。

◈

定家が50年以上の間、克明に書き記した日記『明月記』によれば、定家は息子、藤原為家（1198〜1275）の義父にあたる宇都宮頼綱（1172〜1259）から、新築した京都の別荘に飾るふすま色紙の作成を依頼された。定家は飛鳥時代の天智天皇（626〜672）から、友人でもある鎌倉時代の藤原家隆（1158〜1237）までの広い時代から百人の歌人を選び、一首ずつを色紙に染筆し、頼綱に贈った。定家が編纂作業をしたのが小倉山荘だったため、『小倉百人一首』と呼ばれるようになったという。

定家は『新古今和歌集』の編纂にも中心的に携わり、平安時代末期から鎌倉時代初期の京都歌壇を代表する歌人であった。50首、100首、あるいはそれ以上の歌を披露する歌会や歌合に頻繁に参加し、見事に詠み切っている。後世、柿本人麻呂（生没年未詳）、紀貫之（？〜945）亡き後、ただ一人の「歌聖」とも評されたほどである。

『小倉百人一首』が編纂されたと推定される1235年頃は定家の晩年にあたり、歌を詠むことはほとんどなかった。その代わりに定家は写本に精を出し、優れた和歌文学を後世に残そうとしていた。ある研究者は「定家以前の時代の文学で、今日まで知られている作品は、そのほとんどが定家によって残す価値を認められたものだけである」と言っている。実際に百人一首が、定家の死後700年以上を経た現在も、日本人の歌の好み、美意識に深く影響していることを思えば、この見解も過言ではない。

定家は1209年、創作力の絶頂期だった頃、鎌倉幕府の第３代将軍・源実朝（1192〜1219）に和歌の添削を求められたという。その求めに応じて書かれたのが、定家最初の歌論書『近代秀歌』である。時を経て編まれた百人一首は、詠風や語彙に至るまでこの『近代秀歌』にのっとっており、定家が旺盛だった頃の歌論がそのまま反映されているといえる。

現在まで伝わっている百人一首の中で、後鳥羽院（1180〜1239）（99番）と順徳院（1197〜1242）（100番）はともに定家が仕えた天皇だが、当時は承久の乱の敗走により、隠岐と佐渡へ流刑中であった。したがって、定家自身の撰ではなく、後世の人の手によって加わったのではないかと考えられている。

豆知識

1. 百人一首の歌には番号が付されており、おおむね時代順に配列されている。男性が79名、女性が21名で、作品はいずれも勅撰和歌集に収載されている。
2. 絵札を順にめくり、男性、女性、僧侶で分ける「坊主めくり」という遊び方があるが、100人のうち、僧侶は12名である。中でも蟬丸（生没年未詳）を引くと１回休みというルールが一般的なようだが、実は蟬丸の出自は、僧侶であるかどうかを含め不明である。

81 科学・技術 ｜ 発酵

洋の東西を問わないグローバルな健康ブームの影響で、近年、世界中で低カロリーで栄養豊富な「和食」が注目されている。その中でも豊かな発展を遂げてきたのが、日本独特の発酵食品の存在だ。長い歴史を積み重ねた「和食」という文化は、2013年にユネスコの無形文化遺産にも登録された。

◈

日本独特の食文化「和食」は、低カロリーで栄養豊富な健康食品といえるだろう。その特徴の一つともいえるのが「発酵」である。発酵とは、微生物が栄養素とする有機物を酸素を使わずに分解することだ。アルコール発酵、乳酸発酵などの過程で、「発酵食品」と呼ばれる人間に有益な副産物を生成する。逆に、人間にとって有益でないものを生成するのは「腐敗」で、過程自体は同じものなのだ。日本の伝統的食品には発酵したものが多い。これは高温多湿の気候で、変質しやすい食品を長持ちさせるための方策でもあった。調味料の醤油、味噌、みりん、酢などは発酵で造られるものであり、出汁をとる鰹節、副食の漬物や納豆、世界市場への進出を果たした日本酒なども発酵食品である。ヨーグルトやチーズで有名な乳酸菌を利用した日本の発酵食品には、なれ鮨、味噌、醤油などがある。発酵の過程で生産される乳酸が雑菌の繁殖を抑える食品で、郷土料理などに多い。日本酒は麹カビの作用で蒸米を糖化し、酵母によるアルコール発酵を行う。ちなみに、西洋で同じくアルコール発酵を使うのが、パン酵母（イースト菌）で砂糖を分解し、エタノールと二酸化炭素を作って生地を膨らませるパン作りである。

日本の発酵食品は、麹が担うことが多い。麹カビとは、米、麦などの穀物に繁殖する糸状菌の一種で、日本酒や味噌を造るためのアスペルギルス・オリゼー（和名：ニホンコウジカビ）が最もよく利用されている。ほかにも醤油を造るアスペルギルス・ソーヤや、焼酎を作るアスペルギルス・カワチなどがある。一説には、弥生時代の後期には発酵した酒があったと言われ、平安時代には酒と醤(ひしお)、酢、味噌が売られていたようだ。

現代では、伝統食・健康食から大きく進化し、医療医薬品や化学製品として、アミノ酸、核酸、抗生物質、酵素などを生産するための「バイオ化学」としても発展し続けている。

豆知識

1. 日本の伝統食を造ってきた発酵・醸造の職人は、代々その技術を進化させていた。雑菌が死滅するアルカリ性の木灰を加えてアルカリに強い麹以外を死滅させる技術や、酒造りにおいてパスツールより300年も前に低温殺菌法を発明したことは、世界水準の技術だったといえるだろう。
2. 麹カビや納豆菌は空気中を漂うこともある。日本酒の杜氏は酒の仕込みの時期になると納豆を食べなくなる。これは酒を仕込む環境に納豆菌を持ち込まないためだ。納豆菌が麹米に繁殖すると、スベリ麹と呼ばれる納豆のような麹になってしまうからだ。
3. 発酵食品の中には「お茶」がある。しかし紅茶や烏龍茶は微生物の働きではなく、茶葉自体の酸化酵素の作用で変質するので、正確にいえば「発酵」ではなく「酸化」である。一方、茶の葉を摘み、加熱して葉に含まれる酵素を失活させた後に微生物により発酵させたのが後発酵茶で、中国茶ではプーアル茶、日本茶では碁石茶、阿波番茶がある。

第12週 第5日(金)

82 芸術｜平等院鳳凰堂

京都府宇治市にある平等院。平安時代後期の時の関白・藤原頼通（992～1074）が創建したこの寺院は十円硬貨の絵柄のモチーフになっていることでも知られている。寺院は「平等院鳳凰堂」と呼ばれることも多いが、鳳凰堂とは本尊を納めるお堂を指すため、正式な寺号は「平等院」である。平等院は極楽浄土を再現した寺とされ、建立の背景には平安期の末法思想があった。

◈

平等院鳳凰堂

平安時代後期、人々の間では末法思想が流行していた。これは釈迦入滅から2000年後に仏法が廃れ、やがて暗黒の時代が訪れるという思想である。実際、当時は相次ぐ反乱や疫病などで政情は混迷していた。そこで救済を求める手段として権力者は極楽浄土を再現した寺院を続々と創建した。その最たる例といえるのが平等院である。平等院はもともと頼通の父・藤原道長（966～1027）の別荘を改造した寺院で、創建された1052年はまさに世が末法に入る年とされた。そして翌年にはメインである鳳凰堂が完成。鳳凰堂は東方に面して建てられているが、これは西方に極楽浄土があることを示すためとされる。

この鳳凰堂に鎮座しているのが極楽浄土を主宰する「阿弥陀如来坐像」である。平安時代を代表する仏師・定朝（？～1057）の手によるもので、バランスのとれた体軀と丸みを帯びた穏やかな容貌は「尊容、満月のごとし」と謳われ、貴族たちが理想とした仏の姿であったとされる。如来像の視線は鳳凰堂の前に広がる池庭へ落とされているが、これは浄土からの眼差しを意味しているという。如来像は「仏の本様」、つまり仏像彫刻の真髄としてその美しさを高く評価された。また像の頭上を覆う天蓋も定朝の工房により造られたとされ、その中央に空いた穴には大型の鏡がはめ込まれ、堂内に入る光を反射していたと考えられている。それはさぞ荘厳な光景であったことだろう。

さらに堂内の壁には52体の「雲中供養菩薩像」が掛けられている。これらは阿弥陀如来の来迎にともに現れる菩薩たちで、雲に乗って舞い踊ったり合掌したりする姿が見られる。中には琵琶や笙（しょう）、鉦鼓（しょうこ）などの楽器を手にした仏もあり、さながら菩薩のオーケストラといったところだ。これらの供養菩薩は定朝が完成させた「寄木造り」の手法で造られており、その立体的な造形は躍動感に満ち今にも動き出しそうな風情がある。

このように平等院は極楽浄土の美を凝縮した寺院といえ、その華やかさは12世紀にまとめられた『後拾遺往生伝』という書物に「極楽を知りたければ、宇治の平等院へ向かえ」と記されるほどであった。

豆知識

1. 平等院は既存の宗派に属さない単立寺院である。
2. 鳳凰堂は正式には「阿弥陀堂」というが、屋根に鳳凰の像が載っていることや、両翼と尾部を伸ばした建物の形が鳳凰に似ていることから、この名で呼ばれるようになった。

83 伝統・文化 茶道

「茶の湯」とも呼ばれる茶道は、伝統的な様式にのっとって湯を沸かし、点(た)てた茶を客人に振る舞う行為だが、ただ茶を点てて飲むということだけではない。茶道具や茶室に飾る美術品、生きていく上での目的や考え方、宗教にまで及ぶ、総合芸術といえるものである。

◈

茶は平安時代に中国の唐に渡った空海（774～835）や最澄（767～822）ら僧侶によって、日本にもたらされたといわれている。喫茶の習慣を広めたのは、日本における臨済宗の開祖である栄西（1141～1215）である。栄西が中国の宋で喫茶法を学び、茶の樹と種を日本に持ち帰ったと伝わる。

鎌倉時代、栄西が著した日本初の茶の専門書『喫茶養生記』によって、武士や僧侶に喫茶の文化が広まる。その頃、茶は高級品で庶民には手が出せるものではなく、喫茶は武士や僧侶、貴族たちの贅沢な遊びだった。

その後、南北朝時代に茶を飲み比べて産地を言い当てる遊び「闘茶」が流行する。室町時代に茶の湯の精神性を重視する考え方が生まれ、千利休（1522～1591）がこれを「わび茶」として大成させた。

「わび茶」とは、豪奢な茶道具などを排し、簡素静寂な境地を重んじた茶の湯の一種である。「茶道」という名前は江戸時代中期に生まれた。庶民の習いごととして茶の湯の人気が高まり、その精神性が薄れてしまったことを嘆いた茶人たちが差別化を図るために茶の湯の道である「茶道」という言葉を使い始めたのだといわれている。茶道は表千家、裏千家など、いくつかの派に分かれて現在も残っている。

茶道は「茶室」と呼ばれる場所で行われる。茶室は二畳、三畳などの狭い空間であり、敷かれた畳も通常の4分の3ほどの大きさしかない「台目」と呼ばれるものである。茶室には躙口(にじりぐち)と呼ばれる小さな窓があり、客は身分の差に関係なくここから入らなくてはならない。武士も大小の刀を外し、頭を垂れて、一人の人間として茶の世界に入っていく。茶室に入ると身分の上下は関係なくなり、最も偉いのは茶室を仕切る「亭主」と呼ばれる主催者となる。しかし、亭主は茶碗の銘柄から掛け軸、活ける花、花を活ける道具に至るまで、茶室という限られた空間の中で様々な設(しつら)えをして、客人たちをもてなさなければならない。

茶道で大切とされる「わび・さび」とは、質素で不完全なものの中に美しさを見出す日本独自の美意識である。

豆知識

1. 茶室へと導く露地(茶庭)は、千利休が考案したといわれている。茶室の床の花の見映えを妨げないようにするため、露地に花の咲く木を植えてはならないという決まりがある。
2. 「一汁三菜」(一汁は汁物を1品、三菜は料理を3品という意味)は、茶室での食事として考案されたもので、後に懐石料理へと発展した。
3. 「一期一会」とは、元々は茶道からきた言葉で、茶室に臨む際は、今日の茶会は一生に一度きりのものと思って、亭主も客も互いに真剣に誠意を尽くせという意味であった。

84 哲学・思想 ｜ 須佐之男命（牛頭天王）

須佐之男命は日本神話に登場する神の一人である。素戔嗚尊とも書く。各地の八坂神社・須佐神社・須賀神社などで祀られる。伊邪那岐命・伊邪那美命の御子神で、天照大神・月読命とともに三貴子と呼ばれる。天の岩戸神話・八俣大蛇退治神話で知られる。天津神であるが出雲神話の神でもあり、その性格は複雑である。

◈

須佐之男命

須佐之男命（『古事記』の表記、『日本書紀』では素戔嗚尊）は天照大神・月読命とともに伊邪那岐命・伊邪那美命が生んだ神の中で最も貴い神として三貴子と呼ばれる。伊邪那岐命は、天照大神には高天原の世界を、月読命には夜の世界の統治を命じたように須佐之男命にも海原の統治を命じた（統治場所は伝承によって異なる）。しかし、須佐之男命はヒゲが胸に垂れるほどの年齢になっても泣いてばかりいるので、怒った伊邪那岐命に根の国（地下の国）へ追放されてしまう。須佐之男命は根の国へ赴く前に天照大神に別れの挨拶をしておこうと考え高天原へ行くが、天照大神に高天原を奪いに来たと疑われてしまう。そこで誓約という占いを行って身の証を立てるものの、思い上がって傍若無人な振る舞いをして天照大神を怒らせ、天の岩戸隠れを引き起こしてしまう。その責任を問われて高天原も追放され、出雲へと降りてくる。ここで泣いている櫛名田比売とその両親と出会う。櫛名田比売が八俣大蛇（８つの頭を持つ大蛇）の生け贄になるところと知った須佐之男命は計略を立てて八俣大蛇を退治し、櫛名田比売を妻に迎える。櫛名田比売との間に生まれた御子の子孫が大国主命で、大国主命が兄弟神の八十神の迫害を受けて根の国に来た際には、試練を課して神々の王となる資格を与えている。

このように須佐之男命の性格は駄々っ子から英雄神、そして老賢人と目まぐるしく変わっていく。また、天照大神の兄弟として代表的な天津神であるとともに、大国主命の祖先として出雲神話の神としての性格も持つ。これはもともと別個の神話だったものを須佐之男命の神話として統合したためではないかともいわれている。

須佐之男命はまた蘇民将来伝承（「祇園祭」181ページ参照）に登場する武塔神とも同一視される。武塔神は宿を貸した心優しい蘇民将来に茅の輪を腰に下げて疫病を避けることを教えた神で、防疫の神とされる。この神を祀る祭りが八坂神社の祇園祭で、鉾をつけた山車を引き回すのが特徴となっている。この祇園祭の普及に伴って須佐之男命の信仰も各地に広まっていった。牛頭天王は釈迦が説法を行ったインドの祇園精舎の守護神とされる神であるが、日本では武塔神と同一視された。近世まで祇園信仰の神社は祭神を牛頭天王とするところが多かったが、神仏分離の際に牛頭天王は仏教的だという理由から、多くの神社で祭神を須佐之男命へと変更した。

豆知識

1. 島根県松江市に鎮座する八重垣神社は須佐之男命が八俣大蛇を退治した際に櫛名田比売を隠れさせた場所とされ、こうした由緒から日本での結婚発祥の地といわれる。

85 自然 ｜ 瀬戸内海

瀬戸内海の現在の姿が形成されたのは、およそ6000年前とされる。瀬戸内海沿岸各所は古くから風光明媚な場所として知られ、交通の大動脈としても機能してきた。また、たびたび歴史の舞台となり、『万葉集』『伊勢物語』などの古典でもその美しさが描かれてきた。

◈

本州と四国、九州に挟まれた内海・瀬戸内海の歴史は古い。日本列島がユーラシア大陸から分離した1600万年前に、古瀬戸内海と呼ばれる海が出現した。しかし、1400万年前から1000万年前になると、各地域で火山活動が活発化し、古瀬戸内海も陸地化する。１万年前、氷河期が終わって気温が上昇すると、海水面も上昇。およそ6000年前までに、現在の姿の瀬戸内海が形成されたと考えられている。

瀬戸内海は、古代から畿内と九州を結ぶ交通の大動脈として機能していた。最古の記録では『魏志倭人伝』や『日本書紀』にも記載され、摂津国の住吉津（すみのえのつ）を出発地とした遣隋使、遣唐使の航路でもあった。奈良時代には外国使節が瀬戸内海を通った記録も残っている。それから長らく重要な交通路として使われ、江戸時代には回船商人の西廻り航路として流通の主要路を担った。幕末には長崎港発の外国船の横浜港への交通路となったが、下関砲台の外国船砲撃事件で海域が封鎖され、馬関戦争に発展する事件も起きている。

また、古くから風光明媚な海として知られ、沿岸には『万葉集』『古今和歌集』『新古今和歌集』などに詠まれた「住吉」「須磨」「高砂」といった歌枕の、美しい風景も点在している。中世には『伊勢物語』『土佐日記』『源氏物語』『山家集』などの文学が瀬戸内海を取り上げ、登場する土地が名所となっていった。

気候は「瀬戸内海式気候」と呼ばれ、冬の雪は少なく、夏もまた山地の風下側になるので降水量が少ない。強い風が吹くことが少なく穏やかな天気が多いが、冬は温暖ではなく気温が下がるなど、むしろ内陸的な性格を持つ特異な気候区である。

瀬戸内海は潮の干満差が大きく、最奥部の燧灘（ひうちなだ）周辺の干満差は２m以上にもなる。また、瀬戸内海と太平洋の水位差は最高1.5mにもなる。この強力な潮流により、徳島県と兵庫県の間にある鳴門海峡では直径約15mもの「鳴門の渦潮」が発生する。この激しい潮流が海底部の養分を巻き上げ、植物プランクトンの成育を促していると考えられている。

豆知識

1. 本州と四国を結ぶ橋に、神戸淡路鳴門自動車道の明石海峡大橋、瀬戸中央自動車道の瀬戸大橋、西瀬戸自動車道の瀬戸内しまなみ海道からなる３路線「本州四国連絡道路」がある。瀬戸大橋には本四備讃線が敷設されており、瀬戸内しまなみ海道には歩行者や自転車の専用道路も併設されている。また、これらの橋は送電線や導水管、光ファイバーケーブルが敷設されたライフラインでもある。
2. 瀬戸内海にはかつてニホンアシカやクジラ、ウミガメ、ジンベイザメ、ホホジロザメといった大型生物や、現在では絶滅危惧種となった多くの海洋生物が存在した。しかし、高度成長期の開発とそれに伴う環境破壊の影響で、江戸時代から昭和時代初期にかけ多くの希少生物が激減または絶滅した。しかし、現在でも天然記念物のカブトガニ、小型鯨類のスナメリやハセイルカなどの海洋生物が生息している。

86 歴史 行基

538年の仏教伝来から、奈良時代の始まりとなる710年の平城京遷都までは200年足らず。仏教はまだ朝廷や貴族による信仰が中心で、広く民衆に対する布教は行き届いていなかった。行基（668～749）はその民間布教に初めて本格的に着手した僧侶であるといえる。

◈

行基は15歳で出家し、飛鳥寺や薬師寺などで法相宗の教えを学んだ。山林修行の僧として、40代の後半まで苦行し、小寺院の建立とともに民間布教を開始する。

当時の僧侶は、官立の寺院で学術研究をするのが主で、山林修行の僧は、ある種異端の存在だった。「僧尼令」という律令では寺院以外での布教活動を禁じており、聖武天皇（701～756）の伯父にあたる、第44代元正天皇（680～748）は詔によって、行基を「小僧（しょうそう）」と非難し、行基が形成した僧俗混合の宗教集団（「行基集団」とも）を厳しく弾圧した。しかし、弟子や民衆による支持は収まらず、彼らは行基を「菩薩」と呼んで崇敬した。

行基集団は用水整備や墾田開発、納税に来る旅人の保護施設ともなる「布施屋」の設立など、社会事業に取り組みながら仏教の布教を続けた。『続日本紀』によれば、行基は近畿地方を中心に40以上の寺院を開基し、貯水池、橋、港などの整備を行った。この一大勢力に聖武天皇は注目し、745年、大仏造立の実質的な責任者として、行基に「大僧正」の位を与えた。僧階における最高位で、行基は日本初の大僧正だといわれている。しかし大仏造営中の749年、82歳で入滅。大仏の完成を見ることはできなかった。

大仏造立の頃、三論宗、法相宗、華厳宗、倶舎宗、成実宗、律宗の順に「南都六宗」が成立し、各宗を統括する宗務所が置かれるようになった。特に753年、唐の名僧・鑑真（686～763）が来日したことが、奈良仏教に与えた影響は大きい。来日目的は、日本の仏教に正しい「戒律」をもたらすこと、「戒壇」の設立と「授戒」を行うことにあった。「戒」は出家者が個人で守るべきもの、「律」は出家者が集団で守るべきものである。国家が認める正式な僧尼になるために必要な「国立戒壇」が東大寺、大宰府観世音寺（現・福岡県）、下野国薬師寺（現・栃木県）に置かれ、全国で授戒を受ける体制が整備された。鑑真はまた唐招提寺を建立し、ここにも戒壇を置いている。ちなみに同寺には木彫りの鑑真像（国宝）が現在まで伝わっており、日本最古の肖像彫刻とされている。

豆知識

1. 近畿日本鉄道奈良線の「近鉄奈良駅」前には行基のブロンズ像が建てられており、東大寺の方角を向いている。像の前は「行基広場」と呼ばれ、地元で有名な待ち合わせスポットでもある。
2. 有名な大阪・岸和田の「だんじり祭り」のうち、八木地区では、行基ゆかりの寺にだんじりが集結する「行基まいり」が行われる。
3. 日本全国には行基が発見したとされる温泉が数多くあるが、これらは史料に見ることができず、伝承としてのみ伝わっている。

87 文学 『伊勢物語』

散文で書かれたエピソードの多くは「むかし、おとこありけり」という書き出しで始まる。『伊勢物語』は、在原業平(ありわらのなりひら)(825〜880)がモデルと思われる主人公の「初冠(ういこうぶり)」という成人儀式から、死を間近に、辞世の歌を詠むまでの半生を描いた作品だ。作者については諸説があるが、在原業平が自身と周囲の人の詠んだ歌や背景を記していて、その草稿に後世の複数の人が加筆し順序を整理したのではないかと考えられている。

◈

『伊勢物語』の全体は125段で構成されているが、各段の挿話は数行から、長くても数十行という短いもので、中には歌の詠まれた状況を説明しているだけの段もある。あくまでも和歌を中心にした作品で、「歌物語」というジャンルで知られる。題名は、第六十九段「狩の使」に描かれた、伊勢に赴いた主人公と、斎宮(伊勢神宮に奉仕する皇族女性)の恋愛エピソードに由来するという説が有力である。斎宮は異性関係を禁止されており、事実であれば男女ともに厳しく罰せられるが、この「おとこ」の大胆で、情熱的な行動は、読者の間で評判となり、本作が『伊勢物語』の名で呼ばれるようになったと考えられる。

主人公のモデルとされる在原業平は、平城天皇(774〜824)の孫という高貴な生まれで、素晴らしい美男子であったと伝えられている。また六歌仙に挙げられるほど和歌の才能にも優れていた。章段の中には、業平とはほど遠い田舎者が「おとこ」として登場したり、出来事の時期が、業平の生前や死後にあたる部分もある。前述した斎宮との恋愛もおそらく虚構だろうと言われているが、作品全体に流れる「みやび」という観念が、「おとこ＝業平」というイメージと重ね合わされてきた。『伊勢物語』の本質とされる「みやび」を表すエピソードとして有名なのが第九段「東下り」で、以下はその冒頭部分である。

「むかし、男ありけり。その男、身をえうなきものに思ひなして、京にはあらじ、あづまの方にすむべき国もとめにとてゆきけり」
(昔、男がいた。その男は自身を無用な者だと思い、「都にはいないで、東の方に住む国を求めよう」と言って行った)

上流貴族で、優秀な歌人であった業平が、自身を無用ととらえたところに、「みやび」と「もののあはれ」があると研究者は指摘する。実際に業平が東下りをしたかどうかは不明だが、何ひとつ不自由のない、才能あふれる恋多き男が見せる虚無的、退廃的な様子は、現在でも読者を惹きつけることだろう。

豆知識

1. 「おとこ」は東下りで三河国の八橋に着き、「かきつはた」という五文字を入れた歌を詠んだ。現在の愛知県知立市八橋にあたり、県の花は「かきつばた」に制定されている。
2. 東京都墨田区にはかつて「業平天神社」という神社があったのに由来し、「業平橋」がある。近くにある「言問橋」も業平の和歌「名にしおはば　いざ言問はむ都鳥　わが思ふ人はありやなしやと」にちなんでいる。かつての「業平橋駅」は、現在は「とうきょうスカイツリー駅」となっている。
3. 『伊勢物語』は物語全体が1巻と短く、書写が容易なことから、『源氏物語』のような長編よりも多くの読者を獲得したといわれる。

88 科学・技術 | 治水

海洋や河川といった水資源が豊富であり、それによって国家を作ってきた日本にとって治水技術は、権力者が国を形作り、治めるために欠かせない技術だった。治水工事跡は、古墳時代の遺構からも発掘される。その技術は急速に進歩し、飛鳥時代前期にはダム式ため池とされる狭山池が開発された。

◈

多数の河川や湖などの水資源がもたらしてきた日本の繁栄はすべて治水の上に成り立っている。治水とは、河川の氾濫、洪水などの水害から人間の生活を守るため、最先端技術を導入したハイテク事業である。古来、人間は氾濫を防ぐために堤防の築造や護岸工事を行って多すぎる水を防災や農業のために貯めるダムや遊水池などに整備し、蛇行する河川の流路を必要な方向へ導く付け替えを行ってきた。

治水の歴史は弥生時代に遡り、同時代に築かれた人工の排水路や土手の遺構が発見されている。領域的かつ体系的な治水事業が行われるのは3世紀中期の古墳時代だった。こうした土木事業は、当時の前方後円墳築造の技術と連動していると考えられ、岡山県の津寺遺跡では、足守川旧流路に沿って6000本以上の杭が打ち込まれた護岸と推定される最古の治水遺跡が見つかっている。

日本最古のダム式ため池とされる狭山池は、かつて水量に乏しく灌漑に苦労した大阪府大阪狭山市にある。飛鳥時代前期、朝廷による事業として西除川（天野川）と三津屋川（今熊川）の合流点付近が堰き止められ、築造されたものだ。一説には奈良時代に活躍した僧侶・行基が、仏教の教えのもとに救済事業を進めたとも伝えられている。

15世紀末から16世紀末にかけて治水事業は拡大した。これは戦国大名が支配下の郷村を洪水被害から守り、安定した経営を図ろうと川除普請（かわよけふしん）に取り組んだためである。全国的に水害やかんばつなどの災害が頻発していた戦国時代、大名にとって治水は領土を拡大し、米の収穫量を上げる重要な事業であったのだ。江戸時代に隆盛した普請では、洪水が多発する河川の流路を安定化して耕地開発を促進した利根川東遷事業など、大規模な治水事業が行われている。そうした先人たちの遺志を受け継ぐように、現在では治水ダムやスーパー堤防、巨大地下水路などの建設が各地で行われている。また、災害予知や避難方法などのソフト面での対策も重視され、近年、温暖化で甚大になりがちな災害への備えが進んでいる。

豆知識

1. 戦国時代、武田信玄は山梨県の釜無川流域に有名な「信玄堤」を築いた。また、巧みな普請を得意とした豊臣秀吉は、大坂城築城の際に新田開発を行い、淀川に太閤堤や文禄堤を築いた。
2. 治水工事は、手法によって甲州流・美濃流・上方流・関東流（伊奈流）・紀州流などと呼ばれた。江戸時代前期に主流だったのが関東流で、堤防は高く造らず、溢水する箇所に遊水池を設ける方策である。後期は氾濫原を新田として開発する紀州流が主流となった。
3. 地底50mを流れる地下放水路「首都圏外郭放水路」は、関東の中川・綾瀬川流域の中小河川の増水を取り込み、トンネルを通してゆとりのある江戸川に流出する仕組みである。4台のポンプをフル稼働させると、1秒間に200m³（25mプール1杯分）の水を排水させる。2019年、各地で甚大な洪水被害をもたらした台風19号上陸時にも、流域の被害を著しく低減した。

89 芸術 『源氏物語絵巻』

平安時代の中頃、女流作家の紫式部（生没年未詳）が生んだ『源氏物語』は日本を代表する古典物語だ。主人公である光源氏の一生をメインに、約70年にも及ぶ貴族の世界を描いた大河ドラマ的物語である。国宝『源氏物語絵巻』はこの源氏物語を絵画化した絵巻で、物語が成立してから約150年後の12世紀前半に誕生した。繊細な感性によって描かれた絵は今なお観る者を魅了する。

◈

平安時代末期に描かれた『源氏物語絵巻』は『信貴山縁起絵巻』『伴大納言絵巻』と並んで「国宝三大絵巻」と称される絵巻の１つである。平安後期の宮廷絵師、藤原隆能（生没年未詳）が作者とも伝わったことから「隆能源氏」の名でも親しまれていた（現在、作者は不明とされている）。

源氏物語絵巻は当初、10〜20巻の規模で100場面ほどが描かれていたと考えられている。だが、900年もの年月を経るうち大半は消失し、現存しているのはわずか19場面、巻数に換算すると４巻程度である。江戸時代初期に３巻強が尾張（現・愛知県）徳川家に、１巻弱が阿波（現・徳島県）蜂須賀家に伝来したとされるが、それ以外は不明だ。現在、徳川家の絵巻は名古屋市の徳川美術館に、蜂須賀家にあった作品は東京都世田谷区の五島美術館に所蔵されている。絵巻はいずれも縦が22cm程度、横は長いものでも50cm弱と容易に視野に収まるサイズだ。

画中では濃厚な色彩で貴族たちの物語が再現されているが、これは当時「作絵」と呼ばれた作画方法によるものだ。まず、墨で下書きをした線の上に顔料を塗り重ねて彩色し、最後に輪郭線や着物の文様などの細部を描き起こす。作絵は細密画などにも用いられる高度な技術で、『源氏物語絵巻』はその代表的な作例といわれている。物語は主人公とともに屋敷の内外で展開するが、特定の人物がクローズアップされることはなく、みな同じ大きさで描かれている。また顔の表情も墨線による細い目と「く」の字形の低い鼻、いわゆる「引目鉤鼻」で均一的である。だが、この描写にはあえて表情を細かく描かないことで、登場人物の内心の葛藤や心理的な駆け引きなどを読者にくみ取らせようとする狙いがあったとされる。そしてこの微妙な表情や息づかいを伝えるために考え出されたのが「吹抜屋台」という技法だ。これは建物の屋根や壁を外し、視点を斜め上方に置く俯瞰法である。特に本作品では登場人物が比較的大きく描かれているため、視点がより近くなる。そのため読者は絵巻の世界に居合わせているかのような感覚を覚えることもあるという。

絵巻が作られた経緯は明らかではないが、平安後期の歌人・源師時（もろとき）（1077〜1136）の日記『長秋記』には1119年に鳥羽天皇（1103〜1156）の皇后・璋子（1101〜1145）が「源氏絵制作のため紙を献上せよ」と命じたことが記されている。また白河上皇（1053〜1129）からも同様の命令があったというから、『源氏物語絵巻』の制作は国家プロジェクトだったのかもしれない。

豆知識

1. 二千円札の裏面には『源氏物語絵巻』の「鈴虫 二」が描かれている。これは密通で生まれた子とその父親が対面する場面であるという。

90 伝統・文化 | 華道(生け花)

華道とは、四季折々の草花や木の枝を切って花器に挿し、その姿の美しさや命の尊さを表現し、それを観賞する芸術で、「生け花」とも呼ばれる。華道では礼儀作法を重んじ、師匠から弟子へと厳しい稽古のもとに技術と伝統が受け継がれていく。

◈

『春のあした生け花稽古』三代歌川豊国(歌川国貞)作

6世紀に入り中国から仏教が伝来した際、仏前に花を供える「供花(きょうか)」という風習が生まれた。これが華道の始まりだとする説が有力である。一輪挿しなどに挿した花を愛でる風習は、平安時代辺りからあったといわれている。当初は花を挿すのに既存の器を利用していたが、後に専用の花器が作られるようになった。そして室町時代中期には、当時の東山文化の建築様式である書院造りの「床の間」に花を飾るための座敷飾りの手法「立て花」が成立した。

華道を確立させたのは、京都の頂法寺(六角堂)の僧侶たちといわれている。そのうちの一人、生け花の流派の一つである池坊の開祖・池坊専慶(いけのぼうせんけい)(生没年未詳)は、花を仏前に供えるものから観賞するものへと変えた。その後、専慶の理論を受け継いだ池坊専応(1482〜1543)が思想としての「生け花」を確立し、晩年に立て花の基本形を記した『池坊専応口伝』を残した。さらに江戸時代中期に池坊専好(2代)(1575〜1658)が、「立花(りっか)」と呼ばれる生け花の型を大成させたといわれている。

「立花」とは、細長い花びんに花を縦長に生ける技法で、生け花の基本の型のことだ。江戸時代に入ると、立花は庶民の人気の習いごととなり、その後、茶花(茶席の床に生ける花)のように自由に生ける「抛入花(なげいればな)」も流行したといわれている。また、18世紀半ば以降、小さな床の間に飾るのに適するように平たい器と花材を刺す針がついた剣山を使って生ける「生花(しょうか)」の様式が整えられ、様々な流派が生まれている。

明治時代に入ると、若い女性の間で生け花が稽古事として浸透した。洋風の住居が増え、床の間でなく応接間に飾るのに適した「盛り花」様式などが生まれ、花材にも洋花が用いられたといわれている。また、昭和に入り、戦争が終わると、使われる素材の領域を拡大した「前衛いけばな」の運動が起こり、盛んになっていった。

豆知識

1. 生け花の3本の枝は「天」「地」「人」に見立てられるが、これは古代中国の思想をもとに天と地の間に人がいて、調和した宇宙が形成されていることを表している。生け花の流派によっては「真副体」「序破急」「体用留」「真副控」など、異なる言い方がなされる。
2. 生け花の流派を成した京都の頂法寺(六角堂)の僧侶たちは、代々池のほとりに住んでいたことから「池坊」と呼ばれていた。そうした呼び名が後世に流派の名前となった。

91 哲学・思想 | 儒教

儒教は、孔子（紀元前551？～前479）を開祖とする思想であり、儒学・孔子教ともいう。儒教が宗教であるかについては議論があるが、孔子自身は宗教や神秘思想には距離をおいていた。仁・義・礼といった道徳を重視し、自身を律することを通して社会秩序を保つことを目指す。漢代に国教とされたこともあって東アジア一帯に統治思想・道徳として広まった。日本には応神天皇の頃には伝わっていたとされ、『日本書紀』にもその影響が見られるが、当時は仏教に押されて大きな影響力をもたなかった。

◈

孔子

儒教は孔子を開祖とするが、仏教やキリスト教のように孔子が今までにない新しい教えを説いたというわけではない。孔子は聖人君子が実践してきた教え・思想・道徳などを整理・解釈して、聖人君子のごとく生き、人々を導く方法を説いた。これが儒教である。孔子の著作と断言できるものは残されていない（古来、歴史書の『春秋』が孔子の作とされてきた）が、その言動は弟子たちによって『論語』としてまとめられ儒教の根本聖典の一つになっている。その後、孟子（紀元前372？～前289？）によって孔子の思想は継承発展された。孟子は性善説・王道（武力で人々を従わせるのではなく徳による統治を行うこと）・易姓革命（徳を失った王や王朝は天が排除して別の王・王朝に委ねるという説）を説き、後の中国思想に大きな影響を与えた。秦の始皇帝は儒教を弾圧したが、秦の滅亡後復権し、前漢の武帝（紀元前157～前87）により国教に定められた。中国では道教と仏教が勢力を競って盛衰を繰り返したが、儒教はそれらとは一線を画し、中国の統治機構を支える根本思想として重視され続けた。このため、中国の統治機構を模して国造りをした東アジア諸国家（朝鮮半島やベトナムなど）でも儒教は国教に準じる扱いを受けた。

日本にも早くから儒教は伝わっていたらしく、『古事記』には応神天皇の御代に百済より来日した王仁（和邇吉師、生没年未詳）が『論語』を日本に伝えたと記されている。『古事記』のこの記述が事実なのかは不明だが、『古事記』『日本書紀』には儒教の影響が見られる。聖徳太子（574～622）の「十七条憲法」にも儒教思想に基づく条項があり、日本でも儒教を政治に活かそうとしたことがうかがえる。しかし、仏教が隆盛したこともあって大きな影響力は持たなかった。室町時代になると禅僧が儒教を研究するようになり、その中から藤原惺窩（1561～1619）が現れた。惺窩は徳川家康をはじめとした大名とも交流があり、近世的な武家の倫理観の形成に大きな影響を与えた。また、惺窩の弟子の林羅山（1583～1657）は幕府に仕えて諸法度の制定に関与し、江戸幕府の統治に儒教思想を導入した。林羅山・山崎闇斎（1619～1682）・熊沢蕃山（1619～1691）などの儒者や、度会延佳（1615～1690）・吉川惟足（1616～1694）といった神道家は、神道と儒教の教えは一致すると説き（神儒一致説）、神仏習合に対する批判の下地を作った。

豆知識

1. 孔子廟は儒教の寺院にあたるもので孔子を祀る。日本では学問所の付属施設として建てられることが多く、湯島聖堂は昌平坂学問所に付随していた。ほかには足利学校（栃木県足利市）や閑谷学校（岡山県備前市）が有名である。

92 自然 | 気候

日本独特の気候は、地球における日本列島の位置、国土の形が関係している。温帯湿潤気候、冷帯湿潤気候、西岸海洋性気候、ツンドラ気候など、様々な気候が分布している。

◈

豊かな自然に恵まれた日本は、大まかには温帯湿潤気候または冷帯湿潤気候に属する。その特徴は、夏と冬の気温差が大きく、降水量が多いことだ。夏は南東の季節風の影響で太平洋側の気温が上がり、雨も多く降る。冬は北西の季節風で、日本海側が大雪となる。

ただし日本の一部地域はこれらの気候に当てはまらず、1979年から2000年までの平均値によれば、青森県や岩手県の沿岸部、北海道南部の沿岸部には西岸海洋性気候が分布。また、富士山頂や大雪山山頂付近には、ツンドラ気候が分布している。

こうした独特の気候は、日本列島の所在する位置に関係している。中緯度帯にある日本列島は南北に長くのびており、地球最大の大陸であるユーラシアと、同じく最大の海である太平洋の境界に位置している。また、海岸線がほぼ平行に走り、中央部に脊梁山脈が存在することが、気候を変化に富んだものにしている。さらに日本海の存在が、大陸アジアの他の気候と区別する要因になっている。

冬の日本列島は、季節風などの風向に直角に配置されているので、全体が広い範囲にわたって寒風にさらされる。その寒風の厚さは、脊梁山脈の高さとほぼ同じなので、山体の風上側と風下側で違った気候が形成されることになる。夏の気候は、大陸の東側に存在することで決定される。大陸と海洋では、比熱の差によって温まり方に違いができる。大陸は亜熱帯高圧帯を分断して、海洋上に「太平洋高気圧」を作る。この高気圧は貿易風によって北西方向に移動。大陸東側に、低緯度から暖かくて湿った空気が供給される。これは梅雨の降水量と関係があると考えられ、台風を運んでくる働きもする。

中緯度の国として、日本の降水量が世界の平均年間降水量よりも大幅に多いのは、前線性の降水量が大きいことが一因である。その中でも梅雨は特徴的な気象で、日本と東アジア以外の国では、このような現象は存在しない。温帯低気圧に加え、北西季節風による豪雪、梅雨、台風の降水が、日本を水質源や緑の豊かな国にしている。

豆知識

1. 日本は全般に降水量が多い。1976年から2005年までの平均値を見ると、世界での年間降水量は807mmなのに対し、日本のそれは1690mmと約2倍となっている。この降水量の多さは、国土に豊かな森林資源を持つ要因になっている。
2. 近年の日本は、温暖化による異常気象や都市部のヒートアイランド現象の影響を大きく被っている。世界的にも異常気象が観測されており、ヨーロッパではワインが造りにくくなった地域もある。フランスのワイン醸造メーカー、ドメーヌ・ド・モンティーユは、寒帯気候に適したワインを生産するワイナリーを北海道南部に造る計画を進めている。
3. 気象庁の「地球温暖化予測情報」を見ると、2076～2095年を想定した将来気候では、年平均気温は各地域で3℃程度上昇、北日本では3℃を超える。降水の予測では、年降水量は全国と北日本で増加。大雨や短時間強雨の発生回数も多くの地域で増加する。逆に無降水日数も多くの地域で増加すると予測している。

93 歴史 | 大宝律令（律令制）

古くは聖徳太子（574〜622）が理想として目指した律令制国家だが、その基本方針は646年、第36代孝徳天皇（596〜654）によって発せられた「改新の詔」に見ることができる。すなわち、①公地公民制、②行政組織、③戸籍と班田収授法、④税制である。律令体制はこの4つについて唐の制度に倣い、具体的に定めたものといえる。

◈

律令の「律」は刑法、「令」は行政法にあたる。前者は唐のものをほぼそのまま採用しているが、後者は日本の実情に即した内容も多く見られる。この2つが揃った形でまとめられたのは701年（大宝元年）に制定された『大宝律令』が初めてのことである。「律」6巻、「令」11巻の全17巻で構成されるが、原文は現存しておらず、757年に施行された『養老律令』との類似性や『続日本紀』など他の古文献の記述から、推測復元されている。

撰定作業は、天武天皇の皇子・刑部（おさかべ）親王（？〜705）を総裁とし、藤原不比等（659〜720）などの貴族、粟田真人（？〜719）ら遣唐使経験者や、唐からの渡来人など19名が関わったとされる。完成に先立って、王臣や百官の役人や僧に対し、講義が行われたが、原文の書写配布が間に合わず、実質的に施行されたのは成立の翌年702年からと見られる。

「改新の詔」で示された基本方針のうち、大宝律令の制定によって、特に行政組織の整備が進んだ。中央においては、太政官と神祇官を置き、主たる行政を担う太政官には太政大臣を中心に、右大臣、左大臣、大納言、少納言、右弁官、左弁官といった官職を定めた。その下に、宮内、大蔵、刑部、兵部、民部、治部、式部、中務の「八省」を据え、この中央行政組織を「二官八省」と呼ぶ。

地方には、畿内（大和、河内、摂津、山城、和泉）と七道（東海、東山、山陽、山陰、北陸、南海、西海）に国・郡・里を置き、国司・郡司・里長の3段階で統括することとし、国司には貴族が、郡司には地方豪族、里長には地元の有力者などが任ぜられた。1家族を1戸とし、50戸で里が構成される。これらの行政組織では文書主義が導入され、元号や印鑑の使用、様式に沿った文書のやりとりなどが決められた。

その他、細かいところでは、役人が膝をつき両手を地面につける「跪伏礼」が廃止され、唐の方式である「立礼」いわゆるお辞儀が採用されることになった。天皇や皇族に対する尊称や、貴族・官人同士の作法、服装なども「令」によって規定された。

豆知識

1.「律」には刑罰の規定が見える。「笞（ち）、杖（じょう）、徒（ず）、流（る）、死（し）」の順に重くなり、「笞」は細い竹のムチ、「杖」は太い竹のムチや棒を指し、尻や背中を叩く罰のことで、回数も罪の重さによって5段階に分かれている。「徒」は懲役、「流」はいわゆる島流しで、奈良からの距離で近流、中流、遠流に分けられている。「死」には絞首刑と斬首刑があり、後者は最も重い刑で、殺人と強盗にのみ適用された。

94 文学 『今昔物語集』／『宇治拾遺物語』

12世紀半ば、平安時代の末期に成立したと見られるが、成立年、編者ともに未祥の説話集である。インド（天竺）、中国（震旦）、日本（本朝）の説話が順に配列されていて、仏教伝来の流れに合わせたと思われる。日本の説話である「本朝説話集」には、貴族や庶民の世俗的な日常生活が豊富に描かれており、当時の時代状況を知る上でも貴重な資料となっている。

◈

『今昔物語集』は、全31巻に1000話以上が収められた、日本における最大の説話集である。うち３巻は番号のみで説話がないことから、散逸してしまったか、あるいは予定されていた編纂作業が中断してしまったとも考えられている。各説話がすべて、「今ハ昔」で始まることが集名の由来である。また文末は「トナム語リツタヘタルトヤ」で統一されており、これは後に書かれる説話のパターンとして確立された。

巻第一から巻第五の「天竺部」、巻第六から巻第十の「震旦部」、巻第十一から巻第三十一の「本朝部」と３部構成になっており、当時の日本人が思い描く「全世界の説話」を集めたと考えられる。文体は巻が進むにつれて、堅苦しい翻訳調から、口語も多く用いられた簡潔なものへと変わっていくが、万葉仮名風に、音を表す漢字も多く使われていて、一見すると全編が漢文で書かれているようにも見える。その文体は、『源氏物語』と『平家物語』の中間に位置するといわれている。

現存する最古の写本は京都大学付属図書館所蔵のもので、国宝に指定されている。鎌倉時代中期に書かれたものだが、しばらくは世間の注目を浴びることがなく、『今昔物語集』が再発見されるのは15世紀、室町時代以降である。その後は、近現代に至るまで多くの説話が能や物語の題材となった。特に有名なのが芥川龍之介（1892〜1927）の『羅生門』と『鼻』である。芥川にはほかにも『芋粥』『地獄変』など、説話から着想を得た作品があるが、こちらは『宇治拾遺物語』に収録された説話をもとにしている。

『宇治拾遺物語』の「宇治」とは、宇治大納言、源隆国（1004〜1077）を指す。現在は否定されているが、長く『今昔物語集』の編者といわれていた説話の収集者で、現存しない説話集『宇治大納言物語』をまとめたといわれている。『宇治拾遺物語』は『宇治大納言物語』から漏れた説話を「拾い遺した」ものである。編者未詳ながら、その文学性は高く、説話集の傑作とされ、『今昔物語集』、『古今著聞集』とともに「日本三大説話集」の一つに数えられる。

豆知識

1. 『古今著聞集』は橘成季（生没年未詳）編による世俗説話集。全20巻726話を収録し、『今昔物語集』に次ぐ数を誇る。
2. 『宇治拾遺物語』は、全15巻に197話を収めている。その中には、民間伝承の説話があり、現在も昔話としてよく知られる「わらしべ長者」や「こぶとりじいさん」、「雀の恩返し」などが含まれている。

95 科学・技術 『本草和名』

日本と西洋との行き来がまだなかった時代、国内の薬学、植物学、博物学は、大陸から輸入された知識を独自に編集したものだった。日本に現存する最古の薬物辞典『本草和名』は、そうした背景をもとに生まれた書物である。『本草和名』により自然科学の基礎を築くことで、後に輸入される西洋科学を迎える下地を作っていった。

◈

『本草和名』は、醍醐天皇の侍医であった深根輔仁（生没年未詳）によって平安時代の918年頃に編纂された、日本に現存する最古の薬物辞典である。「本草」とは、「草石の性に本づくもの」で、「自然由来のもの」といった意味だ。

当時、薬物の代表格は薬草であったため、おのずと薬効のある、または健康成分の含まれた植物を網羅した辞典という性格が色濃い。本草約1025種の漢名に、日本での産出の有無、別名や出典、音注、産地を記述し、万葉仮名で和名を注記している。例えば、同書に記されている植物には、「悪實支太支須乃弥（ゴボウ）」「和佐比（わさび）」「无良佐岐（ムラサキ）」など、現在では一般に見かける野菜や雑草で、薬草とは思われていないものも多い。また副作用が少ないと思われがちな生薬として、劇薬「烏頭（うず）」（トリカブトの根）なども載っている。

古代中国の医学が日本へ伝来したのは奈良時代頃と考えられている。8世紀中頃には鑑真和上（688～763）が来日し、律宗とともに中国医学を伝えることにも力を入れた。当時、鑑真が日本に伝えた生薬には、朝鮮人参や甘草（かんぞう）などがある。

その薬学が、風土や日本人の体質に合わせた形で発展を遂げていったのは平安時代といわれる。そこから日本独自の和漢薬の歴史が始まるのだが、それをよく表したのが『本草和名』である。記述の内容は、唐の『新修本草』をベースに、様々な医学・薬学書の記述を加え、後世の医学や博物学にも大きな影響を与えた。

江戸時代に入ると医療は社会全体に普及し、薬草や薬木の需要は高まった。徳川吉宗（1684～1751）は享保年間、幕府直営の薬園で朝鮮人参の国産化を図り、また薬種問屋の株仲間の結成を行わせるなど、国産薬材の質の向上を企図した。その後、1709年からの5年間で流通した薬材は合計約7200トンにものぼったとの記録が残っている。

豆知識

1. 古代中国の薬用植物や生薬の研究書は「本草書」と呼ばれる。しかし、本草学は、単なる植物学ではなく、自然に関することすべてを研究する博物学でもある。1596年に成立した明の『本草綱目』は、約1900種の薬種を収録した本草学の集大成であった。
2. 18世紀後半の江戸では生薬の白朮（オケラ）、木香（モッコウ）、肉桂（ニッキ）、檳榔子（ビンロウ）、麻黄（マオウ）、厚朴（コウボク）、縮砂（シュクシャの種）、酸棗仁（ナツメの種）の需要が高かったとの記録が残る。ほかに山帰来、甘草、人参も人気だった。
3. 『本草和名』は薬物辞典なので植物以外も掲載されている。魚介類として貝は25種が紹介されているが、当時の名称から判別できないものも含まれている。判明する種では、例えば牡蠣（カキノカイ）、海蛤（ウムギノカイ＝ハマグリの古名）、石決明（アワビ）、蝸牛（カタツブリ）などがある。

96 芸術 『鳥獣人物戯画』

擬人化された動物たちがユーモラスな姿で描かれる国宝『鳥獣人物戯画』は、平安時代から鎌倉時代にかけて描かれ、漫画のルーツとして知られ海外でも高い評価を受けている。だが、そこに描かれている戯画が、何を意味するかはわかっておらず、作者や制作目的も不明だ。まさに日本の美術史上、最もミステリアスな国宝といえるだろう。

◈

『鳥獣人物戯画』

京都・高山寺が所蔵する『鳥獣人物戯画』は甲乙丙丁の４巻からなり、その全長は約44mだ。特に有名なのが野山や谷川で遊びに興じる動物の姿が描かれている甲巻である。猿や兎、蛙などが相撲や追いかけっこをする姿が軽妙な筆運びで表現され、鳥獣戯画といえばこの巻の絵を思い浮かべる人も多いかもしれない。ところが乙巻ではうってかわって写実的な描写になり、動物たちは擬人化されずリアルな姿で描かれている。さらに後半では獏や龍、象など空想上の獣や当時の日本に存在しなかった動物が登場。そして次の丙巻の前半には人間が現れる。鳥獣「人物」戯画と呼ばれる所以である。囲碁や賭双六（すごろく）などを行う人々の姿が続いた後、後半に動物が登場。甲巻と同じく擬人化されているが、さほどユーモラスな表現ではない。最後の丁巻は人間のみの構成だ。曲芸を披露する侏儒（しゅじゅ）（小人）や験比（げんくら）べをする法師の姿が描かれているが、他の３巻とは明らかに違うラフなタッチで表現されている。この『鳥獣人物戯画』がなぜ誕生したかは定かではないが、所蔵されていた場所が寺院であることから絵仏師が制作に関わっていた可能性が高い。そのため、緊張を強いられる仏画制作の現場で息抜きに描いたとする意見や、剃髪していない稚児を楽しませるために描いたのではないかという説もある。

また作者としては江戸時代の頃から鳥羽僧正覚猷（とばそうじょうかくゆう）（1053～1140）の名が挙げられることがある。鳥羽僧正とは天台宗の高僧で、絵の達人としても知られた人物だ。仏画を制作する傍ら「嗚呼絵（おこえ）」も好んで描いていたとされることから、作者説が浮上したとされる。嗚呼絵とは「ばかげた滑稽な絵」の意味で、風刺性とユーモアがうかがえる構図が特徴の戯画だ。『鳥獣人物戯画』と同年代に描かれた『勝絵』に出てくる「放屁合戦」や「陽物（男性器）比べ」などがこれにあたる。いずれも性器を剝き出しにした露骨な表現である。もっとも鳥羽僧正の戯画は現存せず、作者説も確たる証拠はない。

なお甲巻には、現存する23紙とは別に「断簡」、つまり抜け落ちた場面がいくつかある。だが、失われる前に模写された模本が残っていたため、何が描かれていたかがわかるケースもある。例えば甲巻は兎や鹿が水遊びをするシーンで始まっているが、模本によりこの前には蛙が船頭を務める舟遊びの場面があったことが判明している。

豆知識

1. 2013年、岩手県の柳之御所遺跡で擬人化された蛙が描かれた木片が見つかっている。12世紀後半のもので『鳥獣人物戯画』と同年代であることから関連性が指摘されている。

97 伝統・文化 | 書道

書道とは、毛筆と墨を用いて、漢字や仮名文字を芸術的に表現する日本の伝統芸術である。書道の目的とは、精神を集中させ、心の内面を書体によって表現することであるといわれている。対して習字は、お手本通りに正しく綺麗に書くことを目指すものであり、自己表現のための書道とは異なるものだ。書の鑑賞者は、書かれた文字の強さやしなやかさ、整い具合、筆の運び方、全体の配置の美しさなどを見る。

◈

毛筆と墨で和紙に字を書く日本の書道

書道は、中国では「六芸」(古代の中国において、身分ある者に必要とされた6種類の基本的な教養)の一つとして重んじられていた。また、中国では書道という言葉は使われず、書学といわれる。

書学とは、書の形式である書法を集成したもので、書法の体得には、法書(中国の天才たちが書いたという書)を臨書(手本を見ながら書くこと)することが必要である。

書道は奈良時代に筆、墨、紙の作り方とともに日本に伝来した。日本において書道は、平安時代に草仮名(そうがな)が作られたこともあり独自の発展を遂げ、世尊寺流、持明院流、定家流、青蓮院流などの流派が生まれた。貴族や武士にとって、筆と墨を使って紙の上に文字を書くことは欠かせない教養とされ、次第に庶民の間にも広まっていった。

書道の古典とは、先人たちの努力と創意の積み重ねにより生まれた美しい筆跡であり、古典から学ぶことが正統な書の学習であるといわれている。最初に学ぶべき各書体の基本的な古典は、「楷書」(一点一画を崩さず、きちんと書く書き方)では九成宮醴泉銘(きゅうせいきゅうれいせんめい)、孔子廟堂碑、「行書」(楷書の点・画を崩した書き方)では集王聖教序(しゅうおうしょうぎょうじょ)、蘭亭序、「草書」(行書をさらに崩し、点・画を略した文字)では書譜となる。毛筆による書道の場合、「文房四宝」と呼ばれる硯(すずり)、筆、紙、墨が最低限必要な用具である。

後世まで影響を与えた書道の大御所、小野道風(おののとうふう)(野跡(やせき))、藤原佐理(ふじわらのすけまさ)(佐跡(させき))、藤原行成(ふじわらのゆきなり)(権跡(ごんせき))は「三跡」と呼ばれる。

また、日本の書道史上の能書家のうちで最も優れた3人を「三筆」と呼ぶが、空海、嵯峨天皇、橘逸勢(たちばなのはやなり)はその始まりであるといわれている。

豆知識

1.「楷書」は「真書」とも呼ばれる。「真書」「行書」「草書」の頭文字である真・行・草の3つの区分は、書道だけでなく生け花や茶の湯などにおいても用いられ、日本の伝統文化全体を貫く観念として定着している。

98 哲学・思想 ｜ 鑑真

鑑真（688～763）は日本の律宗の祖であり、唐招提寺を開いた高僧である。鑑真の来日以前、日本には正しい授戒作法（僧となるための資格である戒律を教授・認定する儀礼の作法）が伝わっておらず、このため正式な僧は存在していなかった。こうした事態を解消するために戒律に詳しい僧侶たちを日本に招聘することとなり、これに応じたのが鑑真であった。その渡航は困難を極め鑑真は失明に至ったが、布教の意思は固く６度目の挑戦で来日を果たした。

◈

鑑真は中国東部の揚州（現在の江蘇省揚州市）で生まれた。14歳の時に父とともに訪れた寺で見た仏像に感激し仏道を志したという。21歳で正式な僧となる資格の具足戒を長安の実際寺で弘景律師より授かった。その後、長安や洛陽で戒律や天台宗の教学を学び、713年頃より戒律の普及に努めるようになった。戒律に関する講座は130回に及び、受戒した弟子は４万人という。こうしたことから「江淮の化主」（揚子江と淮河の間で教えを広めた名僧の意）、「授戒大師」と称された。

こうした鑑真のもとに日本から渡航してきた栄叡（？～749）・普照（生没年未詳）が訪れたのは742年の11月、鑑真55歳の時のことであった。彼らは鑑真に、日本に正しい戒律を伝えるため弟子の派遣を懇請した。仏教の正式な僧になるためには具足戒という戒律を教わり、その堅持を誓わなければならない。しかも、戒律の授受には「三師七証」といって、３人の師僧と７人の証人、すなわち戒律に通じた僧が10人はいなくてはならなかった。しかし、日本にはそのような人材はなく、多くの僧が正式な資格を持たない形ばかりのものであった。そこで戒律を伝える僧の来日が求められたのであった。

ところが鑑真の弟子には日本への渡航を志願する者はいなかったため、鑑真は自らが赴くことを決意した。当時の唐は人材流失を恐れて出国を厳しく制限していたので、訪日は容易ではなかった。一行は密航を企てるが密告を受けて失敗した。その後も失敗が続き、746年の５度目の挑戦では海南島まで船が流され、栄叡と鑑真の高弟の死、そして鑑真の失明という大きな犠牲を払った。それでも鑑真の意思は変わらず、ついに753年に来日を果たしたのであった。平城京に入った鑑真は東大寺大仏殿前に戒壇（授戒を行う施設）を作り、聖武太上天皇・光明皇太后・孝謙天皇をはじめ440余人に戒を授けた。後に戒壇は大仏殿の西に移され、戒壇院が建てられた。これ以降、正式な授戒が行われるようになったのである。

755年には大僧都（朝廷から与えられた僧の官職の一つ。僧を統率する役）に任じられたが３年後に辞し、下賜された土地に唐招提寺を創建して以後は弟子の育成に努めた。

豆知識

1. 761年には筑紫（福岡県）の観世音寺と下野（栃木県）の薬師寺にも戒壇が作られ、東大寺のものと合わせて天下三戒壇と呼ばれた。僧になろうと思う者は、このいずれかで受戒をする必要があった。
2. 正倉院には鑑真直筆とされる書状が保管されている。東大寺に経典の借用を申し出たものだが、字の乱れのない達筆なので、鑑真は完全には失明していなかったのではないかという説がある。

99 自然 | 四季

日本の気候と自然の象徴ともいえるのが四季である。日本の国土は、春・夏・秋・冬で、様々な表情を見せる。それが自然の恩恵となって、豊かな収穫をもたらしてきた。ところが同じ地域において、夏と冬でまったく性格の異なる自然災害に見舞われることも珍しくはない。

◈

中緯度地方にある日本は、春・夏・秋・冬の四季の違いがはっきりと表れる国だ。

日本列島は温帯に属しているため、ゆっくりと季節が変化していくが、国土が南北にのびているので、地域によって気候の変化には差があり、気温の年較差も大きい。季節の変化を告げる桜の開花や紅葉も、国土を横断するようにゆっくりと移動していく。熱帯の国々だと、一年を通して気温の変動が小さく、雨量の変化が激しいので雨期と乾季に区分される。逆に寒帯では、春と秋の差が感じられず、高緯度の地域になると夏が極端に短くなる。

季節が生じる主な要因は、太陽高度の変化による気温の変動である。地球上の様々な地域で気温が変わり、いろいろな性質の空気の塊（気団）が生じる。

日本の冬は、北西から冷たく乾いたシベリア気団が移動してくる。気団は日本海を通過する時に対馬海流から水分を大量に取り込むので、日本海側は世界的にも指折りの豪雪地帯となる。日本海側で水分を排出した気団は、脊梁山脈を越えると再び乾いた風に戻り、太平洋側に「からっ風」を吹き下ろす。

春と秋には、中国南部から揚子江気団がやってくる。これは暖かく乾燥している気団である。梅雨の時期には、北東の方面から冷たく湿ったオホーツク海気団が南下。そして湿度が高く蒸し暑い夏は、南東方面からの暖かく湿った風が、小笠原気団によってもたらされる。

日本では、こうした四季の移り変わりの影響を受けた自然災害も多く、同じ地域で、夏は梅雨や台風による洪水、冬は豪雪などの現象を起こす。しかし同時に、四季は日本を自然豊かな国にし、穀物をはじめ、四季折々の野菜、果物、木の実といった豊かな作物の収穫や漁獲をもたらしている。さらに、伝統的な年中行事や、俳句の季語、和歌や多数の文学作品にも影響を与え、四季を味わう感覚は昔から脈々と育まれてきたといえる。

豆知識

1. 日本の気象庁が定めている用語としては、春は３～５月、夏は６～８月、秋は９～11月、冬は12～２月となり、天気予報もこの区分に従っている。
2. 四季には、自然の中で育てた野菜や果物が収穫できる季節や、魚の漁獲量が上がる季節がある。それが「旬」で、食べ物が一番おいしく、栄養豊富になる時期だ。例えば春が旬の食べ物は、菜の花、タケノコ、イチゴ、アサリなど。夏ならキュウリ、トマト、アジなど。秋はサツマイモ、カキ、サンマ、栗。冬ならハクサイ、ミカン、ブリなどだ。こうした旬の食べ物を見ると、それぞれ季節の人気料理の材料になっているのがわかる。
3. 日本の季節の移り変わりを、梅雨と秋霖（しゅうりん）を含めて六季と考える説もある。梅雨は、東南アジアから東アジアまでの広範囲で起こる気象現象だ。秋霖は、北日本と東日本にのみ見られる現象である。

100 歴史 平安遷都

第50代桓武天皇（737～806）によって平城京から長岡京への遷都が指示されたのは、784年である。翌年の正月には長岡で正月を迎えており、宮殿はわずか半年という急ピッチで建設されたと見られる。しかし遷都後、天災や近親者の不幸が相次いだため、794年には平安京へ都を遷すことになった。

◈

785年、長岡宮の造営を任された藤原種継（737～785）が暗殺され、桓武天皇の弟で皇太子でもある早良(さわら)親王（750？～785）が暗殺事件に連座した疑いで幽閉された。親王は無実を訴えて絶食し、流刑地に向かう途中で憤死する。

その後、桓武天皇は３人の妃を病気で失い、ほかにも疫病の流行や洪水の発生などが相次いだ。これらを早良親王の祟りだと考えた桓武天皇は、和気清麻呂（733～799）の進言に従って平安京への遷都を決めた。近くに財力のある帰化人・秦(はた)氏が住んでいたことや、水陸交通の便が良いこと、奈良の寺院や貴族の利害関係が少ないことなども遷都の理由に挙げられるが、やはり祟りと凶事から逃れることが直接の動機だったと考えられている。

新しい都は、京都盆地のほぼ中央、南北約５km、東西約4.5kmの領域に広がる。唐の都・長安にならって、碁盤の目のように大路・小路が規則正しく交差し、条坊が配置された。南端中央にある都の入り口、羅城門（羅生門）から、北部中央「大内裏」の入り口である朱雀門に向かう「朱雀大路」は幅が80m以上もあり、現在の自動車道路では25車線分に相当する。日常の通行に必要な幅ではなく、朝廷の威信を示したものと解される。

大内裏の東寄りに天皇の御所（内裏）があり、正殿の紫宸殿、天皇の住居である清涼殿などが立ち並ぶ。朱雀門をはじめ、東西南北４面に３つずつ配置された門は「宮城十二門」と呼ばれる。いずれも有力氏族によって建造され、献上されたものである。

京域のすべてが人家で埋まることはなく、特に南東部は川に近い湿地帯でもあったため、貧しい人々の住まいとなり、やがては農地に転用されるところまで出現した。藤原氏のような上流貴族の宅地は、大内裏に近い北西部（左京北部）に集中し、後年「洛中」という言葉は左京を指して使われるようになる。

桓武天皇の崩御後、平城上皇とその側近である藤原仲成、薬子(くすこ)の兄妹が奈良に都を戻す動きを起こしたが、第52代嵯峨天皇が「薬子の変」の鎮圧によってそれを退け、平安宮を「万代宮(よろずのみや)」と定めた。以降、平安京は鎌倉時代までの約400年、政治の中心地となり、明治維新に至るまで1000年以上、天皇の住まいとなった。

豆知識

1. 京都市にある平安神宮では、毎年10月22日を「平安遷都の日」として記念し、「時代祭」を開催している。「葵祭」、「祇園祭」とともに京都三大祭りの一つに数えられる。この祭りの神幸行列に使われる1万点以上の調度、衣装、祭具には綿密な時代考証がなされていて、京都の伝統工芸技術の粋を間近に見ることができる。

101 文学 | 西行

西行(さいぎょう)(1118〜1190)は平安時代末期から鎌倉時代初期にかけての武士、僧侶、そして歌人である。由緒ある武士の家柄に生まれ、鳥羽上皇(1103〜1156)の身辺警備を務める「北面武士(ほくめんのぶし)」として、武勇の誉れも高かったが、23歳で出家している。俗名は佐藤義清。僧侶になる前から和歌の才能には優れていたが、特に出家後は諸国を旅してめぐり、多くの歌を残している。

◈

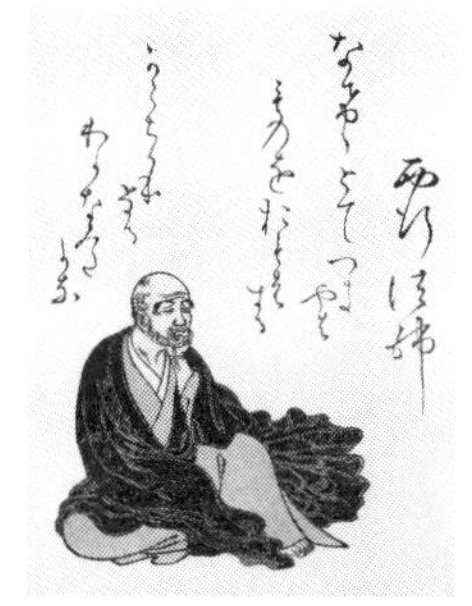
西行(小倉百人一首)

第82代後鳥羽天皇(1180〜1239)の命により編纂された『新古今和歌集』、この勅撰和歌集を代表する歌人の一人が西行である。

西行が出家した原因は失恋、親友の死、世の混乱を憂えた、など諸説あるが明らかではない。しかし、延暦寺などの大寺院や特定の宗派に属することなく、高野山の庵に引きこもる出家の形式は、当時はまだ珍しく、仏道よりも「隠遁生活、世捨て人」を求めたと思われる。いわゆる「隠者の文学」や、仏教に通じる「無常」、「わび・さび」といった美学が生まれるのは、時代的にもう少し後のことだが、西行はそれらを先取りしていたともいえる。西行の歌は『新古今和歌集』に94首が入集しており、これは集中最多である。特に下記の和歌は、西行自身が最高の作品ととらえていたといわれるもので、寂蓮(1139〜1202)、藤原定家(1162〜1241)の作にはさまれ、「秋の夕暮れ」で終わる三首(「三夕の歌」)はいずれも傑作として知られる。

さびしさはその色としもなかりけり槙(まき)立つ山の秋の夕暮れ　寂蓮(361)
心なき身にもあはれは知られけり鴫立つ沢の秋の夕暮れ　西行(362)
(風流の心も捨てた出家の身であっても、しみじみとした趣きは感じられるなぁ　シギが飛び立つ沢の秋の夕暮れよ)
見渡せば花も紅葉もなかりけり浦の苫屋の秋の夕暮れ　藤原定家(363)

また、自身の死について詠んだ、下記の和歌もよく知られている。
願はくは花の下にて春死なんその如月(きさらぎ)の望月のころ

「如月の望月」は旧暦の2月15日で、釈迦入滅の日であり、桜がちょうど満開を迎える頃である。「願わくば、桜の下で、その頃に死にたい」という意味だが、西行は実際、わずか1日違いの2月16日に、73歳で亡くなったとされ、世間の人々を驚かせた。生涯に残した和歌は2000首以上が伝わる。後世においては松尾芭蕉(1644〜1694)が、西行こそ和歌を代表する天才であると評している。

豆知識

1. 西行が陸奥へ旅をしたことに触発され、松尾芭蕉も東北へ旅し『おくのほそ道』を著した。その旅行中、西行の歌に詠まれた場所は見逃すことがなかったという。
2. 「秋の夕暮れ」の歌が詠まれた神奈川県の大磯には、「鴫立庵(しぎたつあん)」という俳諧の道場が今も残っている。同庵は、敷地内にある石碑の銘文から「湘南発祥の地」ともされている。
3. 『小倉百人一首』には「嘆けとて月やはものを思はするかこち顔なるわが涙かな」が86番に選ばれている。

102 科学・技術 『医心方』

中国伝来の医学・薬学は、平安時代の日本で体系化されて、江戸時代まで大いに発展していく。その基礎になったのが、それまでの医学知識を集大成した最古の医学事典『医心方』であった。編纂した丹波康頼（生没年未詳）は平安時代中期の宮中医官である。時代の変革期であった平安を代表する書物『医心方』は、当時の医療技術を研究するだけでなく、日本や中国の医学史を研究する上でも重要な書物である。

◈

全30巻からなる『医心方』は、平安時代中期の宮中医官である丹波康頼が編集し、984年に朝廷に献上した、日本に現存する最古の医学書だ。病気の原因や治療法、医療技術、保健衛生、養生法、中国古来の性生活の技法である房中術といったハウツーから、倫理、思想、総論まで、当時の医学知識のすべてを網羅した一大医学事典である。

著者である貴族の丹波康頼は、医博士、鍼博士であり、一説には渡来系の流れをくむ坂上氏の子孫とされ、遠祖は後漢の霊帝ともいわれている。『医心方』編纂の功績をもって朝廷より丹波宿禰（すくね）姓を受け、以来、子孫は医家として続き、代々、典薬頭を世襲して侍医に任じられる者を輩出している。

中国古来の医学は、７世紀からの遣隋使や遣唐使によって、また朝鮮半島経由で伝えられた。８世紀中頃の鑑真和上（688～763）のように、戒律の研究と実践を行う仏教の一宗派・律宗とともに、医学、薬学、本草学などを中国からもたらした人物もおり、この時期に持ち込まれた薬物は奈良の正倉院に現在も納められている。

こうした中国伝来の医学は、古代から中世への過渡期である平安時代に、風土や日本人の体質に合わせ、日本独自の医学として確立していった。『医心方』もその時代を表す一冊である。最古の薬物辞典『本草和名』も、先立つ918年頃の編纂だった。

『医心方』30巻のうち、27巻分は平安時代の12世紀までに成立。１巻は鎌倉時代に書写、２巻は江戸時代の後補である。時代をまたいでいるのは、鍼灸医学の書は、曖昧な記述が何度も補われてきたからで、もともと『医心方』も、中国の多くの医書を引用して完成したものである。現在でいう漢方医学は、この後、16世紀になって次第に発展、和薬と相まって体系化していく。

豆知識

1. 丹波康頼の出身は、丹波国天田郡（現・福知山市）、あるいは桑田郡矢田（現・亀岡市）といわれている。亀岡市下矢田町には、康頼が薬草を栽培したといわれる「医王谷」の地名が残されている。康頼は近隣の鍬山神社に日参して医術向上を祈願したという。
2. 丹波康頼の子孫には、東京帝国大学名誉教授・薬学者の丹波敬三、孫で俳優の丹波哲郎、その息子の丹波義隆、音楽学者で作曲家の丹波明などがいる。
3. 『医心方』は幕末までに多くが失われ、1854年に幕府が復刻して再刊した。その原本となったのは、室町時代に典薬頭であった半井光成家所有のものであった。この半井本は文化庁が買い上げ、1984年に国宝に指定された。現在は東京国立博物館が所蔵しており、2018年にはユネスコ「世界の記憶」登録を推進する議員連盟が設立された。

103 芸術 ｜ 浄土式庭園

平安時代中期から末期にかけて、阿弥陀如来を信仰し極楽浄土へ往生することを説く浄土教が流行した。当時、末法思想が広まっていたことも相まって人々は浄土の世界を希求するようになる。そんな中、地上に極楽浄土を模した空間を造ろうとする試みも行われた。それが浄土式庭園の設計である。

◈

称名寺（神奈川県）の浄土式庭園

浄土式庭園とは基本的に、阿弥陀如来像が安置されたお堂とその前面に池泉が造られた様式の庭園を指す。これは、「池の手前はこの世（現世）、そして池を渡りきると極楽浄土にたどり着く」という世界観を表現したものとされる。また浄土式庭園においては池の西側を「彼岸」、東側を「此岸」と呼ぶこともある。此岸は西へ没した太陽が再び東から生まれ変わって昇ることから、この世を示しているという。

この浄土式庭園の代表例とされるのが1052年、藤原頼通（992～1074）によって創建された京都・宇治市の平等院である（88ページ参照）。翌年に建てられた鳳凰堂（阿弥陀堂）は現在こそ古色を帯びて、落ち着いた雰囲気を醸し出しているが、かつては建物の内部も外部もすべて極彩色に彩られていたという。それもやはり極楽の世界をイメージしての彩色であったのだろう。現在でも、夜、鳳凰堂に灯りが入り、格子越しに阿弥陀像の顔が池に映る姿は非常に幻想的である。

平等院と並んで京都・木津川市の浄瑠璃寺も、浄土式庭園の名残をとどめる寺院として名高い。1047年に創建されたと伝わる浄瑠璃寺は、９体の阿弥陀如来像が横一列に並んでいるため「九体寺」とも呼ばれる。もっとも平等院と違い民衆の寄付により建てられた寺院のため、豪華絢爛な装飾は見られない。だが穏やかな汀線（ていせん）を描く池と簡素な阿弥陀堂、そして三重塔は、どれ一つ突出することなく調和しており、落ち着いた風情が感じられる見事な庭園である。

また奈良の円成寺も浄土式庭園を持つ寺院として知られている。756年、聖武天皇（701～756）・孝謙天皇（718～770）の勅願により建てられた寺院で、庭園が造成されたのは平安末期と推測される。池泉の中央と西には中島が浮かぶが、これは仙人が住む蓬莱山を見立てたものだという。

浄土式庭園は都から離れた東北の地にも見ることができる。その一例が岩手の毛越寺の庭園だ。12世紀初頭、奥州藤原氏によって建立された寺院で、美しい小山を背に、豊かな浄水をたたえた池泉が広がっている。日本最古の庭園テキスト『作庭記』に基づき造られた庭園で、池に水を引き入れる遣水や、枯山水風の築山が配置されるなど見所は多い。ただ現在、伽藍の建物は失われている。

豆知識

1. 平等院庭園の築造で頼通は民衆を酷使したため、鎌倉時代の説話集『沙石集』では「この堂を造ったために地獄に落ちるだろう」という旨の記述が見える。
2. 浄土式庭園が見られる寺院としては、ほかに京都の法金剛院や、福島の白水阿弥陀堂、神奈川の称名寺などが挙げられる。

104 伝統・文化 | 香道

香道とは、一定の作法に基づいて香木を焚き、香りを鑑賞して楽しむ日本の伝統芸能である。香道では、香は嗅ぐのではなく、聞くものだとされており、香を嗅ぎ分けたり、味わったりすることを「聞香」と呼ぶ。現在、香道で主に行われているのは、数種類の香木を聞き分ける「組香」である。香は文学的主題を表現するように組まれており、香の名を当てるだけではなく、その主題を理解する必要がある。場合によっては歌や詩を詠むこともある。

◈

香木は古くから存在し、『日本書紀』に日本最古の香木に関する記述がある。飛鳥時代の595年、淡路島の海岸に流木が流れ着いたというものだ。島民がその流木に火をくべると、驚くほど良い香りがしたため、時の推古天皇（554～628）に献上したという。

奈良時代に仏教の伝来とともに日本に渡ってきた香木は、仏前を清める「供香」として、宗教的な儀式に用いられていたといわれている。その後、8世紀頃より香木は宮廷人の生活に取り入れられ、普及していった。平安時代に入ると、貴族たち数人が集って香を焚く「薫物合」が流行する。ほかにも部屋の中に香を焚きこめる「空薫物」や身に着けたものに香りを移す「薫衣香」などの遊びを行っていたといわれる。鎌倉時代以降に台頭した武士たちは、貴族たちと違い、薫物よりも一つ一つの香木に興味を示した。中でも南北朝時代の佐々木道誉（1296／1306～1373）は、香木のコレクターとして有名だ。道誉は香の優劣を競う「香合わせ」をたびたび行っていたという。

その後、公家では宮中の御香所にも奉仕していた三条西実隆（1455～1537）が、武家では室町幕府第8代将軍・足利義政（1436～1490）に仕えていた志野宗信（？～1480）が香の文化を追求。特に志野流の始祖である宗信は、「聞香」の形式や香席での礼儀作法などを整え、「香道」が成立した。江戸時代に入ると、香道は武士や貴族だけでなく、経済力を持った町人の間にも広まり、頻繁に組香が行われていたという。

「香道」の香席では、自分のところに香炉が回ってきたら左手の上に水平にのせ、右手で軽く覆い、親指と人差し指の間から香を聞くのが通常である。

香炉は、一人「三息」である。三息とは、背筋を伸ばし、香炉を傾けないようにし、深く息を吸い込むようにして、3回香りを聞くことである。一人が長く聞き続けていると末席まで良い香りが持たないので、必ず守らなければならない。

豆知識

1. 香席に入る際は、香木と他の香りが混ざらないよう、香水やオーデコロンなど匂いのあるものをつけるのは禁じられている。また、身だしなみとして指輪や時計を外し、男性はネクタイ着用、女性はスカート着用が好ましいとされている。
2. 最高級の香りとされる「伽羅」の香りは、人工的に生み出すことが不可能である。「伽羅」の香木はプラチナよりもはるかに高価で1gあたり1万円以上するものも多い。
3. 日本で最も有名な香木は、正倉院御物として知られる「黄熟香」だ。現在までにこの名木を切り取ったのは、足利義政、織田信長、明治天皇の3人のみといわれている。

105 哲学・思想 | 最澄と比叡山

最澄(さいちょう)(767～822)は日本の天台宗の開祖であり、空海とともに平安時代の仏教を代表する僧で、後の仏教に大きな影響を与えた。仏教の諸宗派の中でも『法華経』を重視する天台宗が最も優れているという立場をとったが、その教えには禅宗や密教なども取り入れられており総合仏教としての性質があった。このため、天台宗は日本の仏教界で中心的な存在に発展していった。最澄が比叡山に創建した延暦寺は朝廷や幕府の崇敬を受けて、宗教界のみならず政治にも大きな影響力を持つようになっていった。

◈

最澄

最澄は767年(一説によれば766年)に近江国滋賀郡、現在の滋賀県大津市に三津首百枝(みつのおびとももえ)の子として生まれた。780年に大安寺の行表のもとで出家し、近江国分寺の僧となり、785年には東大寺戒壇院で正式な僧となる資格、具足戒を授かった。具足戒を受けた僧は大寺院での経歴を積んで出世を目指すのが一般的であったが、最澄は比叡山に草庵を結んで修行する道を選んだ。比叡山に入って3年目の788年には薬師如来を本尊とする一乗止観院(いちじょうしかんいん)を創建した。延暦寺の総本堂である根本中堂はこの一乗止観院が建てられた場所にあり、一乗止観院創建の際に最澄が自ら彫った薬師如来像を本尊としていると伝えられることから、延暦寺は788年を創建の年としている。比叡山での経典研究の結果、最澄は『法華経』を根本経典とする天台宗が仏教諸宗派の中で最も優れていると確信し、仏教界の長老などを相手にその教義を説き広めた。こうした活動が評価され、797年には宮中で祈禱や説法を行う内供奉十禅師(ないぐぶじゅうぜんじ)に選ばれた。

しかし、国内で学ぶには限界があると感じた最澄は、唐における天台宗の中心地であった天台山国清寺で研鑽することを決め、804年、遣唐使の一行に加わって唐に渡った。唐では天台宗に加えて禅宗・戒律・密教も学び、805年に帰国した。

帰国後は、年分度者(国家で決められた定員数の中で出家を許された者)の数を、天台宗も含めて12人とすることを桓武天皇に願い出て勅許を得るなど宗派の確立に努めたが、最大の後援者であった桓武天皇が崩御したこともあり思うように進められなかった。晩年は比叡山に大乗仏教に基づく戒壇(戒律を授ける施設)の設立を目指したが、ついに生前には許可が下りなかった。しかしその後、円仁(794～864)や円珍(814～891)といった優れた後継者を輩出し、天台宗は他宗派を圧する勢力を持つようになっていった。

豆知識

1. 唐から帰国した最澄は、当時最新の思想であった密教を学んできた者として皇族・貴族たちから大歓迎された。しかし、自分の密教理解が不完全だと考えていた最澄は、唐で密教を専門に学んできた空海に弟子入りをして、その欠を補おうとした。
2. 後輩の空海に、弟子として密教を学ぶことにした最澄であったが、延暦寺の経営などで忙しく空海に頻繁に会うことができなかったため、弟子の泰範(たいはん)(生没年未詳)を代理として空海のもとに派遣した。しかし、泰範は空海の弟子となってしまい最澄のもとに戻らなかった。これが原因で最澄と空海は絶交することになった。

106 自然 広葉樹林

ブナやサクラ、ケヤキなどの広葉樹は、日本人にはなじみの深い樹木である。また、多くが広葉樹で構成された里山も、日本人にとって身近な森林だった。その広葉樹林は、太平洋側、日本海側、内陸の気候によって、構成する樹種に違いがある。材木としての価値は決して低くない広葉樹ではあるが、一時期、国内では針葉樹林への置き換えが急速に進み、多くの地域で景観や環境が変化した。

◈

ブナの木

日本の温帯（冷温帯）の植生を代表するのが、葉が広く平たい樹木、広葉樹だ。中部の山沿いから東北、北海道の南部にかけ、本州南部では標高約1000m以上の山地に分布する落葉広葉樹林は、ブナやミズナラが優占する。ブナは太平洋側、日本海側、内陸の気候で、林を構成する種に違いが見られる。太平洋側のブナ林はクマシデ、スズタケなど、日本海側型の林はヒメアオキ、チシマザキなどを含んでいる。また、スギやヒノキアスナロ、ウラジロモミなどとの混交林を形成する場合もある。内陸型の長野県では、ブナそのものは少なく、ウラジロモミを主とした森林となっている。これは地方的気候に適応して分化が進んだことや、照葉樹林帯の森林が人為的に伐採された後、コナラやアベマキなどの落葉樹を中心とする森林に変化した現象と見られる。関東地方の里山の落葉広葉樹林は、こうした置き換えの例である。代表的な落葉広葉樹林では、ブナ林のほかに、トチノキ、サワグルミ、シオジなどの渓谷林がある。

日本の国土は約70％が森林に覆われているが、約40％はスギやヒノキなどの針葉樹人工林が占めている。そのほとんどは、材木利用のために1960年代から1980年代まで、広葉樹の天然林を伐採して植林されたものだ。しかしその後、輸入建材が安価になり、針葉樹林は放置状態になっているのが現状だ。これを混成林化、あるいは広葉樹林へ戻そうという動きも始まっている。間伐が遅れた針葉樹林は林の中に日が当たらず、下草も生えなくなり、雨が降ると表面の土が流されてしまう。場合によっては根が浮き上がって土砂崩れを起こす危険性もある。これを保水性の高い広葉樹林化することで防災につなげようという試みだ。また木の実などの食料を生産する広葉樹を増やすことで、人や農作物に害を与える野生動物が人里に降りてくるのを予防するという狙いもある。

豆知識

1. 広葉樹は、広い葉で効率よく光を吸収するが、太い導管を持ち、水分を蒸散する率も高い。そのため寒冷になると、導管液の凍結と融解によって導管内に気泡が生じ、水分を送れなくなる場合がある。落葉広葉樹は、生育に不適な寒い季節になると葉を落として、水分の消費を抑える。ブナやミズナラ、サクラ、ケヤキなどの被子植物がほとんどだが、少数ながら単子葉植物に属している種もある。一方、常緑広葉樹は暖かい地方に生育するので葉を落とさない。
2. 都会に植えられる街路樹は自動車の排ガスを浴び、植えられる土も狭く硬く、過酷な環境で生育しなければならない。こうした環境に耐性があり、木の寿命の長さも考慮すると、結果として街路樹には落葉樹、広葉樹が選択される場合が多い。選ばれるのは、ハルニレ、セイヨウハコヤナギ、イチョウ、プラタナスなどである。

107 歴史 坂上田村麻呂と阿弖流為

平安京遷都とともに、桓武天皇（737〜806）の事績として大きいのが3度にわたる蝦夷征討である。特に桓武天皇によって征夷大将軍に抜擢された坂上田村麻呂（さかのうえのたむらまろ）（758〜811）は、蝦夷の軍事指導者である阿弖流為（あてるい）（？〜802）を降伏させたことで勇名を馳せ、後には「薬子（くすこ）の変」でも活躍し、後世に数々の伝説を残した。

◈

坂上田村麻呂

桓武天皇の父、第49代光仁天皇（709〜781）の頃から、蝦夷に対する敵視政策が始まったとされる。774年から811年まで続いた蝦夷征討の戦いは、平安時代の勅撰史書『日本後紀』に「三十八年戦争」と記されている。789年、征東大将軍の紀古佐美（きのこさみ）（733〜797）は、蝦夷征討の命を受け、現在の岩手県平泉町付近の衣川に陣を敷くが、1カ月以上も兵を動かさず、桓武天皇に叱責される。これを受け、古佐美は渡河を敢行したが、蝦夷の族長・阿弖流為の反撃によって大敗を喫した。その後、蝦夷征討軍は朝廷の許可を得ずに解散してしまう。

この敗北を受け、政府は兵数を第1次の倍の10万にして、794年に第2次征討に出る。大伴弟麻呂を征夷大将軍に、坂上田村麻呂を同副将軍に任じた。資料が乏しく詳細は不明だが、4カ月余りで戦闘は終了し、一応の戦果をあげたものの、10万の大軍をもってしても蝦夷の根拠である陸奥国胆沢を攻略することはできなかったという。801年、第3次征討軍では田村麻呂が征夷大将軍となり、7カ月で蝦夷を降伏させた。この戦いについても詳細はわからない。802年に田村麻呂はいったん都に戻り、胆沢城を築くため再び陸奥国に向かった。胆沢築城の後、東国の浪人4000名を置き、ここを鎮守府とし、さらに前線の志波にも城を築いた。

降伏した阿弖流為とその部下・母礼（もれ）は田村麻呂とともに都へ上った。田村麻呂は、蝦夷に対しては強硬策をとらず和平を結ぶべきとし、賊将2名の助命についても進言したが、朝廷はそれらを一切許さず、河内国において阿弖流為らを斬刑に処した。

田村麻呂は、第3次蝦夷征討の終了後も、本来は臨時の職である征夷大将軍の称号を持ち続けた。また桓武天皇亡き後は次代平城天皇にも重用された。

809年、平城天皇が病気のために退位して上皇となり、嵯峨天皇が即位する。上皇はその後体調を回復し、平城京へ移り住んだ。上皇はその後、藤原仲成と薬子の兄妹にそそのかされ平城京へ遷都する詔勅を発し、朝廷権力の二重化が起こる。これが「薬子の変」の始まりである。嵯峨天皇はいったん上皇に従う姿勢を見せたが、すぐにそれを撤回。平安京の維持を決意し、田村麻呂に命じて平城京から東国へ向かう上皇、仲成、薬子を追撃させる。仲成は射殺され、上皇は出家、薬子は服毒自殺した。田村麻呂は「薬子の変」の翌年、54歳で死去した。

豆知識

1. 田村麻呂の遺体は甲冑、剣、弓矢を身につけ、都の東を向くように立った姿勢で、あたかも朝廷を守護する軍神のように埋葬された。後世の将軍は出征の際などに必ず田村麻呂の墓に詣でるようになったという。

108 文学 鴨長明

「行く川のながれは絶えずして、しかも本の水にあらず。よどみに浮ぶうたかたは、かつ消えかつ結びて久しくとゞまることなし。世の中にある人とすみかと、またかくの如し」鴨長明（1155？〜1216）による、有名な『方丈記』の冒頭部分は、わが国の文学史上に残る名文とも評価される。和漢混交文（現在も一般的な漢字仮名交じり文）で書かれた最初の文芸作品ともいわれる。

◈

京都市左京区にある賀茂御祖神社は、通称「下鴨神社」として知られる由緒正しい名社だ。鴨長明（かものちょうめい）は、この神社の禰宜（ねぎ）（神職）の家系に生まれたが、後継争いに敗れて出家した。京都の各地で閑居生活を送りながら、亡くなる数年前に書かれたのが『方丈記』である。日本中世文学を代表する作品であり、『枕草子』『徒然草』とともに古典三大随筆に数えられる『方丈記』は、その奥書から、1212年に書かれたと見られる。

題名は、作者の長明が晩年を過ごし、本作を書き上げた、京郊外にある一丈四方（方丈）の草庵に由来している。一丈は約３ｍで、方丈は３ｍ四方となる。このサイズの庵は構築、解体が容易なことから、当時の僧侶や隠遁者によく用いられた。

本作を読み解くカギとなるのは「家」である。先に挙げた冒頭文にもあるように、水や泡のように生じては滅する無常を「人」だけでなく「すみか」にもなぞらえている。そして文章は「人とすみか」を次々と襲ってきた実際の天災を生々しい描写で続ける。

安元３年（1177）大火「都のたつみより火出で來りていぬゐに至る。（中略）ひとよがほどに、塵灰となりにき」

治承４年（1180）辻風「中の御門京極のほどより、大なるつじかぜ起りて、（中略）その中にこもれる家ども、大なるもちひさきも、一つとしてやぶれざるはなし」

養和の頃（1181〜1182）飢饉「二年が間、世の中飢渇して、あさましきこと侍りき。或は春夏日でり、或は秋冬大風、大水などよからぬ事どもうちつゞきて」

元暦２年（1185）大地震「おほなゐふること侍りき。そのさまよのつねならず。山くづれて川を埋み、海かたぶきて陸をひたせり」

このような天変地異から逃れる唯一の場所は、どうなっても構わない「方丈の庵」だけだと作者は悟り、むしろその庵を取り巻く風景の美しさを描くことによって、住まいは貧しくとも得ることのできる心の平安を表現する。

「もし夜しづかなれば、窓の月に故人を忍び、猿の聲（こえ）に袖をうるほす。くさむらの螢は、遠く眞木の島の篝火にまがひ、曉の雨は、おのづから木の葉吹くあらしに似たり。山鳥のほろほろと鳴くを聞きても、父か母かとうたがひ、みねのかせきの近くなれたるにつけても、世にとほざかる程を知る。或は埋火をかきおこして、老の寐覺（ねざめ）の友とす」

随筆とは、まさに「筆」に「随（したが）って」ありのままの現実を書いた作品であるが、こうした災難と平安の対比を巧みに用いることによって、フィクションにも匹敵する文学的な感動を与えることができることを『方丈記』は証明したといえよう。

豆知識

1.『方丈記』を初めて英訳したのは夏目漱石だ。

109 科学・技術 | 日本刀

侍のイメージアイコンとして、世界中で人気になっている日本刀。平安時代末期に登場したこの刀は、日本独自の製法によって作られた武器であった。よく鍛錬された名刀は、折れず、曲がらず、切れるの３つの条件を備えている。

◈

日本刀

日本刀は、日本独自の鍛冶製法によって作られた、刀身に反りがあり、片側に刃がある刀剣である。日本刀は平安時代中期に現れ、兵士や侍の武器として瞬く間に普及。刀身の寸法により、太刀や打刀、脇差、腰刀、長巻、薙刀などの種類があり、また時代によって戦術や使用場面が変わると、その形態も変化した。馬上戦ではなく、地表での集団戦が大規模になった室町末期・戦国時代の徒戦用として、刀も腰に差したとき、刀身中央でもっとも反った形で抜きやすい「打刀」になった。打刀は、刃を上にして腰に帯びる（馬に乗る場合には、打刀で馬腹を叩いてしまわないように刃を下にして差す）、時代劇でもよく見られる刀である。

日本刀の製法は流派により異なるが、共通するところでは、まず玉鋼を薄くのばし細かく割り、これを熱してテコ台に固定する。再び熱して折り返し鍛錬を行う。これを15回ほど繰り返せば、２の15乗で３万2768層の状態になる。さらにこれをU字形に折り曲げ「皮鉄」にする。この溝にはめ込まれるのが「心鉄」で、こちらは炭素含有率0.1％程度の柔らかい鉄である。日本刀の条件は、折れず、曲がらず、切れるの３つだが、曲がらず切れるためには硬い皮鉄が必要で、折れないためには柔らかい心鉄が重要になってくる。こうした２種の鉄を合わせる「造り込み」を終えた鋼は、「素延べ」という工程で棒状にのばされたのち、刃が打ち出される。ハンマーの叩きの圧力は、金属内部の空隙をつぶして結晶の方向を整え、鋼を強くするのだ。日本刀は、こうした複合構造と、刀身の背側に沿って小高い線の鎬を通すことで断面が複雑な六角形となり、強度が増すのである。

強度の高い日本刀の登場は、刀を両手で振り下ろす戦法を可能にし、それが日本独自の剣術の確立にもつながった。鋳造で作られた西洋の剣や朝鮮刀とはまったく違うのが、日本独自の日本刀であり、それをベースに生まれた剣術も独自の戦闘法なのである。

豆知識

1. 江戸時代に入ると、幕府は刀の長さについて二尺三寸程度を常寸と定めた。これは、それまで使われてきたような大太刀の兵器としての性能を恐れたためと考えられている。侍でなければ帯刀できないため、ならず者は長さ一尺八寸以上の長脇差を持っていた。
2. 鎌倉時代中期、２度にわたって日本を攻撃した元（モンゴル）軍。当時、直接戦闘では日本刀が大きな威力を発揮した。元や高麗の臣下はいずれも、日本制覇が難しい理由の一つに極めて鋭い日本刀の存在を挙げている。当時、日本刀は輸出もされていたが、元は、後に日本刀を大量に買ったという記録が残っている。
3. 戦国時代には足軽にも打刀の携帯が推奨され、数打物と呼ぶ安価な量産品の打刀が支給された。ただし、これもケース・バイ・ケースで、越後守護代の上杉謙信は、半兵半農の足軽には武器として槍や鍬を持参するように命じている。

110 芸術｜運慶と快慶

鎌倉時代を代表する仏師として名高い運慶（？～1223）と快慶（生没年未詳）。同じ慶派に所属し、同時代を生きた仏像彫刻家で、奈良・東大寺の金剛力士像を共同制作したことでも知られる。写実的な表現を取り入れ、新しい時代の仏教彫刻を牽引した２人だが、その作風は対照的で支持された層も異なっていた。

◈

運慶の父・康慶（生没年未詳）は平安時代の大仏師、定朝（？～1057）の系統をひく慶派の人物で、奈良・興福寺南円堂の国宝「不空羂索観音像」などの制作に携わった仏師として知られている。その優れた仏師の血は運慶にも受け継がれ、最初の作品として、1176年に奈良・円成寺の大日如来像を制作する。像の台座には運慶の花押が見られるが、これは仏師が自分の名を作品に書きとめた最初の例であるという。

運慶の彫刻は、平安期の優美な定朝様式とは一線を画し、存在感のある力強い表現が特徴的だ。運慶作と伝わる静岡・願成就院の阿弥陀如来坐像はどっしりとした重量感にあふれた作品で、また同寺の不動明王像と毘沙門天像もたくましい筋肉を持ち迫力が感じられる像になっている。こうした運慶の作風は鎌倉の世で新しい権力者となった武家の気風にも合い、大いに賞賛されることとなった。実際、願成就院は源頼朝（1147～1199）の舅である北条時政（1138～1215）が建立した寺院で、さらに源実朝（1192～1219）や北条義時（1163～1224）などからも造像を依頼されたと伝わるので、いかに武家階級から支持されていたかがうかがえるだろう。

一方、快慶も康慶を師とする仏師だが、その作風は運慶とは対照的だ。代表作として知られる兵庫・浄土寺の阿弥陀三尊像は理知的で整った顔立ちをしており、運慶にはない様式美が見て取れる。また東大寺俊乗堂の阿弥陀如来像も彼の手によるものだが、秀麗な面相や衣文線をきれいに整える作風は、快慶独特のスタイルとして、以後の阿弥陀如来像の手本となった。表情を抑えた穏やかな快慶の如来像は、親しみやすく広く庶民から愛されたという。

この作風の異なる２人が手を携えて制作したのが、奈良・東大寺南大門の２体の金剛力士像である。記録では1203年に運慶をリーダーとする仏師10数名が制作を開始、高さ約8.4mもの巨大像をわずか69日で作り上げたとされる。口を開いた阿形の像からは平面的な志向が見られるところから快慶の特徴が、一方口を閉じた吽形は動的で立体感が強調されているため運慶の持つ特色が表れているという。

豆知識

1. 金剛力士像の吽形の制作者の一人として定覚（生没年未詳）なる仏師の名が記録されているが、この人物は運慶の弟と目されている。
2. 金剛力士像の制作に用いられた木材の断片数は3000～4000にものぼるという。

111 伝統・文化 剣術(剣道)

現在、最も一般的にたしなまれている剣道も剣術を母体に生まれた。剣術とは、刀剣を持って戦う武術であり、平安中期に日本独自の製法で作られた刀が出現したことにより生み出されたという。撃剣ともいわれる。剣道では、面・小手・胴・垂れなどの防具を着装し、決められた相手の部位を竹刀で打ったり、突いたりして勝敗を争う。

◈

日本の製鉄技術は、平安時代には大陸の技術にも劣らぬものとなり、刀も従来の真っ直ぐなものから、湾曲して敵を斬りやすい、馬上の戦いに適したものへと進化していった。平安時代の中期には、すでに日本刀が誕生していたといわれている。そして武家の台頭によって、刀で攻防し敵を殺傷するための技術である剣術が確立した。だが、当時の武士は剣術よりも弓馬術の方を重視しており、太刀は何らかの事情で馬を降りた際に使うものとされていた。

鎌倉時代に入り、武家社会が成立すると刀の需要は増加し、制作技術も飛躍的に向上する。室町時代後期に馬上で弓を使う戦いから徒歩戦に変わったため、刀も刃を下にして腰に吊るす「太刀」から、抜いたらすぐに斬れる「打刀」(刃を上にして腰に差すもの)へと変わり、刀が戦いの主役に躍り出る。そのことによって剣術は発達して体系化されていき、陰流(かげりゅう)、神道流(しんとうりゅう)、中条流、念流といった剣術の源流が生まれ、以後200余りに及ぶ諸派が誕生した。

刀が武士階級の象徴となったのは、豊臣秀吉(1537〜1598)による刀狩りで、刀が武士階級だけのものとなって以降である。江戸時代に入ると、将軍・徳川家康(1542〜1616)の令により、それまでの武士道とは異なる儒教を軸とした新たな武士道が広められ、泰平の世が続いたことで、剣術も人を殺すための技術から、己の心身の鍛錬を図るものへと変わっていった。死傷者の生じる木刀での立ち合いは幕府によって御法度となった。

柳生新陰流の柳生宗矩(やぎゅうむねのり)(1571〜1646)は、1632年にその著書『兵法家伝書』で、これまでになかった、剣は用い方によっては人を活かすものにもなるという「活人剣」思想を打ち出している。また、宝暦年間(1751〜1764)に一刀流の中西忠蔵子武(ちゅうぞうたねたけ)(生没年未詳)が、防具を使った竹刀稽古を開始。以降、他流派にも防具が普及し、武士だけでなく、農民や町人たちにも剣術が広まった。

江戸時代には、「江戸三大道場」と呼ばれる剣術道場があった。千葉周作(1794〜1856)が創始した「北辰一刀流」の玄武館、桃井春蔵(?〜1774)が創始した「鏡新明智流(きょうしんめいちりゅう)」の士学館、斎藤弥九郎(1798〜1871)が創始した「神道無念流」の練兵館のことである。これらの道場には諸藩の藩士らが入門していたといわれている。明治に入ると、武士階級が消滅し、1876年の廃刀令で剣術は衰退したが、警察や学校が剣道を採用し、復活した。2012年度からは中学校で剣道を含む「武道」は必修科目になっている。

豆知識

1. 剣道の構えは「五行の構え」と呼ばれ、計5つある。基本的な構えである「中段の構え」「上段の構え」「下段の構え」はよく使われるが、「脇構え」「八相の構え」は現在、あまり使われていない。
2. 剣道の「有効打突」、いわゆる「一本」は、竹刀で相手の面、小手、胴、のどの4カ所を打つか突くかすることで決まる。

112 哲学・思想 ｜ 空海

空海（774～835）は真言宗の開祖であり、諡号は弘法大師である。純粋な密教を完全な形で日本に伝え、後の仏教に大きな影響を与えた。高野山（金剛峯寺）と東寺（教王護国寺）を拠点として密教を広めるとともに、寺院経営・土木工事・教育事業など多方面にわたる活動を行った。また、文筆や書道においても才能を発揮し、嵯峨天皇（786～842）・橘逸勢（？～842）とともに三筆と呼ばれる。死後神格化が進み、全国各地に弘法大師伝説が伝わっている。

◈

空海は774年に讃岐国多度郡（現在の香川県善通寺市）に佐伯氏の子として生まれた。佐伯氏は地方豪族であったが寺院を建立するほどの財力があり、これが空海の修行や留学に役立ったものと考えられている。母は阿刀氏の出身で、兄（空海にとっては伯父）の大足は伊予親王の侍講（家庭教師）を務めた人物であった。空海は18歳の時にこの大足を頼って都に出、官僚養成機関である大学寮に入学した。しかし、山林で修行する私度僧（許可なく出家した非公認の僧のこと）に惹かれ、退学してしまう。24歳で著した『聾瞽指帰』（後に『三教指帰』と改題）によれば、徳島県の大滝山や高知県の室戸岬などで苦行を積んだという。また室戸岬の洞窟で虚空蔵求聞持法を修して明星が口に入る奇跡を体験したともいう。

この時代の空海が実践していた修法（呪法）を、断片的に伝えられた密教という意味で雑密という。密教は仏教の歴史の中で最後に登場した宗派で、ヒンドゥー教やイスラム教と対抗するために呪術的な要素を取り入れたところに特徴がある。しかし、ただ呪文や強力な仏（不動明王など）を説いただけではなく、仏教の教理に基づいて呪術を再解釈し緻密な理論体系を作り上げている。雑密はこの理論部分を欠いた実践部分のみのものであった。

空海は密教を正しく理解するには理論部分も含めた体系全体を学ぶ必要があると考え、唐への留学を決めた。804年、空海は留学僧として遣唐使船に便乗して唐へ渡る。この一行には最澄（767～822）も入っていた。長安に入った空海は密教の正当な伝承者であった青龍寺の恵果（746～805）に師事し、その後継者に選ばれた。そして、806年に膨大な経典・仏像・曼荼羅などを携えて帰国した。

先に帰国した最澄が密教を広めたこともあって当初は注目されなかったが、その最澄が師事して密教を学んだこと、また唐の文化に精通していた嵯峨天皇の知遇を得たことにより急速に名を高めた。816年には高野山の下賜を受けて根本道場の建設にとりかかる一方、建設が進んでいなかった東寺の経営を委ねられ、ここを密教布教の拠点としている。さらには最新の土木技術を用いて讃岐の満濃池の修築を行うなど多方面の才能を発揮した。東寺の東に綜芸種智院を建てて庶民の教育も行っている。数多くの著作があり、『三教指帰』『即身成仏義』『秘密曼荼羅十住心論』などが代表的だ。

豆知識

1. 空海は高野山で没し奥之院に埋葬されたが、死後も廟の中で瞑想を続けていると信じられるようになり、高野山の参道に墓や供養塔を建てる習俗が広まった。
2. 空海は唐の皇帝より五筆和尚という称号を授かったという伝説があり、ここから伝記絵巻では両手両足口に筆をとって壁に書を書く空海の姿が描かれているが、この称号は５種類の書体すべてに優れていることをいうものである。

113 自然 | 針葉樹林

スギやマツなど、日本の多くの山々で当たり前のように生えている針葉樹。針葉樹林は、日本の森林の40％近くにもなるが、その大半は建築などの材木用として植えられた人工林である。しかし現在、多くの針葉樹林は手入れされないまま公益的な機能を発揮できずに、放置されてしまっている問題がある。

◈

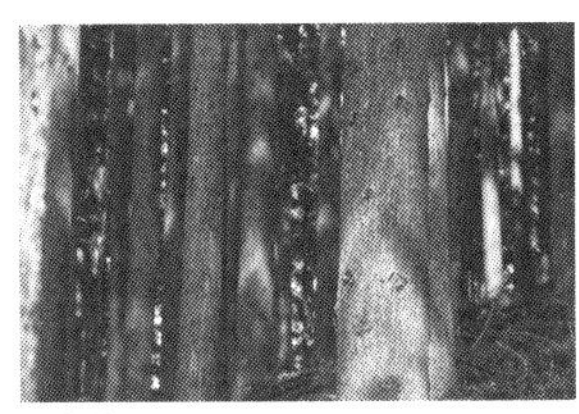
スギの木

葉が針のように細長いスギやマツなどの裸子植物球果植物門の樹木が針葉樹である。常緑性のハイマツ、タカネナナカマドなどの常緑針葉樹、落葉性のメタセコイヤ、イチョウ、カラマツなどの落葉針葉樹があり、温帯北部から冷帯を中心に、世界に約500種が分布している。針葉樹は、繊維が長く緻密である特性を利用して、古代から建材やパルプ用材などとして利用されてきた。

北海道の東から北部にかけての北見山地から知床半島に至る一帯には、エゾマツとトドマツからなる亜寒帯針葉樹林が存在する。針葉樹林は日本の森林の40％近くにもなり、その多くは人工林である。そのうち18％がスギ人工林、ヒノキ人工林は10％、北海道のカラマツ・トドマツ人工林も10％近くを占めている。

日本では伝統的に、神社仏閣の建築技術の発展とともに木材利用のための針葉樹の植林が行われ、江戸時代には幕府や藩が針葉樹の森林を管理、同時に広葉樹の里山文化も育った。ところが明治の近代化以降、資源の需要増に応じて伐採が進み、特に第二次世界大戦中には、乱伐で各地の山の合計1500万haがはげ山になったとの記録が残っている。その後、戦後復興期から高度経済成長期には、このはげ山だけでなく里山の雑木林、さらには奥山の天然林も伐採され森林資源が減少したため、経済的に価値が高く、成長の速い針葉樹を植林する「拡大造林」の政策が実施された。ところが日本の経済成長の流れの中で木材の輸入自由化が行われたことで、国内の林業が衰退する。そのため現在、針葉樹人工林の多くは管理されることのない状態になりつつある。

また、かつては燃料としてクロマツやアカマツの落葉落枝が使用されていたので、マツ林が維持管理されてきた。だが生活スタイルの変化によって林が手入れされなくなり、またマツクイムシが原因のマツ枯れの被害も重なり、大きく減少している。針葉樹林は、人為的な手入れを行わなければ、公益的な機能を発揮することができないのだ。

豆知識

1. 沖縄県に所在する琉球王朝の王城趾「首里城」は2019年10月に火災で焼失した。2020年現在、再建計画が進められているが、建材となる太いヒノキの確保に手間取っている。1992年の復元時は、沖縄戦や戦後復興のための乱伐で、沖縄県内の木材が枯渇し、台湾や他府県産のヒノキを使用せざるを得なかった。現在、日本国内には管理された針葉樹林がないため太いヒノキの供給が難しく、また台湾も1990年代から森林保護のためにヒノキの伐採を禁止するなど、資材確保は厳しくなっている。
2. 日本の国土は約70％が森林だが、需要される建材の7割は輸入品に頼っているのが現状だ。戦後、農林省（現・農林水産省）が大規模スギ植林を推奨してきたが、1960年頃からスギ花粉症が急増したのは、これが原因とされている。現在は放置状態にあるスギが花粉だけを飛散させている。

114 歴史 菅原道真

菅原道真（845～903）は、第59代宇多天皇（867～931）、第60代醍醐天皇（885～930）に仕え、低い家格の出身にもかかわらず、その能力の高さで最後は右大臣にまで上り詰めた。晩年は大宰府へ左遷され、同地で没した。現在は全国各地の神社に祀られ、特に学問の神様として人々に親しまれている。

◈

菅原道真

幼少時から詩歌の才能に秀でていた道真は、18歳で大学寮の文章生（もんじょうのしょう）になった。高い役職につける家柄ではなかったが、「方略試」という官吏登用試験に合格し、33歳には文章博士に任ぜられた。886年、道真は国司として讃岐国に４年間赴任し、890年に都へ戻った。翌891年は、天皇との外戚関係を利用して長く権勢をふるった藤原基経が亡くなった年である。第59代宇多天皇は、これを機に摂政や関白を置かない親政（天皇自らの政治）に取り組み、「寛平の治」と呼ばれた。その治世を支えたのが道真でありその出世は異例のスピードだった。891年に蔵人頭（天皇の首席秘書）に抜擢され、893年に参議（朝議に参加する役職）兼式部大輔（式部省次官）。895年に中納言（太政官次官）と春宮権大夫を兼ね、皇太子の教育係となった。897年には権大納言、右大将となった。この頃、宇多天皇が退位し、第60代醍醐天皇が即位する。そして899年、道真は朝廷の最高機関である太政官で政務を司る事実上の長官、右大臣となり、「菅丞相」と号した。

道真の前例のない出世に対して、周囲には反発する者もいた。特に藤原基経の嫡男で左大臣であった藤原時平（871～909）とは対立関係となった。894年に遣唐大使に任じられたことも道真を追放する企てだという説もある。この時、道真は唐の情勢不安等を上奏し、遣唐使事業自体が廃止となっている。

901年、時平が醍醐天皇に道真の謀略を讒言（ざんげん）する。内容は、道真が醍醐天皇を廃し、娘婿の斉世（ときよ）親王（886～927）を皇位につけようとしているというものだった。天皇はこれを信じ、道真を大宰府へ左遷したとされる。宇多上皇がこれを止めようとしたが、聞き入れられなかったという。道真の子ども４人も流刑となり、道真は903年、大宰府で没した。道真の死後、都には異変が相次いだ。まず時平が39歳の若さで病死し、醍醐天皇は皇太子、皇太孫を続けて病で失う。さらには930年、天皇の住まいである清涼殿に雷が落ち、朝廷の要人にも多くの死傷者が出た。そして醍醐天皇も同じ年に崩御した。朝廷はこれらを道真の祟りだと信じ、947年に北野天満宮を創建。道真を祭神（天神）として祀り、993年に正一位、太政大臣を追贈した。以後、祟り封じの「天神様」として、全国に天神信仰が広まっていった。

豆知識

1. 道真は左遷の際に「東風（こち）吹かば　におひをこせよ　梅の花　主なしとて　春を忘るな」と庭木の梅を詠んだ。太宰府天満宮には、主人を追って、京都の道真邸から飛び移ったという伝説の「飛梅」が神木として祀られている。

115 文学 『平家物語』

いわゆる「軍記物語」というジャンルの文学作品は、保元の乱を描いた『保元物語』に始まり、平治の乱を描いた『平治物語』へと続く。その平治の乱に勝利した平家と、敗北したが処刑を免れ、伊豆国へ流された源頼朝（1147～1199）たち源氏の戦い、そして武士階級の台頭を描いたのが、『平家物語』である。

◈

作者については、『徒然草』に記述があり、藤原行長（生没年未詳）が書いたものを盲目の僧、生仏（しょうぶつ）（生没年未詳）に語り教えたといわれている。さらに生仏や後世の琵琶法師が、東国の武士から実際の戦闘について尋ね、様々なエピソードを付け加えたものとされる。内容の改変は長く続き、日本の文学作品で最も異本が多いとされている。下記、冒頭の一文は、古典作品を代表する名文として有名である。

「祇園精舎の鐘の声、諸行無常の響あり。娑羅双樹の花の色、盛者必衰のことはりをあらはす。おごれる人も久しからず、只春の夜の夢のごとし。たけき者も遂にはほろびぬ、偏に風の前の塵に同じ」

ここでは、物語全体に流れる仏教の世界観によって、名声や地位のはかなさが説かれている。特に中心的な登場人物である平清盛（1118～1181）の生涯を念頭に置いたものといってよいだろう。

物語の前半は「平家にあらずんば人にあらず」という言葉で知られるような、おごりたかぶる平家の描写が主で、彼らによって行われた様々な暴挙が語られている。作品の半ばで亡くなってしまうが、清盛は最期まで傲慢で荒っぽい暴君として描かれており、武士の家系ながら貴族として育てられた実像とはかなりかけ離れているようだ。

一転して、物語の後半は平家が滅亡へと至る敗北と、不幸、災難のエピソードが数多く盛り込まれるが、決して源氏の勝利を祝う雰囲気ではなく、あくまでも平家の悲劇的な部分に焦点が当てられており、これが作品全体を支える仏教的世界観と通じている。

物語の中にはいくつもの合戦が描かれるが、中でもクライマックスといえるのが、一の谷・屋島・壇の浦の３つの戦いである。いずれも源義経（1159～1189）の奇襲や活躍により源氏が勝利する。壇の浦の戦いの後、幼い安徳天皇（1178～1185）は祖母に抱かれ、三種の神器とともに海に沈む。天皇の生母、建礼門院徳子（1155～1213）も海に身を投げるが、源氏の手で引き上げられ、大原にある寂光院という尼寺に送られてしまう。物語の最後に近い「大原御幸」という段に、後白河法皇（1127～1192）が徳子をたずねるシーンがある。２人は再会を懐かしみ、法皇が寂光院を後にする時、ちょうど夕べの鐘が鳴る。「鐘の声」で始まった『平家物語』は、尼寺の鐘によって終わるのだ。

豆知識

1. それまでの作品のほとんどが大和言葉で書かれていたのに対し、「祇園精舎」「諸行無常」「娑羅双樹」「盛者必衰」といった外来語（漢語やサンスクリット）を多く取り入れているのも『平家物語』の特徴で、現代日本語の形成にも重要な役割を果たしている。

116 科学・技術 | 火薬

歴史上の三大発明の一つにも数えられる「火薬」は、世界各国のパワーバランスを大きく塗り替えた。日本人が最初に火薬の脅威を目の当たりにしたのは、13世紀の元寇の際にモンゴル軍が使った爆弾「震天雷(てつはう)」だったといわれ、14世紀頃には黒色火薬製法の知識が伝来したと考えられている。そこから日本人は、独自に火薬の研究を始め、ついには世界の軍事強国と肩を並べるようになった。

◈

黒色火薬は最古の火薬であり、硝酸カリウム約75%、硫黄約10%、木炭約15%を混合したものである。現代では花火に用いられるが、前近代においては戦争兵器に用いられてきた。

日本で本格的に火薬が使われるようになるのは、16世紀に鉄砲が伝来して以降である。製法も伝わったが、日本では天然の硝酸カリウムが産出しなかったため、南蛮貿易で原料の硝石を輸入して火薬を製造することしかできなかった。硝酸カリウムはバクテリアがアンモニアを分解すると生成されるが、湿潤気候で、牧畜生産が少なく家畜の糞尿などに乏しい日本では手に入れることが難しかったのだ。当時、硝石の輸出国であったのは明で、交易していたのは日本では堺のみだった。戦国時代の堺の自治を支えたのは火薬の製造で、そこを手中に収めていたのが後に天下を取る織田信長(1534〜1582)であった。ただ秘伝の製造法として、本願寺門徒の間にはヨモギの根に小便をかけ、一定の温度で保存すると根球細菌の働きで硝酸が生成されることが伝わっていたという。

やがて江戸時代に入ると戦争用の需要はなくなったが、狩猟用の鉄砲が普及したため、ようやく国産火薬が製造されるようになった。囲炉裏周辺の床下に蚕糞や乾いた田の土、ヒエ穀、山野草などを入れて尿をかけ、これを土中微生物に分解させることで硝酸を生成。土中のカルシウムと結合し、硝酸カルシウムとなったものを灰汁(炭酸カリウム)で煮詰め、結晶化させ硝石を造ったのである。これは定期的な生産が可能な製造方法で、加賀藩・越中五箇山(現・富山県南砺市)や幕府直轄の天領・飛騨白川郷(現・岐阜県白川村)などは硝石の特産地となり、大きな経済的基盤となっていたようだ。

やがて開国すると、鉄砲や火薬の技術は長足の進歩を遂げ、国内の硝石生産に代わり南米チリから安価な硝酸ナトリウムを輸入。さらにヨーロッパから近代的技術が導入された。こうした歴史的技術の蓄積の末、その後、日本海軍は下瀬雅允(まさちか)技師(1859〜1911)が実用化した強力な新型炸薬・下瀬火薬によって、日露戦争での大戦果を得た。

豆知識

1. 江戸時代の火薬需要は戦争用が減った分、花火で使われるようになった。日本に花火が伝来したのは16世紀後半から17世紀前半と考えられ、その後、急速に発達した。当時の花火は真円には開かず色も単色だったが、1733年には隅田川花火大会が初めて開催されている。
2. 江戸の花火師・鍵屋弥兵衛は、葦の茎に火薬を詰めた花火で人気だったが、危険なので隅田川の花火だけが許された。1808年、「鍵屋」番頭の清七が暖簾分けをし、両国吉川町で玉屋市兵衛を名乗った。隅田川の花火は上流を「玉屋」、下流を「鍵屋」が担当したが、1843年、「玉屋」から出火して大火事となり、玉屋は江戸から追放された。

117 芸術 鎌倉絵巻

平安時代には『源氏物語絵巻』をはじめ魅力的な絵巻が多く作られたが、鎌倉期に入るとその創作熱はより高まることになった。武家の台頭という社会変動が起こったことで、合戦絵巻というジャンルが生み出され、また新しい仏教諸宗派の登場により宗教をテーマに扱った絵巻物も多数制作されるようになる。

◈

『平治物語絵巻(三条殿夜討巻)』

鎌倉時代になり、武家が支配者層になると、戦いの記録を残すべく盛んに合戦絵巻が制作されるようになった。その最高峰と謳われるのが13世紀後半に作られた『平治物語絵巻』である。これは平清盛(1118～1181)と対立した源義朝(1123～1160)が藤原信頼(1133～1160)と結んで挙兵した1159年の「平治の乱」を題材にした作品で、人馬の動的な描写や連続性のあるダイナミックな構図が高い評価を受けている。特に「三条殿夜討の巻」は圧巻の一言に尽きる。焼き討ちにより御所・三条殿が紅蓮の炎に包まれ、そこで無残な殺戮が繰り広げられる生々しい描写は、従来とは異なる造形美を伝えている。

鎌倉時代の合戦といえば忘れてならないのが「文永・弘安の役」(1274・1281年)、いわゆる元寇だが、この戦いをモチーフにした絵巻が『蒙古襲来絵詞』である。画中では背景はほとんど描かれず、その代わり人物は大きく顔の描写も丁寧だ。さらに甲冑や蒙古軍の「てつはう(鉄砲)」など武具の描写は正確で、鎌倉期を知る歴史的な資料としても価値が高い。絵巻は肥後国(現・熊本県)の御家人・竹崎季長(たけざきすえなが)(1246～?)が自らの戦功を記録する目的で制作させたもので、このアピールが功を奏したのか季長は後に地頭職を得ている。

鎌倉期には浄土真宗や臨済宗などの新仏教が台頭したが、大衆の信仰心を得るため、その祖師にまつわる絵巻も作られるようになった。『一遍上人絵伝(一遍聖絵)』もその一つだ。これは時宗の開祖である一遍(1239～1289)の諸国遊行と布教活動を描いた作品で、作者は円伊(えんい)(生没年未詳)という画僧とされる。12巻ある絵巻では日本各地の風景が壮大に描かれており、また一遍が訪れた場所や出会った人々の生活ぶりも克明に表現されている。

一方、旧仏教の社寺も自身の寺がいかに伝統と威厳が備わっているかを喧伝するため、その由来などを伝える縁起絵巻を制作した。有名な作品としては『春日権現験記絵(かすがごんげんげんきえ)』が挙げられる。これは藤原氏の氏神である奈良・春日大社の霊験を題材にした絵巻で、1309年に左大臣・西園寺公衡(きんひら)(1264～1315)が発願し、宮廷絵師の高階隆兼(生没年未詳)が制作を担当。華麗な色彩と柔らかな筆線は当代随一の呼び声が高く、保存状態も極めて良好なことから、いかに貴重な名品として扱われていたかがうかがえる。

豆知識

1. 『春日権現験記絵』はかつて40歳以上の特に許された人でなければ閲覧できなかった。そのことも保存状態を良好に保つことができた一因とされる。
2. 『一遍上人絵伝』では、乞食の生活も細かに描写されている。これは他の絵には見られない大きな特徴である。

118 伝統・文化｜柔術（柔道）

オリンピックにおける日本のお家芸として人気の柔道のルーツにあるのが柔術だ。柔術とは、徒手または主として短い武器をもって相手を制する日本の古武道である。投げる、打つ、突く、蹴る、絞める、組み伏せる、関節をくじくなど、技術内容は多様で、小刀の操法、捕縛、活法の術なども含んでいる。また、柔道とは柔術家・嘉納治五郎（1860～1938）が柔術の優れた部分に自ら工夫を加え、1882年に「柔道（講道館柔道）」として確立させたものである。

◈

嘉納治五郎

柔術のルーツは、相撲と同じく、『日本書紀』にある出雲国（いずものくに）の野見宿禰（のみのすくね）と大和国（やまとのくに）の当麻蹴速（たいまのけはや）の力比べ、あるいは『古事記』にある建御雷神（たけみかづちのかみ）と建御名方神（たけみなかたのかみ）の力比べだといわれている。

平安時代の末期、武士の台頭により、戦場での一騎打ちである「組打（くみうち）」の技術や敵を捕らえる「捕手（とりて）」の技術が発達した。それらの技術は、素手、または短い武器などを使った戦いの技法として室町時代から体系化されていった。記録上で一番古い流派は、1532年に竹内久盛（1503～1595）が創始した竹内流である。その後、17世紀前期に日本に渡来した明の文人・陳元贇（ちんげんぴん）（1587～1671）が日本の武芸者である福野七郎右衛門（生没年未詳）、磯貝次郎左衛門（生没年未詳）、三浦与次右衛門（生没年未詳）らに拳法を教え、この門弟たちが日本の柔術を大きく進めたといわれている。

江戸時代に入ると、徒手空拳（手に何も持っていないこと）で戦う技法が発達する。起倒流、天神真楊流、関口流、渋川流をはじめ、数十にわたる流派が興り、さらにそれらが分派して全国に普及していった。相手の動きを利用してバランスを崩し、タイミング良く技をかければ、小さな人が大きな人を投げ飛ばすことも可能という「柔よく剛を制す」の理法を基礎として修練が行われ、「柔術」「やわら」という呼び名が生まれた。起倒流の投げ技や天神真楊流の固め技、当て身技は、嘉納治五郎が柔道の技術を確立する際の基盤となっている。

兵庫県で生まれた嘉納治五郎は、起倒流と天神真楊流の柔術の優れた部分と自らの工夫を加えて、1882年に「柔道（講道館柔道）」を確立した。嘉納治五郎はその後、1895年に武道の奨励・教育を目的とした「大日本武徳会」を京都に設立。「統一規定」を定め、複数の柔術の流派で試合を行えるようにした。武士社会が崩壊した明治時代は、武士のたしなみであった柔術は衰退していたが、身体を鍛錬することで強健にし、精神の修養に努めて社会貢献することを目的とした柔道は、時代のニーズに合い、普及していった。学校の科目に採用されたのも、柔術が広く一般に普及していった理由の一つである。柔道の技は、投げ技、固め技、当て身技の3部門からなり、現在ではオリンピックの競技として世界的に普及している。

豆知識

1. 固め技の一つであるひじの関節を攻める技は危険なため、小中学生が使うのは禁止されている。
2. 「柔よく剛を制す」とは、最も柔らかいものが最も硬（剛）いものを、最も弱いものが最も強いものを制するという老子の名言からきた言葉である。

119 哲学・思想 神と仏

神は神道における信仰対象、仏は悟りを開いてあらゆる苦しみや迷いを超越した境地に至った者と仏教が説くもので、本来はまったく無関係のものであった。しかし奈良時代頃より神道と仏教の融合が進み、神と仏は異質なものではないという考えが普及した。これを神仏習合という。明治の神仏分離によりこうした説は否定され、神社から仏教的要素は排除された。

◈

縄文・弥生時代の遺跡から神像らしきものが出土しているので、当時から「神」が信じられていたことは確かだと思われる。こうした神は、自然の脅威や不思議な現象に対する畏れ、あるいは獲物や作物などが豊かであることへの願いから生まれたものと考えられ、そうした意味では神道の神と共通している。

これに対し、仏教で説く仏は、人が目指すべき目標である。仏教の開祖・釈迦は人が苦しむのは煩悩によって心が惑わされているからで、正しい知識や正しい修行によって煩悩を払い、真理に目覚めれば苦や悩みから解放されるとした。そして、悟りを開いて煩悩を消し去り完全な境地（涅槃（ねはん））に入った者のことを仏（ブッダ）と呼んだ。

仏の境地に至るのは容易なことではないが、不可能ではない。しかし、人が神道の神になることはない（菅原道真など強い怨みを持って死んだ者も神として祀るようになるのは奈良時代後半頃からで、神道本来の信仰には人を神として祀るものはない）。このように神と仏は本質的に異なるものであり、仏教伝来後しばらくは同一視されるようなことはなかった。

ところが、８世紀頃になると神社に隣接して寺院（神宮寺）が建てられたり、神前での読経が一般化するなど、神仏の習合が徐々に進んでいった。当初は、神を悟りに至れず迷っているもの、あるいは仏教の護法神（仏教に取り込まれたバラモン教の神など）に準じるものとみなしていたが、平安中期頃になると神を仏の化身と考える本地垂迹（ほんじすいじゃく）説が広まっていった（本地は本来の姿、垂迹は仮に現した姿の意）。例えば、天照大神は大日如来または十一面観音、熊野権現は阿弥陀如来、須佐之男命は薬師如来の化身とするもので、神社の境内には本地を祀る堂も建てられた。また、「インドの王侯が日本に渡ってきて日本の神となったが、これは仏の化身であった」というような神話も作られ、社寺の縁起に取り入れられた。

神仏習合の中から日本独自の尊格（崇拝対象）も生まれた。蔵王権現（ざおうごんげん）・飯綱（いづな）権現・清滝（せいりゅう）権現などがその例である。ちなみに「権現」は「仮に現れた」という意味で、仏の垂迹としての神を示す言葉である。庶民の信仰においても神仏習合は進み、七福神のように神と仏を一緒に祀ることも多かった。

豆知識

1. 神仏習合といっても、神と仏が混同されたわけではない。神社と寺院は区別されていたし、仏を神棚に祀ったり、神を仏壇で祀るようなことはなかった。ただし、大黒天のように神としても仏としても祀られる両義的な尊格もあった。

120 自然 照葉樹林

光沢がある葉を持つシイやカシなどの照葉樹林は、東アジアの亜熱帯から暖温帯にかけて広く分布し、日本でもかつては西日本を中心に広く分布していた。しかし、現在では日本にある全森林面積のうちわずか0.6%にまで減少してしまった。それでも照葉樹は社寺林として生き延び、近年は徐々に再生しつつある。

◈

シイの木

常緑広葉樹のうち、葉のクチクラ層が発達して光沢があるシイやカシ、クスノキ、ツバキなどが照葉樹だ。太陽の光を受けると輝いて見えるのが名称の由来である。東アジアの亜熱帯から暖温帯にかけて最も広く分布し、赤道付近の熱帯の多雨地帯では、熱帯雨林を構成する。

日本の照葉樹林は、かつて西日本を中心に、関東地方南部の低地から低山帯、北陸地方や東日本の低地、東北地方の主に日本海側海岸部などに広く分布していた。シイが優占する森林の分布は広く、太平洋側では、シイやカシの林は沖縄の西表島から福島県および宮城県までを分布の北限とする。タブ林は海岸沿いで岩手県中部にまで到達。この地域が照葉樹林としての分布の北限になっている。三重県北西部の標高300m前後までの地域には、シイを中心とする照葉樹林が、その上部700mまではカシを中心とする照葉樹林が気候的極相林として成立していた。

クスノキ科のタブ林は人間に最初に切り開かれた林で、それ以前は房総、三浦半島以西の本州、四国、九州各地の海沿いの平地や谷間に広がっていたと考えられている。しかし紙の原料のため伐採されていき、1982年の環境庁（現・環境省）発表では、照葉樹林は全森林面積の0.6%となって、ほとんどが姿を消してしまった。現在の照葉樹林は、社寺周辺に植林されて残っているものが大半で、中でも香川県琴平の金刀比羅宮の社叢(しゃそう)は面積が広いことで知られている。

現在、絶滅寸前になってしまった照葉樹林だが、西日本に所在する管理の行き届かないマツ林などでは、シイなどに自然に遷移し、照葉樹林が徐々に再生しつつある。照葉樹林は、針葉樹林よりも酸性雨に耐性があり、林内の湿度が高く、落葉期が重ならないため山火事への耐性もある。東日本大震災後の海岸線などでは、防潮林としての照葉樹林の再評価も活発になっている。

豆知識

1. グリーンティー・リキュールをウーロン茶で割ったシンプルなカクテルは「照葉樹林」と命名されている。これは照葉樹林文化圏の産物である緑茶とウーロン茶を使用して作られることに由来する。グリーンティー・リキュールを氷の入ったタンブラーに注ぎ、ウーロン茶で割ってビルドすれば完成だ。
2. 社寺林の樹種にはクスノキが目立つが、元来、クスノキは日本に自生していた植物かどうかわかっておらず、東アジア大陸部を原産とする外来種（史前帰化植物）の可能性が高いとされる。

121 歴史 摂関政治・院政

平安時代のほぼ全期にわたって藤原家の長い隆盛を支えた「摂関政治」と、平安時代末期からおよそ100年の間に採用された「院政」。どちらも天皇を中心とした権力を利用する政治方針であったが、これらは本格的な武家政治の始まりによって衰退した。

◈

「摂関政治」の始まりは藤原北家の嫡流、藤原良房（804～872）の経歴に見られる。良房は826年、第53代淳和天皇（786～840）の蔵人（秘書）となる。嵯峨上皇（786～842）からの信任も厚く、皇太子・正良（まさら）親王（810～850）の補佐役に任じられていた。また、後の第54代仁明天皇の妃は良房の妹であり、その子（甥）道康親王（827～858）は、後に第55代文徳天皇となる。このような皇室との深い関係を背景に、良房は順調に出世した。そして文徳帝即位後の857年、ついに人臣初となる太政大臣となり、文徳天皇に嫁いだ良房の娘は、惟仁（これひと）親王（在位858～876）を産んだ。

惟仁親王を９歳で即位させ、良房は第56代清和天皇の外祖父として権勢をふるった。晩年、清和天皇から詔が発せられ、良房は、これも人臣では初の摂政となる。良房は女子に恵まれたが、男子がなく、兄の息子、基経を養子に迎えている。

その基経もまた、良房と同様に天皇との外戚関係を築き、876年に甥の第57代陽成天皇（869？～949）の即位に際して摂政に任じられ、880年に太政大臣、さらに史上初の関白となる（就任年は諸説ある）。そもそも律令に関白という職はなく、令外官（りょうげのかん）である。関白は、幼少あるいは病弱の天皇を補佐する摂政と異なり、成人で健康な天皇を補佐する役割である。臣下から天皇への上奏を「関り白す（あずかりもうす）」と言って留め置いたという中国の故事が由来で、つまり関白を通さなければ、天皇には何も伝えられないという要職である。これ以降、良房、基経の子孫である藤原北家は、太政大臣、摂政、関白を務め、「摂関政治」を推し進める。特に平安時代中期の道長（966～1027）と、その子・頼通（992～1074）の頃にその全盛期を迎えたとされる。

一方の「院政」は1086年、第72代白河天皇（1053～1129）が譲位し、上皇となったことが始まりとされている。白河天皇の父、第71代後三条天皇（1034～1073）は、摂関政治で栄華を極めた藤原頼通に冷遇された。理由は生母が藤原氏出身でなかったためで、このような天皇の即位は第59代宇多天皇以来、実に190年ぶりであった。後三条天皇は親政を進め、荘園整理令によって摂関家の経済に大打撃を与えた。

白河天皇は1072年に譲位を受け、20歳で即位した。関白に藤原師実（もろざね）（1042～1101）を置いたが、先帝同様、親政による荘園整理などを進め、さらに摂関家を弱体化させた。皇位継承者に決まっていた弟が急死したため、すぐ実子である８歳の親王に譲位し、第73代堀河天皇が即位する。摂政となった師実とは関係が良好だったため、政務は白河上皇が執り続けた。以降、摂関は名目上の存在になっていく。このような「院政時代」は、鎌倉幕府が成立する直前、第77代後白河天皇（1127～1192。在位３年で退位）の時代をピークに衰退する。

豆知識

1. 近代では、昭和天皇が20歳のとき、病弱だった父、大正天皇の摂政に就任している。

122 文学 『徒然草』

鎌倉時代末期から南北朝時代に至る動乱の時代の中で、吉田兼好（1283？～1352？）が独自の無常観で書き綴った随筆集が『徒然草』である。『方丈記』、『枕草子』に並ぶ日本三大随筆作品の一つだが、生前にはまったく注目されず、室町時代の僧によって発見され、最古の写本として現存している。

◈

「つれづれなるまゝに、日くらし硯に向かひて、心にうつりゆくよしなしごとをそこはかとなく書き付くれば、あやしうこそ物狂ほしけれ」

題名の由来ともなった、『徒然草』の序段、冒頭の一節はあまりにも有名である。

この「つれづれ」とは「やるべきことがなく、手持ち無沙汰なさま」という意味で、そんな中、作者は一日、硯に向かって心に浮かんでは消える様々なことを、まとまりもなく書いていく。すると結果、「あやしうこそ物狂ほし」（自分が正気かどうかさえ疑われるように狂おしい）という気持ちになるという。これは、作者が常に自己と向き合っているからだ、と指摘する研究者もいる。『徒然草』の全244段（序段を含む）には、作者の内心がそのまま書かれているわけではない。外の世界で起こる多種多様で、雑然とした話題が扱われている。普通の人は、これら外界の物事に関わることに忙殺されて一日が終わるが、作者は「つれづれ」であるがゆえに、ずっと自分と向き合わざるを得ない。ここに『徒然草』の随筆文学としての真価があるといえる。

『方丈記』の作者、鴨長明（1155？～1216）と同様に、兼好は、京都の吉田神社の神職の家に生まれた。本名は「卜部兼好」といい、兼好より後の時代の嫡流が後に吉田家を称するようになる。若い頃は宮廷に出仕したが、30歳前後には出家し、法名を「兼好」とした。現在、中学校の国語教科書では「吉田兼好」ではなく「兼好法師」とされている。生前は優れた歌人として知られ、複数の勅撰集に18首が収められている。元弘の乱によって100年以上続いた鎌倉幕府が倒れ、第96代後醍醐天皇（1288～1339）による建武の新政が始まったかと思うと、すぐに足利尊氏（1305～1358）が京都に入り、再び混乱が続いた。こんな時代にあっても兼好は時代を嘆くでもなく、特定の勢力に肩入れもせず、超然とした無常を説いている。

「あだし野の露消ゆる時なく、鳥部山の煙立ちさらでのみ住み果つる習ひならば、いかに物の哀れもなからん。世は定めなきこそいみじけれ。命あるものを見るに、人ばかり久しきはなし」（第七段　冒頭）

（人というものが、死ぬ時がなく、またこの世を立ち去るということもなくて永久に世のあらん限り生存していられる習慣であったならば、どのように情趣のない世の中であろう。この世は無常で、変転極まりないが、そこに趣きがあって面白いのである）池辺義象訳

豆知識

1. 『徒然草』に見る、良い家の条件は、「夏のことを第一に考えて造る。窓は左右に開く引き戸が良い。天井が高いと寒くて暗い。使い道のない空間があった方が良い」（第五十五段）
2. 最も短い段は１行で終わる。「改めて益なきことは、改めぬをよしとするなり」（第百二十七段）

123 科学・技術 肥料

日本の歴史を支えてきた農業において、農作物栽培を促進する肥料の試みは重要課題であった。江戸時代は都市圏の需要を満たすため、また農業技術が進展したこともあり、農作物の収穫量が急激に増加した。その中で肥料の研究は、農作物の成長に直接関わる重要な科学技術であった。

◈

縄文時代から中世・近世において、焼畑は水田などができない山間部を中心に行われたと考えられている。焼畑は木々を燃やすことでアルカリ性の灰が酸性の土壌を中和し、窒素組成を変化させて肥料とする原始的な農法だ。しかし、江戸時代中後期以降は、山火事などの防災上、または山林資源保全のため焼畑の禁止・制限が行われた。

農作物が多量に必要とする肥料の三要素と呼ばれるのは、窒素、リン酸、カリウムである。窒素は植物を大きく成長させるには欠かせない要素で、葉や茎の成長を促進する。リン酸は開花を促進し実つきを良くする要素、カリウムは主に繊維を丈夫にし、抵抗性を強める要素である。こうした要素を補うべく、一般的な肥料では下肥えや灰、緑肥が使われていた。下肥えは主に人糞が原料だが、直接撒くのではなく、肥溜めで貯留し、藁などを混ぜ込んで発酵させて堆肥を作る。この時高温になるため、寄生虫卵や病原菌は滅菌される。また、灰は土壌改良に有効とされ、巨大都市では家庭で出た灰を集めて回る「灰買い」が農家へと流通させていた。江戸では、排泄物処理問題やゴミ問題を、このような世界的にも珍しいリサイクルシステムで解決したのだ。緑肥は刈り取った草や畑で栽培した草を土と一緒に耕して肥料にする方法で、窒素やリン酸、カリウムといった成分を直接補充することができた。

田畑が増えてくる戦国時代末からは、イワシを干した魚肥の「金肥」がよく使われた。この名称は、自分で作るのではなく、金で購入することに由来する。干鰯(ほしか)の産地は、江戸時代初期の九州、四国から、中期以降は房総や三陸でも生産されるようになった。菜種から油を搾りとった後の油粕なども使われた(油粕は現在でも使われている)。

こうした古来の肥料の生産や施肥の方法は、やがて明治期に入ると、海外から持ち込まれた効率的で安価な化学肥料にとって代わられていく。しかし、近年では安全面の観点から、古来の肥料に再びスポットライトが当たり、有機農法が見直されている。

豆知識

1. 江戸時代、堆肥の原材料の人糞は江戸の街から集められたが、栄養状態の良い階層のものは高い値段で引き取られた。最上級は江戸城から出た人糞で、最下級は罪人のものだ。長屋の共同便所も人糞を効率良く収集するために設置されたものであった。
2. 「金肥」は、栽培の肥料として効果があったと言われている。イワシのほかにも蝦夷地で獲れるニシンも使用された。江戸時代には行灯の燃料として、イワシやニシンの魚油が使われていたが、その魚の搾りかすを乾燥させ肥料に使ったようだ。この肥料はメ粕と呼ばれていた。
3. 沖縄ではサトウキビ畑に施肥された窒素肥料が海洋に流亡し、海水の富栄養化によって植物性プランクトンが増え、陽の光が海底に届かなくなり、サンゴ礁の白化につながっていることが近年わかってきた。最近では、サトウキビへの施肥は、肥料を最もよく吸収する夏頃が正しいと農法が改められている。

124 芸術 中尊寺金色堂

岩手の平泉に位置する中尊寺は850年、比叡山の高僧・慈覚大師円仁（794～864）によって開かれた寺院で、当初は弘台寿院という寺号であった。その後、平泉に拠点を置く奥州藤原氏の支援を受け、300を超える僧坊を抱えるなど東北最大の寺院に発展した。その中心には当時の工芸・彫刻技術の粋を尽くした金色堂が存在する。

◈

中尊寺が大きく興隆したのは平安時代後期、奥州藤原氏の初代清衡（1056～1128）の時代である。清衡は法華経に深く帰依していた人物で、1105年から20年もの歳月をかけ多くの堂塔を造営した。そこには当時東北で勃発した前九年（1051～1062年）・後三年（1083～1087年）の合戦で亡くなった戦没者の霊を弔い、戦乱にあえいだ奥州の地を平和な仏国土に蘇らせたいという願いがあったとされる。

中尊寺のシンボルである金色堂（阿弥陀堂）は1124年に完成した。お堂には清衡・基衡（？～1157？）・秀衡（1122～1187）の奥州の繁栄を築いた藤原氏三代の遺体が納められているが、注目すべきは装飾の豪華さである。

金色堂は外装から壁、扉、床に至るまですべてが金箔塗りで、天蓋や四方の柱にも南洋の夜光貝を用いた螺鈿細工が施されるなど、まさに建物全体が黄金の輝きを放っている。さらに須弥壇には阿弥陀如来像をはじめ６体の地蔵菩薩に持国天像、増長天像など仏像33体が安置されているが、これらもすべてが黄金色だ。ここまで絢爛豪華な装飾を施した理由は、極楽浄土の再現を求めたからである。都の貴族と同じように、奥州藤原氏も地上の楽園を夢見た一族だったのだ。高価な素材を惜しげもなく使ったのも、仏教書『往生要集』にある「浄土の宮殿は金・銀・瑠璃・玻璃などの七宝で作られている」という記述を具現化するためであったと考えられている。

中尊寺はその後、戦乱や火災などで大半の伽藍が焼失してしまったが、今に伝わる文化財としては国宝『紺紙著色金光明最勝王経金字宝塔曼荼羅図』が挙げられる。これは経典を塔の形に書き写したもので、仏像を造る功徳や、記した経典を解説する功徳などが一度に成就するものと考えられた。また堂内の装飾具としては「金銅華鬘」が国宝に指定。こちらは団扇形の装飾品で、あの世で咲くと伝わる花「宝相華」や、浄土世界を飛ぶという人面鳥「迦陵頻伽」の姿が細やかな透かし彫りで表されている。また境内の讃衡蔵にはかつて本堂の本尊であった１体の阿弥陀如来像と２体の薬師如来像が鎮座しているが、いずれも桂材が用いられた平安後期の作と推測され、国の重要文化財に指定されている。

豆知識

1. 金色堂に眠る藤原氏三代の遺体は1950年の調査によりミイラ化していることが判明している。
2. 松尾芭蕉（1644～1694）の有名な一句「夏草や 兵どもが 夢の跡」は、奥州藤原氏や中尊寺のかつての繁栄を偲んだ俳句とされる。

125 伝統・文化 ｜ 弓道

弓道とは、和弓で矢を射る術のことであり、古くは弓術、射術、射芸などとも呼ばれた。他の多くの武術と異なり、対する相手は「人」ではなく「的」になる。固定された的に対して、弓の弾性を利用し矢を正確に当てることを目的とする。

◈

『京都三拾三軒堂之圖』（歌川豊春）

人間がいつ頃から弓を扱うようになったのかは正確にはわかっていないが、旧石器時代末期から新石器時代の初期には弓射文化を持っていたとされる。日本の弓について見ると、その使用は縄文時代以前に遡るとされており、最も古いものが福井県の鳥浜貝塚で出土した縄文時代前半のものと推定される長さ120cm、太さ2cmの丸木弓である。

奈良時代に入り、中国から射礼思想（礼法にのっとって射を行うこと）が伝わると、天皇の前で順に弓を射る儀式「射礼の儀」が宮中の年中行事となった。その後、武士が台頭してくると、武士の実戦の技術として弓術が尊重され、鎌倉時代に大きく発展する。武士たちは、「騎射三物」と総称される、武者が騎乗から敵を射抜くための稽古法「犬追物（いぬおうもの）」「笠懸（かさがけ）」「流鏑馬（やぶさめ）」を行っていたといわれている。この騎射三物は、それぞれが独立した競技、儀礼的神事として作法や規則が整備され現在も残っている。

室町時代に入ると、弓術の2大流派である小笠原流と日置（へき）流が誕生した。小笠原流は、小笠原貞宗（1292～1347）、小笠原常興（生没年未詳）が武家の弓法を集大成して、弓馬術礼法を中心として確立した流派。小笠原家はその後、江戸時代まで将軍家の師範を務めている。また、近世弓術の祖・日置弾正正次（生没年未詳）が確立したのが、日置流だ。日置流からは多くの流派が派生して生まれている。

安土桃山時代に入ると、鉄砲の伝来によって武器としての弓の重要性は低下し、弓術は心身鍛錬の具に変わっていった。泰平の世の江戸前期には、京都の蓮華王院三十三間堂の「通し矢」が盛んに行われていたという。これは蓮華王院三十三間堂の本堂西側の軒下（長さ約121m）に矢を射通す競技で、各藩から名手が集い、腕を競ったという。だが、江戸末期になると、弓術は幕府の講武所の教科から外されるなど、廃れていった。しかし、大正時代に学校の科目となり、復活する。「弓道」と呼ばれ出したのは、1918年からといわれている。

豆知識

1. 弓道の競技には、「近的競技」と「遠的競技」、さらに飛距離を競う「射流し」があるが、一般に行われているのは近的競技である。
2. 弓道における「三位」とは「身（体）・心（精神）・弓」のこと。弓道では三位を合一、つまり「三位一体」となる境地を追求するものである。

126 哲学・思想 ｜ 山岳信仰（山伏／修験道）

雄大で特徴的な形をした山を、神が住む場所あるいは神そのものとして信仰することを山岳信仰という。同様の信仰は世界各地にもあるが、日本では土着の信仰に仏教や道教、陰陽道(おんみょうどう)などが習合して独特の信仰に発展した。これを修験道(しゅげんどう)という。中世から近世にかけて有名な霊山は修験道の修行場とされ堂社や坊が多数建てられたが、神仏分離によってその多くが失われた。現在は神社に転じているところが多い。

◈

山で修行する修験者

古代の日本人にとって山は神の領域で、猟や柴刈りなどで山に入る時も神に許しを請うていた。まして神が住むとされた霊山にはよほどのことがなければ立ち入らなかった。神の祟りを恐れたためだ。ところが、仏教が伝わると、そうした霊山を修行場とする者たちが現れた。彼らの多くが体系化される前の密教（雑密）の修法（呪法）を身につけており、霊山での苦行でさらなる霊力（験力）の獲得を目指した。唐に留学する前の空海（774〜835）もそうした者の一人であるが、最もよく知られているのが７〜８世紀頃に奈良県の葛城山で修行をした役小角(えんのおづぬ)（役行者）である。孔雀明王の呪法に長け鬼神を駆使したとも伝えられる小角は、後世修験道の開祖とみなされるようになった。

時代が下るにつれて山で修行する者は増えていき、霊山は修行場として整備されていった。狭い平地を利用して堂や祠、坊などが建てられ、修行の作法なども定められた。薬師岳・浄土平・弥山(みせん)・不動の滝・賽(さい)の河原といった仏教に由来する地名がある山は、修験者の修行場であったと考えてよい。

教理の面でも次第に統一・体系化されていった。それは古来の山岳信仰と密教を結合させ道教や陰陽道の呪法なども取り入れたハイブリッドな信仰であった。おおむね鎌倉時代頃には修行法や修行場の概略が整えられ、修験者の組織化も進んだ。天台宗系の本山派と真言宗系の当山派の間では勢力争いもあり、時には訴訟や暴力沙汰にも発展した。修験者のことを山伏と呼ぶのは山中に臥して修行を積むことによるが、活動拠点を山から町に移した里山伏（里修験）もいた。里山伏たちは山の修行で身につけた験力で病の治療や占いなど行った。庶民に最も近しい宗教者だったともいわれるが、明治政府が一時修験道を禁じたため町中から姿を消すことになった。

山岳信仰で有名な霊山には次のようなものがある。金峯山(きんぷせん)（奈良県）・熊野三山（和歌山県）・葛城山（奈良県）・出羽三山（山形県）・白山（岐阜・石川県）・立山（富山県）・英彦山(ひこさん)（福岡・大分県）などだ。

豆知識

1. 死者の魂は霊山に向かうとする山岳信仰は、今も各地で細々と伝えられている。高野山（和歌山県）、山寺・立石寺(りっしゃくじ)（山形県）、恐山（青森県）が有名である。

127 自然 ｜ 農業

日本の農業、そして米作りは、古代から現在に至るまで常に進化してきた。古来、農業をコントロールすることは権力や能力の証明でもあった。農政改革、品種改良技術など、その歴史は1000年以上に及び、知恵と技術は脈々と受け継がれてきた。

◈

明治の近代化以降、欧州の工業化の大きな波を受けた日本であったが、実際に工業立国になったのは戦後のことであった。しかしながら、現在でも農業は、他国にすべて依存することはできない、国家を支える産業の要である。日本の農業の起こり、特に稲作の始まりは、野生の稲の種子を播いて収穫した石器時代だと考えられている。農業の発展によって、人々は狩猟と採集のために移動する生活から、ゆるやかにではあるが定住生活へと変化していった。

現在、日本で生産されているジャポニカ米の伝来と伝播は縄文時代と考えられており、経緯に関しては、様々な研究がある。インドや中国に始まった稲作が、長江、朝鮮半島を経て西日本に上陸したという説や、台湾経由で島伝いに渡来したとの説もある。やがて稲作は日本の各地に広がり、生産の過剰分の貯えの量によって貧富を生み出し、国家を誕生させた。

日本において農業技術が発生したのは弥生時代と考えられている。米作りは水田稲作が中心で、弥生時代中頃には、東北地方の北部まで稲作が広がっていった。一方、農作物に関しても、生産性を高めるために耕地区画や品種改良、多肥施用などの集約農業が行われた。やがて生産された米や農作物は通貨と同じ役割を果たすようになり、それらを税として納める社会が始まる。農業を基盤とする政治体制は、飛鳥時代の「班田収授の法」や、奈良時代の「墾田永年私財法」などを経て、明治政府による「地租改正」まで続いた。

一方、江戸時代には、1697年に日本最古の農書『農業全書』が刊行されている。この書物は、農作業や作物の栽培法などについて体系的に詳説した技術書である。現在と同じように、莫大な食料供給を要する都市圏の需要に応じ、近世においてすでに有効な農学や農業技術が体系化されていたことがわかる。『農業全書』は、明の『農政全書』を手本にしながら、日本の農業事情に合うように構成されている。水戸黄門の名で知られる徳川光圀（みつくに）（1628～1700）は、「これ人の世に一日もこれ無かるべからざるの書なり」と絶賛し、第8代将軍・徳川吉宗（1684～1751）も座右の書に加えたほどであった。

豆知識

1. 現在、日本に流通する野菜は、長い年月をかけて品種改良されたものばかりである。その最先端技術が遺伝子組み換え作物だろう。日本では、厚生労働省と内閣府食品安全委員会によって、8作物318種類について食品の安全性が確認されている。
2. 平安時代、貴族や寺社が開墾した土地は荘園と呼ばれた。約200年、荘園は増え続けたが、土地争いや地方役人の税の取り立てから身を守るため、農民は武装をするようになった。普段は農民だが、有事に備え軍事力を養っていった。これが専門職となる武士の始まりで、「侍」とは農業が作った階級だともいえる。

128 歴史 ｜ 平将門

平将門（たいらのまさかど）（？～940）は平安時代中期の武将で、桓武天皇（737～806）の流れをくむ、由緒正しい家系の人物である。下総を本拠として同地の豪族たちとともに中央勢力を駆逐し、関東最強の豪族として「新皇」を名乗ったが、平貞盛（生没年未詳）と藤原秀郷（生没年未詳）に攻められて敗死した。

◈

平安時代は、都に住む皇族や貴族が極めて贅沢な暮らしをしているだけで、それ以外の人々にはあまり恩恵のない世の中だったようだ。朝廷は財政的にも厳しかったと考えられ、例えば792年、桓武天皇は陸奥、出羽、九州を除く場所の常備軍を廃止した。さらに818年には嵯峨天皇が死刑制度を廃止する。これにより警察力は弱体化し、庶民の間では殺人や強盗などが横行した。一部の農民は自己防衛に走り、武装集団が多く形成される。

奈良時代の末期、皇位継承にトラブルが起きたことから、皇室では多くの子どもを産み、皇族を増やすことで対応した。平安期にはその数も増え、一部は臣籍降下した。例えば、桓武天皇の曾孫、高望王は「平」の氏を賜り、桓武平氏の祖となった。ほかにも望む官職を得られない貴族は地方へ出て、武装集団の権威付けに利用され、豪族となった。

下総国を根拠とした平将門は桓武平氏の末裔で、高望王の孫にあたる。都から各国に派遣される国司は民衆から作物や金銭を徴収し、自分の蓄財や収賄に励むばかりで、地方の行政運営などはまともに行われていなかった。そこで将門は国司と朝廷の支配から脱しようと、軍馬の生産や製鉄に取り組んだ。鉄は農機具や刀の鋳造に用いられた。将門の刀は従来の直刀ではなく、馬上から斬りつけやすいように反っており、日本刀の原型だといわれている。

ある年、常陸国の豪族、藤原玄明（はるあき）が将門を訪れ、国司の横暴に反旗を挙げる協力を願い出た。将門はこれに応じて常陸国府を襲撃。捕らえた国司から「国の印」と「倉の鍵」を奪った。これ以降、将門は同じように関東各国府を襲い、常陸、上野、下野（しもつけ）、下上総、下総、安房、相模、伊豆を統治下に置いた。940年、将門は八幡大菩薩から皇位を授けられ、「新皇」を宣した。即位式に菅原道真の霊魂を呼んだことが都に知らされ、朝廷は恐れおののいたが常備軍はなく、「太政大臣官符」によって全国各地に挙兵を呼びかけた。将門征討に成功すれば、武士、農民も貴族に取り立てるという、貴族階級の弱体化を象徴する極めて異例の内容であった。

将門の従兄弟にあたる桓武平氏の平貞盛、下野国豪族の藤原秀郷が「官符」に応じて挙兵。農繁期で兵を農地に返していた将門軍はまったくの無勢で、貞盛・秀郷軍に敗れ、将門は戦死した。貞盛と秀郷は将門の首を掲げて上京。約束通り貴族に取り立てられた。貞盛の一族は都で成功し、子孫には平清盛が現れる。

将門のさらし首は、笑いながら都から関東へ飛び帰ったという逸話がある。怨霊として扱われる逸話も伝えられるが、地元では英雄と慕う人々も多い。

豆知識

1. 将門の首塚は、現在も都心の一等地である東京都千代田区大手町１丁目に「将門塚」として残されている。
2. 平将門は、茨城の国王神社、東京の神田明神ほか、数多くの神社で祭神として祀られている。

129 文学 『太平記』

『太平記』は、後醍醐天皇(1288〜1339)の即位から、鎌倉幕府の滅亡、建武の新政、南北朝の分裂、室町幕府成立を経て、細川頼之(1329〜1392)の管領就任まで、約50年間を描いた軍記物語である。日本の歴史文学では最も長い作品とされ、全40巻にまとめられている。作者や成立年は明らかになっていないが、14世紀の中頃から後半にかけて、複数の人の筆によって増補改訂がなされたと考えられる。

◈

題名に「太平」とありながら、描かれている期間はほとんど戦乱の世の中である。物語の終わりに、細川頼之が管領に就任し、幼い室町幕府の第3代将軍・足利義満(1358〜1408)を補佐することになったが、その後も決して内政が安定したわけではなく、10年余りで細川頼之は政変により失脚する。本作の題名は「太平を願って」付けられたのではないかという説もある。ただし、本作は冒頭に、なぜこのような戦乱の世を迎えるようになったかについて、はっきりと次のように述べている。

「後醍醐天皇の御宇に当て、武臣相摸守平高時と云者あり。此時上乖君之徳、下失臣之礼。従之四海大に乱て、一日も未安」

訳「後醍醐天皇の御代に、(鎌倉幕府執権の北条)高時という武臣がいた。この時、上(天皇)は『君の徳』に乖き、下(高時)は『臣の礼』を失った。これより四海(国内)大いに乱れて、一日も未だ安まることがない」

これは儒教の影響を受けた考え方であり、物語にはその後、「臣の礼」を持つ模範的英雄として、楠木正成(1294?〜1336)と新田義貞(?〜1338)が登場する。どちらも南朝側に立ち、後醍醐天皇のために戦ったが、逆賊として描かれる足利尊氏(1305〜1358)に敗れて死んでいく。中でも、楠木正成の弟が兄とともに自害する際に言った「七生まで只同じ人間に生れて、朝敵を滅さばやとこそ存候へ」は、後世の読者の記憶に残り、明治以降には「七生報国」と言い換えられ、国家への忠誠を誓うスローガンにも利用された。

仏教的な思想に貫かれていた『平家物語』に比べると、『太平記』は儒教的な精神が強く、文学的な評価よりも記録、資料としての価値が高いといわれている。一つ一つのエピソードが時代のリアルな様相を伝えており、そのエッセンスといえるのが下記である。

「臣殺君、子殺父、力を以て争うべき時到る故に下剋上の一端にあり。高貴清花も君主一人も共に力を得ず、下輩下賎の士四海を呑む。これによって天下武家と成る也」(巻第二十七「雲景未来記事」)

冒頭の一節よりも生々しく、臣が君を殺し、子が父を殺す「下克上」の本質について書いている。以降、そのような非情の世は続き、真に「太平」と呼ばれる徳川幕府の時代までは、それから300年ほどかかることになる。

豆知識

1.『太平記』は、後世の作家のインスピレーションを刺激し、戦後もたびたび小説化された。山岡荘八(1907〜1978)『新太平記』、吉川英治(1892〜1962)『私本太平記』、今東光(1898〜1977)、森村誠一(1933〜)の『太平記』などがある。

130 科学・技術 ｜ 鉄砲

鉄砲は16世紀に種子島に伝来した。一説には、種子島の領主・種子島時尭（1528～1579）は、この未知の武器を２丁で2000両という莫大な額で買い取ったという。それまで槍や刀などを使った白兵戦が主体だった戦国時代の戦場は、新兵器・鉄砲の登場で戦略と戦術を一変させ、軍事的均衡を大きく変化させていった。

◈

火縄銃（レプリカ）

日本において鉄砲の伝来は、その後の社会を大きく変える出来事であった。鉄砲の技術は、群雄割拠の戦国時代のパワーバランスを崩していったのである。

1543年に種子島へ火縄銃が伝わった。伝来した２丁の銃のうち１丁は紀伊国の根来（現・和歌山県岩出市）に持ち込まれた。根来は鉄砲の一大生産地となり、鉄砲で武装した傭兵集団の僧兵・根来衆を生む。もう１丁は堺に届けられた。堺には大仙陵古墳などの大型古墳があるが、この町には古来、古墳築造のための鍛冶屋や鋳物師が多数住んでいた。種子島への伝来から２年後には、商人・橘屋又三郎（生没年未詳）によって早くも鉄砲生産が開始され、日本最大の鉄砲産地となった堺は、戦国大名に鉄砲を売りさばき、莫大な利益を上げた。

当時の銃の構造はシンプルで、底を塞いだ銃身に火薬と弾を込め、横から火縄で火薬に着火、火薬が燃焼するエネルギーで弾を撃ち出すものだった。一般的に鉄砲隊というと織田信長（1534～1582）のイメージだが、実はライバルの武田信玄（1521～1573）は早くから鉄砲を導入していた。1555年の第２次川中島の戦いでも300丁を投入している。しかし信玄が鉄砲隊を使いこなせなかったのは、信長が火薬の原料である硝石の輸入先・明との貿易港だった堺を押さえていたからだといわれている。戦国時代末期には日本は50万丁以上の鉄砲を所持しており、当時世界最大の銃保有国であった。

しかし、江戸時代の1639年、第３代将軍・徳川家光によって鎖国政策が強められると、鉄砲の技術進歩も停滞する。翌年フランスで開発された火打ち石による燧石銃をはじめ、雷管、無煙火薬、薬莢などの技術は、開国時まで輸入されることがなかった。幕末に倒幕運動が起こり日本が内戦状態になると、1865年の南北戦争終結により余った大量のアメリカの火器が日本へ輸入された。そのため、戊辰戦争終了後には国内に50万丁の洋銃があったとの説もある。やがて日本は洋銃も国産化し、世界列強に並ぶ軍事大国へと変貌していくのだった。

豆知識

1. 洋銃の初国産化は1880年。ボルトアクション式ライフルで他国の最新鋭小銃に匹敵する性能を誇る「村田銃」であった。日露戦争時には三十年式歩兵銃を採用、その後、三八式歩兵銃が開発され、太平洋戦争まで使用された。
2. 種子島以前にも、鉄砲は輸入されていたとの説がある。軍記『甲陽軍艦』には、武将・村上義清が上杉謙信に「1510年渡来の鉄砲を50人に持たせたが、武田晴信との戦に負けた」と記述されているのだ。これは中国式の鉄砲だったようで、威力が弱かったと考えられている。本格的な鉄砲の発達は、やはり西洋式のものが輸入されてからである。
3. 種子島以前の記録として、15世紀の『李朝実録』に、日本の使節が対馬で李朝鮮使節の小銅銃による礼砲を見聞したとある。小銅銃は倭寇対策として明から朝鮮半島に伝来したものであった。また京都の相国寺鹿苑院内の公用日記『蔭涼軒日録』には、1466年に琉球の使節が幕府に入貢し、退出するとき、総門の外で「鉄炮一両声」を放ったとある。

131 芸術 金閣寺と銀閣寺

室町時代の文化は、南北朝を統一し強大な権勢を誇った第3代将軍・足利義満（1358〜1408）の時代の北山文化と、応仁の乱（1467〜1477年）後の第8代将軍・足利義政（1436〜1490）の世の東山文化に大別できる。それぞれの文化のシンボルとなったのが金閣寺と銀閣寺だ。

◈

金閣寺

1397年、足利義満は京都・北山の地に政庁と別荘を兼ねた「北山殿」を造営する。壮麗で御所に匹敵する規模だったとされる北山殿は、義満の圧倒的な富と権力の象徴でもあった。そのため、室町前期に開花した文化は北山文化と呼ばれている。北山文化は新興勢力である武家と公家の伝統が融合した文化とされ、その代表的な建築物といわれるのが北山殿の遺構である鹿苑寺金閣（金閣寺）である。鹿苑寺金閣の舎利殿、いわゆる金閣は金箔を貼った豪奢な寺院として知られ、その高さは約12.5m。3層の構造となっており、1階は公家の住居である寝殿造で法水院、2階は武家造りで潮音洞（ちょうおんどう）、3階は禅宗仏殿風の造りで究竟頂（くっきょういただき）と呼ばれる。公家・武家、そして禅の様式まで取り込んだデザインは当時としては画期的であったといえるだろう。内部は非公開だが、釈迦如来像や四天王像、重要文化財の足利義満坐像などが安置されている。また北山文化では能楽が大成したことや、義満が明との貿易を推進したことにより大陸由来の水墨画が勃興したことなどが挙げられる。

一方、東山文化は北山文化に比べ、「わび・さび」などの美意識を持つ禅宗の影響が色濃く表れている点に特徴がある。それゆえ当時の人々は簡素で幽玄なものに美しさを見出したが、最たる例といえるのが1490年、京都・東山に創建された慈照寺（銀閣寺）だ。こちらは室町幕府全盛期に建てられた金閣寺とは対照的に、応仁の乱で疲れ果てた足利義政が隠棲の場として過ごした山荘がルーツである。「銀閣」と通称される観音殿は木造2階建てだが、金閣寺が1950年に一度焼失しているため、室町期の楼閣建築として唯一現存するものとなっている。建物の上層は火灯窓という上枠を火炎形に造った窓に障子を配し、下層は白壁に腰高障子という簡素な造りである。「銀閣」の名は付くものの、建物に用いられているのは黒漆であったとされ、銀箔が貼られているわけではない。寂びた佇まいの銀閣だが、その質素な雰囲気の中にも高貴な風情がうかがえる。また東山文化を牽引した義政は風雅を好む文化人として知られ、わび茶の発展などにも深く関与した。さらに唐物と呼ばれる外来の茶器や書画などを愛好し、義政が収集した美術工芸品は「東山御物（ひがしやまごもつ）」と名付けられた。東山御物は後の日本の美意識の規範になったともいわれ、その中には南宋時代の山水画で国宝指定された『出山釈迦図（しゅっさんしゃかず）・雪景山水図（せっけいさんすいず）』や、喫茶の椀として最高の逸品といわれる国宝『油滴天目茶碗（ゆてきてんもくちゃわん）』などがある。

豆知識

1. 金閣寺は1987年に金箔が全面的に貼り替えられたが、このとき用いられたのは以前より5倍厚い金箔20万枚、総計20kgであった。
2. 慈照寺が銀閣寺と呼ばれるのは江戸時代に入ってからのことだ。銀閣寺という名称は金閣寺と比較するための通称だ。

132 伝統・文化 ｜ 空手

空手は、突き・蹴り・受けを基本とする武術の一種である。中国武術の流れをくみ、沖縄で独自の発展を遂げた。首里手と那覇手の二大系統が源流としてあったといわれている。明治〜大正時代に全国に伝わり、現在では世界的に普及しており、柔道と並び、有名な日本の武術として知られている。

◈

空手の発祥は沖縄（琉球王国）で、清へ留学して中国武術を学んだ琉球の武術家・佐久川寛賀（生没年未詳）が、中国武術に琉球士族の護身術である「ティー（手）」を融合してできたものが現在の空手の原型である「トゥーディー（唐手）」だと言われている。ただ、トゥーディー（唐手）は、師匠から弟子へと口伝で教えた秘術だったため、確かな史料は残っておらず、その歴史などは不明である。なぜ沖縄でトゥーディー（唐手）のような徒手空拳の武術が発達したかについては、1429年に戦乱を統一した中山の尚巴志王（1372〜1439）の極端な禁武政策と、1609年に沖縄を制圧した薩摩藩による武器禁止令により、沖縄の人々が武器を持った相手に挑む唯一の手段だったからといわれている。

トゥーディー（唐手）は、沖縄の王城のあった首里をはじめ、那覇と泊の３地域で盛んになり、その後、様々な流派が派生していった。明治維新により「士族」が解体の方向に進んだことによって、トゥーディー（唐手）も衰退しかけるが、糸洲安恒（1831〜1915）の働きかけで沖縄の学校教育にトゥーディー（唐手）が導入され、沖縄での普及が進んだ。

トゥーディー（唐手）が全国に知られるようになったのは、1922年、東京で行われた第１回体育博覧会で沖縄尚武会会長の船越義珍（1868〜1957）が公開演武を行ってからである。その後、講道館柔道の始祖である嘉納治五郎（1860〜1938）の助けもあり、さらに全国に普及した。東京の大学では、船越義珍とその弟子で和道流の開祖となる大塚博紀（1892〜1982）が、関西の大学では、剛柔流の開祖となる宮城長順（1888〜1953）、糸東流の開祖となる摩文仁賢和（1889〜1952）が学生たちを指導したという。「空手」と称されるようになった経緯については諸説あるが、一説には1935年頃に唐手の名称が「空手」と改められたといわれている。その後、空手は第二次世界大戦後に一時衰退するが、1955年頃から徐々に勢いを取り戻していく。それに伴い多くの団体や流派が生まれ、統一組織として1964年に全日本空手道連盟が発足し、1970年には世界空手連盟（WKF：World Karate Federation）も結成された。

豆知識

1. 空手の帯は流派によって様々な色が存在する。しかし、最初が白、有段者は黒、その前が茶帯というのは共通している。白帯は何ものにも染まっていない状態を表し、黒帯は鍛錬を重ね、帯が真っ黒に汚れたら一流と認められたことからきている。茶帯は汚れが甘く、鍛錬がまだ足りないことを表している。
2. 空手の競技には、形試合（採点制）と極め技を競う組手試合とがある。組手試合は、相手の攻撃部位の寸前で止める寸止めルールで行われる。寸止めとは、目標を相手の身体の寸前に設定し、そこに最大の衝撃力が発揮されるよう力を制御しなくてはいけないというものである。

133 哲学・思想 熊野三山と熊野古道

熊野三山とは和歌山県田辺市の熊野本宮大社・新宮市の熊野速玉大社・那智勝浦町の熊野那智大社の３社のことをいう。この３社は別個に成立したものと考えられるが、熊野全体が霊地と見なされるようになり、３社をめぐる巡礼路（熊野古道）が整備されていった。熊野は現世と来世の利益が得られるとされたことから上皇も遠路を厭わず参詣した。

◈

熊野本宮大社

紀伊半島の南端部に位置する熊野は、古代から異界あるいは黄泉（よみ）（死者の国）との接点と考えられてきた。『日本書紀』では伊邪那美命が葬られた場所とされ、『古事記』では大国主命が根の国（地下の世界）に向かった場所とされている。仏教が伝わった後は、観音が住む補陀洛山（ふだらくせん）に最も近い場所とされ、ここを目指してわずかな食料だけを積み込んで船出をする補陀洛渡海（ふだらくとかい）が行われた。熊野三山はこうした熊野を治める神々を祀る神社である（家都御子大神（けつみこのおおかみ）を祀る熊野本宮大社、熊野速玉大神を祀る熊野速玉大社、熊野夫須美大神（くまのふすみのおおかみ）を祀る熊野那智大社）。

伝承によると、熊野の神々が最初に降臨したのは熊野速玉大社の境外摂社・神倉神社のゴトビキ岩だという。続いて熊野川の中州、大斎原（おおゆのはら）の３本のイチイの木に宿ったとされる。大斎原は1889年の大洪水まで熊野本宮大社の本殿が建っていた場所だ。

歴史的には熊野三山が一体のものとされるようになったのは９世紀頃とされる。12世紀には本宮・速玉・那智の本地（仏としての本来の姿）が阿弥陀如来・薬師如来・千手観音とされ、浄土信仰の要素が濃くなった。また、金峯山から山伝いに熊野に至る修験道の修行の道も定まり、熊野で修行する修験者も増えていった。

上皇の参詣が多かったことも熊野三山の特徴といえる。白河上皇は12度、鳥羽上皇は23度、後白河法皇は33度、後鳥羽上皇は29度参詣している。熊野までの往復は約170里（680km）、20日間に及ぶ苦行ともいえるものであった。それにもかかわらず上皇たちが繰り返し熊野を詣でたのは、それだけ霊験があらたかだと信じられたからである。承久の乱（1221年）を機に上皇の熊野詣では途絶えたが、代わって庶民の参詣が増えていった。熊野は女人禁制ではなかったので女性にも人気があった。人々が連なって参る様子は「蟻の熊野詣で」といわれた。なお、熊野那智大社に隣接する青岸渡寺（せいがんとじ）（神仏分離までは熊野那智大社と一体の関係であった）は、西国三十三所霊場の第１番札所である。

豆知識

1. 日本サッカー協会のシンボルマークにもなっている八咫烏（やたがらす）は、熊野に上陸した神武天皇を大和まで案内したという由緒から、熊野三山の神使（神のお使い）とされる。八咫烏は三本足の烏で、熊野独自のお札、熊野牛王宝印にも描かれているが、『古事記』『日本書紀』には３本足とは書かれていない。平安時代に中国の神話に登場する太陽に住む三足烏と混同されたらしい。
2. 明治時代に日本にサッカーを本格的に普及させた中村覚之助は那智町の出身であり、日本サッカー協会は覚之助に敬意を表し、1931年に八咫烏をシンボルとして採用したといわれている。

134 自然 | 里山

人里近くにある、生活に結びついた山や森林は、日本の原風景の一つといわれる里地里山である。古くから親しまれてきたこの自然は、人々が長い時間をかけ、自然に寄り添いながら作り上げてきた環境といえる。しかし、今では郊外人口の減少や住民の高齢化で、日本特有の文化や豊かな感性を育んできた人工林・里山を整備する人材が減り、荒れ始めており、環境や生物多様性の劣化が進みつつある。

◈

郊外の人里近くにある里地里山は、原生的な自然と都市との中間に位置し、集落とそれを取り巻く地域に人為的に再生された二次林の雑木林と、農地やため池、草原などで構成される。古くから里地里山は住民の生活と結びつき、薪や山菜の採取などに利用されながら間伐が行われ、落ち葉や下生えは田畑の肥料や家畜の飼葉に使われてきた。こうして自然資源の循環を促すことで生態系のつりあいがとれ、環境が維持されてきたのである。また、里山は人間に利用されるだけでなく、渡り鳥の生息地や中継地点となり、留鳥（一年を通してほぼ同じ場所に生息する鳥）や哺乳類、爬虫類、両生類、昆虫などを育んできた。

歴史上、生活のために利用されてきた里山では、乱伐と保護が繰り返されてきた。『日本書紀』には、天武天皇の時代（676年）に、畿内の南淵山、細川山などを立ち入り禁止にし、木の伐採や焼くことを禁じる勅令が出されたとの記録がある。また、江戸時代になると郊外が換金作物を生産する場となり、雑木林の乱伐が横行したため、幕府は1666年以降、森林保護政策を打ち出し、伐採を厳しく規制した。これにより、里山の資源が持続的に利用できるようになったのである。

20世紀に入ると、里地里山は戦中戦後の乱伐や1970年代の乱開発の時代を乗り越え、家庭用エネルギーや肥料用の農業資材、住宅資材などの供給源となった。しかし、1960年代頃からは経済の発展に伴い、石油や化学肥料が使われるようになり、林野が利用されなくなっていった。また郊外の人口の減少や高齢化が進行したことで、里山の手入れが滞り、環境や生物多様性の劣化が進んだのである。ただ、1980年代以降には自然保護運動も盛んになり、徐々にだが里地里山も再生しつつあり、東京近郊の里山では希少野生動植物種のオオタカも確認されている。2000年の循環型社会形成推進基本法の制定後、里山は薪や木質ペレットなどの再生可能エネルギーの供給地としても再評価されつつある。

豆知識

1. 里山の雑木林が手入れされなくなったため、樹液を出す木々や落ち葉の腐葉土も少なくなっている。そのためカブトムシが小型化しているとの説もある。元来、カブトムシの幼虫は奥山の森林で朽ち木や倒木を餌にしていたが、里山が形成されたことで生息圏を雑木林に移し、栄養豊富な腐葉土やクヌギ、コナラの樹液などで大型化したという。しかし近年、里山が減ったためカブトムシは奥山へ帰り、小型化しつつあるというのだ。
2. 近年では、放置された竹林が拡大して、管理されていない落葉樹林や広葉樹林が縮小して竹林に遷移してしまうという「竹害」も起きている。

135 歴史 奥州藤原氏

藤原氏が奥州に拠点を持つことになったきっかけは、奥州藤原氏の初代・清衡（1056～1128）の父、藤原経清（？～1062）にある。経清の5代前には、平将門（？～940）の討伐に加わり、貴族に取り立てられた藤原秀郷（生没年未詳）の名も見える。

◈

藤原経清は、陸奥国府の役人であった。当時の東北は、蝦夷の子孫である清原氏が出羽、安倍氏が陸奥に拠点を持っていた。安倍氏は陸奥国司と対立関係にあり、たびたび軍事的衝突を起こしていた。この戦いは「前九年の役」と呼ばれるが、年数の数え方には諸説がある。

経清は安倍氏の娘と結婚し、1056年に長男の清衡が生まれた。その翌年、安倍氏の棟梁、貞任（1019～1062）が挙兵し、多賀城に攻撃を仕掛けた。当時の陸奥守は源頼義（988～1075）だった。経清は国府の役人であり、妻は貞任の妹という難しい立場だったが、朝廷軍についた。しかし、頼義が自軍の将をスパイとして処刑したことに危険を感じ、安倍軍に寝返る。一時、安倍軍が有利だったが、頼義の求めで清原軍が参戦し、状況は一変。貞任は戦死し、経清も斬首された。

この時、清原氏には戦功の褒賞として出羽・陸奥双方が領地として与えられ、経清の妻と息子の清衡は、清原家に引き取られた。同じ蝦夷をルーツに持つ安倍氏に対する同情が清原氏にはあったのかもしれない。

清原氏の棟梁が亡くなると、家督争いが始まり、清衡と異父弟の家衡（？～1087）が衝突する。「後三年の役」の始まりである。当時の陸奥守は源頼義の息子、義家（1039～1106）であった。清衡は義家に加担を求め、義家もそれに応じて家衡を倒す。これにより清衡は清原家の棟梁となったが、朝廷は義家が許可なく参戦したことに怒り義家を解任する。清衡は義家が去った後、実父の姓「藤原」を名乗り、ここに奥州藤原氏が誕生した。

初代清衡は朝廷に服従の姿勢を見せ、貢ぎ物を欠かさなかった。一方で、豊富な資源、交易による財力、強大な武力を隠すようにして、平泉を拠点に奥州を発展させた。成果の一つに、長い戦役で死んだ霊を慰めるために建立された「中尊寺金色堂」（130ページ参照）がある。

第２代・基衡（？～1157）は、豪華で雅な平泉文化を代表する「毛越寺」を建立。その際、京から仏師の運慶（？～1223）を呼び寄せ、莫大な報酬を支払ったという逸話がある。

第３代・秀衡（1122～1187）の頃が奥州藤原氏の最盛期で、平泉は10万人以上が住む巨大都市となったという。晩年、兄の源頼朝（1147～1199）に追われて平泉に身を寄せた義経（1159～1189）を守るよう、秀衡は第４代・泰衡（1155？～1189）に遺言した。

頼朝は朝廷を通じて義経を討つよう泰衡に圧力をかけた。朝敵となることを恐れた泰衡は義経を討ち、その首とともに頼朝に許しを請うが処刑され、奥州藤原氏は滅亡した。

豆知識

1. 中尊寺は14世紀半ばに火災で多くの建物などが失われたが、金色堂は創建当初の姿で現存する。その須弥壇内には、清衡、基衡、秀衡のミイラ化した遺体と泰衡の首級がそれぞれ金色の棺に納められている。

136 文学 『風姿花伝』

父、観阿弥(かんあみ)(1333〜1384)が興した猿楽(さるがく)の一座が、第3代将軍・足利義満(1358〜1408)をはじめ、有力武家や公家の庇護を受けるようになり、息子である世阿弥(ぜあみ)(1363?〜1443?)も幼い頃から将軍の寵愛を受けた。父の死後、一座を引き継ぎ、父子で大成した「能」を後世の家人に伝えるために書かれたのが『風姿花伝(ふうしかでん)』である。わが国最古の演劇論であり、日本美学を表す古典として、外国語にも翻訳されている。

◈

『風姿花伝』は全7編で構成されている。観世一座の秘伝の書であり、明治期になるまで一般の目に触れることはなかったという。ちなみに猿楽が狂言とともに能楽と呼ばれるようになるのも明治以降のことである。第一「年来稽古条々」は年代別の稽古の方法や心得について記したもので、「七歳、十二三より、十七八より、二十四五、三十四五、四十四五、五十有余」に分かれている。第二「物学(ものまね)条々」は、物まねについての教えである。そのポイントは、身分が高い人のまねは細かく似せ、身分が低い人は細かく似せないなど、「似する事の人体によりて浅深あるべきなり」とある。以降、「問答条々」、「神儀」、「奥儀」、「花修」、「別紙口伝」と続く。

世阿弥はこの芸能の真髄を言葉(文字)だけで伝えようとした。楽譜も図も一切使われていない。そのために、様々な新しい言葉を用いたのだと研究者は言う。それらは現代にも多く伝わり、残されている。例えば「初心」。「初心不可忘(初心忘るべからず)」は、今では継続することの大事さを説く教訓のように思われているが、世阿弥は「是非(芸が定まる)、時時(絶頂期)、老いて後」と、能楽師の年齢によって3つの初心があり、それぞれを忘れないように言っている。「花」にたとえた言葉もよく知られている。書名にも「花伝」とあるように、本書にとって「花」は重要なキーワードである。まず、観客に喜ばれるために必要なのが「花」だと世阿弥は言う。四季折々に咲く花のように、その時々に珍しいものに観客は感動する。しかも花は散るからこそ美しいのであって、「住する所なきをまずは花と知るべし」と、常に変化を続け、停滞しないように戒めている。また、幼い頃、美少年としてもてはやされた自身を「時分の花」と呼んでいる。「童形なれば、なにとしたるも幽玄なり」とも言う。「幽玄」とは定義不可能な美であり、これも「花」のようにたびたび使われる。幼少の頃は誰でも「時分の花」になるという意味である。しかし世阿弥は、能楽師が目指すべきは「まことの花」であるとする。20代半ばで声や体格が定まる「是非の初心」の頃、かつての「時分の花」に迷わず、30代半ばの盛りを過ぎて、40代半ばまで失われない花こそ、「まことの花」だとしている。

「秘すれば花」という言葉も有名である。「別紙口伝」にはこうある。

「人の心に思いもよらぬ感をもよおす手立て、これ花なり。(中略)これ、一切の諸道芸において、勝負に勝つ理なり。(中略)秘すれば花、秘せねば花なるべからず」

意外にも、これは当時行われていた「立ち合い」というコンテストのような芸の競い合いにおける必勝法として編み出された、世阿弥の戦略だったといわれている。

豆知識

1. 当時、時宗を信仰する男子は、生前に法名(〜阿弥陀仏)を名乗る習慣があった。つまり観阿弥は「観阿弥陀仏」であり、世阿弥は「世阿弥陀仏」の略称である。ちなみに「ぜ」と濁るのは、足利義満の指示だと伝えられている。

137 科学・技術 | 石垣

日本各地の古墳や住居跡には多くの石垣が残っている。その技術は古墳時代に生まれ、そして1000年以上前に大きな進化を遂げたと考えられている。単純に石を積んでいくだけの方法が、時代を経るにしたがって城の土台にもなる巨石を整然と積み上げる特殊技能になっていった。

◈

安土城址の穴太積み

石を積み上げて境界線を作ったり、土地の補強や防御施設とするのが石垣である。その技術の歴史は古く、古墳時代の古墳の墳丘表面に石を積んだ跡が残されており、また、濠と土塁で防御された当時の豪族の住居跡にも石積みの遺構が残っている。こうしたまだ単純だった石垣に新たな技術が加わったのは、663年の朝鮮半島での白村江の戦い以降だった。日本に亡命した百済人を用い、北九州や瀬戸内海沿岸、畿内に朝鮮式山城が築かれた際、土塁とともに石垣も構築された。石垣が大きく発展したのは戦国時代、安土桃山時代である。城郭とともに石垣を構築する技術も発達し、各地に穴太衆(あのうしゅう)や越前衆など石垣衆と呼ばれる石工集団が現れたのだ。その近世の城石垣の先駆けといわれるのは、16世紀半ばに近江(現・滋賀県)の武将・六角氏頼(1326〜1370)が築いたとされる「観音寺城」の石垣である。これを築いたのが穴太衆で、彼らはその技術を買われて織田信長(1534〜1582)に雇われ、後に「安土城」の石垣も積み上げることになる。

戦国時代以降の石垣は、主に「空積み」という技法が用いられる。これは粘土やモルタルといった石同士の接着剤を使わない施工法である。石垣は、出隅に積まれる隅石(角石)と、最表面となる法面の築石で構成される。築石の積み方には、自然石や粗割り石を加工せずにそのまま積み上げる「野面(のづら)積み」と、粗割り石の接合部を加工・調整して隙間ができにくいように積み上げる「打ち込みハギ」がある。

もちろん、ただ積み上げるわけではなく、規模からくる積石の総重量や石垣の勾配の角度、築石の内側部分の角度など、耐久性を保つためにはいろいろな計算が必要とされる。信長の安土城は戦闘用の拠点としてだけではなく、史上初めて石垣に天守の上がった威容を誇ることで、城主の権威や経済力、技術力などを民衆や敵に誇示しようとしたといわれている。このとき、当時の最新ハイテク技術を駆使した巨大な石垣が、権力の強大さを示す道具となったのだ。

豆知識

1. 日本の石垣職人は、豊臣秀吉(1537〜1598)の朝鮮出兵時にも随伴。現在の朝鮮半島で、倭城石垣が確認されている。考古学では、城郭は曲輪(くるわ)配置と塁濠との組み合わせから地域によって5類型に大別される。朝鮮半島の倭城は近畿型と中国型と考えられ、従軍した石垣職人も近畿と中国系統と考えられている。
2. 築石と内側の土地の傾斜部分の間には、砂利や割栗石という小さく砕いた石が詰められている。近代の城郭の補修では、裏込栗石を裏込コンクリートに替えた工法が多く見られるようになった。これは粘土やモルタルを使った「練積み」の現代版といえる。
3. 2016年の熊本地震で熊本城の石垣が崩壊したが、後の調査で築城当時の部分はほぼ崩れておらず、大きく崩壊したのは明治時代に修復した箇所だったことがわかっている。建物、石垣ともに築城当時の宇土櫓(うとやぐら)はほぼ無傷だった。

138 芸術 ｜ 雪舟と水墨画

彩色を施さず、墨の濃淡や筆の運びだけで描写をする水墨画。このモノクロームの技法は、鎌倉時代後期に禅宗とともに宋から伝えられた。色彩豊かなやまと絵とはまったく異なる水墨画の世界は絵仏師に影響を与え、室町時代に大きく興隆するようになる。やがて日本の水墨画は中国の模倣を脱却し独自性を獲得していくが、大きな役割を果たしたのが雪舟（せっしゅう）（1420〜1502？）であった。

◈

東洋独特の画法である水墨画が伝わった鎌倉時代後期は、宋から禅宗が伝来した時期でもあった。そのため初期の水墨画は禅文化と結びつき、禅の思想をイメージする絵画として国内で享受された。実際、この頃の水墨画は禅の高僧を画題にした作品が多く見られ、例えば禅宗の始祖・達磨大師（生没年未詳）をモチーフにした『達磨図』や、1246年に宋から来日し鎌倉の建長寺を開いた蘭渓道隆（らんけいどうりゅう）（1213〜1278）が描かれた『蘭渓道隆像』、また日本の水墨画の先駆者とされる可翁（かおう）（生没年未詳）作の『寒山図』などが挙げられる。寒山とは中国・唐の伝説的な隠者で、画僧が好んで画題とした。特に可翁の寒山は、衣服が大胆に簡略して描かれる一方、表情は細い筆で柔らかく描写されているのが特徴である。

室町時代に入ると、禅宗寺院を中心に本格的な水墨画の制作が行われるようになる。当時流行したのは禅の精神を追求した「詩画軸」と呼ばれるジャンルで、これは画中の上部に詩文を入れ、下部に山水画を描いたものだ。室町中期の画僧・如拙（じょせつ）（生没年未詳）が第４代将軍・足利義持（1386〜1428）の命を受け制作した『瓢鮎図（ひょうねんず）』がそれにあたる。瓢鮎図は「瓢簞（ひょうたん）でナマズを捕まえるにはどうしたらよいか」という禅問答を絵画化した作品であり、31名の禅僧が回答となる詩文を寄せている。同じ詩画軸では将軍家の御用絵師である周文（生没年未詳）の『水色巒光図（すいしょくらんこうず）』が有名だ。大陸由来の水墨画を日本的な様式にシフトした作品として評価されている。

その後は詩画軸から絵画だけが独立し、さらに禅宗の思想とも離れた日本独自の水墨画が生み出されるようになる。その第一人者といえるのが雪舟である。備中（現・岡山県）に生まれた雪舟は10歳前後で京都・相国寺に入り、先に挙げた周文から水墨画の手ほどきを受けた。そして48歳と当時としては老齢の身で明に渡り、約２年間現地の景観に触発されながら絵画を学ぶ。雪舟の作品で名高いのは『四季山水図（山水長巻）』である。これは全長約16mにも及ぶ長大な絵巻に、移ろいゆく山河の四季とそこに暮らす人々の姿を描いた大作だ。また雪舟が70代で描いた『秋冬山水図（秋景・冬景）』も傑作の呼び声が高い。特に「冬景」は紙の白地をそのまま残して雪を表現し、樹木や岩肌には薄墨を、輪郭には濃墨を使うなど白と墨の絶妙なコントラストによって雪景色を見事に描写している。雪舟は87歳で亡くなったとされるが、死後も「画聖」と称されるなど尊敬を集め続けた。

豆知識

1. とらえどころのない様子やそのような人のことを「ひょうたんなまず」と言うが、この由来は『瓢鮎図』にある。
2. 雪舟といえば、小僧時代に和尚に叱られ柱に縛られた際、床に落ちた涙を足の指に付け鼠を描いたところ、その見事な出来栄えに和尚が感嘆したという話が伝えられているが、これは作り話である。

139 伝統・文化 ｜ 合気道

合気道とは、攻撃してくる相手の肘や手首などの関節を捻ることで攻撃を抑え込み、一瞬にして投げたり、押さえつけたりする受け技のみの武術である。大東流合気柔術を源流とする武術で、昭和初期、東京に道場を開いた植芝盛平（うえしばもりへい）（1883～1969）が、合気武術、または合気武道の名で指導してきたものを1942年に自ら「合気道」と改称したのが始まりといわれる。

◈

合気道のルーツは、室町時代以降、素手あるいは短い武器を使った戦いの技法として体系化された柔術だといわれている。特に影響を受けているのは、大東流合気柔術だ。伝書によると、大東流柔術は、平安時代後期の武将・源義光（よしみつ）（1045～1127）を始祖とし、甲斐（現・山梨県）の武田家から会津（現・福島県）の武田家に伝わり、明治・大正時代に会津藩の武術家・武田惣角（そうかく）（1859～1943）に継承された柔術である。

合気道の開祖である植芝盛平は、天神真楊流、起倒流、柳生心眼流など、様々な武術を学んだが、中でも影響を受けたのが、武田惣角の大東流柔術だった。

1919年、大本教の教祖・出口王仁三郎（おにさぶろう）（1871～1948）に出会った植芝盛平は、「真の武」を求めて精神修養を重ね、翌年に京都府綾部市で修業道場「植芝塾」を開設。その後、1922年に大東流柔術の教授代理となり、自身の武道の真髄を「合気」と呼ぶようになったといわれている。植芝盛平いわく「合気」とは、「気に合するということで、天地の気、わかりやすくいえば自然の姿と一つになること」である。また、植芝盛平は1931年に大東流柔術の「八十四ケ条御信用之手」を武田惣角より伝授され、現在の東京都新宿区若松町に専門道場「皇武館」を開設、独立を果たしている。そして、1942年、植芝盛平は自ら生み出した武道を正式に「合気道」と名付けた。その後、各地に道場などが設置され、合気道は次第に盛んとなり、1955年頃からは指導者が海外にも派遣され、近年では世界各国に普及している。

合気道は一般の武道と違い、戦闘を目的とせず、「調和すること」に最大の価値を置いている。そのため、試合を行わない。稽古の成果を披露する場として、試合に代わり各種の演武会を開催している。演武は「受け（技を受ける側）」と「取り（技をかける側）」の２人で行うが、採点は行わない。また、その稽古も他の武道とは異なり、稽古し合っている者同士で一つの技を作り上げ、ともに正しさを求め合い、強さを修得するよう心掛けるものだといわれている。合気道は、動きも技法もすべてが円運動の連鎖から成り立っており、「押さば引け」ではなく、「押さば回れ、引かば回りつつ入れ」という「円転の理」の思想を基本としている。

豆知識

1. 植芝盛平の弟子である塩田剛三（しおだごうぞう）（1915～1994）が開いた養神館道場では、合気道と呼ばれるのは「相手と気を合わせることから」だとしている。
2. 合気道の「入り身の理」とは、相手とすれ違う時に生じる力を利用して、相手を制することである。相手が正面から攻撃してきた時、相手の側面の死角に入り込めば、相手の進む力を利用して決定的な打撃を与えることができるということである。

140 哲学・思想 ｜ 八幡神

八幡神（「はちまんしん」とも読む）は大分県宇佐市の宇佐神宮を総本宮とする八幡宮・八幡神社で祀られる神である。もとは九州の地方神で『古事記』『日本書紀』には登場しないが、東大寺大仏の建立に助力したことなどにより朝廷から崇敬される神となった。また、応神天皇の神霊ともいわれることから皇祖神として遇されてきた。平安後期頃から武士の信仰を集めるようになり、各地に分社が建てられた。

◈

宇佐神宮

八幡神は最も神社の数が多い神とされる。ある調査によると全国で約11万社ある神社の中で４万６百社余りが八幡神を祀る神社だという。このように数が多いのは、朝廷や武士のあつい崇敬を受けてきたことによる。八幡神を祀る神社は宇佐神宮を総本宮とするが、宇佐神宮の起源ははっきりとしない。奥宮がある御許山山頂の巨石に対する信仰や託宣を重視するシャーマニズム、そして銅の採掘や鋳造にまつわる信仰が関わっているとされる。社伝（神社の由来や来歴などを記した資料）によれば、八幡神が示現したのは571年のことで、本殿（一之御殿）が建てられたのは725年だとされている。

九州では早くから信仰が広まっていたようだが、『古事記』『日本書紀』には記されておらず、８世紀初め頃はまだ朝廷には知られていなかった。八幡神が朝廷から重視されるようになるのは、720年の隼人の乱（九州南部で起こった反乱）を神威によって鎮定させたことからである。この事件は宇佐神宮においても大きな出来事であったらしく、今も10月の放生会（宇佐神宮の祭祀）で隼人の鎮魂が祈られている。769年の弓削道鏡（奈良時代の僧侶）による皇位簒奪未遂事件においても託宣でその野望を打ち砕いたとされており、国家の危機を救う神と考えられるようになった。

朝廷が直接崇敬するきっかけになったのは、東大寺大仏の建立に助力をすると託宣し、神霊が神輿に乗って東大寺まで現れたことであった。この事件は宇佐神宮と朝廷を結びつけるとともに、八幡信仰と仏教の結びつきも強めた。以後、宇佐神宮は率先して神仏習合を進め、781年には八幡大菩薩の称号が贈られた。神像も僧の姿で作られ、僧形八幡神と呼ばれた。860年に石清水八幡宮（京都府八幡市）が創建され、さらに八幡信仰は朝廷との結びつきを強めた。この頃より応神天皇と同一視する説が広まり、石清水八幡宮は伊勢神宮とともに二所宗廟とも称された。平安後期になると八幡神の武神としての性格に注目した武士の崇敬を集めるようになり、特に源氏は氏神のように崇敬し、在所に分社を建てた。鎌倉の鶴岡八幡宮もそうした神社の一つである。近世には伊勢（天照大神）・八幡・春日（春日大社）の託宣を一軸に書く三社託宣が普及し、庶民にもその信仰が広まった。

豆知識

1. 平安後期の武将の源義家（1039～1106）は八幡太郎の別名でも知られるが、これは石清水八幡宮で元服をしたことにちなむ。
2. 鎌倉名物として知られる鳩サブレーが鳩の形をしているのは、八幡神の神使（神のお使い）が鳩であることにちなむ。

141 自然 固有の動植物

国、あるいは地域特有の動物である固有種は、その国の自然や文化を表すシンボルであり、生態系の多様性を表す。固有種とは、その地域、海域にしか生息・生育・繁殖しない特産の種のことである。だが、日本の固有種とされる動植物は、開発や外来種の定着によって絶滅の危機に瀕するものも多い。現在ではそれら固有種を守るための法制が様々に整備されている。

◈

大陸などから隔絶した環境にある島国・日本には、動植物の固有種が世界と比べてもとても多く、日本は生物多様性ホットスポットの地域にも選定されている。動植物は、気温や標高、気候などに応じた特定の地理分布を持つ。その分布が広ければ世界中で見つけることができるし、あるいは渡り鳥のように広範囲を移動しながら生活する生物もいる。こうした種とは反対に、極端に狭い範囲に生息する動物もいる。範囲などに明確な定義はないが、それが地域の「固有種」と呼ばれるものだ。特に島では、規模が小さい生物群が隔離され、種分化が起きやすいと考えられている。

日本の固有種としては、哺乳類のシバイヌやニホンザル、爬虫類のニホンイシガメ、両生類のオオサンショウウオなどが有名だ。また、陸続きであっても、生息地が隔離されていたり、生物の移動能力が低い場合には種分化が起きやすい。例えば日本の高山植物は、その約半数が固有種といわれる。こうした種は、ただ単に珍しいというだけではなく、地域個体群の絶滅が種そのものの絶滅に直結するので保護の対象とされる。

生息数が極端に少ない希少種や、限られた環境でしか生きられない固有種などは文化財保護法の指定を受けて保護が図られている。オジロワシ、ヤンバルテナガコガネといった「天然記念物」のほか、イリオモテヤマネコ、アマミノクロウサギ、トキなどは特に重要な保護対象とされ「特別天然記念物」に指定されている。

ところが固有の動植物は、限られた地域で繁栄してきたため、外部からの脅威には弱い。環境汚染などの社会構造の変化や、外部から持ち込まれる外来種に対しては、抵抗する力が弱いのだ。こうした固有種や生息環境は、1972年制定の自然環境保全法や、2004年制定の外来生物法によって守られてはいるものの、絶滅を危惧されている種も未だに多いのが現状だ。

豆知識

1. 外来種には、外国から移入してくる動植物だけでなく、国内移動により導入された「国内外来種」もいる。長野県辰野町松尾峡はゲンジボタル生息地として長野県天然記念物に指定されたが、ゲンジボタル減少の対策として役場が観光用に他県から同種を移入したため、在来種、つまり長野県固有種の個体数減少を引き起こしてしまった。これはゲンジボタルの発光器の点滅リズムが地域によって違っていたため判明したのだが、この国内外来種は、在来種の生息域を奪ってしまったのである。ゲンジボタルは日本の固有種だが、生息域以外の地域では外来種になり得るのである。
2. 沖縄本島北部に生息する日本最大の甲虫類ヤンバルテナガコガネが正式に発見されたのは1984年。翌年、天然記念物に指定された。この種の発見が遅れたのは、生息域が在日米軍演習地で、日本人があまり立ち入らない場所だったからだ。

142 歴史 保元・平治の乱

朝廷が皇位継承問題や摂関家の内紛により「後白河天皇方」と「崇徳上皇方」に分裂し、1156年に双方が武力衝突に至ったのが「保元の乱」である。その後、この乱のきっかけともなった藤原信西（しんぜい）（1106～1160）の権力掌握に反感を持つ一団による「平治の乱」が起こった。2つの乱によって摂関政治が終わり、武士階級の台頭へとつながっていく。

◈

第74代鳥羽天皇（1103～1156）は5歳で即位し、祖父・白河法皇の院政下にあった。1129年、白河法皇が崩御すると4歳にも満たない息子に譲位し、上皇となって祖父と同じく院政を敷いた。その期間は28年、第75代崇徳天皇（1119～1164)、第76代近衛天皇（1139～1155)、第77代後白河天皇（1127～1192）の3代にわたった。

崇徳天皇の母は待賢門院璋子（しょうし）（1101～1145）だったが、実の父は鳥羽上皇ではなく、白河法皇ではないかという噂もあった。鳥羽上皇は崇徳天皇を退位させ、寵愛する美福門院との間にできた親王を近衛天皇として即位させた。しかし、近衛天皇が若くして崩御したため後継問題が起きる。候補は崇徳上皇の皇子・重仁親王と、鳥羽上皇の皇子・雅仁親王で、後者が後白河天皇として即位した結果、以下のような対立構造ができる。

	鳥羽上皇の后	摂関家	武士(平氏)	武士(源氏)
後白河天皇方	美福門院	藤原忠通	平清盛(棟梁)	源義朝
崇徳上皇方	待賢門院	藤原頼長	平忠正	源為義(棟梁)

鳥羽上皇が1156年に崩御すると、「崇徳上皇と藤原頼長が挙兵する」という噂が巷間に流れる。その発信者が藤原信西であった。彼は摂関家の出身ではないため、この内乱をきっかけに権力を奪取しようと企てたのである。信西は後白河天皇の幼少時代の教育係を務め、即位後も側近であった。信西の助言に従って天皇は勅命や綸旨を発し、平氏、源氏双方の武士の力を借りて崇徳上皇派を挑発した。崇徳上皇も追い詰められて挙兵したが、一日足らずで勝敗が決し、上皇派は敗北した。これが「保元の乱」である。崇徳上皇は讃岐に流罪となり、平忠正は甥の清盛によって処刑、源為義は長男の義朝の手によって斬首された。摂関家は忠通と頼長が兄弟だったため、父である忠実の領地のほとんどが没収となり両派が大打撃を受けた。頼長は矢の傷がもとで死亡し、忠通は関白に残ったが権威は完全に失墜した。

信西はこの戦後処理にあたって、300年以上執行のなかった死刑を復活させた。その後は絶大な権力を得たが、強引な政治手法が二条天皇親政派、後白河法皇院政派の双方から反感を買った。信西には強大な武力を持つ清盛が頼りだったが、1159年、その清盛が熊野詣でに出かけた留守を狙って反信西派が御所を襲撃し、信西は逃亡先で自害した。これが「平治の乱」である。保元の乱からわずか3年後のことだった。

豆知識

1. 保元の乱で父・為朝を斬首した源義朝は、平治の乱で敗走し、その都落ちの道中、尾張国（現・愛知県）で謀殺されてしまう。後に活躍する頼朝（162ページ参照）、義経は義朝の息子である。

143 文学 ｜ 連歌

鎌倉時代以降、連歌は和歌に代わって盛んになり、特に庶民の間で広まった。これは『万葉集』にも見られるような、語りかけや問いかけによって作られた本来の日本の詩歌の形を連歌が内包していたからだと考えられる。

◈

宗祇

連歌が本格的に栄え始めたのは13世紀くらいからで、ちょうど『新古今和歌集』が成立した頃にあたる。『新古今和歌集』の編纂を命じた後鳥羽天皇（1180～1239）が「有心」「無心」の連歌というものを創始し、宮廷周辺の歌人たちが競うように句を作るようになったという。「有心」とは雅やかで幽玄なもの、「無心」とは滑稽なものを指している。初めは「有心」と「無心」を交互につなげていたが、徐々に細かなルールが決められていく。ルールはやがて「連歌式目」として整理され、百韻、五十韻などの連歌会が催されるようになる。

後鳥羽天皇が隠岐島に流された後も、次々と連歌の新しい指導者は現れ続けた。また作り手の出自も様々で、京都の貴族はもちろん、鎌倉の武家、僧侶、庶民からも連歌の名人と呼ばれるような者が出てきた。

そもそも連歌は平和な時代よりも、戦乱期に活発になる傾向がある。鎌倉幕府が崩壊し、南北朝時代へと動きつつある動乱の頃にできたのが、二条良基（1320～1388）の編んだ準勅撰の連歌集『菟玖波集（つくばしゅう）』である。二条良基は摂政、関白という最高の政治家でありながら、同時に最高の連歌師でもあった。紀貫之（？～945）が『古今和歌集』の仮名序で、和歌のルーツを須佐之男命の「八雲立つ～」だとし、「八雲」が和歌の代名詞となったのと同様、連歌は『古事記』にある日本武尊（やまとたけるのみこと）と老人の間で交わされた下記の歌（「五・七・七」が２回続く旋頭歌）がルーツとされ、やはり「筑波（菟玖波）」が連歌の代名詞となった。

日本武尊「新治　筑波を過ぎて　幾夜か寝つる」（新治や筑波を過ぎて何晩寝ただろうか）
老人「日日並べて　夜には九夜　日には十日を」（一日ずつ数えると、夜で九晩、昼で十日です）

14世紀の末になると南北朝は合体し、15世紀初頭は比較的政情が安定する。連歌も一時期衰退したが、15世紀半ばに応仁の乱が起こると再び盛んになり、この頃、宗祇（1421～1502）の活躍が見られる。

宗祇はいわゆる「地下の民」と呼ばれる庶民から連歌師となり、その才能によって公家や地方の大名と交流した。北野連歌所宗匠として、名実ともに連歌の第一人者となった。その宗祇が編纂したのが『新撰菟玖波集』で、２例目となる準勅撰連歌集である。

144 科学・技術 天守

時代劇によく登場する「お城」。私たちが「城」と聞いて一般的にイメージする建物は「天守」と呼ばれる戦争時の司令塔であり、敵を見渡すための櫓（やぐら）の役割を持つ防御設備だった。天守は、戦争の様式が時代とともに変化したことで進化していき、それを完成させたのは織田信長（1534〜1582）とされる。中世から近世にかけ、天守は防衛施設から権力の象徴へと変化していった。

◈

姫路城の天守

日本の城というと天高くそびえる高層建築のイメージがあるが、本来、あの部分は城の一部である「天守」と呼ばれる構造物だ。そもそも城の歴史は、飛鳥時代の664年に天智天皇（626〜672）が築いた水城に始まるとされるが、この頃の「城」は平野を遮断する直線的な土塁と外濠を併せ持つ城壁都市的なものだった。城は時代とともに堅固な防御拠点の山城へと変化し、石垣や堀切などの防御施設も発達していく。

戦国時代中期には鉄砲の登場で戦闘形態が長距離戦になったため、城も平地の丘陵に築く平山城や平地に築く平城が主流となる。過渡期にあたる16世紀前半に築城された古代山城「信貴山城（しぎさんじょう）」には天守が備え付けられた。それは「高殿」や「高櫓」と呼ばれ、物見櫓、司令塔、攻城戦の最終防御設備の要素が強かった。また織田信長（1534〜1582）は、岐阜城の大型の櫓の内部を高級感のある書院造とし後に「岐阜城天守」と呼ばれている。

本格的な５重以上の天守の最初のものは、信長の近畿平定の頃の1576年に築城した近江（現・滋賀県）の安土城といわれる。天守は遠方からでも見望できる、権力を象徴する建造物としての性格が濃くなっていった。このシンボルとしての役割を強めたのが豊臣秀吉（1537〜1598）だ。秀吉は1583年に大坂城、1592年に伏見城を築城するが、いずれも絢爛豪華な天守が造営された。大坂城天守には金の茶室が設えてあったとされ、秀吉は客人に天守を見学させることを自慢にしていたという。

江戸時代になると、1609年前後に徳川家康（1542〜1616）によって高さ制限が行われ、５重以上の天守の造営ができるのは国持ちの有力大名に限られた。また1615年の一国一城令により、許可なく築城や改修・補修などができなくなり、天守も新たな造営が禁じられた。以降、天守は数を減らしていくのだが、現在でも城のシンボルとしてとらえられるあたり信長の考えたコンセプトは正しかったといえる。

豆知識

1. 天守は基本的に櫓なので、江戸時代を通して居住スペースとして活用された例は少ない。例外は、それ以前の安土城や大坂城である。江戸時代初期までに建てられた天守内には、井戸や台所、便所、畳敷きの部屋などの設備があった例もある。
2. 江戸城は明暦の大火で焼失してしまった。復興後は、城下の再建を優先させるため天守の再建を見送っている。再建された江戸城は、本丸富士見櫓を天守代用櫓としていた。
3. 江戸時代、あるいはそれ以前に建設され、現代まで保存されている天守は12カ所ある。青森の弘前城、長野の松本城、福井の丸岡城、愛知の犬山城、滋賀の彦根城、兵庫の姫路城、島根の松江城、岡山の備中松山城、香川の丸亀城、愛媛の松山城および宇和島城、高知の高知城である。これ以外のものはすべて復元天守や模擬天守である。

145 芸術 | 枯山水

枯山水は、一切水を使わず、主に石や砂のみで山水の景色を表現している庭園様式の一つである。散策が目的ではなく、屋内から鑑賞でき心を落ち着かせる空間として造られている。平安時代に編集された日本最古の庭園書『作庭記』に登場するのが最古の記録である。

◈

龍安寺の石庭

『作庭記』には枯山水について、「池もなく遣水もなきところに石をたつことあり、これを枯山水となづく」と記されている。このことから、水がないところに水を見るという造園の考え方が平安時代からあったことがうかがえるが、当初は池泉庭園の一部でしかなかった。それが、水を引くための遣水の造営が必要ないことから、水源が確保できない場所にも造園できるようになり、次第に規模が大きくなっていく。実際に流行したのは、室町時代だ。禅宗の発達とともに、その教義や世界観を表現するものとして、寺院で多く用いられるようになったからだとされる。

日本に最初の本格的な枯山水を造ったのは、禅僧の夢窓疎石（むそうそせき）（1275〜1351）である。京都の西芳寺を禅宗寺院として復興する一環で、禅の修行をする場として枯山水を造ったといわれている。抽象的で厳かな枯山水は、精神的にもその世界を理解することが求められる。華美な様子はなく、厳かで芸術的な日本人の「わび・さび」に寄り添ったその美しさは、その後武家や町人の間へも広がり、大きく発展していった。

枯山水に大きな影響を与えたのが、平安時代後期から流行した盆景と山水画である。盆の上に砂や石、植物で自然の景色を再現する盆景は、慶事の際に飾られた。このスケールを拡大して「庭」を造り、さらに禅僧たちが好んだ山水画の趣を加えたのが枯山水だった。白砂に「箒目（ほうきめ）」と呼ばれる模様を描いて、波や水の流れを表し、岩や石を不老不死の仙人がいるとされる蓬莱山（ほうらいさん）に見立てるなど、時代背景に沿った思想を反映させたのである。

江戸時代には植木を主体とした大規模庭園が主流となり、枯山水は衰退期に入る。茶人であり建築家、そして作庭家の小堀遠州（1579〜1647）によって南禅寺方丈庭園など名園が作られるも、再び枯山水が注目を集めるのは昭和初期である。重森三玲（みれい）（1896〜1975）をはじめとした古庭園の研究家が作庭に参加してからであった。有名な枯山水庭園には京都の龍安寺石庭、建仁寺の方丈庭園、東福寺の本坊庭園、泉涌寺雲龍院の庭園などがある。

豆知識

1. 京都に枯山水の庭園が発展したのは、京都の白河で取れる「白河砂」も大きな役割を果たしている。花崗岩の風化で生まれた石で、この白く美しい砂で庭園を造るのには、暮らしの上で機能的でもあった。京都は湿度が高く、日中が暗い日も多いので、白河砂にあたる日光を大きな屋根に反射させ、室内を明るくしたのだ。さらには砂を重ねて敷きつめることで、雨の跳ね返りも防ぐことができた。
2. 現在、京都・龍安寺の砂紋は、およそ10日に一度の割合で、禅を学ぶ学僧が修行の一環として１時間かけて描いている。模様を描くのに使用する砂熊手は鉄製で、庭師や造園業者がそれぞれの模様に合わせて作った特注品だ。

146 伝統・文化 | 流鏑馬

流鏑馬(やぶさめ)は、馬に乗って神社の参道などを駆け抜けながら3カ所の板的を鏑矢(かぶらや)で射る、日本の伝統的な競技である。平安時代後期より始まった武芸の一つだが、現在は伝統行事として、祭りの中のアトラクションのような位置づけになっている場合が多い。馬を馳せながら矢を射ることから、「矢馳せ馬(やばせうま)」と呼ばれ、時代が下るにつれて、「流鏑馬」と呼ばれるようになったといわれている。

◈

源平時代の流鏑馬の様子

古くは『日本書紀』の680年の条に長柄(ながら)社における馬的射が見られ、平安時代に入ると、宮廷行事として行われていたという。平安時代初期の896年、宇多天皇（867〜931）が源能有(よしあり)（845〜897）に命じて弓馬礼法（弓馬術の基本動作をまとめて作法としたもの）が成立する。流鏑馬もこの弓馬礼法に含まれ、右大臣・藤原宗忠（1062〜1141）の日記『中右記』にも記されているため、平安時代には存在したようである。平安後期から鎌倉時代にかけて武士が台頭してくると、「騎射三物」（流鏑馬、犬追物、笠懸の総称）と呼ばれる武芸鍛錬法が普及し、盛んになっていった。

平安時代の有名な弓の実力者が那須与一（生没年未詳）である。那須は、源氏方として従軍した1185年の屋島の戦いで、平氏方の軍船に掲げられた扇の的を見事射落としたとされている。『平家物語』の記述によると、「磯へ七、八段ばかりになりしかば、舟を横さまになす」とあり、これは的まで約76mから約87mほど離れていたということ。現在の日本の弓道場の的までの距離は、近的弓道場で28m、遠的弓道場で60mなので、かなり離れた距離から射落としたことがわかる。

武家時代には兵法の修練に取り入れられ、特に鎌倉幕府の奨励により盛んとなった。戦国時代以降、戦術や兵器の発達により足軽や鉄砲による集団戦闘の時代になると、一時衰えたが、江戸時代の享保年間（1716〜1736）に第８代将軍・徳川吉宗（1684〜1751）が古記録などをもとに再興して小笠原家に伝えたという。その法式は「新儀流鏑馬」と呼ばれて継承され、現在、東京都新宿区の無形文化財に指定されている。また、流鏑馬は本来の姿とはかなり変化した形で各地に伝わっているものも多いが、毎年９月16日に奉納される鎌倉・鶴岡八幡宮の流鏑馬は古式にのっとって行われている。

豆知識

1. 流鏑馬では、鏑矢が飛んでいく時に発生する高音に魔除け・破魔の効能があると信じられている。
2. 那須与一は、『平家物語』や『源平盛衰記』といった軍記物に登場するのみで、『吾妻鏡』などの同時代の歴史書には名がない。実在したかは定かではないが、墓は各地に存在する。

147 哲学・思想 稲荷神

「千本鳥居」で有名な京都市伏見区の伏見稲荷大社を総本宮として、全国の稲荷神社で祀られる神が稲荷神である。祭神名は神社によって多少異なるが、伏見稲荷大社は宇迦之御魂大神(うかのみたまのおおかみ)・佐田彦大神(さたひこのおおかみ)・大宮能売大神(おおみやのめのおおかみ)とする。もとは秦(はた)氏が奉仕した神であったが、稲荷山の木を東寺の塔の建設に用いたことなどから真言宗との関係を深め各地の寺院でも祀られるようになった。

◈

伏見稲荷大社

伏見稲荷大社の創建については『山城国風土記』に伝説が掲載されている。それによると、ある時、秦氏の祖先・秦伊呂具(はたのいろぐ)(伊侶巨(いろこ)、生没年未詳)は餅を的にして矢を射たところ、その餅は白い鳥となって山へと飛んでいった。そして、そこに稲が生えたので、ここに社を建てたという。この山が伏見稲荷大社の神体山となっている稲荷山で、後の文献によると社を建てたのは711年だとされている。餅を的にする話は民話にもあるが傲慢な長者が没落するきっかけとして語られるものがほとんどで、『山城国風土記』と結末が大きく異なる。『風土記』の話も「伊侶具の子孫は先祖の過ちを悔いて社の木を根ごと抜いて家に植えて祈った」とあるので、もとは伊侶具も自己の行為を詫びて稲の神を祀ったといった一節があったのかもしれない。ちなみに秦氏は秦の始皇帝の子孫ともいわれる渡来系氏族で、平安遷都以前の山城(現・京都府)を開拓している。治水や醸造などの先進的な技術を持っていたとされる。

一方、東寺には別の創建伝承が伝わっている(「稲荷大明神流記」)。それは空海(774~835)が紀州の田辺で稲荷神と出会い、東寺を訪ねてくるよう言ったというものである。約束通り訪れた神を空海は歓待し、稲荷山に案内してここに鎮座するよう勧めたと伝承は語る。4月の末から5月の初めにかけて行われる稲荷祭で神輿が東寺に立ち寄るのは、この由緒によるものとされる。また、『日本後紀』には、827年に淳和天皇(786~840)が病に伏したのは、占ってみたところ東寺の塔を建てるために稲荷山の木を伐ったことによる祟りだとわかったので、稲荷神に従五位下(じゅごいげ)を賜わったと記している。東寺の伝承はこうした歴史的事実を背景として成立したものだろう。

淳和天皇の祟り事件をきっかけに朝廷との結びつきを得た稲荷神は、年を追うごとに高い神階を得るようになり、ついには正一位(朝廷が神社に授けた位階の最高位)の極位に至っている。さらには朝廷鎮護の二十二社にも選ばれている。朝廷から崇敬を受ける一方で、各地の田の神と結びついて全国へ信仰が広まっていった。その過程で田の神の使いと信じられていたキツネが稲荷神の神使とされるようになった。中世後半頃より豊穣の神であることを商売繁盛の意にも解されるようになり、商家の信仰も集めた。近世には路傍や屋敷に祀られることも多くなり、そうした小祠が流行神(はやりがみ)となって人気を呼び、多くの参拝者を集めた。

豆知識

1. 稲荷神社はすべて伏見稲荷大社の分社ではなく、愛知県豊川市の妙厳寺(曹洞宗)を総本山とするものもある。これらは豊川稲荷と呼ばれる仏教系の稲荷社で、吒枳尼真天(だきにしんてん)を祀るが、この神は鎌倉中期の僧・寒巌義尹(かんがんぎいん)が宋に留学した際にその身辺を守護したとされる。

148 自然 ｜ 絶滅種と絶滅危惧種

人間の活動が増大した結果、その作用は自然界に及び、絶滅種や絶滅危惧種も増え続けている。地球環境のすべての面に人間の経済活動が深く関係している現在、絶滅危惧種の生息環境の保全は世界中で喫緊の課題とされており、日本も例外ではない。

◈

トキ

絶滅危惧種とは、文字通り「存続困難で絶滅のおそれのある種」を示す。狭義にはIUCN（国際自然保護連合）が作ったレッドリストに掲載された動植物を指し、2019年の時点では世界的に２万8338種もいるとされる。

日本では2019年、環境省の第４次レッドリストの第４回改訂版が作成されたが、前回から絶滅危惧種が１種類増加し、合計3676種の生き物が危機にさらされていることがわかった。反対に前回「野生絶滅」に分類されていた鳥類のトキが「絶滅危惧ＩＡ類」にランクダウンした例もある。これは繁殖させたトキを放鳥する野生復帰事業が順調に進んだためである。またトキに寄生するダニの一種「トキウモウダニ」も「野生絶滅」から「情報不足」にランクダウンしている。そもそも体の大きなトキは、江戸時代には狩猟の対象とされたことから激減し、近年では農薬により餌の小動物が減ったことが絶滅の危機を招いたと考えられている。

ほかに有名な絶滅危惧種としては、哺乳類のツキノワグマやラッコ、鳥類のオオタカやシマフクロウ、魚類のイトウ、昆虫のタガメなどがいる。

一方、日本ではすでに絶滅した種も少なくない。有名なのは1900年頃絶滅したと考えられるニホンオオカミだ。その原因については不明だが、おそらく人為的な駆除だけでなく、狂犬病やジステンパーなどの家畜伝染病や開発による餌資源の減少、生息地の分断などが要因となったと推測されている。絶滅種と絶滅危惧種が増えることは、私たちが暮らす地域や国、ひいては世界の生態系が失われつつあることを示しているのであり、私たちが暮らす地球の持続可能性も危機に瀕していると考えなければならない。

豆知識

1. 日本国内の絶滅危惧動植物を調査したレッドデータブックは環境省が作成している。調査と査定は、専門家で構成される検討会が生物学的観点から個々の種の絶滅のおそれを科学的、かつ客観的に評価して行っている。ちなみにレッドリストというものもあって、こちらは野生生物の名称（学名、和名、現地名など）、カテゴリーなどの最低限の情報のみをリスト化し短期間で作成するものだ。レッドデータブックには、それらに加えて形態、生態、分布、生育・生息環境保全対策などの詳細情報が盛り込まれている。
2. 特別天然記念物のオオサンショウウオも絶滅危惧種だ。オオサンショウウオは個体数が減少しているだけではなく、外来種のチュウゴクオオサンショウウオとの交雑種が増え始めたことによる遺伝子汚染も問題になっている。固有の遺伝子が失われると、少数の個体が生き延びても、世代を受け継いでいく遺伝的多様性を取り戻すことはできない。

149 歴史 平清盛(平家)

平清盛(1118～1181)は、桓武平氏の中で伊勢平氏の流れをくむ武将だ。6代前は、桓武平氏の祖で高望王の孫にあたる平将門(?～940)を討伐して貴族に取り入れられた貞盛(生没年未詳)である。白河法皇(1053～1129)の息子ではないかといういわゆる「落胤説」がまことしやかに伝えられるほど、武士よりも貴族に近い人物だったようだ。

◈

平清盛

清盛は12歳で任官した。その若さと位の高さが当時の武家では異例だったため、これも「落胤説」の一つの根拠となっている。20歳で肥後守に任ぜられ、1153年、父・忠盛の死去により35歳で平氏一門の棟梁となる。1156年の保元の乱では後白河天皇派についたが、戦後はいわゆる信西派、反信西派のどちらとも外戚関係を結ぶなど中立の立場をとっていた。清盛が熊野詣でに出かけた際に平治の乱が起きたためすぐに都に戻り、六波羅の邸に入った。反信西派は目的を達して再び分裂し、二条天皇が六波羅に逃げ込んだため、清盛は武力で平治の乱の実行者を一掃する大義名分を得た。その中には、保元の乱で同じ陣営にいた源義朝(1123～1160)もいた。義朝は死に、息子の頼朝も捕らえられたが、清盛の母の説得で頼朝は死罪を免れ伊豆へ流された。清盛は自分と対立する武士、貴族の双方を処分し、政治権力を一層強める。

天皇、上皇の双方に仕えることにより清盛は盤石の体制を築いた。1161年、清盛の妻の妹が後白河上皇に入内。義理の妹が後の第80代高倉天皇となる皇子を産むと、平家一門にこの皇子を立太子させる動きがあり二条天皇は激怒したが、清盛は天皇支持を明確にした。第79代六条天皇が幼少で即位すると、清盛は大納言に昇進して幼帝を補佐した。

1167年、清盛は50歳で太政大臣となる。しかし、当時の太政大臣は有名無実化しており3カ月で辞任。病に倒れて出家した後、1169年に後白河上皇とともに東大寺で授戒を受け、上皇は法皇となった。清盛は権力の表舞台から離れて京から福原に移ると、厳島神社の大改修や日宋貿易の拡大を進めた。貿易では宋銭や陶磁器、香料、書籍などを輸入し、原料となる金や木材などの輸出を行った。この時、清盛は九州博多の港のほか、福原に近い兵庫の港も整備し莫大な財産を築いた。1171年には、娘の徳子が高倉天皇に入内する。

「平氏にあらずんば人にあらず」という一門の絶頂を表す有名な言葉は、この頃、平時忠が発したものだといわれている。1180年、第81代安徳天皇(1178～1185)が即位し、高倉天皇が上皇になると、清盛は天皇の外祖父、上皇の伯父という絶大な権力を手にした。

後白河法皇の三男、以仁王が発した平氏追討の令旨によって頼朝をはじめ全国で挙兵が続くが、清盛はその戦いの行方を見ることなく、64歳で熱病にかかり死亡した。

豆知識

1.『平家物語』に書かれた清盛の遺言は「葬儀は無用。頼朝の首を墓前に供えよ」だった。
2. 清盛が出家するきっかけとなった病気は、サナダムシの寄生によるものだったとの説がある。

150 文学 | 井原西鶴

江戸初期の俳諧師、浮世草子・人形浄瑠璃作者である井原西鶴（1642〜1693）は、現在の和歌山県で生まれ、若い頃から俳諧師を志して大坂で活動した。後述する浮世草子作品のほかに、妻と娘を亡くした後で、本州のほぼ全部と北九州までを旅して集めた『西鶴諸国はなし』なども著している。

◈

談林派と呼ばれる江戸期に栄えた俳諧の一派では、すでに代表的な俳諧師として西鶴は有名だったという。特に「矢数俳諧」という一昼夜で作る発句の数を競う興行の創始者で、1684年には住吉社頭で２万3500句を作り、「二万翁」と号した。

その西鶴が、1682年に浮世草子第１作『好色一代男』を発表する。以降も男女の恋愛や好色生活を扱った『好色五人女』『好色一代女』などの「好色物」、武家社会を背景にした「武家物」（『武家義理物語』ほか）、町人の経済生活を題材にした「町人物」（『日本永代蔵』、『世間胸算用』ほか）などを次々と発表した。

『好色一代男』は主人公である世之介の７歳から60歳までの人生を１年１章の形で54章に分けて描いたもので、この数は『源氏物語』54帖のパロディだといわれる。ただし、作品の内容は『源氏物語』とはまったく異なる。西鶴が本作で生み出した世之介という主人公は、これまでの日本文学には登場したことのない人物として当時の読者に広く受け入れられたという。

この『一代男』の４年後に『好色五人女』が発表されるが、これを西鶴の最高傑作と評する声もある。５つの独立した物語で構成されており、いずれも当時よく知られていた実話をモデルにしている。５話中４話は主人公の処刑、自害、狂乱など悲劇的な結末となっていて、うち３話はいわゆる姦通事件である。

例えば、第３巻の「中段に見る暦屋物語」に登場する「おさん」は、奉公人の茂右衛門と不倫関係を持ち、逃避行に及ぶ。旅の途中、文殊菩薩がおさんの夢枕に立ち、「出家して尼になれば罪は許される」と告げるが、おさんはこう応えて文殊菩薩の提案を拒否する。

「すへずへは何にならふとも、かまはしやるな。こちや是がすきにて身に替えての脇心（以下略）」（『好色五人女』）

ただし西鶴には、作品を通じて徳川時代の厳しい道徳規範を批判したり、武士階級の支配から町人を解放するなどの考えはまったくなかったという。それは西鶴が政治権力について無関心だったからであり、その興味は市井の「個人」に向けられていたからともいわれる。先に挙げたおさんのセリフ「すへずへは何にならふとも、かまはしやるな」は、そんな西鶴の思想を言い表しているといえよう。

豆知識

1. 俳諧師としての西鶴の句風は極めて異質で、他派からは「阿蘭陀流」「放埒抜群」などと揶揄された。
2. 「大晦日定なき世の定かな」は西鶴の代表的な発句として知られる。晩年に書かれた『世間胸算用』は、その大晦日を舞台にした短編集で、５巻20章に、年の暮れの様々な町人の姿が描かれている。

151 科学・技術 | 水道

日本は河川や湖沼などの豊富な水資源に支えられて発展してきた。日本人は多くの水利技術を開発・導入して、その発展を支えてきた。水源から離れた内陸の場所で飲料水や農業用水を確保することは、人口を増やし、街を拡大する上で不可欠な要素である。

◈

玉川上水

水源から遠隔地に水を誘導するには、人工の「水道」が必要とされる。日本最古の水道は、16世紀頃に早川を水源として造られた「小田原早川上水」とされる。造られた時期の詳細は不明だが、1545年2月に、相模国(小田原)を訪れた連歌師の紀行文の中に早川上水の記述があるので、それ以前には完成していたようだ。戦国時代の武将・北条氏康(1515〜1571)が相模国を支配した頃、居城であった小田原城下に水を導くために造った施設だったと考えられている。早川上水は現・小田原市板橋から取水し、小田原市浜町付近にまで到達、木製の水道管(木樋)で各戸に水が引かれ、それを炭や砂でろ過して使っていたという。

1590年の豊臣秀吉(1537〜1598)の小田原征伐の際、早川上水を見た徳川家康(1542〜1616)は、これを参考に移封地となった江戸に神田上水など6カ所の水道を開削し、大量の水需要に対応したといわれている。江戸市中の東南側は湿地帯の埋立地で、当時は掘削技術も低かったため、井戸を掘っても良水は得られず、上水道の建設は不可欠だったのである。小石川上水(後の神田上水)から始まり、玉川上水、本所上水(亀有上水)、青山上水、三田上水(三田用水)、千川上水と、最終的に計6つの上水道が完成した。これは各戸まで給水をするものではなかったが、例えば江戸時代初期の長屋などで使う共同井戸は、上水道から引いた「水道井戸」であった。後の100万都市・江戸の巨大な水需要は、これらの水道が支えていたのだ。

現在のような近代的水道は、1887年、横浜の外国人居留地で初給水された。開港後の横浜は埋立地が多く良質の水が得られなかったため、居留地からの強い要望があり、水源からの水圧を加え送水する「近代水道」を開削したのだ。調査、設計は香港政庁の英陸軍工兵少佐で、津久井郡の道志川と相模川の合流地点から取水し、野毛山浄水場まで43kmもの導水線路を開通させている。導水管は従来の木樋ではなく鋳鉄管を使用。以降、水道の近代化が進み、やがて生活用水と工業用水の需要に応じ、各地にダムなど水源の確保が図られるようになるのである。

豆知識

1. 水が桶に溜まるのを待つ間に世間話をするのが「井戸端会議」の由来である。掘削技術が進んだ江戸時代中期以降は、地下水をくみ上げる「掘抜井戸」が増えていった。
2. 水道を発達させた理由の一つは衛生である。各地で水道が開削された時期は、伝染病であるコレラの流行の時期と重なることが多い。横浜の近代水道開通は1882年のコレラ流行が後押しした。また東京時代の神田上水が改良されたのも、1886年の大流行がきっかけ。大阪で近代水道導入の動機となったのも、1877年の流行だった。
3. 小石川上水は大久保藤五郎が普請を担当した。その後、拡張したのが神田上水といわれている。藤五郎は約3カ月で開削を成功させた功により、家康から「主水」の名を拝命している。ただし、水が濁ってはならないから、「モンド」ではなく「モント」と読むよう命じられたという。

152 芸術 ｜ 能

能は音楽、舞踊、演劇が融合した「歌舞劇」で、演者は七五調を基本としたセリフを「謡」という声楽ですべて表現するため、ミュージカルやオペラに近いといえる。ただ、演者が能面をつけて舞う点や、能舞台と呼ばれる舞台装置のない空間で演じられる点において、独特の芸能となっている。能を大成させたのが観阿弥（1333～1384）、世阿弥（1363？～1443？）であり、特に世阿弥は能の芸術的価値を高める功績を残した。

◈

能

能は奈良時代に中国から渡来した「散楽」が平安時代に「猿楽」となり、さらに発展したものとされる。能の代表的な演目の一つであり、天下泰平と五穀豊穣を誓って舞う「翁」は、もともと「翁猿楽」と呼ばれる祝禱芸で、座と呼ばれるグループが有力寺院や神社で演じていた。そんな座の一つ「観世座」の初代太夫が観阿弥である。大和国（現・奈良県）から早くに京へ進出した観阿弥は、子である世阿弥と能を演じ、室町幕府第３代将軍・足利義満（1358～1408）の目に留まる。これにより観阿弥・世阿弥親子は義満の後援を得、芸能界の第一人者として地位を確立した。やがて観阿弥亡き後、父のあとを継いだ世阿弥は、能楽論を21部も残し、能は完成度の高い芸能として受け継がれていく。その中でも最初の能楽論が『風姿花伝』で、観阿弥の教えと芸道に関する自身の解釈を著述したもの。７歳から50歳頃までを７期に分けて稽古の仕方を論じている。

また、世阿弥は『高砂』『忠度』『西行桜』など、数多くの作品を生み出している。『高砂』は老夫婦の姿をした松の精によって長寿と夫婦愛が語られ、住吉明神の神舞と雅楽の名曲が織り込まれた謡で天下泰平を寿ぐ。『忠度』は『平家物語』を典拠とする演目で、文武両道に秀でた武将・平忠度（1144～1184）を描く。『西行桜』は、実在の歌人である西行（1118～1190）の前に老人姿の桜の精が現れて舞い、爛漫に咲く桜の花と散っていくはかなさを表現する。

能と狂言を合わせて「能楽」といい、職業として演じる人を能楽師という。能楽師は演技や歌謡を担当する「立チ方」と楽器の演奏を受け持つ「囃子方」に大きく分けられ、立チ方の中で主役を演じるのが「シテ方」、脇役は「ワキ方」だ。囃子方は扱う楽器によって「笛方」「小鼓方」「大鼓方」「太鼓方」に分かれ、ここに狂言を演じる「狂言方」が加わる。この７つのグループを「役籍」という。演じられる能舞台は三間（約６m）四方の本舞台と向かって左に伸びる「橋掛かり」と呼ばれる廊下によって成り立っていて、能舞台を含めた劇場が能楽堂である。本舞台の後方は「鏡板」といい、大きな枝ぶりの松が描かれることから「松羽目」とも称され、これら以外に舞台装飾はなく、舞台装置が使われることもない。

豆知識

1. 役籍の下には24の「流儀」があり、一度ある流儀に所属した能楽師は原則として他の流儀に移ったり、新しい流儀を立てることが禁じられている。
2. アイルランドの作家ウィリアム・イェーツ（1865～1939）が書き、1916年に初演した戯曲『鷹の井戸』は能の特徴を取り入れた英語劇として有名。

153 伝統・文化 | 相撲

日本の国技とされている相撲は、力技による格闘技の一種で、素手、裸にまわし一枚の姿で土俵上に相対した競技者が対戦し、強さを競う競技である。相撲という字は「角力」とも書く。ルールは、相手を土俵から押し出すか、相手の足の裏以外の箇所が土俵につけば勝ちといういたって簡単なものだ。古くは武術、農耕儀礼、神事として行われた。

◈

歌川国貞『相撲絵 小柳と追手風の取組』

相撲のルーツは、柔道と同様に、『日本書紀』にある出雲国の野見宿禰と、大和国の当麻蹴速（生没年未詳）による力比べと、『古事記』にある建御雷神と建御名方神の力比べだとされている。

原始的な相撲は、弥生時代に稲作に伴う農耕儀礼として庶民の間で行われていたと考えられている。それが奈良時代に朝廷でも行われるようになり、七夕の余興として行う年中行事となった。平安時代には、相撲はその年の五穀豊穣を占う行事となり、重要な宮廷行事「相撲の節会」として発達。豊作を祈る儀式であった相撲の節会は、それと同時に諸国から猛者を募って競わせる武芸大会でもあった。優れた相撲人は、武官として宮廷に召し抱えられることもあったという。鎌倉時代に入ると、神仏に奉納するために寺社の境内で行われた「奉納相撲」が全国的に盛んとなり、室町時代には職業力士も現れ始める。相撲は武士にとって習得しなければならない技術の一つとなり、戦国大名たちは相撲見物を行い、好成績をあげた者を召し抱えたりもした。中でも織田信長（1534〜1582）は、安土城内で上覧試合を毎年行っていた。

その後、江戸時代に入ると、寺社が修繕・建築の費用を賄うために「勧進相撲」と呼ばれる興行を定期的に開始する。これが現在の大相撲の原型となった。勧進相撲で良い成績をあげることができた力士は、諸藩のお抱えになることができたという。1648年、江戸幕府は「風紀を乱す」という理由で勧進相撲を禁止するが、時を経た1742年には江戸での勧進相撲が解禁された。江戸、大坂、京都での定期興行が開催され、大相撲の興行体制が確立した。

現在の大相撲で用いられているような土俵は、江戸時代の半ば頃、相撲人気が高まるにつれて力士と観客との間に距離を設ける必要が生まれたことから作られたといわれている。相撲取りからは、雷電為右衛門（1767〜1825）や小野川喜三郎（1758〜1806）などのスターが誕生した。庶民の間でも人気のあった相撲取りは、歌舞伎『双蝶々曲輪日記』『関取千両幟』や落語『花筏』『阿武松』にも登場している。江戸時代の川柳に「一年を二十日で暮らすよい男」というものがあるが、これは当時の力士の一場所が10日間で年２場所だったことを表している。現在は一場所が15日間で、興行は年６回である。

豆知識

1. 相撲取りの贔屓は「タニマチ」と呼ばれるが、これは、大坂の谷町筋の相撲好きの医者が、相撲取りからは治療代を取らなかったためにそう呼ばれるようになったという説がある。
2. 力士の位は、上から横綱、大関、関脇、小結、前頭となる。ここまでが幕内で、その下の十両までが関取。幕下以下は給料も貰うことができない。
3. 幕内は最大42名と人数が決まっており、毎場所、番付は上下するが、一番位の高い横綱だけは相応の成績が残せない場合は、引退しなくてはならない。

154 哲学・思想 | 神楽

神楽は神に捧げる芸能をいう。現在では神社の祭りに際して行われるものを指すことがほとんどだが、かつては通夜や葬式の際にも行われた。天照大神の天の岩戸隠れの際に天宇受売命が岩屋の前で踊ったのが起源とされ、大きく分けると宮中御神楽と里神楽の2種類となる。

◈

神楽

神楽は神前あるいは神を招いた祭場で演じられる芸能のことで、神を喜ばせて災厄の除去や五穀の豊穣、健康や死者の鎮魂を願うものであった。こうした神事芸能は有史以前から行われていたと思われるが、神道においては天照大神を誘い出すために天宇受売命が天の岩屋の前で踊ったことに始まるとされている。

神楽は全国各地に様々なものが伝わっているが、宮中で行われてきた御神楽と民間の里神楽の2種類に分けることができ、さらに里神楽は形式や内容から大きく4つに分類できる。巫女による舞が中心の巫女神楽、剣などを持って舞う採物神楽と神話などを演じる神能からなる出雲流神楽、湯を沸かした釜を中心に行う伊勢流神楽、獅子舞を中心とした獅子神楽である。しかし、実際にはいくつかの要素が混じり合っていることが多く、このようにきれいに分かれているわけではない。

宮中御神楽は宮中の賢所前庭（近世以前は内侍所の前庭）で演じられる神楽で、神楽歌をうたうことが中心となっていて舞は少ない。しかし、その起源は天宇受売命の子孫とされる猿女君が天皇の魂を活性化する魂振舞・鎮魂舞をしたことにあるという。

巫女神楽は文字通り巫女の舞を中心とした神楽であるが、本来は巫女が神を依り憑けるために舞うものであった。舞を続けるうちにトランス状態になってお告げをし、それによって吉凶や作柄などを占ったのである。現在ではほとんどの巫女神楽が芸能化している。

出雲流神楽は出雲地方に典型的なものが伝わることからこの名がある。剣や御幣などの採物を持って舞う採物舞と、仮面をつけて天の岩戸隠れや八俣大蛇退治などの神話を演じる神能の組み合わせが多い。出雲の佐陀神能、九州の高千穂神楽・椎葉神楽、関東の太々神楽などが有名である。

伊勢流神楽はかつて伊勢神宮外宮の御師の家で行われていたのでこの名があるが、現在は伊勢では行われていない。釜で湯を沸かしてその湯をまくことで清めをすることが中心となった神楽で、仮面舞を伴うこともある。獅子神楽は獅子頭の霊力で魔を祓うもので、獅子舞ともいう。除災招福・延命長寿・火伏せなどが祈願される。

豆知識

1.「しし」は「いのしし」という使い方もあるように、ライオンのことではなく獣を意味する言葉であった。それゆえ「しし舞」といっても必ずしも「獅子舞」とは限らず、「鹿舞」のこともある。

155 自然 | 外来種

本来は外国にいるべき動物たちが日本にやってきて猛威を振るう。それが近年、問題になっている外来種だ。固有種の生態系や遺伝子を乱し、人間の農産業にも悪影響を与える外来種が日本に移入してきた原因には、人間の活動が深く関わっている。

◈

アライグマ

元来、日本をはじめとする世界の国や地域には、固有の動物たちが生息していた。だが、産業活動の拡大と輸送手段の発達といった人間活動の影響で、外地から見知らぬ動物が侵入することが増えていった。そうした動植物は、生態系などに悪影響を与える「外来生物」と呼ばれる。日本に定着している外来種は2200種を超えるといわれているが、「外来生物法」の定義では、明治元年（1868）以降に日本に移入された生物を指す。それ以前に移入した生物については、確かな記録や証拠を確認するのが困難なため対象外とされる。

外来種は、在来種の生息圏や餌を奪うなどして生態系に悪影響を及ぼすだけでなく、交雑することで遺伝子を攪乱、人間の農林業や漁業への被害、病原菌や寄生虫を持ち込んで人間や在来種への被害をもたらす。また在来種を補食したり、生態系に害を及ぼす可能性がある種は「特定外来生物」に指定され、生態系に害を及ぼすが、あまりに広く利用されていたり、全国に広がっている種は「要注意外来生物」に指定されている。

明治以降の外来種では、ペット、園芸・観賞用、釣り、食用、実験用などのために意図的に移入された種と、貨物や船舶への混入や付着、飼養施設から逃げ出すなどして非意図的に移入した種がある。ペットの外来種では、ミシシッピアカミミガメやアライグマが代表的だ。どちらも戦後、愛玩用に輸入され、飼いきれずに捨てられた個体が大繁殖した。最近ではカミツキガメやワニガメが問題になっている。園芸用では水草のホテイアオイやセイタカアワダチソウなどが驚異的な繁殖力で増殖し、釣り用として輸入されたブラックバスやコクチバス、ブルーギルなども全国の湖を占領している。

それぞれの動物は、本来の生息地では生態系の中でバランスをとって生息するが、外国では天敵がいないために異常に成長、繁殖してしまう。しかし最も問題なのは、思慮もなく移入を許してしまった人間活動だろう。外来種を「入れない、捨てない、拡げない」という外来種被害予防三原則で臨むことが、何よりも大切である。

豆知識

1. 明治以前に移入してきた外来種には、海外からの荷物の緩衝材として使われたシロツメクサ、観賞用だったヒメジョオン、外国産のコイ、クサガメなどがある。古代の移入種は史前帰化生物と呼ばれ、農作物とともに渡来してきたモンシロチョウ、スズメ、ドブネズミなど。これらの外来種は、数千年以上の年月を経て日本の生態系に組み込まれたと考えられている。
2. 近年でもヒアリやセアカゴケグモ、ツマアカスズメバチなど、新たな外来種の移入・繁殖の危険性が指摘されている。

156 歴史 源頼朝(源氏)

平治の乱では父の源義朝(1123〜1160)が謀殺されて当時13歳の頼朝(1147〜1199)も平清盛(1118〜1181)に捕らえられたが、死罪を免れて伊豆国に流された。清盛を母の池禅尼(いけのぜんに)が説得したからなどと伝えられるが、その理由には諸説ある。この偶然ともいえる頼朝の延命が、歴史に与えた影響は大きい。

◈

源頼朝

武家が朝廷や摂関家とつながりを持ち始めたのは平氏よりも源氏の方が早い。例えば、源氏二十一流の中で最古の嵯峨源氏では、第一源氏とされる源信(まこと)が左大臣を務めるなど、平安時代初期には藤原北家とも並ぶ勢力を朝廷内に持っていた。また、平安後期の武将で「八幡太郎」の通称で知られる義家は、史上初めて御所への昇殿を許された武士である。これは白河法皇の信頼を得て半ば強引に引き上げられた処置であり、周囲の公卿からは反発もあった。義家は清和源氏のうち河内国に根拠を置いた河内源氏の家系の3代目で、頼朝は7代目にあたる。

頼朝の流刑地となった伊豆国は、当時、平氏の強い監視下にあり、地元の有力豪族だった北条時政(1138〜1215)は平氏との関係を深め、中央への進出を目論んでいた。しかし、時政の長女・政子(1157〜1225)が頼朝と恋仲になり、時政はその関係を断とうと伊豆国目代(国司の代理)の平兼隆(?〜1180)と政子の結婚を画策する。政子はそれを拒否したため、頼朝と兼隆は対立することになった。1180年、都で以仁王(もちひとおう)による平氏追討の令旨(りょうじ)が全国に発せられると、頼朝は平氏打倒の挙兵を決意する。時政も加勢して兼隆を討ち、以後も平氏との戦いを続けていった。頼朝はすぐに京へは向かわず、東国で戦いを続けて鎌倉へ入った。1183年7月、都には倶利伽羅峠の戦いで平氏の大軍に勝利した源義仲(1154〜1184)が源氏の一番手として入京し、後白河法皇から正式に平氏追討を命じられる。特に義仲には、都の治安回復と飢饉による食料不足への対応が求められたが、多くの兵を都に留め置くだけで何の成果もあげられず、法皇の怒りを買ってしまった。9月には頼朝が義仲追討令を受け、弟の範頼(?〜1193)、義経の兵を京都へ派遣。翌年1月の宇治川の戦いにおいて義仲は討ち取られた。

その後、「治承・寿永の乱」と総称される、いわゆる「源平合戦」は、この範頼・義経軍が主力となって展開する。1184年2月の「一ノ谷の戦い」を皮切りに、1185年2月「屋島の戦い」、そして3月の「壇ノ浦の戦い」によって平氏は滅亡する。

頼朝はこの間、鎌倉幕府の整備に力を注いだ。中央には、政所、侍所、問注所という「三所」を設け、地方には守護・地頭を任免配置する勅許を得た。義経は京に戻り朝廷から戦功による官位を受けたが、頼朝にその許可を得ていなかったため怒りを買い、頼朝は義経の追討を命じた(「奥州藤原氏」141ページ参照)。1192年、頼朝は朝廷から征夷大将軍に任ぜられた。これ以降、700年近く続く武士を中心とした封建社会の始まりであった。

豆知識

1. 平氏を破り鎌倉幕府を開いた源頼朝だったが、その後、幕府の実権を握る北条氏の出自は平氏(平貞盛の子・維将の子孫)とされる。

157 文学 ｜ 松尾芭蕉

松尾芭蕉（まつおばしょう）（1644～1694）は、俳諧の芸術性を高めた「蕉風」の創始者であり、わが国を代表する俳人の一人である。現在、その名前と作品は海外にも広く知られており、代表作『おくのほそ道』は10カ国以上の言語に翻訳、出版されている。

◈

松尾芭蕉

「俳諧」は、正式には「俳諧の連歌」といい、和歌の「連歌」と区別するために「連句」とも呼ばれる。江戸時代には、松永貞徳（1571～1653）に始まる京都の「貞門派」と、西山宗因（1605～1682）を仰ぐ大坂の「談林派」が俳諧の中心を占めており、伊賀国（現在の三重県）の出身である芭蕉は、貞門派の宗匠であった北村季吟（1624～1705）に師事したという。

連歌と同様、俳諧（連句）も規則や心得が複雑化し、進行を仕切るプロの点者（俳諧師）が必要になっていた。芭蕉もその俳諧師として身を立てるため江戸へと赴き、「桃青」と名乗って日本橋に居を構え、江戸俳壇での独立を果たした。しかし、わずか数年後に突然、深川の草庵へ隠棲してしまう。門人が草庵に植えた芭蕉が繁茂したことから庵を「芭蕉庵」と呼ぶようになり、俳号も桃青から芭蕉に変えた。

当時、貞門・談林の両派は俳諧に関する論争を始めるようになっており、前者は制約を主張し、後者は自由を訴えた。しかし、あくまでも俳諧は興行や余興とみなされ、文学的な価値は認められていなかった。そのため芭蕉は両派と決別し、「わび」という文学的な詩情に立つ「蕉風」を確立する。その代表作といえるのが下記の有名な句である。

古池や蛙（かわず）飛び込む水の音

1686年、「蛙合」という発句会で詠まれたもので、本来、和歌では蛙の鳴き声に注目するが、本句は「飛び込む」動きに焦点を当て、さらに静寂を際立たせるため、ほとんど聞き取れないような「水の音」を提示する。ここに蕉風の持つ新しい俳諧性が集約している。

この翌年、芭蕉は弟子の曽良（1649～1710？）を伴い、半年間の旅に出発した。紀行文『おくのほそ道』としてまとめられる。冒頭、「月日は百代の過客にして、行きかふ年もまた旅人なり」の有名な一節で始まるこの旅の目的は、地方俳壇の開拓と、歌枕（古人が名歌を詠み残した名所）を訪ねながら、詩歌の伝統を感じ、俳句の新風を求めることにあった。

旅を終えた芭蕉は、蕉風俳諧の指導理念として「不易流行」を提唱した。「不易」は永遠不変、「流行」は流動変化を指す。この相反する課題を両立させることが、机上でなく、旅の実践によって芭蕉が得た俳句の境地であった。次の著名な句にもその思想が見える。

夏草や兵（つわもの）どもが夢の跡（『おくのほそ道』）

奥州平泉にて、かつて源義経（1159～1189）たちが戦った跡に生い茂る夏草を見て詠んだ句。「夏草」と「兵どもが夢」が、「自然」と「人生」の中にある「不易」と「流行」を対置している。

158 科学・技術 | 貝原益軒

百科事典といえば現代では複数の執筆者で編纂するものと相場が決まっているが、これを一人で書いてしまったのが江戸時代の本草学者・儒学者の貝原益軒（かいばらえきけん）（1630～1714）である。本草学は中国などで発達した医薬の学問だが、日本においては自然に存在するすべてのものを研究する博物学だ。

◈

筑前国（現在の福岡県）の福岡藩士として生まれた益軒は、幼い頃虚弱だったため読書に励み、博識を手に入れた。成長すると藩主の怒りに触れて浪人生活を送るが、紆余曲折を経て京都留学時に本草学や朱子学を学んだ苦労人である。35歳で帰藩してからは、藩内で朱子学を教えたり、朝鮮通信使への対応などを任されたりしていた。経験値や知識で、藩内で抜きんでた人物であった益軒は、藩命により藩主の家の公式記録『黒田家譜』を編纂。また、藩内を歩きまわって土地の歴史をまとめた『筑前国続風土記』を編纂する。

70歳で役を退くと著述に専念するようになった。その代表作が1709年の『大和本草』で、明治時代に、西洋式の学問が輸入されるまで、最高峰の生物学書であり農学書であった。薬用の植物、動物、鉱物以外にも、農産物や雑草も収載され、本書によって日本の本草学は自ら観察・検証することを基本とした博物学へと拡大した。

1713年の『養生訓』は、益軒が健康法についてまとめた生活心得書である。実体験に基づいた健康法や精神のケアも解説する、今でいう予防医学書である。本書において、益軒は以下の「三楽」を唱えた。

1．正しい道を歩み、善を積むことを楽しむ。
2．病気のない健康な生活を快く楽しむ。
3．長寿を楽しむ。

益軒は、裕福になることよりも、三楽が上回ると説く。富に恵まれても三楽を満たしていなければ不幸を招き、病気がちになり長く生きられないと諭す本書は広く人々に愛読された。ほかにも庶民を対象にした教育書『大和俗訓』、教義・道徳・教育等の意見を著した『慎思録』、300年前にどのような花が植えられ、どのような野菜が栽培されていたかを示す『菜譜』『花譜』などがある。益軒は、誰にもわかる平易な文体で60部270余巻に及ぶ著書を著し、84歳で没した。

豆知識

1. 益軒は数々の金言、名言を残している。人間にとって大切なことは、数百年程度では、何も変わらないのかもしれない。「朝早く起きるは、家の栄えるしるしなり。遅く起きるは、家の衰える基なり」「60歳までに種を蒔く。そして60歳を過ぎたら人生の収穫期に入りなさい」「自ら楽しみ、人を楽しませてこそ、人として生まれた甲斐がある」
2. 益軒は生まれつき身体が弱く、だからこそ身体に注意しながら人生を送ったようだ。平均寿命が50歳以下の時代に益軒は84歳まで生き、歯は一本も失わず、暗い夜でも小さい文字の読み書きができたという。「命の長短は、身体の強弱よりも、慎みを持って生きるか、欲望のままに生きるかによる所が大きい」

159 芸術 ｜ 狂言

幽玄を表現する能に対し、「笑い」や「おかしみ」を主体としているのが狂言である。能と同じく猿楽（さるがく）をルーツとし、庶民の日常や説話などを題材に、人間のおろかさや愛らしさを表現する。能が悲劇的な歌舞劇とすれば、狂言は喜劇と定義づけることができ、現代人が見ても、その面白さは理解できる。また、仮面をかぶらず、セリフと仕草で構成されている点も能との大きな違いとなっている。

◈

狂言

「猿楽」が発展して狂言となったのは能と同じである。ただ、猿楽がもともと滑稽な物まね芸であったことを考えると、能よりも狂言の方が原型に近いといえる。つまり、観阿弥（1333～1384）、世阿弥（1363？～1443？）が「謡」や「舞」を取り入れて能を大成した一方、能から排除された滑稽の部分を、狂言が引き継いだとも考えることができる。現在の「能楽」という言葉が、能と狂言の総称であるように、この両方は提携して発展してきた。原則として、能と狂言は同じ舞台で交互に演じられ、「間狂言（あいきょうげん）」といって、能の中に狂言方が登場することもある。男女の悲哀や合戦で落命した武将の悲哀、もしくは神々の荘厳な世界を描いたシリアスな能の合間にユーモラスな狂言を挟むことで、気分の緩和を図っているともいえる。

狂言は演者同士がセリフを交わす対話劇であり、現在のコントに近い。主な役柄である太郎冠者（たろうかじゃ）も親しみやすい人物に設定されており、観客に親近感を抱かせる。また、大名や主人は尊大で、僧侶は物知りぶった人物として示され、これらの権威を笑い飛ばすという風刺の面も狂言は備えている。主人公を「シテ」と呼ぶのは能と同じだが、狂言では脇役を「アド」という。またキャラクター別によるジャンル分けが確立していて、神や裕福な果報者、百姓をシテにするのが「脇狂言」で代表的な演目は『福の神』『末広』『佐渡狐』などだ。地主層を指す大名がシテなのが「大名狂言」で『入間川』『靭猿（うつぼざる）』『昆布売』などがある。太郎冠者がシテのジャンルは「小名狂言」といわれ、主な演目は『木六駄』『棒縛』『富士松』など。ほかにも「聟（むこ）狂言」「女狂言」「鬼狂言」「山伏狂言」などがあり、集大成とされる『釣狐』は、どのジャンルにも当てはまらない「集狂言（あつめきょうげん）」の演目である。

狂言は江戸時代になって、能とともに儀式のために行われる芸能「式楽（しきがく）」とされた。室町時代後期に成立した大蔵流、鷺流、和泉流による家元制度も確立。大蔵流と鷺流は幕府直属、和泉流は尾張藩と宮中に勤めるものの、明治時代に入って鷺流は廃絶する。現在は和泉流と大蔵流が活動を行っている。狂言のセリフは当時の会話言葉であり、古めかしい表現も残っているが、それでも意味は理解できる。さらに、大きな仕草も加わることで「おかしみ」が伝わり、600年以上続く古典芸能でありながら現在の観客でも楽しめるのが特徴である。

豆知識

1. 太郎冠者の「冠者」とは成人した男子の家来を指し、次郎冠者や三郎冠者が登場する演目もある。
2. ３歳頃に『靭猿』を演じ、『釣狐』で集大成を迎えることから、狂言の修行は「猿にはじまり狐に終わる」ともいわれている。

160 伝統・文化 囲碁・将棋

囲碁とは、碁石と碁盤を使ったボードゲームの一種だ。黒石と白石を持った2人の対局者が盤上に交互に石を置いていき、自分の石で囲んだ領域の広さを競う。単に碁とも呼ばれる。また、将棋とは、軍事上の演習を模したボードゲームの一種である。ルールに基づいて盤上に並べた20枚ずつの駒を交互に動かし、2人で勝敗を争う。敵の王将を取れば勝ちで、敵に自分の王将を取られれば負けとなる。古くは象棋、象戯とも書いたという。

◈

囲碁のルーツは不明だが、中国では紀元前から行われていたという。日本に伝わったのは、5～6世紀頃、朝鮮半島を経由して伝来したといわれている。日本の碁に関する最初の文献は、7世紀初めの『隋書』だ。この「東夷伝倭国」の条に「倭人は囲碁を好む」という記述がある。碁は平安時代、貴族の間で男女を問わず好まれており、当時の文学である『源氏物語』や『枕草子』を見ても、流行ぶりがうかがえる。武家や僧侶にも普及したのは鎌倉時代以降だった。安土桃山時代には本因坊算砂（ほんいんぼうさんさ）（1559～1623）という名手が現れ、天下人だった織田信長（1534～1582)、豊臣秀吉（1537～1598)、徳川家康（1542～1616）に仕えている。その後、江戸幕府は秀吉以来の碁将棋衆を召しかかえ、その中から次第に世襲制の棋院四家が定着。寺社奉行管轄下の碁所制度が確立していく。明治時代以降、棋院四家は次第に衰亡し、新興の方円社がこれに代わった。

一方、将棋のルーツは、5世紀頃に北インドで生まれた「チャトランガ」だといわれている。このチャトランガが西に伝わってチェスに、東に伝わって中国の将棋になったという。日本最古の将棋の駒は、11世紀中頃のものなので、日本には11世紀前半頃には伝来していたものと思われる。古くは大・中・小将棋など、様々なものがあったが、16世紀半ばの後奈良天皇（1497～1557）の時代に小将棋から変化した現在の形態に定着したといわれている。その後、安土桃山時代、後に初世名人となる大橋宗桂（そうけい）（1555～1634）が、徳川家康に将棋の指導をしたり、後陽成天皇（1571～1617）に詰将棋を献上したりしたという記録が残っている。江戸時代になると、碁打ちとともに将棋指しが幕府に召し抱えられ、その後、将軍の前で対局を行う「御城（おしろ）将棋」が始まった。開始当初は不定期だった御城将棋だが、後に制度化され、1716年、第8代将軍・徳川吉宗（1684～1751）の頃に御城碁とともに、旧暦の11月17日に行われるよう定められた。そのため現在、新暦の11月17日は「将棋の日」となっている。また、江戸時代の1612年から昭和初期の1937年まで、将棋界の最高権威者に与えられた「名人」の称号は終身制で、当時は3家元の中から話し合いによって決められたという。

豆知識

1. 江戸時代、将棋の「御城将棋」にあたるものが碁でも行われていた。それは、「御城碁」と呼ばれるもので、4つの家元が「碁所」になるために将軍の前で対局を行った。
2. 将棋界では、1996年に羽生善治が史上初めて7大タイトルを独占。囲碁界では2016年に井山裕太が7タイトルすべてを獲得している。羽生は25歳、井山は26歳という若さでの快挙だった。

161 哲学・思想 陰陽道

中国の陰陽五行説に基づく暦法、天文観測に基づく予知、さらには式神という鬼神を駆使した呪法などを陰陽道という。もとは中国の神秘思想であるが飛鳥時代に日本に伝わり独自の発展をした。中国の民間信仰の道教との共通点も多いが、日本では道教系の呪術は呪禁と呼んで区別する。平安時代には貴族の生活に不可欠な存在となり、陰陽道の呪法を操る陰陽師の活動は『今昔物語集』などに語られている。

◈

安倍晴明像（大阪）

陰陽五行説は古代中国の思想・信仰の基礎をなした世界観である。簡単に述べると万物は木・火・土・金・水という５元素（五行）から構成されており、陰と陽という、相反するエネルギーの作用で運動しているというものである。陰陽道ではこの考え方を暦や天文観測に応用する。例えば、五行はそれぞれ陰（弟）と陽（兄）に分かれ、木の兄（甲）・木の弟（乙）・火の兄（丙）・火の弟（丁）・土の兄（戊）・土の弟（己）・金の兄（庚）・金の弟（辛）・水の兄（壬）・水の弟（癸）という10種（十干）になる。これと天文の方位を示す十二支（子丑寅卯辰巳午未申酉戌亥）で月日の動きが表される。2020年１月１日であれば、庚子の年、戊寅の月、癸卯の日となる。こうした技術を用いて未来予知や事の吉凶などを占うものである。この陰陽五行説がいつ日本に伝わったのか正確なことはわからない。継体天皇の御代とする記録もあるが、典籍などがまとまって伝わったのは推古天皇（554～628）の頃である。しかし、活用するには至らず、暦法や占術が本格的に用いられるのは天武天皇（631？～686）から持統天皇（645～702）の頃である。

陰陽寮という役所ができたのもその頃と思われる。陰陽寮の実態がはっきりわかるのは奈良時代以降のことであるが、その役割は大きく４つあった。陰陽道の研究・教授、暦の作成、天文を観測して予兆を報告する、時刻を測って太鼓などで知らせる、である。このように奈良時代の陰陽道は技術官僚的性格が強かった。ところが平安時代になると呪術的な要素が濃くなっていく。貴族たちが不吉なことを極端に恐れたので、日や方角の吉凶を占い、凶兆である場合の対処法（いったん別方向に向かってから目的地に行く方違えなど）を陰陽師に講じさせるようになったからである。道教や密教などの影響もあって悪鬼を祓う呪術なども行うようになった。

陰陽道を専門にする家柄も生まれた。賀茂家である。中でも賀茂忠行（生没年未詳）が有名で、息子の保憲（917～977）も名人とされた。この保憲の弟子が、『今昔物語集』などの説話・伝奇物語の主人公とされた安倍晴明（921～1005）である。晴明は鬼神を駆使して様々な占い・呪法を行い、一条天皇や藤原道長の信頼を得たという。陰陽道は民間にも広まり庚申待（庚申の夜には体内の三尸という虫が天帝に悪事を報告するので寝ずにいるという習俗）などの信仰を生んだが、呪術的なものは修験道に吸収され民間ではあまり流行らなかった。

豆知識

1. 天武天皇は陰陽道、特に天文遁甲（占いの一種）が得意であったとされ、『日本書紀』には「雲ゆきから国を両分する戦いが起きるが自分が勝つ」と占ったことが記されている。

162 自然 日本犬

日本原産種である日本犬は、固有の気候風土に適応し、古代から狩猟犬として、また家庭犬として飼育されてきた。時に飼い主の性格をも反映する日本犬は、飼い主との精神的な結びつきも強く、忠実な友として海外でも人気が高い。日本犬は1971年に1犬種が絶滅し6犬種になっているが、現在でも私たちの生活の中に定着している。

◈

柴犬

日本のペットブームは過熱するばかりだが、一般社団法人ペットフード協会の2018年の調査（全国犬猫飼育実態調査）によれば、犬の推計飼育頭数は、全国で890万3千頭となっている。日本では外国産の犬種も好まれているが、伝統的な日本犬も相変わらず人気だ。

「和犬」とも呼ばれる日本犬は、1934年に日本犬保存会によって定められた「日本犬標準」に挙げられる6つの在来犬種を指すことが多い。

以下の6犬種は1931年から文部省によって天然記念物に指定されている。

秋田犬は6種の中で唯一の大型犬で、闘犬や狩猟犬として飼育されてきた。渋谷の「忠犬ハチ公」は、この犬種だ。甲斐犬は山梨県原産の中型犬。山岳地帯で猟犬として活躍し、一人の主人に一生尽くす「一代一主の犬」と呼ばれている。和歌山県原産の中型犬の紀州犬は、山岳地帯で猟犬として飼育されてきた。6犬種の中でも家庭犬としての適性が高いといわれている。柴犬は6犬種の中でも飼育頭数が特に多い小型犬で、古くは縄文時代から猟犬として飼われてきたと考えられており、賢いため番犬としても活躍する。四国原産の中型犬である四国犬は、猟犬や作業犬として飼育されてきた。北海道犬は「アイヌ犬」とも呼ばれる中型犬で、北海道の厳しい気候に耐えることができる猟犬として活躍してきた。このほか、過去には「越の犬」も入れて7犬種だったが、同種は1971年に純血種が絶えてしまった。

日本犬には、ほかにも特定の地域に生息する「地犬」がいる。信州系の柴犬・川上犬や縄文時代以来の形質を残す琉球犬などだ。いずれも個体数が少なく、保存会などが再作出の試みや固定化の努力を続けているが、すでに絶滅している地犬も少なくない。

豆知識

1. 外来種をもとに交配して作られた日本原産の犬種も、広義の「日本犬」として扱われる。狆（ちん）、土佐犬（土佐闘犬）、日本テリア、日本スピッツ、アメリカン・アキタ（グレートジャパニーズドッグ）の5犬種である。
2. 日本には縄文時代初期から縄文犬と呼ばれるイヌが存在し、縄文後期には猟犬として使われていた。弥生時代に移入された弥生犬とともに、広く東アジア地域で、オオカミから家畜化されたと考えられている。この縄文犬が、日本の固有種であるニホンオオカミが家畜化されたものでないことは、形態学的・遺伝学的にも証明されている。
3. 縄文時代の遺跡からは埋葬された犬骨が出土することがある。埋葬犬骨には骨折の治癒痕が確認された事例もあり、これは縄文人が犬を狩りの道具としてばかりでなく、情を持って接していた可能性を示唆している。

163 歴史 執権政治

配流先の伊豆国で出会った源頼朝（1147～1199）と北条政子（1157～1225）だったが、政子は父の時政（1138～1215）とともに、鎌倉幕府成立に至る過程に深く関わった。御家人の中でも特別な存在となった北条氏は、頼朝亡き後の将軍選定に強い影響力を持ち、やがては執権として幕府を実質上支配することになる。

◈

1199年、頼朝が亡くなると、第2代将軍には嫡男の頼家（1182～1204）がついた。18歳という若さだったため、その独裁的な政治判断などが御家人の反発を招き、北条氏は頼家の後見人であった比企氏を攻撃し、比企氏はこれにより滅亡する。

その後、頼家も将軍職を追放され、最後は暗殺されてしまった。第3代将軍には、北条氏の推挙によって頼家の弟の実朝（1192～1219）が就任した。この時、時政が初代の執権に任ぜられたという説が有力である。

執権・時政はその支配力を盤石なものにするため、幕府内の有力御家人の排除をさらに続けていった。1205年、時政の後妻の娘婿である平賀朝雅が畠山重忠の嫡子・重保と言い争いになったことをきっかけに、時政は重忠を討つことを決意。これには時政の息子義時、娘の政子が強い不満を示したが、重忠一族は時政によって滅ぼされた。しかし、人望のあった重忠が討たれたことが御家人の反発を招いたため、義時は父の時政を追放し、自らが第2代の執権となった。義時もまた、権力闘争を止めることはできず、幕府創設以来の重鎮で侍所別当だった和田義盛を合戦により討ち取る。これにより義時は政所と侍所の別当を兼務することとなり、以降に続く執権はこの二所を支配下に置くようになったため独裁体制はさらに強まった。

1219年、将軍・実朝が頼家の子・公暁に暗殺される事件が起こり、頼朝の嫡流はこれにより断絶する。幕府は新たな将軍に、朝廷から親王を招くことを検討して後鳥羽上皇へ要請した。上皇がこれを拒否したため、第4代将軍には摂関家の藤原頼経を迎えた。しかし頼経は1歳を過ぎたばかりで征夷大将軍の官位を受けることはできず、政子がその地位を代行し「尼将軍」と呼ばれた。後鳥羽上皇はこのような鎌倉幕府の動揺に乗じ、1221年、朝廷の復権を目的として挙兵。承久の乱である。上皇は義時追討の院宣を発し、御家人がこれに応えると期待していたが、尼将軍政子の大演説によって鎌倉武士は執権義時の下に団結した。幕府軍は西へ向かいながら兵力を集め、京に至った際には19万騎となったという。上皇は院宣を取り消して御所に引きこもり、結果は幕府軍の圧勝に終わった。

鎌倉幕府将軍には、第6代から第9代まで朝廷から皇族（親王）が下向している。執権は北条氏が独占し、世襲によって第16代（一説には第17代）まで続いた。

豆知識

1.「執権」という職名はもともと、朝廷の記録所や蔵人所で使われていたものである。鎌倉幕府では執権を補佐する「連署」、その他10名余りの「評定衆」を加えた10数名の御家人によって政務が処理されていた。

164 文学 | 川柳

江戸期には和歌、漢詩文などの雅の文学に対して、浮世草子、戯作、俳諧などの庶民文学が次々と起こった。「川柳」もその一つで、口語を用い、季語や切れ字といった俳句の規律にとらわれない自由さを特徴としている。世相批判やパロディを含むことから「うがち」の文学とも呼ばれた。

◈

川柳のルーツもまた俳諧にある。題として出された下の句の「七・七」に対して、上の句「五・七・七」を考えていく形式(「付け句」、「前句付け」)の興行を開いた俳諧師・柄井川柳(からいせんりゅう)(八右衛門)(1718～1790)が選んだ句を『誹風柳多留(はいふうやなぎだる)』という冊子として刊行すると、たちまち人気を博した。

以降、『柳多留』に収められる句は独立して「川柳」と呼ばれるようになった。また、柄井川柳没後の子孫は代々「川柳」という名跡を継いだ(2代川柳・弥惣右衛門[1759～1818]は八右衛門の長子、3代川柳・孝達[生没年未詳]は八右衛門の五男にあたる)。

寛政の改革や天保の改革など、風紀を取り締まる江戸期の政策に影響を受けることもあったが、『柳多留』は1765年から幕末の1840年までほぼ毎年刊行され、167編に11万余りの句を収録するまでに至った。

作者の出自は様々で、『柳多留』には歌舞伎役者、絵師、戯作者などのいわゆる文化人のほか、大名、上級武士などの作品も掲載されている。

蜻蛉は石の地蔵に髪を結ひ
秋の蠅しきりに拝む蓮の飯
人が見たなら蛇(くちなわ)になれくすね銭

上記の3句は、江戸時代後期の浮世絵師として知られる葛飾北斎(1760～1849)の作である。北斎は「卍」という柳号を用い、181句が『柳多留』に採用されている。特に字余り調の3句目は、同時期の俳人・小林一茶(1763～1827)の作「人来たら蛙となれよ冷し瓜」を下敷きにしたもので、この頃は和歌における「本歌取り」のように、川柳が著名な俳句を引用することも多くあったという。

豆知識

1. 第一生命が1987年から毎年募集している「サラリーマン川柳コンクール」は、現代の世相を反映した作品が多く寄せられることで有名だ。毎年1月下旬に優秀100作品が発表され、一般投票によってベスト10が決まる。ちなみに、第30回(2016年)の特別企画として行われた「歴代1位決定戦」で選ばれたのは、第5回(1991年)の1位作品「まだ寝てる　帰ってみれば　もう寝てる」(遠くの我家)であった。

165 科学・技術 ｜ 暦

天体の運行を記録し、それをデータにしたものが「暦」である。この記録と年間の気象データを照らし合わせれば、一年を通して、気候がどのように変化するかがわかる。これは現在でも農業や軍事に使われる重要な情報である。人類が古代エジプトから使っていたという「暦」は、古代日本でも政治に関わる情報として重要視されてきた。

◈

人類が、狩猟と採集から農耕の生活に移行すると、最も重要な技術になったのが適切な農作業の時期を知るための「暦」である。また、暦を作り把握することは、権力者が世を治めるためにも重要な技術であった。これを最初に体系化したのは古代エジプトだが、遠く離れた日本でも同じく重要な技術とされた。歴史書『日本書紀』には、553年、百済から暦博士が来日したとの記録があるが、本格的な暦学の伝来は、602年の百済僧・観勒（かんろく）（生没年未詳）の来日にあると考えられている。飛鳥時代後期からの律令制においては、暦道は占いや天文を担当する部署であった陰陽寮の管轄とされ、太陽や月を観測し、暦を作成することが規定されていた。しかし、中国から輸入した当時の暦道は、毎年の暦注の記入や七曜暦、中星暦の作成、日食の予測程度に限られていた。平安時代に入ると、暦日と密接な方角禁忌が貴族の間で尊重されたため、暦道もまじないの陰陽道や占星術の色合いが強い天文道などと一緒になり、技術とは違ったものに変わっていった。

江戸時代、日本では明の大統暦や西洋天文学の研究が行われ、独自に天文暦学が発展する。今日のような天文学研究が始まるのは、江戸幕府が天文方を設置してからである。数学や暦法、天文暦学、神道を学んだ初代天文方の渋川春海（1639～1715）が、日本独特の最初の暦法を作るのに成功したのだ。日本では862年から、唐よりもたらされた宣明暦を用いていた。しかし、日食予報が失敗した経験を持つ春海は、中国の暦を日本で使用すると誤差が生じることに気がつき、自らの観測データをもとに日本向けに改良した大和暦を作成。1685年、朝廷に採用されて貞享暦と呼ばれるようになった。1686年、春海は幕府の命令で江戸の麻布に移り住み、数年後に本所に天文台を建設、日本で最初の地球儀と天球儀も作っている。

やがて明治時代になると、日本にもグレゴリオ暦が導入され近代的天文学に突入した。

豆知識

1. 春海は天文暦学者であるとともに囲碁棋士でもあった。天文の法則から発想し、初手は太極（北極星）に習い、天元（碁盤中央）に石を打つべきと考えた。1670年の御城碁では「負けたら一生、天元には打たない」と豪語したが、結局は負け、以降、初手天元を置くことはなかった。その後、250石をもって天文方に任ぜられると、碁方は辞した。
2. 改暦の際、「地方時」「時差」の存在を主張したように、春海は中国や西洋では、地球が球体であると考えていることを知っていた。そのアイデアに基づき、春海は地球儀だけでなく、天球儀、渾天儀、赤道型日時計の百刻環などの天文機器を作成している。
3. 古代中国の陰陽五行思想に基づいた陰陽道は、天文学や暦学、易学、時計などを含めた日本独自の官職である。天文観測や暦時の管理、吉凶の予測を、陰陽五行を使った分析によって予言する。天文博士や暦博士も、広義の意味の陰陽師である。

166 芸術 ｜ 狩野派

日本における絵画史上、最大の画派といっても過言ではないのが狩野派である。その活動歴は約400年にわたり、一門は室町時代から江戸時代まで、権力者の御用絵師として様々な作品を残してきた。手がけたジャンルも、寺院や城郭などの巨大な障壁画から扇などの小さなものまで多岐におよび、中世から近代に至るまで、日本美術界に君臨してきた流派だといえる。

◈

狩野派は室町幕府の御用絵師、狩野正信（1434？～1530？）を始祖とし、狩野派としての基礎を築いたのは正信の子・元信（1476～1559)。元信は和漢の絵画を融合した様式を整え、また門弟も含めた工房としてのスタイルを確立する。そして一門の地位を盤石にしたのが元信の孫である狩野永徳（1543～1590）である。

永徳が活躍した安土桃山時代は大規模な城郭が造営され、さらに権力者が自身の権威を誇示するために、絢爛豪華な装飾が施された。それが織田信長（1534～1582）の安土城であり、豊臣秀吉（1537～1598）による大坂城や聚楽第である。永徳は信長、秀吉といった権力者の信任を得、先に挙げた城郭の障壁画を手がけ名を上げる。そんな永徳の若年期の代表作といえるのが、京都市中を鳥瞰的に描いた『洛中洛外図屏風・上杉本』。これは永徳が23歳のときに完成させたもので、現在は国宝に指定されている。その後、永徳は一門を率いて次々と障壁画を制作し、大名家ばかりではなく皇室や公家にも重用される。しかしその多忙さからか、東福寺の天井画を制作中に病で倒れ、ほどなく死去する。

永徳亡き後、一門の中心となったのは嫡男・光信（1565？～1608）と次男の孝信（1571～1618）である。光信は大胆な作風を用いた永徳とは異なり、繊細な画風を採用した。代表的な作品である園城寺歓学院一之間の『四季花木図襖』は、やまと絵的な静謐さを特徴とする。この画風は狩野派絵師の間に広まっていき、その様式は「光信様」として完成した。やがて江戸時代に入ると、狩野派も京都から江戸へ拠点を移す。そして、江戸における狩野派の地位を固めたのが、永徳の孫で孝信の長男である探幽（1602～1674）である。16歳で幕府の御用絵師となった探幽は、1621年に江戸城鍛冶橋門外に屋敷を構え、将軍のお目見えが許された「奥絵師」となる。探幽は狩野派の画風を瀟洒なものへと変え、「粉本」による教育システムを活用した。絵師集団の狩野派は巨大組織となり、探幽は血縁と師弟関係に基づく体制を確立する。探幽率いる一門の代表作ともいえるのが京都・二条城の障壁画だ。

また、江戸に移った狩野派（江戸狩野）とは別に、京都に残った一派もある。永徳の弟子である狩野山楽（1559～1635）を始まりとする「京狩野」だ。京狩野は主に公家とのつながりを強め、中でも『禁裏御所障壁画』の制作で中心的な役目を果たした９代永岳（1790～1867）は知名度が高く、『妙心寺隣華院障壁画』などの作品を残す。だが、江戸狩野派も京狩野派も明治維新によってパトロンを失い、御用絵師の役割は消滅した。

豆知識

1. 狩野派の発展に役立てられたのが「粉本」で、絵師が参考にする古画の模写や写生帖の総称を指す。模写を課すことは絵師の基礎訓練として重要な役割を果たすが、個性がなくなり画一的な作品が多くなるとの批判もある。

167 伝統・文化 | 盆栽

盆栽は、単なる鉢植えとは違い、鉢という限定された空間の中で大自然の風情を表現することが求められ、「鉢の中の小宇宙」と称えられる。草木を鉢に植え、枝ぶりなどを整えながら自然の姿を壊さぬように培養する日本の伝統芸術である。「陶磁器で作られた鉢（盆）の中で草木を栽培する（栽）」という意味がある。様々な種類があり、松類が代表的な盆栽だが、花物、実物、草物、葉物などもある。

◈

盆栽のルーツは、唐の時代から中国で行われていた「盆景（ぼんけい）」だといわれている。盆景とは、盆の上に石や土を敷いて木を植え、自然の情景を作り出すもので、日本には平安時代に伝わったそうだ。

盆景は、平安時代、「盆山（ぼんさん）」の名で呼ばれていた。古くは「鉢木」「作りの松」などとも呼ばれたようだ。鎌倉時代の絵巻物である『春日権現験記絵』や『西行物語絵巻』には、盆山の絵が描かれている。また、謡曲『鉢木（はちのき）』を聴く限り、貴族や武士の間で親しまれていたようである。室町時代後期、第８代将軍・足利義政（1436〜1490）が盆栽の世話をしていたという記録がある。盆栽は当時の東山文化のもとで飛躍的な発展を遂げた。そして、江戸時代に入ると、大名から庶民まで、盆栽を楽しんでいたという。例えば、第３代将軍の徳川家光（1604〜1651）である。家光は熱心な盆栽の愛好家で、特に五葉松の盆栽がお気に入りだったそうだ。家光が育てたいくつかの松の盆栽は、今でも大切に保管されている。また、当時の浮世絵にも盆栽は描かれている。明治時代に入ると、盆栽はさらに盛んになり、政財界の重鎮から文化人までが上流階級の趣味としてたしなんでいたという。

粋な趣味としてもてはやされた盆栽だったが、手間がかかるのと、栽培に長い年月が必要なため、時間的余裕のあるご隠居などの趣味へと移行していった。しかし、1970年の大阪万博で盆栽展が開かれたのを機に、欧米で盆栽の専門誌が発行されるなど人気となり、その後、中国、台湾、インドネシアなどのアジア諸国でも人気を集めた。現在は、世界40カ国以上の人々が盆栽を行っており、海外でも日本語の発音をもとにした「BONSAI」の呼び名で通じる。

盆栽は、「剪定」「針金かけ」「植え替え」などの様々な手入れを行う必要がある。剪定とは、盆栽としての骨格を決める大事な作業で、ハサミや専用の道具で枝を切る。また、針金かけとは、盆栽の姿を美しく整えるための作業で、枝や幹に針金をかけ、その力を利用して樹に曲がりをつけたり、不自然な曲がりを直したりする。植え替えとは、樹の生育を助けるための作業で、鉢の中でいっぱいになった根を切り、新しい土に植え直す作業である。

豆知識

1. 盆栽の名品には、樹齢100〜300年以上の品がある。例えば「青龍」と命名された五葉松は、なんと樹齢350年と推定されている。
2. 盆栽に使う松の品種は多数存在するが、中でも葉が短く、節間が短い「八房」という種類は、小さな鉢の中で大木を表現するのに適しており、珍重されている。

168 哲学・思想 | 御霊信仰

御霊とは強い怨みを持って死んだ者が疫病を流行らせるなどの祟りをなす霊となったもののことをいう。御霊信仰はそうした御霊を祀り上げ、境界の外へ送り出す祭り・儀礼のことを指すもので、奈良時代後半頃に成立したと考えられる。平安時代に入って広まりをみせ、御霊を祀る神社も建てられた。菅原道真（845～903）や平将門（？～940）などへの信仰も御霊信仰の一種といえる。また、祇園祭（181ページ参照）も御霊信仰から成立した祭りである。

◈

『古事記』『日本書紀』の神話では人間は「青人草」などと呼ばれて取るに足らない存在として扱われている（神の子孫を除く）。神は人間に似た姿のものとして語られ、時には人間と交わって子どもを作ることもあるが、人間と神の区別は明確で、修行や徳を積むことで人が神に変わることはなかった。ところが奈良時代後半頃より強い怨みを持って死んだ者が、疫病の流行といった祟りをなすと信じられるようになり、これを神として祀る風潮が生まれた。言い換えると、怨霊を疫病神（疫病を流行らせる神）などと同一視するようになったのである。こうした信仰を御霊信仰といい、祀られる霊（人）を人神という。

御霊信仰がいつ発生したのか正確なことはわかっていないが、大宰府に左遷されて反乱を起こし討伐された藤原広嗣（？～740）の霊を唐津市の鏡神社に祀ったのが早い事例と思われる。御霊信仰は奈良時代末から平安時代にかけて都で広まるが、その背景には急速な都市化があったのではないかともいわれている。都に人が集まり人口密度が高まる一方、汚物の処理などが追いつかず、疫病が流行りやすい環境が整ってしまったのだが、当時の人々は疫病流行の真の原因がわからなかったため御霊のしわざと考えたのである。

疫病神への信仰は御霊信仰の流行以前にもあった。疫病は村落の存続を危険にさらすものであったから集落に入れさせないよう、また入っても広まらないうちに終息するよう、疫病神を祀って集落の外へ送り出す祭儀が行われていたと思われる。御霊信仰はこれを都市の祭りに発展させたのである。記録に残る最初の御霊会は863年に神泉苑（内裏の南にあった大庭園）で行われたもので、崇道天皇（早良親王）・伊予親王・藤原夫人（藤原吉子）・橘大夫（橘逸勢）・文大夫（文室宮田麻呂）・観察使の怨霊が祀られた。御霊信仰の中で最も広まったのが菅原道真に対するものであったが、道真の祟りは疫病の流行ではなく左遷に加担した者たちに限られていたため、御霊としての性格は早くに薄れ、福徳をもたらす神として信仰されるようになった。中世以降、祇園祭を除いて大規模な御霊会は行われなくなるが、御霊を畏怖する信仰は近代まで残った。近世の例では圧政に抗議し、将軍に直訴して死罪になったとされる佐倉惣五郎（佐倉宗吾、生没年未詳）が有名である。

豆知識

1. 863年の御霊会で祀られた御霊のうち観察使だけ具体的な氏名が挙げられていない。藤原仲成もしくは藤原広嗣だろうとされているが、なぜ名前が伏せられたのか謎である。また、この御霊会では神泉苑の4つの門が開放され、庶民が観覧するのを許した。朝廷の祭りとしては珍しいことである。

169 自然 | ヤマネコ

日本国内には2種類のヤマネコ類が生息している。生態系の上位に位置する肉食動物は、人間の生活活動の影響を受けやすい種でもある。ヤマネコ類も、かつて本土にいた種は絶滅し、現在の2種も絶滅危惧種に指定されている。

◈

イリオモテヤマネコ

日本には野生のネコ科の固有種が2種、存在している。ツシマヤマネコとイリオモテヤマネコで、両者ともユーラシア大陸に広く分布するベンガルヤマネコの亜種である。ツシマヤマネコは10万年前、イリオモテヤマネコは20万年ほど前に、当時、地続きだった大陸側から日本にやってきたと考えられている。

現在では、ツシマヤマネコは対馬にのみ、イリオモテヤマネコは西表(いりおもて)島にのみ分布するが、縄文時代後期までは本土にも、大陸から渡来したオオヤマネコがいたことが遺跡からわかっている。これはベンガルヤマネコよりも大型で、寒い地方に生息するネコ類だ。それ以前にはベンガルヤマネコも生息したと考えられているが、何らかの理由で絶滅してしまったようだ。

ツシマヤマネコの存在は古くから知られており、200年ほど前の文献にも「山猫」として記述されている。20世紀初頭までは対馬全域に分布していたと考えられ、ヤマネコを狩る猟師も存在した。しかし第二次世界大戦後は、森林の開発や耕作地の放棄が進み、食物となっていた小動物の減少、野猫や野犬の増加が生存環境を圧迫。1990年代からは野猫から感染したFIV感染症や交通事故での死傷も増加し、2010〜2012年に行われた生息状況等調査（第4次特別調査）では、生息数はわずか70〜100頭と推定された。

イリオモテヤマネコは、八重山列島の西表島で発見された。以前から西表島にヤマネコが存在するとの噂はあったが、1965年、動物文学作家の戸川幸夫（1912〜2004）が情報の入手や標本の収集に奔走し、日本哺乳動物学会（現・日本哺乳類学会）が鑑定を行った。そして1967年、ついにメスの若い個体が捕獲された。イリオモテヤマネコも開発や交通事故などで数を減らし続けており、2005〜2007年の第4次調査では、生息数は100頭程度と推定された。

豆知識

1. 日本で最も有名なヤマネコの話は、宮沢賢治（1896〜1933）が1924年に発表した『どんぐりと山猫』だろう。ある秋の土曜日、一郎少年のもとに山猫から裁判に出席してほしいとハガキが届く。物語の山猫が時代的にツシマヤマネコをモデルにしているかどうかは不明だが、陣羽織や裁判用の繻子の服など着込んだ堂々とした姿で描かれている。
2. 対馬ではツシマヤマネコよりも大型の「オオヤマネコ」が存在するとの噂がある。同種は全身が黄土色の毛で覆われているという。
3. ツシマヤマネコの発見に尽力した戸川幸夫は、動物学の知識に沿った「動物文学」を確立した文学者でもあった。1954年には、かつて飼育していた高安犬との交流を描いた動物小説『高安犬物語』で直木賞を受賞している。

170 歴史 ｜ 元寇

鎌倉時代の僧・日蓮（1222～1282）は1260年に著した『立正安国論』の中で、正法を用い、謗法を禁じなければ7つの大難が起こるとし、その一つが外国の侵略を受ける「他国侵逼難」であると予言した。1266年から1272年までモンゴル帝国（蒙古）の皇帝フビライ・ハン（1215～1294）は6度にわたり日本へ使節を派遣し服属を迫ったが日本は従わず、蒙古はその後2度にわたり日本に侵攻した。これを元寇とよぶ。

◈

1271年、時の執権・北条時宗（1251～1284）は、九州（鎮西）に所領を持つ東国の御家人に対し、蒙古襲来に備えて警護に赴くよう命じた。これがきっかけで東国から九州に赴き、そのまま土着する御家人もあった。一方、朝廷には軍事力がなかったため石清水八幡宮や東寺に敵国降伏の祈禱をさせた。京都は九州から遠く、さしあたり戦乱に巻き込まれる心配はなかったが、御家人による警護が始まって以来、西国の年貢米が兵糧とされ都に届かなくなったため、洛中は飢餓状態になりつつあった。「蒙古乱入セズトモ、此ノ飢渇ニハ死ヌベシ」という一節が石清水八幡宮の書物に残されている。

1274年、3万を超える蒙古・高麗軍が対馬に襲来した（10月5日）。対馬制圧後は壱岐も攻め落とし（同14日）、九州博多湾に上陸したのは同20日のことであった。戦闘は朝から10時間ほど続き、戦法や武器の違いで劣勢となり、やがて本陣が奪われ、敗残の兵は城に引き返した。蒙古軍は陸上で陣を張らず軍船に引き上げたが、その夜、博多湾に大風が吹き荒れ1万3千人以上の蒙古兵が海上で死んだとされる。日本軍は一夜明けてその事実を知ったという。これが「文永の役」である。チンギス・ハン（成吉思汗、1167？～1227）によるモンゴル帝国の創建以来、急速に領土を拡大してきた蒙古兵は戦闘に慣れていた上に、鎧は軽く、弓矢は短いが飛距離があり、矢じりには毒が塗られていた。日本軍を一番驚かせたのは「てつはう」だった。手榴弾のようなもので、蒙古軍は退却時に用いたという記録がある。火薬を知らない日本兵はその轟音と閃光に恐れおののいたという。また武将の名乗りや一騎討ちなどは蒙古軍の戦法になく、常に集団で戦うため武士たちは次々に討ち取られた。文永の役で幕府は蒙古・高麗連合軍を撃退したと考え、一時は高麗への逆襲を計画したが、実行はされなかった。すでに設置していた異国警固番役をさらに強化し、九州の御家人が季節ごとに警護に当たった。フビライは1275年と1279年、それぞれ第7回、第8回の使節団を日本へ派遣してきたが、幕府は両方の使者を斬首に処している。

2度目の元寇「弘安の役」は1281年、前回の5倍、15万近い兵力で蒙古・高麗連合軍が4000隻を超える軍船で日本に迫った。蒙古軍は2つに分かれて行動し、対馬や壱岐、博多、志賀島などでの勝利を経て、全軍が伊万里湾の鷹島に集結。最後の決戦に備えたがそこに台風が襲来。日本軍が残敵の掃討に出た結果、敵軍を7～8割あるいはほぼ全滅させる戦果をあげたとの説もある。

豆知識

1. 元寇は鎌倉幕府の支配権を大幅に拡大、浸透させた。戦争を理由に幕府が荘園や寺社の権益に介入する実績を得たこと、九州・西国の守護が北条氏一門の御家人となり、権力基盤が強化されたことが要因だった。
2. 蒙古軍の鉄兜、剣、石弾など軍備品の遺物は数多く残され、現在も地元の資料館に所蔵されている。

171 文学 『雨月物語』

江戸時代の長崎や薩摩、琉球には「唐通辞」と呼ばれる通訳が置かれていた。彼らの学習用に持ち込まれたのが白話（口語）小説である。著名な作品としては『三国志演義』『水滸伝』『西遊記』などがある。中国では明、清の時代に多くの白話小説が作られ、ここで紹介する『雨月物語』にも大きな影響を与えた。

◈

『雨月物語』の作者・上田秋成（1734〜1809）は大坂で私生児として生まれ、幼い頃に富商の養父母に引き取られた。長じては、国学、和歌、俳諧などにも通じた文人となったが、特に若い頃、俳諧で知り合った友人からもたらされた中国の白話小説は、秋成を小説の道に進ませるきっかけとなったといわれている。秋成は、1766年頃、浮世草子の作者として江戸文壇にデビューしたが、後を継いだ養父の店を火災で失い破産した。その後、医学を学び、医療活動を始めている。『雨月物語』は、浮世草子発表の頃にはすでに執筆が始まっていたと見られるが、そのような災難と転職があったため、上梓されたのは1776年のことであった。漢文で書かれた『雨月物語』の序文には、以下のようにある。

「明和戊子晩春　雨霽月朦朧之夜　窓下編成　以畀梓氏　題曰　雨月物語（明和五年晩春、雨が上がり月が朧にかすむ夜、書斎の窓のもとに編成して書肆に渡す。題して『雨月物語』という）」

秋成は幼少時、疱瘡にかかった影響で左右の手指が変形し、短かった。そのことをずっと気にかけていたのか、この序文の末尾には、短い指を剪定された枝にたとえた「剪枝畸人」という号を用いている。

『雨月物語』は中国の白話小説をもとにした伝奇小説、怪異小説で、全５巻に９編の小説（「白峯」「菊花の約」「浅茅が宿」「夢応の鯉魚」「仏法僧」「吉備津の釜」「蛇性の淫」「青頭巾」「貧福論」）が収録されている。

共通するテーマは「執着」で、ジャンルとしては怪談ととらえることもできるが、凄惨な殺人や、ことさら恐怖をあおる場面の描写はない。作中において、幽霊や妖怪は人間の情念を極限化した存在として描かれている。

本作の上梓後、秋成は国学に専念するようになり、『万葉集』の研究書執筆や、賀茂真淵（1697〜1769）の著書校訂、本居宣長（1730〜1801）との論争も行っている。晩年に近い1808年に、短編小説集『春雨物語』を刊行するが、死後も草稿が断続的に発見されるなど、全編の完成には至らなかったようだ。またこちらでは『雨月物語』のような中国渡来の素材は用いられていなかった。

豆知識

1. 本作は、後世に派生作品が多く作られており、中でも有名なのが1953年に製作された溝口健二監督による映画『雨月物語』である。戦乱によって京からの帰郷をはばまれた勝四郎が、亡霊となった妻の宮木と再会する「浅茅が宿」と、網元の次男の豊雄が、真女児という女に化けた蛇につきまとわれる「蛇性の淫」の原作２話をもとに脚色したもので、1953年にヴェネツィア国際映画祭銀獅子賞（金獅子賞は該当なし）を受賞した。

172 科学・技術 『農業全書』

日本の農業では、狭い土地に多くの資本や労働力を投入し、高い収益をあげる「集約農業」が行われてきた。その限られた条件の中で、いかに生産性を上げるかを研究する農学の研究書が最初に刊行されたのは江戸時代である。元筑前福岡藩士の宮崎安貞（1623～1697）が、長年にわたる体験や見聞をもとにして書いた1697年の『農業全書』は、後の日本の農業に多大な影響を与えた。

◈

農業生産の技術革新が最初に行われたのは江戸時代である。次第に巨大都市となっていく江戸の食料需要を満たすためには、農業により、膨大な人口に見合うだけの作物を作らなければならない。そのため箱根用水や見沼代用水の整備や新田開発がなされ、江戸開府時には耕地面積が２倍近くに拡大した。備中ぐわなど農具の改良も進み、肥料も干鰯、油粕などの金肥が使用されるようになった。その背景には、1650年頃から年貢徴収の体制が緩み始めたとの事情があり、農業の創意工夫で、農民自身を豊かにすることができたからである。当時は、年貢を納めた後、余った農作物分を商品作物として売ることができたので、農民たちは最新の農業技術を導入し、作業を効率化して生産に励んだのだ。

1697年には、日本最古の総合的農書『農業全書』が刊行された。農書とは、農業における各作業や作物の栽培法などについて詳しく述べた研究書で、著者の宮崎安貞は、元筑前福岡藩の山林奉行だったが、30歳で職を辞して農耕をしながら技術の改良に努めた人物だ。『農業全書』は、明の『農政全書』を手本とし、著者自らの経験だけでなく、筑前藩をはじめとした西日本の近隣諸国を巡回して経験豊かな農民たちの農業を視察・取材して、当時の農業先進地だった畿内の多肥集約的農法についてまとめたものだった。

農民たちは『農業全書』などを通して得た最新知識をもとに作業を改良。それにより様々な作物の適地適作が進んだ。『農業全書』は以後の農業にも大きな影響を与えているが、安貞自身は本書の出版と同年の1697年に亡くなっている。本書の刊行によって日本の農業は飛躍的に発展したが、この本の刊行がきっかけで、農村は商品経済に巻き込まれることになっていく。

豆知識

1. 宮崎安貞が『農業全書』を執筆したきっかけは、知り合いとなった本草学者の貝原益軒（1630～1714）の勧めだった。そのため『農業全書』の序文は益軒が書いている。『農業全書』成立の背景には本草学があったのである。水戸の徳川光圀は本書を絶賛し、第８代将軍・徳川吉宗も座右の書に加えたといわれている。
2. 『農業全書』は、手で書き写す写本ではなく大量生産が可能な木版本として刊行され、ベストセラーとなった。以降の農書に大きな影響を与えたのみならず、明治時代の初めまで再版され続けた。
3. 宮崎安貞と並ぶ江戸の三大農学者には、三河国田原藩の産物御用掛などを務め、生涯に33部79巻の農書を刊行した大蔵永常（1768～1860？）、農政、物産、兵学など広範の学問の著書を著した佐藤信淵（1769～1850）がいる。

173 芸術 ｜ 千利休

戦国時代から安土桃山時代にかけて、織田信長（1534〜1582）、豊臣秀吉（1537〜1598）という時の権力者に仕え、茶の湯を文化へと昇格させた千利休（1522〜1591）。わび茶の完成者として知られ、秀吉とは政権に大きな発言力を持つほど密接なつながりを持ち、名だたる大名や武将を弟子にして名声と権威を誇る。彼が茶道を極めるために説いた教え『利休七則』は、今も日本文化における「もてなし」「平等の精神」の基本となっている。

◈

千利休

千利休は16歳で茶の道に入り、その後、堺の豪商茶人であった今井宗久（1520〜1593）、津田宗及（？〜1591）とともに、信長に茶頭として召し抱えられた。利休は当初、宗易と名乗っており、利休としたのは1585年だ。秀吉が関白就任の際、その返礼として天皇に茶をたてる「禁裏茶会」を取り仕切る時、町人の身分では参内できないため正親町（おおぎまち）天皇（1517〜1593）から下賜されたものである。利休はこの時すでに63年の齢を重ねていたが、この禁裏茶会によって天下一の茶人としての名声を轟かせた。さらに1587年、秀吉は「北野大茶湯」を北野天満宮で開催する。この総合演出を利休が担当し、秀吉の大きな信頼を得た。その後、利休は「わび茶」の完成へと注力した。村田珠光（1422／1423〜1502）の説く「不足の美」（不完全だからこそ美しい）に禅の思想を取り入れ、茶器から作法、茶の構造に至るまで極限まで簡素化することで、緊張感を生み出すことを追求する。また、利休が考案した、口が狭く定位置にある「にじり口」は、天下人だろうが、一般人だろうが、いったん頭を下げないと中に入れない。これは茶室の中では誰もが平等の存在であることを表現したものである。この卓越した哲学と美学を持つ利休に名だたる大名も競って弟子入りし、中でも蒲生氏郷（1556〜1595）、芝山監物（生没年未詳）、細川三斎（1563〜1645）は秀でた才能を発揮し「利休門三人衆」と呼ばれた。こうして知識と高い精神性を持った人物が利休の周りに集まることで、利休の権力はふくらんでいく。同時に、利休は身分関係なく驕らない気持ちで接するという「和敬静寂（わけいせいじゃく）」の考えを貫き、秀吉に対等な態度で接し続けた。この態度が天下人となった秀吉の反感を買い、1591年に切腹を命じられる。利休は70歳で人生を終えたが、晩年の秀吉はこれを後悔し、利休の好んだ「わび」の茶室を建てさせた。

利休の死後、堺にある家産を長男の道安（1546〜1607）が継ぎ、やはり茶人としての生涯を送っている。さらに京都の千家を後妻の連れ子である少庵（1546〜1614）の長男、宗旦（1578〜1658）が再興。さらに宗旦の子どもたちにより武者小路千家、表千家、裏千家と分かれ、千利休の茶の湯の流れをくむこの三家は「三千流」と呼ばれ、現在も続いている。

豆知識

1. 切腹の理由については、秀吉が千利休の慢心を懲らしめるためというのが定説になっているが、利休に極秘の情報が集まり、権力を拡大させていくのを秀吉が恐れた、との説もある。
2. 利休の切腹後、京都で「石田三成（1560〜1600）が利休の妻と娘を蛇責めの拷問にした」という噂が流れていたことが吉田兼見（1535〜1610）の日記『兼見卿記』に記されている。これは三成を敵対視する武将が流したガセネタであり、利休の妻が亡くなったのは、利休切腹から９年後である。

174 伝統・文化 | 日本家屋

取り外しが可能なふすまや屏風を用いた自由度の高い空間づくり、自然との一体感を感じられる縁側の存在、障子を用いた光の取り入れ方など、伝統的な日本家屋には日本人が古来から持つ生活様式や美意識が反映されている。現在の日本家屋の原型は、鎌倉時代から室町時代にかけて成立した。

◈

平安時代から中世にかけて貴族住宅の様式である寝殿造が成立したといわれている。当時は部屋の全面に畳を敷くのではなく、部分的に敷いていた。畳とは、ワラを縫い合わせた畳床の上に、イグサで編んだ畳表を縫い付けたものだ。通気性があり、汗を吸い取ってくれるので、高温多湿の日本の夏に適している。

部屋に畳を敷き詰めるようになったのは、その後の東山文化の時代だった。足利義政（1436～1490）が慈照寺（銀閣寺）の東求堂に設けた「同仁斎」には畳が敷き詰められたといわれている。部屋全体に畳が敷き詰められるようになると、上部に鴨居、床に敷居が作られ、間仕切りとしてのふすまや障子が使われるようになった。ふすまや障子は欧米のドアと違い、簡単に取り外せるので、開け放てば屋内に広い空間を作ることができた。部屋ごとの仕切りが固定されていないのは、日本家屋の大きな特徴といえる。また、昔の日本は家具を置く習慣がなく、座卓や布団など、持ち運びできる道具を出し入れすることによって、一つの部屋を書斎にも、居間にも、寝室にもすることが可能だった。

安土桃山時代に入ると、寝殿造から発展した書院造が完成を見る。書院造の構造は、門を入ると広間（あるいは主殿）があり、その奥に主人の内向きの接客空間である対面所、居間および寝室である書院、御寝所があり、さらに奥に夫人の居室である御上（おうえ）があった。台所などの空間はそれらの空間をつないで設けられていた。

戦国時代以降、織田信長（1534～1582）が天下統一に乗り出すと、住宅も発展を遂げ、信長や豊臣秀吉（1537～1598）ら権力者たちが己の威厳を示すために安土桃山風と呼ばれる豪華な書院造の建造物を作り上げた。その後、書院造は、江戸時代を通じて武家住宅および上層の民家の様式として一般的なものとなる。さらに、江戸時代の初期には、茶室の要素も入った数寄屋造の住宅も生まれた。明治時代に入ると、ガラスが量産されるようになり、障子の一部にガラスを使った「額入り障子」や開閉できる障子をガラスの内側に組み込んだ「猫間障子」などが考案され、障子を閉めたままでも外を眺めることができるようになった。また、日本家屋の特徴に内と外を明確に隔てようとしない曖昧さがある。家屋の中にいながら自然を感じられる縁側は、内と外をつなぐ、まさに中間地帯である。

豆知識

1. 障子はもともと、折り畳んで持ち運べる屏風や衝立、ふすまから戸まで、間仕切りの総称だったといわれている。
2. 座敷と縁側の障子は、和紙を通して外の光を優しく室内に迎え入れることができる。作家の谷崎潤一郎（1886～1965）は、この日本家屋特有の繊細な明るさのことを、随筆『陰翳礼讃（いんえいらいさん）』の中で言及している。この著作はフランスで翻訳され、ミシェル・フーコー（1926～1984）ら知識人たちに大きな影響を与えた。

175 哲学・思想 | 祇園祭

祇園祭は、京都の八坂神社と山鉾町の主催で7月いっぱいかけて行われる祭りである。または八坂神社や津島神社（愛知県津島市）から広まった祭りをいう。疫病を町から追い払うための祭りで、華麗に飾りつけた山鉾（山車）を運行するところに特徴がある。

◈

祇園祭で御池通を進む山鉾巡行の行列

祇園祭の起源を語るものとして「蘇民将来伝承」がある。この話は『備後国風土記』に収録されたものが詳しい（『備後国風土記』は散逸して現存しないが、一部が『釈日本紀』に引用されて残っている）。それによると、昔、武塔神が南海の神の娘に求婚しようと旅をしていると途中で日が暮れた。ここには将来という名の兄弟が住んでいたが豊かな弟（巨旦将来）は食べ物を惜しんで宿を貸さず、兄の蘇民将来は貧しかったが喜んで武塔神を泊めた。その後、南海の姫と結ばれ8人の子を得た武塔神は、帰途で蘇民将来を訪ね、その家族に茅の輪を腰につけさせた。そして、茅の輪をつけていない弟の将来一家を皆殺しにすると、自分が須佐之男命であることを明かし、「以後、疫病が流行ることがあれば、蘇民将来の子孫だと言って腰に茅の輪を下げれば無事に過ごせるだろう」と教えた、とされている。同様の話は陰陽道の典籍の一つ『簠簋内伝』にもあり、そこでは訪ねてくる神は牛頭天王となっている。この説話からわかるように祇園祭で祀られる神は疫病神であり、祇園祭は御霊会の一種と考えられている。実際、古くは祇園御霊会と呼ばれていた。しかし、祇園祭には怨霊に対する畏怖はないので、まったく同じ信仰とはいえない。祭に「祇園」とつくのは、中心となっている八坂神社がかつて祇園感神院または祇園社と呼ばれたことによる。祇園とは釈迦が教えを説いた祇園精舎のことで、祇園社の祭神であった牛頭天王が祇園精舎の守護神であったためこう呼ばれるようになったとされる（異説もある）。

祇園祭の起源は、869年に神泉苑（内裏の南にあった大庭園）に66本の鉾を立てて祇園の神を祀ったことに始まるという。このように鉾を立てるのが祇園祭の特徴で、ここに疫病神を寄り憑かせて送り出した。現在では鉾は山鉾と呼ばれる山車に発展しており、33基が巡行する。祇園囃子などの芸能が伴うのは御霊会共通の特徴で、祟り神は賑やかに祀って送り出すものとされていた。中世になって経済力をつけた町衆（商工業者）は競って山鉾などを飾りつけ、現在の祭りの形に発展した。なお、祇園祭は全国に広まり各地の神社で行われているが、一部には津島神社から伝わったものもある。

豆知識

1. 6月末日には各神社で半年分の穢れを祓う大祓が執行され、茅で作った輪をくぐる茅の輪くぐりが行われる。この儀礼も蘇民将来伝承を起源としている。

176 自然 クジラ

「鯨一頭七浦賑わう」との言葉があるほど、日本人は古くから鯨漁に親しんできた。日本における捕鯨の歴史は、古く縄文時代にまで遡る。長い歴史の中で、日本人は捕鯨の技術を向上させ、クジラに対しての感謝や慰霊の念を文化として伝えてきたのである。現在、世界では捕鯨に反対する国々が多いが、日本は「捕鯨は文化」と主張している。そして2019年、日本はIWC（国際捕鯨委員会）を脱退し、領海内での商業捕鯨を再開した。

◈

歌川国芳『大漁鯨のにぎわひ』

日本近海にはクジラ類が多数生息している。ツチクジラ、コビレゴンドウ、オキゴンドウ、ハナゴンドウのほか、様々なイルカ類などだ。約5300万年前、肉食性の陸上哺乳類から分岐して海に戻ったクジラ類は体を巨大化させ、エコーロケーションという超音波を使い、情報知覚やコミュニケーション手段をとる独特な生物として進化した。古くから日本人は、このクジラ類に親しみ、そして利用してきたのである。

縄文時代や弥生時代の貝塚からは、狩猟具や日用品、装飾刀剣など、クジラの骨が利用された人工物が数多く発掘されている。その後、奈良時代になると、文献上に捕鯨を意味する「いさなとり」の枕詞が現れ、『古事記』には「区施羅」、『日本書紀』にも「久治良」の記述が登場する。またアイヌ民族は、古来、クジラ類が海浜に乗り上げ、多量の肉を得られる「寄り鯨」をもたらすものとして、シャチを沖の神としていた。江戸時代には捕鯨を専門職とする集団で、水軍から派生した「鯨組」が現れる。鯨組は、17世紀後半に網と銛（もり）を使う「網捕り式」と呼ばれる技術を開発。捕鯨技術を向上させたほか、解体してほとんどの体の部位をあまさず加工する巨大な組織となっていった。当時、鯨肉や皮脂、鰭の塩漬けは広範囲に流通し、鯨油は農業用や灯油などに、ヒゲも様々な工芸品の材料として使用された。

日本では、クジラや捕鯨に関連して信仰も生まれ、各地で大漁祈願や鯨慰霊が行われ、供養寺や鯨墓、鯨塚といった供養碑も建立された。また鯨唄（山口県長門市ほか）や鯨踊り（和歌山県新宮市ほか）などの地域芸能、鯨絵巻（長崎県五島市ほか）などの文化的な遺産も数多く残されている。しかし、江戸時代後期になると、アメリカの捕鯨船が日本近海でクジラを乱獲した結果、資源状態が著しく悪化する。日本の沿岸捕鯨は衰退を余儀なくされたが、明治時代後期にノルウェーから捕鯨砲による近代捕鯨が導入され、クジラの供給量は回復した。現在、反捕鯨団体からの批判を受けながらも、日本の鯨食文化は途絶えることなく継承されている。

豆知識

1. 江戸時代の本草学者・貝原益軒や朱子学者・新井白石の文献には、「ク」は古語で黒を表し「シラ」は白を表し、この体色の「黒白」が「クシラ」になったとある。
2. 第二次世界大戦後の捕鯨の技術発展に、魚群探知機の導入や「平頭銛」の開発がある。平頭銛は東京大学の物理学者・平田森三（1906～1966）が考案した、従来の先端が尖った銛の先を切り落とし平面とした銛。水中直進性に優れた銛で、水中での跳ね上がりが減少したため命中率が向上した。これは旧日本海軍が開発し、戦艦大和にも使われた九一式徹甲弾の技術の応用だった。

177 歴史 | 後醍醐天皇

第96代後醍醐天皇（1288～1339）は鎌倉幕府を打倒し、新しい親政（建武の新政）を開始したことで知られる。また南北朝時代の南朝を吉野で開いた大覚寺統の天皇でもある。諱（いみな）は尊仁（たかはる）。その一字は、元弘の乱の功第一とされた足利尊氏（高氏、1305～1358）に贈られた。

◈

鎌倉幕府衰退の兆しは、高まる御家人の不満に明らかだった。理由の一つに、元寇の後、御家人に恩賞を分け与える余裕が幕府になかったことが挙げられる。「御恩と奉公」という将軍と御家人の基本関係が果たせないことは、幕府の存在意義に関わることだった。外国からの侵略を防いでも領地は広がらず現在のように賠償を求めることもできないという事情もあったようだ。にもかかわらず得宗家とそれに連なる「御内人（みうちびと）」と呼ばれる北条氏一門の特権的な状況はエスカレートし、もはや全国の守護職の半分以上が彼らで占められていた。

御家人の不満につながるもう一つの理由は、急速な貨幣経済の発達であった。日宋貿易で輸入していた宋銭が広く流通し、都市部には市場ができて貨幣での取引が盛んに行われるようになり「借上（かしあげ）」「土倉」という金融業者も現れる。御家人は土地から得る米だけが収入だったため、中にはこうした業者から借金をする者も出てきた。幕府は1297年、永仁の徳政令を発し、「借金の帳消し」で対応を図ったが、かえって信用不安が広がり、守護地頭勢力への暴力的反抗グループ「悪党」が形成されていった。

こうした状況を背景に、1318年に即位した後醍醐天皇は鎌倉幕府の打倒を目指し、1324年の「正中（しょうちゅう）の変」では事前に計画が露見したものの、その後も倒幕の意志を貫いて1331～1333年に起こった「元弘の乱」により鎌倉幕府を滅亡に追い込んだ。この戦いでは、足利尊氏、新田義貞、楠木正成らが後醍醐天皇側で活躍を見せた。

1334年、後醍醐天皇は元号を「建武」とし建武の新政を開始した。中央政府には「雑訴決断所」「記録所」「恩賞方」を新たに設置。加えて地方の組織として「鎌倉将軍府」「陸奥将軍府」を関東と東北に置いた。さらに、土地制度改革として、土地の所有を天皇の綸旨による許可制にしようと試みたが、これは撤回に至った。ところが、建武の新政の政策に武士階級は反発し、特に東国へ赴いた尊氏が朝廷の許可なく恩賞を与え始めたことで天皇と尊氏の対立は決定的になった。天皇は義貞、正成に尊氏追討を命じたため尊氏はいったん九州に逃れたが、再び上京。湊川の戦いで正成が討ち死に、義貞も逃亡した。尊氏は京都で光明天皇を即位させて建武式目を制定し、幕府を開設。後醍醐天皇は吉野（奈良）で南朝を開いた。ここに60年間続く南北朝時代が始まる。後醍醐天皇は全国各地に皇子を派遣し、北朝打倒を呼びかけたが間もなく崩御する。満50歳だった。

豆知識

1. 後醍醐天皇は当時としては非常に珍しく、30歳という壮年で即位した。30代の天皇即位は第71代後三条天皇（1034～1073）以来、250年ぶりのことであった。

178 文学 | 小林一茶

小林一茶（1763～1827）は、２万を超える句を残すほど多作で、連歌や散文も数多く残した。しかし、生前に出版されたのは、江戸から京坂・四国・九州などの西国俳諧行脚をした時の句集２編と、江戸から信濃へ戻る引退記念の句集１編のみだった。逆境や苦しみを独自の俳風で詠んだその作風から「生活派俳人」とも称される。

◈

小林一茶の銅像（長野県）

1763年に信濃国柏原宿（現・長野県信濃町）に生まれた一茶は、３歳で実母を亡くし、継母との仲もうまくいかず、15歳で江戸へ奉公に出た。20歳を過ぎた頃には俳諧の道を志し、小林竹阿（1710～1790）に師事。竹阿没後は師匠の号「二六庵」を継承。その後、一茶は西国へ足かけ７年に及ぶ長い俳諧修業の旅に出た。

一茶が江戸へ奉公に出て以来、故郷柏原では、父と継母、異母弟が一家を守り立て、地元でも有力な農民となっていた。一茶の帰省中に父が病に倒れたため、臨終の床で父は一茶と異母弟に財産を二分するように遺言したが、継母、異母弟はそれに納得せず、以降13年間、財産争いが続いたという。「古郷やよるもさはるも茨の花」という句があるように、この骨肉の争いは一茶にとって大変厳しいものだったらしく、詳細は『父の終焉日記』としてまとめられている。

遺産問題が解決し、故郷周辺の北信濃に社中を結成して初めて妻を迎えた時、すでに一茶は50歳を超えていた。相手は28歳だった。翌年、長男が生まれたがすぐに亡くなってしまう。さらに３年後に長女が誕生し、翌年の正月に詠まれたのが次の有名な句である。

目出度さもちう位也おらが春

一茶の没後に刊行された句集『おらが春』の表題の由来ともなった冒頭の句である。この正月は、不遇な出来事が続いた一茶にとって「中位」の幸せを感じさせるものだったようだ。この半年後に長女を亡くすのだが、同年末には「ともかくもあなたまかせの年の暮」と詠んだ。浄土真宗の熱心な信者だった一茶が「他力本願」の境地を得たことをうかがわせる句である。ただし、一茶はさらに２人の幼い男児を亡くし、妻も新たに２人迎えた。

ところで、一茶の句には以下のように、鳥や動物、子どもなどを題材にしたものが多い。

我と来て遊べや親のない雀
雀の子そこのけそこのけ御馬が通る
名月をとってくれろと泣く子かな

芭蕉に代表される当時の俳壇主流とは明らかに異なるが、一茶は弱者の生命や、庶民の生活、素朴な風景を詠むことにこだわった。一茶の句が後世の人々に与えた感銘やその影響を思えば、一茶のこの挑戦は成功したといっていいだろう。

豆知識

1. 再晩年、一茶は自宅のあった柏原宿一帯を焼き尽くす大火に見舞われ、母屋を失い、焼け残りの土蔵に移り住んで65年の生涯を閉じた。

179 科学・技術 | 和算

経済協力開発機構（OECD）は、世界各国の15歳の生徒の学力を測る学習到達度調査（PISA）を３年に１度実施している。79の国と地域から60万人が参加した2019年のテストでは、日本の生徒の数学の成績は、北京、シンガポール、マカオ、香港、台湾に続く６位であった。こうした日本人の数学、算数などへの研究の意欲は、江戸時代から続くものだ。明治時代の西洋数学導入以前の、日本独自に発達した数学は「和算」と呼ばれた。

◈

日本の数学の起こりは未詳だが、奈良時代には中国から数学と計算道具の「算木」（木の棒を縦横に置き計算を行う道具）が伝わったとの記録があり、『万葉集』に「九九」の記述もある。日本における数学研究は中国から輸入された知識をベースに独自に進んだが、近世以前の算道は、世襲によって氏族内に伝えられる閉鎖的な秘伝の学術だったため詳しいことはわかっていない。

日本の数学が大きく発展したのは江戸時代である。江戸時代直前の1600年、日本最古の数学書『算用記』が成立し、割り算や利息の計算方法が広められた。1627年に刊行された吉田光由（1598〜1672）の数学書『塵劫記』では、継子立てやねずみ算といった遊戯を紹介、巻末に解答をつけない難問を載せて読者にゆだねる「遺題継承」を流行させた。この『塵劫記』は初等数学の教科書として江戸時代を通じて使われている。

数学史に大いに寄与したのがその偉大な功績から「算聖」と呼ばれることもあった関孝和（？〜1708）である。孝和は中国の天元術、演段法を改良して、1674年に『発微算法』を刊行。筆算による代数の計算法・点竄術を発明したことで、円の算法や、複雑な条件や理論を扱う算法が解けるようになった。また、世界で最も早い時期に行列式・終結式の概念を提案した。和算では、円周率や円積率、球の体積や表面積を問題とする解析学の研究を円理と呼ぶが、孝和はこれを大きく発展させ、円に接する正多角形の辺の長さを用いて、円周率を11桁まで計算している。また、当時の海外の数学界よりも早く、数列式のベルヌーイ数を発見したり、微分積分学とは別に、方程式の求根の際、導関数に相当する計算を考案するなどの業績をあげている。この頃から、江戸の孝和の「関流」は実用の範囲を超えて発達し、和算の主流派になってゆくのだった。明治時代に入ると西洋数学が本格的に導入され、和算は追いやられていく。だが、額や絵馬に数学の問題や解法を記して神社や仏閣に奉納する「算額」など日本人の数学好きを象徴する文化は残っている。

豆知識

1. 明治時代に廃止された和算だが、現在も算数分野で一部が教えられている。出会い算と追いつき算の２つの旅人算。２本足の鶴、４本足の亀の足の本数から頭数を割り出す算（当時は雉兎算）がそうだ。いずれも初等数学の問題で、ストーリー性を持たせて数学に親しむための遊び的な位置付けだったようだ。ほかにも、若い娘を好きになった男性の恋を題材にしたものや、家督相続での遺産分配などに材を取った問題もあったという。現在の数学教育は西洋数学がベースなので、中学受験以降は習う機会がない問題だ。
2. 『万葉集』には、「若草乃 新手枕乎 巻始而 夜哉将間 二八十一不在國」との歌が残る。これは「若草の 新手枕を まきそめて 夜をや隔てむ 憎くあらなくに」と読む、男性が若妻をいとおしむ内容だ。ここでは、「くく」という読みに「八十一」の漢字が当てられる、洒落になっているのだ。

180 芸術 茶器

点茶に使われる道具全体を茶器と呼ぶこともあるが、本来は茶の湯に使われる道具を茶道具といい、その中でも容器を指す言葉が茶器である。一般的に茶器と呼ばれるものは抹茶を入れる器で、煎茶を入れる茶壷や茶筒は省かれることもある。茶道具の中には「名物」と呼ばれる名品があり、豪商や戦国大名がこぞって収集した。名物を鑑賞するために、茶会が開かれ、「名物を持たないものは茶人にあらず」ともいわれた。

◈

茶の湯では、茶を点てるための湯を沸かす「茶釜」、湯をくむ「柄杓」、茶を点てる「茶碗」に茶をかき混ぜる「茶筅」、茶碗をぬぐう「茶巾」など、多くの道具が使われる。ここに「掛物」や「花入」といった装飾品を含めると、その種類は結構な数にのぼる。これら茶道具の中でも、容器を指すのが「茶器」である。ただ、この容器は茶を入れて茶室に持ち出す器をいい、茶を点てる、もしくは茶を飲むための「茶碗」は含まれない。また、特に粉末状の抹茶を入れておく容器を茶器といい、茶葉を入れる器とは区別されることもある。茶器は濃茶を点てる時に用いる「茶入」と、薄茶の時の「薄茶器」に分けられる。茶入は焼物が主体であり、産地によって「唐物」と「和物」に大別され、仕覆と呼ばれる金襴や緞子、間道などの布で作られた袋で包まれている。薄茶器で代表的なものが「棗」であり、その名の由来は形が植物のナツメの実に似ていることだ。ほかにも「金輪寺」「中次」「雪吹」などがあり、蒔絵などで装飾されたものもある。

茶器を含む茶道具の中で、外見や色彩の様子、もしくは所蔵者にちなんだ銘をつけられた逸品が「名物」である。茶道具においての名物という言葉は室町時代から用いられているが、これに基準を設けて評価・分類されたのは江戸時代に入ってからだ。中でも出雲国（現・島根県）松江藩主で茶人でもあった松平不昧（1751～1818）は図説『古今名物類聚』や自身の収集した目録『雲州名物帳』において名物を格付けした。千利休の時代以前の名品を「大名物」、利休時代のものを「名物」、江戸時代の大名茶人・小堀遠州（1579～1647）の鑑識によるものを「中興名物」とした。大名物で代表的なのは、「天下三肩衝」と呼ばれた茶器「楢柴肩衝」「新田肩衝」「初花肩衝」。肩衝とは肩の部分が角ばっている茶入のことで、このうち楢柴肩衝は明暦の大火（1657年）によって破損し行方不明に。新田肩衝は徳川ミュージアム、初花肩衝は徳川記念財団が所蔵している。また足利幕府で重宝として珍重された「曜変天目茶碗（稲葉天目）」や、不昧が最も愛したとされる「大井戸茶碗・銘喜左衛門井戸」は国宝に指定されている。名物としては千利休の秘蔵品である茶入「利休小茄子」、中興名物には江戸時代中後期の『中興名物記』で中興茶入の筆頭に挙げられた「古瀬肩衝茶入・銘在中庵」、遠州が国焼茶入の代表的なものの一つとして認知した「膳所耳付茶入・銘大江」などがある。

豆知識

1. わび茶を確立させた千利休は、高価な茶器に頼ることを戒め、茶碗も質素な楽茶碗を好んだ。
2. 利休の弟子で武将茶人の古田織部（1544～1615）は形のゆがんだ奇抜で斬新なデザインの茶器を焼き、おどける、ふざけるという意味の「へうげもの」と呼ばれた。

181 伝統・文化 和服(着物)

和服とは、長い歴史の中で受け継がれてきた日本の伝統文化の一つだ。着物と総称されることもあるが、着物は狭義として長着を指す。対して、和服とは帯や羽織なども含まれる。着物は、日本の生活や文化に溶け込みやすく、日本人の体型や顔立ちによく映えるといわれている。また、四季のある日本の気候や風土にも適している。日本の着物は現在、「kimono」と言えば伝わるほど、世界的に有名になっている。

◈

着物の原型は、平安時代の公家装束である「小袖」だといわれている。平安時代初期までは、貴族の間では単(ひとえ)が下着として使われていたが、中期以降に単が巨大化して下着として使えなくなると、もともと庶民の日常着だった白の無地で袖口の狭い小袖が下着として着用されるようになった。小袖は平安時代の『平治物語絵巻』や『粉河寺縁起絵巻』などに大袖の衣類の下に着用される様子が描かれている。その後、平安時代の後期から鎌倉時代初期にかけて、貴族の間で袿(うちぎ)の下に豪華な小袖を何重にもまとうことが流行するが、莫大な費用がかかるため、しばしば禁止令が出されたという。室町時代後半になり戦乱の世を迎えると、身軽に動ける小袖が表着として武家の夫人の正装に採用された。

以降、貴族にとっては下着だった小袖が男女の身分を問わず、日本人の衣服の中心になり始める。安土桃山時代になると、織田信長(1534～1582)の妹・お市の方(1547～1583)の肖像画で見られるような贅を尽くした打ち掛け形の小袖が作られるようになった。また、武士が礼装の裃(かみしも)を着る際、小袖を表に出した着方が一般的となり、小袖はもっぱら上着として着られるようになる。この頃の小袖は、「桃山小袖」と呼ばれている。

江戸時代になると、幕府が士農工商の身分を定めたことにより、武士などの上流階級では、小袖の柄行きが固定化された。その後、江戸の裕福な町人や上方の人たちは衣類に財力を注ぎ込むようになり、多様な小袖が生まれた。代表的なものの一つに、元禄期(1688～1704年)に作られた「元禄文様」と呼ばれる明るい色調の華やかな小袖がある。この頃には現在の着物とほとんど変わらない小袖も誕生している。また、江戸時代の後期になると、公家たちも儀式以外の時は小袖を着るようになった。この頃には小袖の袖が華やかになり、巨大化した「振袖」が誕生するとともに、小袖という名称が実態と合わないものになり、使用されなくなる。小袖というと、現在は十二単や束帯など、宮廷装束の下着のことを指す。基本的な帯結び「お太鼓結び」は、江戸時代の後期より行われるようになったといわれている。

豆知識

1. 着物の前合わせは、古代には左前が正式だったが、奈良時代に右前に改められた。
2. 着物は季節や年齢、既婚か未婚かなどによって、どんなものを着るかなど、細かい決まり事がある。しかし、近年ではそれらに拘らず、自由に着て、楽しむ人が増えている。
3. 現存する小袖で最古とされているのが、岩手県平泉の中尊寺金色堂の須弥壇下に納められていた、藤原基衡(?～1157?)が着用していたという小袖である。

182 哲学・思想 | お経

お経（経典）は教理が書かれた典籍のことで、ヒンドゥー教や道教などの聖典に対しても用いられることがあるが、ここでは仏教の教理が書かれた仏典について述べる。仏教のお経は、仏教が誕生したインドで成立した。それらはインドの聖典語であるサンスクリット語またはその俗語であるパーリ語で書かれたが、伝播した地域ごとの翻訳も作られた。日本へは中国で漢訳（中国語訳）されたものが6世紀半ば、仏教伝来の際に伝わった。日本では近代まで日本語訳はほとんど作られず、伝えられた頃の中国語音で読むのが一般的になっている。

◈

お経は仏教の開祖、釈迦（紀元前463〜前383、異説あり）の教えを記したものであるが、釈迦在世中には作られなかった。当時は、教えは暗唱して覚えるものとされており、このため教えは記憶しやすい詩の形をとっていた。お経の中に偈頌（げじゅ）と呼ばれる詩の部分があるのは、この時の名残である。この詩の形での教えをインドではスートラと呼んだ。

しかし釈迦の没後しばらく経つと、暗唱していた教えに、地域によって違いが生じるようになったという。このため指導的立場の僧たちが集まって誤りを正し、正規の聖典を定めた。これを「結集（けつじゅう）」という。結集は何度か行われ、われわれが知るようなお経へと整っていったとされるが、伝承の域を出ず、実際にいつ頃文字に書かれた経典が成立したのか定かではない。初期のお経は、ターラ樹（貝多羅（ばいたら））の葉に書かれた。これは仏教に限ったことではなく、古代インドでは手紙などにもターラ樹の葉が用いられた。しかし、お経は葉一枚では書ききれないので、葉には穴が開けられ糸で綴じられた。これを貝葉本（ばいようほん）という。結集などを通して成立したお経は、経（きょう）・律（りつ）・論（ろん）の３部門に分類される。経は釈迦の教えを記したもので、狭い意味でのお経を指す。大乗仏教などの釈迦の死後に成立した経典も釈迦が説いたものとされ、経に分類される。律は仏教修行者が守るべき決まり（戒律）を記したもので、論は経典の解釈である。この３部門すべてを網羅した叢書のことを大蔵経（だいぞうきょう）と呼ぶ。

お経は伝わった各地域の言葉で翻訳された。東アジアでは西域や中国で作られた漢訳が普及したが、東南アジアではパーリ語訳、チベットではチベット語訳が用いられている。変わったところでは西夏語（せいか）（11世紀から13世紀にかけて中国内陸部にあった王国の言葉）訳なども残されている。また、お経は伝わった地域の信仰・風俗に合わせたものも作られた。それらは偽経と呼んで正規のお経とは区別される。しかし、偽経の中には『梵網経（ぼんもうきょう）』のように広く普及したものもあった。お盆の起源となった『盂蘭盆経（うらぼんきょう）』も中国で作られた偽経である。なお、日本の祖師・高僧の著作はインドで成立したものではないが偽作ではないので、論（お経の解釈）として大蔵経に収録されている。

お経は木魚や鉦（かね）などを叩きながら読まれることが多いが、独特のメロディにのせて歌うものもある。これを声明（しょうみょう）という。インドで成立したものだが、日本でも独自の発展をした。各宗派に伝わっているが、特に天台宗と真言宗のものが有名である。

豆知識

1. 600巻もある『大般若経（だいはんにゃきょう）』は全巻をきちんと読経（真読という）するのは難しい。そのため、巻ごとの題と冒頭数行のみを読んで（冒頭数行も略されることがある）読経に代えることを転読という。この時、折本のお経をアコーディオンのように広げてみせることを転翻（てんぽん）という。

183 自然 ウナギ

日本の季節の風物料理といえば、夏のウナギである。ウナギは奈良時代の和歌にも歌われており、まさに日本の文化ともいえる食材だ。しかし近年では、ニホンウナギは乱獲によって急激に数を減らして絶滅危惧種となっている。その生態は謎が多く、完全養殖による安定供給への道のりもまだ遠い。

◈

ニホンウナギ

日本食の中で、ウナギ食は特筆すべき文化である。世界で獲れるウナギの７割を日本人が食べているといわれるほどで、日本人のウナギ好きは世界でも群を抜いている。ウナギ料理が夏の滋養食として食べられるようになった記録は、奈良時代末期に成立したと見られる最古の和歌集『万葉集』にすでにある。大伴家持（718？～785）が、吉田連老という人に贈った歌「石麻呂（老人の字名）に　吾れもの申す　夏痩せに　よしといふものぞ　鰻とり食せ」である。これはあまりにも痩せている老人に、「夏痩せにいいから、鰻を取って食べたらどうだ」とアドバイスをする狂歌だ。

ウナギ食が庶民にまで定着するのは江戸時代になってからで、江戸時代の初期、江戸湾の干拓事業で湿地に多くウナギが住み着き、労働者の食べ物として人気になったという。この頃は単なる串焼きで、安価な料理だったようだ。

ところが現在では、ウナギは高級料理となっている。その原因は、ウナギが乱獲によって数を減らしているからだ。日本人が親しんできたニホンウナギは、日本や朝鮮半島からベトナムまで、東アジアに広く分布している。ウナギは川魚と思われがちだが、成長すると川を下り、太平洋を回遊して産卵場所へ向かう。この産卵場所については長年謎だったが、2006年、魚類学者の塚本勝巳らの研究チームは、産卵場所がマリアナ海嶺のスルガ海山付近であることを世界で初めて特定した。この卵がふ化し、透明な幼体レプトケファルスとなり、太平洋を回遊して稚魚のシラスウナギへと成長し、日本に戻って河川を遡上する。

ちなみに養殖ウナギは、海岸に近づいた稚魚を捕まえていけすで育てたものだ。川で成長したウナギは、川を下って太平洋を回遊し、再び産卵場所へ向かうが、その過程はまだよくわかっていない。

豆知識

1. 2014年、IUCN（国際自然保護連合）によって、ニホンウナギがレッドリストに加わった。稚魚の漁獲量が30年間で半分以下になったためだ。高値で取引される稚魚は、密輸や密漁などの不正流通も横行しており、国際的な批判を受けている。2019年のワシントン条約締約国会議では、ニホンウナギ輸出入関連の議題は提案されずに見送られたが、今後、国際取引規制の可能性が再浮上することは時間の問題だろう。
2. 夏に「鰻」を食べるのは奈良時代からだが、五行に由来する暦の雑節、土用の丑の日と「蒲焼」を関連づけるようになったのは、江戸時代かららしい。一説には、本草学者の平賀源内が知り合いの鰻屋に頼まれ、アイデアを提供したといわれている。
3. ウナギの幼体レプトケファルスの研究は長年続けられており、アブラツノザメというサメの卵を食べることがわかって養殖に成功した。しかし、卵は簡単に入手できるものではなく商用化は難しいとされる。

184 歴史 楠木正成

楠木正成（1294？～1336）の出自については諸説あり、河内国の土豪あるいは御家人だったと考えられている。元弘の乱より後醍醐天皇（1288～1339）に仕え、見事な戦功をあげて河内国司に任ぜられた。『太平記』では「智仁勇の三徳」を兼ねた名将と称えられている（巻第十六「正成兄弟討死事」）。

◈

楠木正成公銅像

『太平記』巻第三「主上御夢事付楠事」によれば、笠置山で兵を挙げた後醍醐天皇の夢に菩薩の使いが立ち、「樹の陰に南へ向へる座席あり（中略）暫く此に御座候へ」と告げたという。天皇は「木に南と書たるは楠と云字也」「此辺に楠と云ふ武士や有」と尋ねると、臣下は「河内国金剛山の西にこそ、楠多門兵衛正成」と答えたという。後醍醐天皇に謁見した正成は、「勢いに任せて戦っては幕府軍に勝つことは難しいが、謀略を用いれば欺きやすく、恐れるに足らない。一旦の勝負では負けるかもしれないが、最後に正成が一人生きていれば、聖運は開いたとお考えください」と進言したとされる。

1331年、正成は笠置山から逃げ延びた護良（もりよし）親王（後醍醐天皇の第３皇子）と500余りの兵で河内国・赤坂城にこもり、幕府の大軍（１万から20万まで諸説ある）に取り囲まれた。正成は地の利を活かした奇襲や伏兵で善戦したが、兵糧が尽きたために退却を決意する。城に火を放って護良親王とともに逃げ延びた。幕府軍は焼け跡の中に正成を見つけることができず、関東へ軍を戻した。この戦いは、一見すると幕府軍の勝利のように見えるが、正成軍の被害は少なく、一方幕府軍の戦死者は、正成軍の規模を考えると甚大といえるものだったという。1333年の千早城の戦いも正成の武名を高めた。正成は1000人ほどの兵で再び護良親王とともに千早城に入り、１万以上の幕府軍が周囲を包囲した。正成は櫓の上から大石や大木を落とし、煮え湯をかぶせ、弓矢を放つなどの攻撃を繰り返した。また、火計やゲリラ戦なども展開し、長期にわたり敵の攻撃をしのいだ。さらに敵軍の補給路を断つことで幕府の大軍は兵糧を欠き、逃亡が相次いだという。幕府軍が千早城の攻略に手間取っている間に後醍醐天皇は配流されていた隠岐を脱出し、倒幕を訴える諸国の武士の挙兵を促した。

元弘の乱の後、正成は戦功により記録所寄人、雑訴決断所奉行人、検非違使、河内・和泉の守護、河内国司に任ぜられた。足利尊氏が後醍醐天皇に反旗を翻した時、正成は天皇に和睦を進言したが聞き入れられなかった。1336年、湊川の戦いで尊氏に敗れ、正成は弟の正季（まさすえ）とともに自害。正成が弟に、死に際しての願いを聞くと正季は「七生まで只同じ人間に生れて、朝敵を滅さばやとこそ存候へ」と答え、正成もこれに同意したという。明治時代になると、正成は忠臣の象徴とされ「大楠公」と敬称された。神階である正一位が贈られ皇居には銅像が建てられた。正季の言葉をもとにした「七生報国」は戦争中のスローガンとしてもよく知られている。

豆知識

1. 皇居外苑にある正成の銅像は、隠岐島から還幸した後醍醐天皇を兵庫で出迎えた時の正成の姿を象ったものとされている。制作主任は高村光雲が務めた。

185 文学 『東海道中膝栗毛』

『東海道中膝栗毛』は、十返舎一九（1765〜1831）によって書かれた滑稽本であり、1802年に初版が刊行された。弥次郎兵衛と喜多八、通称「弥次喜多」と呼ばれる２人の主人公のキャラクターと、道中で巻き込まれる騒動や失敗談に当時の読者は夢中になり、初刊から約20年間、第43編まで続編を重ねた。

◈

『東海道中膝栗毛』

作者の十返舎一九は駿河国（現在の静岡県）に町奉行の同心の子として生まれた。本名は重田貞一という。江戸での武家奉公の後、大坂へ移り町奉行所に勤めたが、間もなく浪人し、浄瑠璃作者となった。一九は30歳の時に再び江戸に戻り、一流の版元だった蔦屋重三郎（1750〜1797）のもとで滑稽本や洒落本、人情本、狂歌集などを精力的に書くようになった。1802年に『東海道中膝栗毛』を出すと、これが大ヒットとなる。一九は文才のみならず絵心もあったため、本作では、挿絵も自ら手がけた。

主人公は、江戸・神田八丁堀に住む弥次郎兵衛と居候の喜多八。ともに江戸っ子を自任しているが、もとは駿河の生まれである。特に弥次郎兵衛は古今の書籍や漢詩、狂歌などにも通じていることから、作者に近い人物設定になっており、年齢は喜多八の方が20歳も若い。ただし、２人の性格の書き分けはあまり見られず、どちらも女好き、喧嘩好きで、下品な江戸方言をしゃべる、粗野だが憎めないキャラクターとして描かれている。

弥次喜多の２人はお伊勢参りの旅立ち前に、私財をすべて処分して風呂敷包みだけの身になってしまうのだが、このスタイルが読者の羨望の的になったという。江戸から伊勢へ至る東海道の旅の移動手段はもちろん徒歩で、題名にある「膝栗毛」の「栗毛」は、馬のことを指し、自分の「膝」を馬のように使うことから「徒歩旅行」という意味がある。

作者の一九も静岡で生まれ、江戸と大坂で過ごした経験から、道中や宿場の事情には精通していた。さらに続編執筆のための取材旅行にも頻繁に出かけていたという。

伊勢参りを終え、京都、大坂を見物した「東海道中」は第８編で、一応の完結を見るが、読者からの続編の要望は収まることがなく、さらに『続膝栗毛』として、金比羅参詣、宮嶋参詣、木曽街道、善光寺参り、上州草津温泉、中山道の旅が次々と発表された。

一九は驚くほど多作であったが、『膝栗毛』の呪縛から逃れることはできず、作家としての成長の機会を逃してしまったとも評される。しかし、それまでの紀行作品が名所や名物の紹介にとどまっていたなかで、魅力あふれる主人公を生み出し、旅先のエピソードや庶民の生活を生き生きと描いたその筆力は、後世まで読み継がれるに値するものだったといえよう。

豆知識

1. 本作ヒットの背景には、寺子屋の普及などで一般庶民の識字率が向上したことがあったと考えられている。
2. 全国各地へ向かう旅の中に描かれた宿場町の様子や庶民の生活文化などは、当時の風俗や実情を知る史料としても高い評価を受けている。
3. 作者の取材旅行に基づく別シリーズに、『方言修行金草鞋』がある。こちらは『膝栗毛』よりも紀行文としての要素が強い。主人公は「鼻毛延高」と「千久羅坊」の２人である。

186 科学・技術 ｜ 平賀源内

江戸時代において舶来のエレキテルを研究したり、トンデモないものを作ってしまう発明家の元祖といえば平賀源内（1728～1779）だ。彼はただの発明家ではなく、地質学者、蘭学者、医者、本草学者、戯作者、俳人など、様々な顔を持ったマルチな人物だった。

◈

平賀源内

平賀源内は讃岐高松藩の下級武士の三男として生まれた。源内は11歳の頃に掛け軸に細工を施し、ひもを引くと天神様の顔が赤くなるというカラクリ「御神酒天神」を作って周囲を驚かせたというから、幼少時から才能を発揮していたようだ。その評判により、13歳になると藩医のもとで本草学や儒学を学ぶようになる。その後、父の死を受けて家督を継ぎ藩の蔵番となるが、１年間、長崎へ遊学し、本草学とオランダ語、医学、油絵を学んだ。ところがここからが源内の型破りなところで、妹に婿養子を迎えさせて自分は家督を放棄し、京都、大坂で本格的に学問を学び始めたのだ。1759年には、今度は高田藩に仕官するもののやはり長続きせず、1761年に辞職。このとき再雇用を禁止する「仕官お構い」の奉公構を受け、今後一切、公職に就くことを禁止されてしまう。続いて行った２度目の長崎の遊学では、鉱山の採掘や精錬技術を習得し、なんと伊豆に出向いて鉱床を発見している。この頃、源内は各地の物産博覧会を催していたが、５回目は江戸の湯島で開催された。江戸にも源内の名は知れ渡っており、蘭学者の杉田玄白（1733～1817）や中川淳庵（1739～1786）と交流し、田沼意次（1719～1788）にも名を知られていたという。

1776年、長崎で電気治療のためのエレキテル（静電気発生機）を入手して修理。源内は、その原理についてはよく知らなかったらしいが、公開実験を行って各地にエレキテルを紹介した。1779年、源内は江戸で大名屋敷の修理を請け負った際、泥酔していたために修理計画書を盗まれたと勘違いして大工の棟梁２人を殺傷したとの罪で投獄され、獄中で破傷風になり死んだという。源内の墓碑を記したのは玄白で、「嗟非常人、好非常事、行是非常、何死非常」（非常識の人は、非常識を好み、非常識を行ったが、なぜ非常識なことで死んでしまうのか）と、死を惜しむ内容であった。

豆知識

1. 土用の丑の日にウナギを食べる風習は源内が広めたとの説があるが、実はそれを裏づける明確な史料はない。ただし1769年に歯磨き粉『漱石膏』の宣伝歌の作詞作曲を手がけ、報酬を受けたとの記録があるので、源内が"コピーライター"として活躍していたことは間違いない。
2. 源内は、エレキテルを修理しただけではなく、ヨーロッパ製の万歩計を改良した「量程器」や石綿を使った燃えない布「火浣布」、水平を示す「平線儀」、アルコールを使った「寒暖計」なども製作している。
3. 源内がエレキテルの実験をしたことを記念した石碑が、現在の東京都江東区清澄１丁目の地に立っている。

187 芸術 歌舞伎

日本固有の伝統演劇である歌舞伎は、江戸時代初期に出雲の巫女と自称した出雲阿国（生没年未詳）によって始められたとされ、名称の由来は派手な衣装や常軌を逸した行動を意味する「かぶき」である。その歴史には苦難の時代も多く、禁止令や規制が出されたこともあった。

◈

かぶくことを好んだ若者たちを指して「かぶき者」と呼び、彼らの派手な装いや斬新な動きを取り入れた「かぶき踊り」が京都で大流行した。このかぶき踊りの人気に火をつけたのが、出雲阿国である。踊りの内容はかぶき者が茶屋の遊女と戯れる様子を演じたもので、その艶美さが人気を博した。この阿国の人気を受け、便乗した一座が次々に誕生。遊郭でも取り入れられるようになり、京都の楼主たちは抱えの遊女を男装させ、数十人規模の総踊りを披露している（遊女歌舞伎）。やがて阿国は江戸に乗り込むと、ここでも評判となり、女性ばかりの「女歌舞伎」が盛んになる。だが風俗の乱れを招いてしまい、幕府は禁止処分を下す。並行して若い男性ばかりの「若衆歌舞伎」も登場したが、これも禁止の憂き目にあい、成人した男性ばかりによる「野郎歌舞伎」が生み出され、元禄年間（1688～1704）に全盛期を迎えた。

この頃を代表する役者が坂田藤十郎（1647～1709）である。藤十郎は上方歌舞伎の創始者の一人といわれ、男女間の恋愛を柔らか味のある演技で表現する「和事」を形成。上方（京都・大坂）が中心だった歌舞伎は江戸にも伝わり、人気を確立させたのが市川團十郎（1660～1704）で、和事に対し勇壮な「荒事」を導入した。歌舞伎役者の一家や一門には屋号があり、團十郎の屋号は成田屋、藤十郎の屋号は山城屋。ほかにも音羽屋、中村屋、高麗屋などがあり、『仮名手本忠臣蔵』の大星由良之助を当たり役とした尾上菊五郎（1717～1783）は音羽屋、座元でありながら役者でもあった中村勘三郎（1598～1658）は柏屋（現在の中村屋）、『伽羅先代萩』の仁木弾正が当たり役で鼻が立派だったことから「鼻高幸四郎」の異名をとった5代目松本幸四郎（1764～1838）は高麗屋である。

野郎歌舞伎は男性ばかりが演者なので女性役も男が演じ、それを女方という。女方としては伝法肌の女性を演じて好評を得た坂東しうか（初代坂東玉三郎、1813～1855）の名が挙げられる。

歌舞伎の演目には評判の高い「歌舞伎十八番」があり、その中でも特に人気の高かったのが源義経（1159～1189）と家来の武蔵坊弁慶（？～1189？）による主従の姿を描いた『勧進帳』。三大名作といわれるのが義経の生い立ちを題材にした『義経千本桜』、菅原道真（845～903）が大宰府に左遷された悲運を描いた『菅原伝授手習鑑』と赤穂事件（1701～1703）をもとにした『仮名手本忠臣蔵』である。

歌舞伎の舞台には様々な工夫がなされていて、床下から役者を花道や舞台に押し上げる「セリ」、舞台の一部を回転させる「回り舞台」、それらの力作業を行う舞台や花道の下にある「奈落」がある。花道は役者が舞台に登場・退場する際に使用する通路で歌舞伎独特のものだ。

豆知識

1. 同時代に実際に起きた事件を題材にするのは禁じられていたため、『仮名手本忠臣蔵』では浅野内匠頭（1667～1701）が塩冶判官、吉良上野介（1641～1702）は高師直、大石内蔵助（1659～1703）は大星由良之助と名を変え、時代設定も室町時代となっている。

188 伝統・文化 | 和紙

本美濃紙・細川紙・石州半紙は、2014年に「和紙　日本の手漉(てすき)和紙技術」の名称でユネスコの無形文化遺産に登録されている。和紙とは、日本古来の製法で作られたミツマタ・コウゾ・ガンピなどの靭皮(じんぴ)繊維を原料とした手すき紙を指す。洋紙に対する語だが、広義には和紙に似せてパルプ・マニラ麻などを機械ですいた洋紙も含め、和紙と呼ばれることもある。強靭で変質しにくく、墨書きに適しているのが特徴だ。

◈

和紙作りの様子

麻の繊維から紙を作る技法はもともと中国の発明で、それが朝鮮半島を経由して日本に伝わったとされるが、諸説あり定かではない。紙すきは日本で自然発生的に始まったという説もある。

古墳時代の513年、五経博士が百済から渡来し、漢字と仏教が普及し始めた。この時、紙への写経が仏教の普及に重要な役割を果たしたといわれている。年代のわかるものとして現存する最古の国産の和紙は、東大寺の正倉院に残る美濃、筑前、豊前の戸籍用紙だとされている。奈良時代の739年、朝廷に写経司が設置され、写経をするために紙の需要が拡大した。しかしこの時代、紙はまだ稀少な高級品で日常的に使用されることはなく、一般的な用途には木簡が使用されていたという。また、奈良時代より、麻よりも処理が簡単なコウゾが和紙の原料となった。山地に自生しているコウゾは、栽培も容易で、繊維が強靭なのが特徴だ。平安時代に入ると、簀(す)と桁(けた)という道具を揺すって繊維を絡ませる日本独自の紙すきの技術が確立し、美しい光沢を持つ薄くて丈夫な和紙が誕生した。

江戸時代に入ると、土佐、美濃、越前など全国各地ですき方や技法に特色のある和紙が作られるようになり、ふすまや障子、提灯や行灯(あんどん)、うちわや扇子など、紙を使った様々な加工品も作られた。また、江戸時代より中国渡来の木であるミツマタが和紙の原料とされるようになった。印刷効果が良いミツマタは、証券や紙幣の原料にも用いられている。そのほか、ガンピは、栽培が難しいため生産量こそ少ないが、美しい光沢の高級な和紙（雁皮紙）を作ることができる。

洋紙の寿命が100年なのに対し、和紙は1000年である。さらに、洋紙は変色や変質が起こりやすく、劣化しやすいのに対し、和紙は保存性も高い。しかし、和紙は手作りのため大量生産が難しく、どんな熟練の職人であっても一日に約200枚作るのが限度だといわれている。

豆知識

1. 最も身近な和紙製品の一つである「紙幣」が破けにくいのは、和紙の繊維が絡み合っているためである。
2. 和紙に油をひくことで耐久性と耐水性が高まった「油紙」は、笠や合羽(かっぱ)などの雨具にまで応用されている。
3. 日本画の多くは「絹本」と呼ばれる絹の布地か、「紙本」と呼ばれる和紙に描かれている。浮世絵の色が鮮やかに見えるかどうかは、紙の素材に起因するところも大きい。

189 哲学・思想 ｜ お遍路さん

四国八十八カ所霊場をめぐる巡礼のこと、あるいは巡礼者のことを遍路（お遍路さん）と呼ぶ。他の霊場（西国三十三所観音霊場など）の巡礼・巡礼者には用いない。海辺などの辺境を踏破して修行する「辺路」が語源だと考えられている。

◈

四国八十八カ所霊場は、弘法大師（空海、774～835）ゆかりの寺院88カ寺をめぐる巡礼である。もともと四国の海岸部は山岳修行者などが苦行を行う場所で、そのような場所を踏破することを「辺路」と呼んだらしい。若き日の空海も辺路の修行者の一人で、その様子は最初の著作である『聾瞽指帰』(『三教指帰』) に記されている。巡礼地化したのがいつのことかはわからないが、遅くとも室町後期には寺院数が88に定まっていた。江戸前期にはガイドブックのような本も刊行されている。霊場開創に関わる伝説も複数伝わっており、弘法大師が42歳の厄年祓いのために四国をめぐったことが始まりとする説もあるが、最もよく知られているのが衛門三郎（右衛門三郎）の話である。

衛門三郎は伊予国（現・愛媛県）の豪農であったが、ある時、旅の托鉢僧の鉢を叩き落として８つに割ってしまった。すると、衛門三郎の８人の子どもが亡くなり、彼は托鉢僧が弘法大師であったと気づいた。大師に会ってお詫びがしたいと思った衛門三郎は、大師の後を追って四国を20遍めぐったが会うことはできず、逆向きにめぐり（これを逆打ちという）始めたところ病にかかり路傍に倒れてしまった。死の直前になってようやく大師が現れたので衛門三郎は泣いて罪を詫びた。大師が「何か望みはないか」と尋ねると、衛門三郎は「領主の家に生まれ変わって善行を積みたい」と答えた。衛門三郎を憐れに思った大師はその手に「衛門三郎」と書いた石を握らせ、ねんごろに供養を行った。後年、領主の家に生まれた男児はいつまでも右手を開かなかった。困った領主が安養寺の住職を呼んできて祈禱をしてもらうと、男児は手を開いてみせた。そこには「衛門三郎」と書かれた石があった。弘法大師の霊験であったことを知った領主は石を安養寺に納め、寺は寺号を石手寺と改めたという。

遍路を行う巡礼者は札所寺院ごとに本堂と大師堂を参拝し、参拝者名などが記された納札を納め、朱印を納経帳に捺してもらう。本来は写経も奉納するものだが、読経と納札でこれに代えることが一般的になっている。古くは木製の納札を堂の壁に釘で打ちつけていたので、札所寺院を参拝することを「札を打つ」という。

四国には88カ寺の札所寺院のほかに番外札所と呼ばれる寺院もある。ここでも88カ寺と同じように納経印（朱印）を捺してもらえる。また、「写し」と呼ばれるミニ八十八カ所霊場が全国にあり、そのうち札所寺院の境内の砂を埋めてあるものを「お砂踏み」と呼ぶ。

豆知識

1. 四国八十八カ所霊場は弘法大師の霊場であるが、西国三十三所観音霊場・坂東三十三カ所霊場・秩父三十四カ所霊場は観音の霊場である。33は観音が人々を救うために現す化身の数だという。秩父ももとは33カ所であったが３つの霊場の合計を100にするため34カ所となった。３霊場合わせて百観音霊場という。

190 自然 | 河川の生き物

日本には、自然の中で育った淡水魚も豊富である。ところが、かつては身近な河川・湖沼で群れをなすように泳いでいた淡水魚たちが、社会環境の変化に伴って急激に数を減らしつつある。近年、様々な団体・省庁が発表するレッドリストでも、淡水魚は重点的に扱われるようになった。

◈

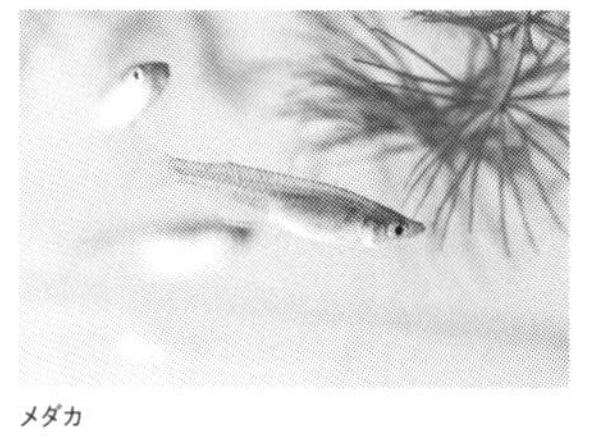
メダカ

日本の河川は海外のものと比べて流域面積が狭く距離も短いが、そこで育まれる淡水魚は極めて豊富である。地球上には1万2000種以上の淡水魚がいるが、そのうち日本に生育するのは約10%の1100種類ほど。環境省によれば、その中で汽水・淡水魚は約400種である。河川・湖沼は海よりもはるかに狭い生物圏だが、浅い淡水域では餌などの基礎生産（光合成や化学合成によって無機物から有機物が生産されること）が高く、一方で隔離状態も発生しやすいので種分化が促進されやすく、多くの種が存在するのだ。

小型の淡水魚としては、流れのゆるい小川や水路などに群れで生息するメダカ科のメダカが有名だ。観賞用として古くから親しまれてきた小魚だが、近年の農地改良で繁殖時に水田内に進入することができず、子孫を残すことができなくなっているという。コイ科のモツゴは、湖沼や河川下流域、ため池など様々な場所に生息していたが、近縁在来種と交雑したり、外来種に食べられたりして数を減らしている。日本では代表的な川釣りの対象魚であるアユは、養殖魚としてはウナギに次ぐ生産高を誇るが、1970年代までは各地の生息域の水質汚染が進み、天然個体が激減した。

日本固有の淡水魚は、現在、絶滅の危機に瀕しているものが多い。2013年の環境省作成のレッドリストでは絶滅危惧種数が167種指定されている。2019年、IUCN（国際自然保護連合）のレッドリストでは30種が新規に加わり、丹後半島のタンゴスジシマドジョウなど3種は絶滅危惧種の最も深刻なランクに指定されている。秋田県のクニマスは野生絶滅とされた。その原因は自然環境の消失や環境汚染などで、外来種の影響も拍車をかけていると指摘されている。また、隔離された環境での近縁種との交雑も純粋種を減らす要因となっている。

豆知識

1. 河川に生息する魚の漁師は「川魚漁師」と呼ばれるが、農業、林業などとの兼業がほとんどで、現在、養殖業以外は、専業漁師はほとんどいなくなってしまった。近年は魚の数だけでなく流通先も減り、経済的に成り立たなくなったからである。しかし、その技術や文化を後世に伝えるため、全国唯一の内陸における水産専門学科として、淡水魚の専門的学習ができる「栃木県立馬頭高校水産科」などが健闘している。
2. 日本における淡水魚減少は、卵を食べる外来生物も原因の一つだ。しかし、外来生物が増えたのと同時期に水質汚染などの環境破壊も起きたため、外来生物だけを悪者扱いしても問題は解決しないとの議論もある。
3. 外来淡水魚の人為的移入も大きな問題となっている。メダカに似たカダヤシは、マラリアなどを媒介するカ類の防除のために世界の熱帯域に移入された。日本でも移入されたが、メダカの生息圏を奪ってしまい絶滅危惧種にまで追い込んだ。

191 歴史 室町文化

室町幕府の第３代将軍・足利義満（1358〜1408）の「北山山荘」に代表される「北山文化」と、第８代将軍・足利義政（1436〜1490）の「東山山荘」を中心に発展した「東山文化」。今日の歴史学では、これらを総称して「室町文化」というのが一般的になっている。

◈

北山文化は、足利義満が京都の北山に造った別荘・北山山荘にちなんで名付けられたもので、代表する建築物として北山山荘（後の鹿苑寺［金閣寺］）に建てられた舎利殿（金閣）がある。金閣は伝統的な寝殿造風に加えて、禅宗様という建築方式で建てられている。同様の特徴を有した北山文化の建築物は、金閣寺のほかに永保寺開山堂が知られる。北山文化の華麗さの源流には、鎌倉末期から南北朝の動乱期にかけて流行した「ばさら」という風俗があるといわれている。ばさらとは、華美な服装で飾りたてた伊達な風体で勝手気ままな行動を取ることを称したもので、近江の守護大名・佐々木道誉（1296／1306〜1373）は「ばさら大名」として特に有名である。このような守護大名の台頭によって北山文化は花開き、二条良基（1320〜1388）の連歌集『菟玖波集』、観阿弥（1333〜1384）・世阿弥（1363？〜1443？）の能、画僧・如拙（生没年未詳）の水墨画『瓢鮎図』などの傑作が生まれた。

東山文化は、足利義政が義満に倣って京都に東山山荘を営み、戦乱をよそに風流の生活を送ったことにちなんで名付けられた文化である。旧来の貴族文化や禅宗の枯淡を尊ぶ気風や浄土宗の隠遁的な要素が交じり合い、わび・さびといわれる美意識を追求する独特の武家文化が形成された。東山文化を代表する建築としては、東山山荘（後の慈照寺［銀閣寺］）の中心的な建築物である観音殿（銀閣）や書院造を完成させた東求堂などがある。書院造自体は鎌倉時代末に始まったものだが、室町時代に入って発達し、生け花やわび茶の発展と結びついた。生け花では六角堂の池坊専慶（生没年未詳）が立て花の名手として知られ、茶では村田珠光（1422／1423〜1502）が出てわび茶を創始した。また、書院造の発達によって、禅宗寺院と調和のとれた庭園も発達し、枯山水（水を用いず、地形や砂礫、石のみで山水を表現する庭園の形式）の代表として知られる龍安寺の石庭など優れた庭園が造られた。書院造の座敷には障子画が描かれたことから、絵画も発達した。水墨画の雪舟（1420〜1502？）、狩野派を起こした狩野正信（1434？〜1530？）・元信（1476〜1559）などが名作を残している。

「東山文化」という用語が使われるようになったのは昭和初期のことで、その後に対比としての「北山文化」という用語が作られた。しかし、区分が曖昧なこと、義満と義政の間にいた将軍期の文化が抜け落ちているなどの問題から、現在は「室町文化」として全体を扱うのが歴史学では一般化している。

豆知識

1. テレビアニメ『一休さん』に登場する将軍は義満である。実在の一休宗純（1394〜1481）の年齢を考えると、義満が出家後、北山山荘に移り数年が経った頃の設定になる。
2. 14〜15世紀に外国から伝来し、今や定着した食べ物は多い。野菜では春菊、ソラマメ、スイカなど、果物では温州ミカン、加工食品では油揚げ、餡、羊羹などである。

192 文学 | 戯作

18世紀後半から幕末に至るおよそ100年間、上方に代わって文学の中心地となった江戸において興った様々な小説作品を包括して「戯作(げさく)」と呼ぶ。この場合の「戯」とは作品の主題ではなく作者の執筆姿勢を指していて、作品との距離や、俗文学であることの謙遜、正統本流でないことに対する免責の意味も含むと考えられる。

◈

一説によれば、「戯作」という言葉を初めて使用したのは、万能の才人と呼ばれた平賀源内(1728〜1779)とされる。源内は、1770年に「福内鬼外」という筆名で、浄瑠璃『神霊矢口渡(しんれいやぐちのわたし)』を書いた(ほか数人と合作)。その跋文で源内は、何度も浄瑠璃の執筆を依頼され、仕方なく筆に任せて書いたと述べている。武士階級である源内が俗文学に関わることへの抵抗もあったのかもしれない。ちなみに、当時「狂歌三大家」として知られた大田南畝(おおたなんぼ)(1749〜1823)、朱楽菅江(あけらかんこう)(1740?〜1799?)、唐衣橘洲(からごろもきっしゅう)(1744〜1802)はいずれも武士階級で、橘洲を除く2人は戯作者としても活動している。

戯作には、読本、洒落本、談義本、人情本、滑稽本、草双紙などがある。草双紙はさらに、その体裁により、赤本、黒本、青本、黄表紙、合巻に分類される。

読本は挿絵や口絵より文章が中心となった作品である。『雨月物語』の項(177ページ参照)でも述べたように、中国・白話小説の影響を受けたものが多く、初期は多くの作品が教養の高い知識人層によって書かれていた。

文筆活動の収入のみで生活することが難しかった時代は、文人の多くは出家や、隠棲といった形で創作に専念することが多かった。ところが18世紀末の江戸では、遊里へ入り浸る知識層が増え、遊里の風俗や、遊女と客のやりとりを描く洒落本が人気を博すようになる。その作者には、儒学者や漢学者も含まれていた。さらに寺子屋の普及で庶民の識字率が高まると読者は爆発的に増え、「江戸地本」と呼ばれる大衆向けの書物の出版が盛んになる。談義本、滑稽本、人情本、草双紙などを版元が大量刊行し、戯作者も専業化が進んでいき、口絵や挿絵を担当する浮世絵師が活躍する機会も増えていった。

一方で、これらの流行戯作者や版元はたびたび、幕府による出版統制や処罰を受けている。特に大人向けの娯楽性が強い作品はその対象となることが多かった。江戸時代中期の寛政の改革では、『江戸生艶気樺焼(えどうまれうわきのかばやき)』を代表作に持つ洒落本作者の山東京伝(1761〜1816)や、版元の蔦屋重三郎(1750〜1797)が、後期の天保の改革では、『春色梅児誉美(しゅんしょくうめごよみ)』を代表作に持つ人情本作家の為永春水(ためながしゅんすい)(1790〜1843)、『偐紫田舎源氏(にせむらさきいなかげんじ)』で知られる柳亭種彦(りゅうていたねひこ)(1783〜1842)らが処罰を受けた。

豆知識

1. 江戸時代の日本人の識字率は世界一高かったとよくいわれるが、学術的根拠は低く、1970年代以降に起こった「江戸時代肯定ブーム」の中で広まったのではないかとの説がある。ただし、世界一かどうかは別として、世界的に見て高い識字率を誇ったことは確かなようだ。

193 科学・技術 | 蘭学

キリスト教国のスペイン人やポルトガル人の来航と日本人の東南アジア方面への出入国を禁止し、海外との交流や貿易を制限した、いわゆる「鎖国」政策。しかし、日本の孤立状態の中で、オランダを通じて輸入されたヨーロッパの学術と文化は「蘭学」と呼ばれ、日本の文化をさらに進歩させるカンフル剤となったといえよう。

◈

江戸時代オランダを通じて日本に入ってきた蘭学は、オランダのみならずヨーロッパの学術、文化、技術の総称で、語学や医学、天文学、物理学、測地学、化学、洋画技巧のほか、学問から芸術までその分野は多岐にわたった。第８代将軍・徳川吉宗（1684～1751）は洋書輸入を一部解禁し、実用的な蘭学については禁を緩め導入を図った。また、幕臣の青木昆陽（1698～1769）と本草学者の野呂元丈（1693～1761）には蘭語習得を命令した。青木は蘭語の辞書や入門書を残し、野呂はヨハネス・ヨンストンの図鑑を抄訳し、日本最初の西洋博物学書『阿蘭陀本草和解（わげ）』を著した。２人は蘭学興隆の一因を作った、蘭学者の草分けである。しかし18世紀後半から、幕府は急速に広まった蘭学の思想が封建体制に悪影響を与える可能性を危惧するようになり、1821年には出版取締令で翻訳出版の規制を行い、外来の知識を独占的に掌握するようになった。この時期の1823年にはシーボルト（1796～1866）が来日し、長崎で日本人門下生を教えた。また1825年には薬剤師ハインリッヒ・ビュルガーがシーボルトの助手として来日した。

しかし、外国からの開国要求を警戒した幕府は、蘭学に対する抑圧を本格化する。漢方医と蘭方医の対立を背景に、1849年からオランダ語を使ったヨーロッパの文献に対して、翻訳と刊行の規制「蘭書翻訳取締令」が出された。まず、幕府医師の蘭方の使用が禁じられ、すべての医学書を使うには、漢方医が統制する医学館の許可を得なければならなくなった。翌1850年には蘭書の輸入が長崎奉行の許可制となり、海防関係書を翻訳中の藩は一部を天文方に提出するものとした。一連の取締令で蘭学関連の出版は困難となり、蘭学の発展は阻害される結果となった。ところが1858年に幕府医師の和蘭兼学が認められ、安政の五カ国条約に従って外国貿易が本格化したことで洋書の輸入許可制が崩壊する。この頃もたらされた海外からの学問が、日本の急速な近代化の一助となった。

豆知識

1. 青木昆陽は、吉宗の命を受けて飢饉の際の救荒作物としてのサツマイモの普及を図り、甘藷先生と呼ばれるようになった。サツマイモは享保の大飢饉などで、多くの人命を救ったといわれている。試作の地となった幕張には昆陽神社が建てられ、昆陽は芋神として祀られている。昆陽の晩年の弟子には『解体新書』を翻訳した前野良沢がいる。
2. 幕末の日本には蘭学だけでなく、英学、仏学、獨逸学など海外の学問が大量に輸入された。そこで欧米諸国から導入された学術をまとめ、洋学と呼ぶようになった。
3. 蘭方医の杉田玄白（206ページ参照）はオランダ語を学ぼうとした時期もあった。しかし、通訳の人物に断られ、あっさり諦めたという。その代わりに『解体新書』の翻訳・出版を急ぎ、「早くしないと完成を草葉の陰で見ることになる」と言っていたことから、蘭学者たちに「草葉の陰」とのあだ名がつけられたという。

194 芸術 東照宮・桂離宮

江戸幕府の開祖である徳川家康（1542〜1616）を祀った霊廟が日光東照宮である。創建は1617年だが、家康を格別に慕っていた孫の家光（1604〜1651）によって大幅に刷新され、現在の社殿群のほとんどは1636年に建て替えられたものだ。一方で、皇族の別荘として建てられた桂離宮は、同じ江戸時代初期に造営されながらも豪華絢爛な東照宮とは異なる趣を見せる。

◈

日光東照宮陽明門

1616年、73歳で死去した家康の遺体は、駿府（現・静岡市）の久能山に葬られた。その翌年、家康を「東照権現」として神格化し下野国（現・栃木県）の東照宮に改葬。この東照宮を造替したのが第３代将軍・徳川家光だ。家光は全国各地から宮大工や彫り物師を集め、荘厳な姿に改装する。家光が改装に踏みきったのは、豊臣秀吉（1537〜1598）を祀る装飾を多用した壮麗な豊国社に倣いつつ、それを凌駕する意思があったと考えられる。また、徳川将軍家の権威を誇示するために、豪華な威容を利用したともいわれている。家光が威信をかけて建てた東照宮の特徴は、建築群に施された多様・多彩な装飾にある。その技術は当時の最高水準であり、彩色、彫刻、飾金具などに惜しみなく使われ、特に「陽明門」は極彩色の彫刻が500以上も施された。また、陽明門の左右にのびる「廻廊」の外壁には日本最大級の花鳥の彫刻が、唐門には「許由と巣父」や「舜帝朝見の儀」など細かい彫刻が施され、本殿・拝殿を含めて国宝に指定されている。

一方の桂離宮は、八条宮智仁親王（1579〜1629）によって建てられた。その名の通り京都郊外の桂（現在の京都市西京区桂）に位置し、総面積は約７万m²。そのほとんどを庭園が占め、建築物も含めて造営当初の姿を今に伝える。もともと桂の地は平安時代から貴族の別荘地として知られ、藤原道長（966〜1027）の別邸「桂殿」が設けられ、『源氏物語』の「松風」帖に登場する光源氏の桂殿も、この地にあったという設定である。宮廷きっての文化人として知られた智仁親王が桂を選んだのも、平安期の雅びな風流に思いをはせたからだといわれている。だが、智仁親王が亡くなると離宮は荒れ放題となり、再興したのが子の智忠親王（1619〜1662）である。

桂離宮の書院は「古書院」「中書院」「楽器の間」「新御殿」に分かれ、このうち古書院の建築は1616年頃と推定されている。これらは３期半世紀にわたる造営であり、時代に応じて意匠が変化している。古書院は端正な書院造であり、1641年頃に建てられた中書院には狩野派による障壁画が描かれ、草庵風の意匠が加えられている。1662年頃に建てられた楽器の間と新御殿には斬新な飾金具や複雑な違棚など独創的な装飾が施され、これにより基本的な書院造から簡素に見せる草庵風、そして華やかな意匠へと至っている。

豆知識

1. 陽明門は「一日中見ていても飽きない」ということから「日暮御門」の異称がある。
2. 桂離宮の庭園は最古の回遊式庭園であり、海外の建築家からも高い評価を得ている。

195 伝統・文化 漆器

漆器とは、木材、竹、紙、布、皮、合成樹脂などを用いて作った素地に漆を施した工芸品である。日本や中国、朝鮮半島、タイなど漆を産出する国で発達し、高級品は美術工芸品となるが、普通の品は実用品として使われる。日本製の漆器は世界的に評価が高く、ヨーロッパでは日本から輸入した漆器を日本国名の「japan」で表すことがある。

◈

金箔の漆器

奈良時代に中国から螺鈿、平文、漆皮、漆絵、乾漆などの技術が伝わったといわれているが、約9000年前の漆器が北海道垣ノ島遺跡から出土したことから、日本が縄文時代から漆工芸の技術を持っていたことがわかった。平安時代に入ると、日本特有の漆器の加飾技法の一つである「蒔絵」が発達した（「蒔絵と螺鈿」60ページ参照）。蒔絵とは、漆器の表面に漆で絵や文様、文字などを描き、それが乾く前に金、銀などの金属粉を蒔くことで器の表面に定着させる技法である。平安時代初期に成立した『竹取物語』には「まきえ」という言葉で室内装飾を施したという記述が見受けられる。

鎌倉時代に入ると、漆器は庶民にも普及。室町時代には、中国の技法に影響を受け、「堆朱」「沈金」「鎌倉彫」などの彫漆が盛り上がる。仏教色が薄れ、豪華で派手なものがあふれた安土桃山時代には、漆器は西洋で模倣品が作られるほど人気を博した。

漆器の製作工程は、漆の精製、素地の加工に始まり、下地、上塗、加飾など複雑だ。素地は主に木を用いるが、竹を用いた蒟醬や紙を用いた一閑張、麻布、皮、合成樹脂なども使用する。下地とは、素地の形を修正し、堅牢さを増すための工程で、漆下地、渋下地、膠下地、糊下地などがある。また、上塗も油分を含んだ漆に塗る花塗（塗立）、油分を含まない漆を塗って木炭でとぎ出す蠟色塗、透明な漆を塗って木目を出す透明塗、種々の材料や技術によって変わった感じの効果を出す変わり塗（鞘塗）など、様々である。加飾の技法には、「蒔絵」「漆絵」などの絵画的方法と、「彫漆」「沈金」「鎌倉彫」「蒟醬」などの彫刻的方法がある。ほかに螺鈿、平文、存星などの方法もある。その後、江戸時代になると、本阿弥光悦（1558～1637）や尾形光琳（1658～1716）が独創的な作品を生み出した。また、江戸時代には各地に特色ある産業として多くの漆工が興り、会津塗、津軽塗、根来塗、若狭塗、輪島塗、大内椀秀衡塗などが誕生。しかし、現在は漆の国内での生産量は減っており、輸入に頼っている。

豆知識

1. 漆から樹液を採取することを「漆をかく」または「漆かき」と呼ぶ。漆かきは6月から7月が最盛期で、10月頃まで続けられる。漆かきは、俳句の夏の季語である。
2. 漆はかぶれることで知られている。免疫のある漆器職人でも顔や手以外の箇所に樹液が触れるとかぶれることがあるほど強力である。
3. 石川県輪島産の「輪島塗」は、日本で最も有名な漆器として知られている。生漆と米糊、焼成珪藻土を混ぜた下地を何層にも厚く施し、丈夫さを重視して作られた漆器である。

196 哲学・思想 ｜ 末法思想

末法思想は仏教の歴史観に基づく終末思想である。仏教による救いが得られなくなるばかりか、この世の終わりも近づくことに貴族たちはおびえ、寺や仏像を造るなどの功徳を積み、一切の苦しみがないという極楽浄土への往生を願った。

◈

末法は仏教の歴史観を示す用語の一つで、釈迦の入滅（死去）後に、時間とともに仏教が廃れていくことを表す。具体的にいうと、教（教え）・行（仏教の修行・実践）・証（悟り）の３つとも健在である時期が正法、教と行のみが残っている時期が像法、ただ教のみが残っている時期が末法である。こうした考え方はインドで成立したが、詳細に論じられるようになったのは中国に伝わってからで、日本では平安時代に入ってから注目されるようになった。

平安時代に末法が問題にされるようになったのは、その時期が目前に迫ってきていると信じられたからである。正像末の期間についてはいくつかの説があったが、当時の日本では正法1000年、像法1000年とする説がとられていて、1052年が末法元年だと思われていた。

末法に入ってしまうともはや教しか残っていないので、僧に祈禱を行ってもらっても効果が期待できないことになる。造寺・造仏を行ってもさほどの功徳にならず地獄に堕ちるかもしれない。また、末法になると様々な災害や犯罪が蔓延して、苦しみが増えると信じられていた。実際、末法が近づくにつれて自然災害や大規模な火災が多くなっていた。こうしたことから貴族たちは末法の到来を恐れたのである。

仏教の場合、末法に入ってもこの世が終わるわけではなく、釈迦の涅槃後56億７千万年後に弥勒菩薩（釈迦の次にブッダになることを約束されている未来仏）が悟りを開いて仏となり再び正法の時期になるので、キリスト教などの終末論（将来、神の審判が下ってこの世が終わるという考え）とは異なる。しかし、災害や悪僧の横行などを目にしていた貴族たちが、この世の終わりが近いように感じたのも事実であろう。

末法の到来におびえた貴族たちは、以前にも増して仏にすがった。中でも阿弥陀如来を頼った。阿弥陀如来は心から極楽往生を願って自分の名を唱えたら（つまり、「南無阿弥陀仏」と唱えること）必ず極楽浄土へ迎え入れる仏とされていたので、末法の世になって修行などの功徳が得られない時代になっても救いが期待できたのである。

末法到来の年とされた1052年、関白の藤原頼通（992〜1074）は宇治の別荘を寺に変えて平等院と名づけた。翌年には阿弥陀堂（鳳凰堂）も完成した。この堂は極楽浄土にある阿弥陀如来の宮殿を模したもので、「極楽の様子が知りたかったら宇治の御堂を見ればいい」とまでいわれたという。頼通は池の対岸からこの堂を拝して極楽往生を願った。

豆知識

1. 仏教の歴史観は正・像・末だけではない。壊劫・空劫・成劫・住劫という４期が繰り返されるという説では、壊劫の時に世界は跡形もなくなってしまう。しかし、一つの期間が20劫（一説では１劫は43億２千万年）なので、住劫にいるわれわれにとって世界の終わりははるか先のこととなる。

197 自然 日本人と鳥

日本では、鳥は食用だけでなく狩猟や漁猟、愛玩用など多くの場面で重宝されてきた。これは多数の鳥が生息する日本の自然環境だけでなく、それに親近感を抱く日本人の心情も物語っている。しかし、現在日本では絶滅種や絶滅危惧種に指定される鳥も増え、人間と鳥類という、両者の関係を保つのが極めて難しい場合があることもわかってきた。

◈

ウグイス

『古事記』『日本書紀』にはすでに、ウミウを使ってアユなどを獲る伝統的漁法「鵜飼い」について記されている。平安時代の貴族たちの贅沢な趣味だった小鳥の飼育も、室町時代には武士階級にまで広まり、今でいうペットショップの「鳥屋」も現れた。

また、江戸の「飼い鳥」文化はバラエティに富んでいた。ウグイスやメジロ、コマドリなどの日本の和鳥、海外から輸入されたオウムなどの洋鳥、ジュウシマツなど品種改良された小鳥など、実に様々な種類が飼われていたのだ。

第10代将軍・徳川家治や第11代将軍・家斉は、江戸城内でウグイスを飼育し、また『南総里見八犬伝』の作者・曲亭馬琴も100羽以上を飼育し、今でいう鳥類図鑑を著すほどだった。

これだけの鳥文化が花開いたのは、日本に野鳥が多く生息していたからだろう。例えば渡り鳥は、定期的に海外から日本に移動してくる。ツバメ、アマサギといった夏鳥は繁殖のために南方から渡ってきて夏を日本で過ごし、再び越冬のために南に渡っていく。ツグミやオオハクチョウなどの冬鳥は越冬のために北方から飛来し、冬を日本で過ごした後再び繁殖のために北に渡っていく。シギ、チドリなどの旅鳥は、渡りの途中に日本を通過していく鳥である。そしてメジロやスズメ、キジなど定住しているものは留鳥と呼ばれる。こうした鳥の中には、江戸時代までは信仰の対象として保護されていながら、現在は生息域の開発などによって絶滅危惧種となったライチョウや、「ニッポニア・ニッポン」という学名を持ちながら、乱獲や生息域の開発によって絶滅危惧種となったトキもいる。一方で、かつて絶滅を危惧されながらも環境保全活動により数を増やし、現在は多量の真っ白な糞により水質汚染や土壌汚染をもたらしているカワウのような鳥もいる。

豆知識

1. 江戸時代、愛鳥家たちに人気だったのは「鳴き合わせ」という小鳥の鳴き声を競い合う遊び。中でもウグイスとウズラの鳴き合わせは人気だった。現在、ウズラは、食用として知られているが、江戸時代には声の美しさから人気の愛玩鳥だったのである。
2. 小鳥の専門店である鳥屋を支えていたのが、「鳥刺し」と呼ばれる捕獲人だ。先端に鳥黐(とりもち)を塗った長い竿「黐竿」を使って小鳥を捕獲する。同様の職業はヨーロッパにもあり、モーツァルトのオペラ『魔笛』にも登場する。
3. 『日本書紀』や『万葉集』にも登場するトキは、大型であるために古くから食用とされていた。明治時代以降、乱獲や生息域の減少などで絶滅したと考えられていたが、昭和になって再確認された。しかし、これも2003年に絶滅してしまう。その後、中国産のトキが遺伝子的に同一だということがわかり、人工繁殖の試みが現在も続けられている。

198 歴史 | 応仁の乱

1467年から1477年までの10年間にわたり、室町時代の京都を中心に起こった「応仁の乱」。その争いは全国各地に広がり、戦国時代が始まるきっかけとなった。京都の被害は甚大で、寺社や公家・武家の邸宅は大半が焼失し、死者は8万4000人余り。賀茂川に遺体が捨てられ、その悪臭は都全体を覆ったと伝えられている。

◈

1441年、室町幕府第6代将軍・足利義教（1394〜1441）が播磨の守護大名・赤松満祐（1381〜1441）に暗殺されるという重大事件が起こる。いわゆる「嘉吉(かきつ)の変」である。幕府はすぐに討伐軍を派遣して赤松を討った。この戦いで戦功をあげたのが山名持豊（後に出家して宗全、1404〜1473）の一族であった。褒賞として赤松の領地であった播磨、備前、美作(みまさか)が山名氏に与えられ、山名は細川や畠山といった管領家にも並ぶ実力の守護大名となった。

義教亡き後、第7代将軍には幼い義勝（1434〜1443）が就いたが、わずか8カ月の在任で死去。続く第8代将軍にも幼い義政（1436〜1490）が就くこととなる。義政は長じて日野富子（1440〜1496）を正室に迎え、男子をもうけたが早逝する。側室との間にも男子はなかった。

義政は、飢饉や災害が相次ぐ世情にまったく関心を見せず猿楽や酒宴に溺れ、早々に隠居を考えて1464年、次期将軍として弟の僧・義尋を指名した。義尋は還俗して「義視」と名乗り、義政の養子となった。しかし翌年、富子が男児・義尚を出産したことにより後継者争いが起こる。義視は管領・細川勝元と組み、義尚は山名宗全の支持を得た。ただしこの構図は、応仁の乱においては、細川方（東軍）対山名方（西軍）という部分だけが残り、ほかはむしろ逆転してしまう。さらに畠山、斯波(しば)の両管領家など、各地で発生していた後継者問題が対立構図の中に含まれるようになる。

東軍／足利義尚（将軍の子）、足利義政（将軍）、日野富子、細川勝元、畠山政長、斯波義敏、大内道頓
西軍／足利義視（将軍の弟）、山名宗全、畠山義就、斯波義廉、大内政弘

1467年、細川方の赤松正則が播磨国へ侵攻し、山名氏から同国を奪還する戦いが開戦のひとつのきっかけとなった。冒頭に触れた「嘉吉の変」の逆襲である。

両軍の総大将と目される細川勝元と山名宗全は、1473年に相次いで死去。1475年、義視と義政の間に和解が成立し、1477年に第9代将軍・義尚の名で大内政弘の守護領が安堵され、大内が京から撤収すると即日西軍は解散した。同年11月、幕府による「天下静謐」の祝宴が催され、応仁の乱は終結した。

豆知識

1. 応仁の乱の際、戦乱が長引いたことにより都から地方へ公家や文人などが移り住んだことが、都の文化が地方に広がるきっかけとなった。
2. 日野富子は戦乱の間、大名に金貸しを行い、莫大な富を築いた。
3. 義視は息子とともに美濃国へ亡命し、10年以上滞在を続けた。息子の義植（1466〜1523）が1490年に第10代将軍に就いたため、父の義視も上洛し復権を果たした。

199 文学　近松門左衛門

江戸時代を代表する歌舞伎、浄瑠璃脚本の作者として知られる近松門左衛門（1653〜1724）は、生涯に100作以上を発表したといわれている。現在でも上演される名作は数多く、明治期の研究者からは「日本の沙翁（シェイクスピア）」とも称された。特に浄瑠璃における「世話物」を確立したことが最大の功績とされている。

◈

近松門左衛門

近松が執筆を開始したと思われる1670〜1680年代、すでに歌舞伎も浄瑠璃も洗練された演劇となっており、劇場には活気もあったようだ。ただし、後世と比べると脚本は優れたものが少なく、観客は人気役者の演技や人形のからくり、浄瑠璃太夫の語りなどを主に楽しんでいたらしい。しかし、近松の登場で、演劇における脚本の重要性が一気にクローズアップされるようになったという。それは特に浄瑠璃において顕著であった。

越前国（現在の福井県）で武士の家に生まれた近松は、父の浪人に伴い、一家で京都に移り住んだ。近松は京で公家の正親町公通（1653〜1733）に仕え、その主人と交流があった浄瑠璃太夫の宇治加賀掾（1635〜1711）と知遇を得る。これが近松を浄瑠璃作者にしたきっかけではないかといわれているが、詳しいことはわかっていない。

この加賀掾一座の最優秀の弟子が、竹本義太夫（1651〜1714）である。近松は大坂に作られた竹本座のために浄瑠璃脚本を書いた。このコンビによる上演は以降、「新浄瑠璃」と呼ばれるようになり、時代物の代表作である『出世景清』から始まっている。同作は人形によってこそ可能な、主人公の超人的な怪力ぶりを表現するなど、見所も多かったが、逆に細かな心情の演出には限界があった。

その後、近松は歌舞伎脚本に重心を移すが、17年を経て、再び竹本座に『曽根崎心中』を書き、「世話物」「心中物」という新たなジャンルを浄瑠璃の世界で開拓した。この興行は成功を収め、さらに17年を経て『心中天網島』が上演される。研究者の中には、この『心中天網島』こそ近松の最高傑作と評する者もいる。当時の芝居には、世上で実際に起きた情死や殺人などの事件を大衆に知らせるニュースとしての役割もあった。近松も実際にあった心中事件をもとにしてこれらの作品を書いている。

観客は、時代物には派手な演出や荒唐無稽な展開を求めるが、世話物には「事実らしさ」を要求する。つまり、結末は美しく、救いになっていなければならないが、心中へ至る必然性がなければ観客の共感は得られない。そこで近松は登場人物に「義理と人情」という、江戸期の庶民道徳を代表する２つの心情を加えた。言い換えれば、当時の都市生活者の「社会的な責任」と「自己の欲望」における葛藤である。これにより観客の心情に訴え、心中も仇討ちも単なる自死や殺人でない「悲劇」へと転化されたといえよう。

「芸といふものは実と虚の皮膜の間にあるものなり」

これは、近松が友人に語った言葉で、「虚実皮膜の論」としてよく知られている。その視点は現代でも十分に通用する、洞察力に富んだものといえよう。

200 科学・技術 『解体新書（ターヘル・アナトミア）』

今では、人体の解剖図は中学校の理科の教科書にさえ載っているが、こうした体の仕組みが日本で知られるようになったのは、つい240年ほど前のことだ。まだ蘭学が抑圧されていた1774年に刊行された『解体新書』が、日本初の翻訳解剖学書である。

◈

杉田玄白

日本最初の本格的な解剖学書である『解体新書』が刊行されたのは1774年。これは1722年に刊行されたドイツ人医師ヨハン・アダム・クルムスの医学書をオランダ語訳したものを日本語に重訳した書物で、日本で初めて翻訳された西洋医学書である。通称『ターヘル・アナトミア』とも呼ばれ、実際には『トンミュス解体書』『ブランカール解体書』といった、数々の医学書を参考に編纂されている。

1771年、蘭方医の杉田玄白（1733〜1817）と前野良沢（1723〜1803）、中川淳庵（1739〜1786）は、小塚原の刑場において死罪となった罪人の遺体の腑分け（解剖）を見学する。玄白は、持参したオランダ語訳『ターヘル・アナトミア』と実際の人体を見比べ、内容の正確さに驚き、これを翻訳しようと良沢に提案した。翻訳作業は翌日から開始されたが、オランダ語の知識を持っているのは良沢だけで、しかも堪能とはいいがたかったため、まるで暗号解読のようなものだったという。『解体新書』に掲載された解剖図は秋田藩角館の藩士で画家の小田野直武の手による。本書の出版直前、玄白の友人だった平賀源内が家を訪ねてきた際、本文の翻訳が終わり図譜の画家を探していると聞いて直武を紹介したのだった。直武は、半年という短期間で図譜を描き上げたという。その後４年を経て、内容が漢文で記述された本文４巻、付図１巻の『解体新書』が完成。ちなみに同書には、著者として良沢の名前が記されていない。これは幕府の出版取り締まりを警戒し、咎（とが）めを受けた場合に盟主格の良沢に累を及ぼさないための配慮だったという説や、訳文が不完全だったため学究肌の良沢は名前を出さなかったといった説がある。不完全な訳を承知で刊行を急いだのは、玄白が「自分がいつ死ぬかわからない」と焦っていたためといわれているが、結局、彼は当時としては長寿の85歳の天寿を全うした。

こうした解剖学が、医学の教育に用いられて進歩を遂げるのは開国後、明治以降だが、それでも『解体新書』の意味は大きく、新造語であった神経、軟骨、動脈、十二指腸などの専門用語は、現在でも日本の医学界で使われている。

豆知識

1. 『解体新書』が翻訳された当時、日本人のオランダ語翻訳の能力は高くなかった。翻訳に携わった杉田玄白は誤訳だらけであることを十分認識していて、後に弟子である大槻玄沢に再翻訳させた。それが1826年に刊行された『重訂解体新書』である。
2. 中川淳庵は情報通だった。1771年に江戸参府のオランダ人を訪ね、解剖学の原書を譲渡するとの情報を得て玄白にもたらしたのも淳庵だ。またオランダの書物から石綿の情報を平賀源内に伝えた。源内は秩父山中でアスベストを採掘し「火浣布」を製造した。
3. 江戸時代は、人体解剖されるのは処刑された罪人の遺体のみと決められており、一般人が触れることは禁止されていた。同じように６〜７世紀のヨーロッパでは教会が人体解剖を許していなかった。13世紀を過ぎたルネサンスの時期に、教会は少しずつ解剖を認めるようになり、ようやく解剖学が発展したのだった。

201 芸術 左甚五郎

左甚五郎（生没年未詳）は、江戸時代初期に活躍したとされる彫刻職人で、その彫刻には魂が宿り、夜動き出すといった噂が立つほどの腕前であった。日光東照宮の『眠り猫』『三猿』、上野東照宮の『昇り龍・降り龍』、久能山東照宮の『神馬』、紀州東照宮の『緋鯉・真鯉』などが作品として伝承されている。「酒好きでだらしないが、左腕一本で名品を作り出す天才職人」という設定で、甚五郎を主人公にした落語や講談が人気を博した。

◈

日光東照宮『三猿』

左甚五郎の制作とされる作品は、全国各地に100カ所近くも残されている。ただし、制作期が安土桃山時代から江戸時代後期まで300年にも及ぶことから、甚五郎は実在の人物ではなく、腕利きの彫刻職人の象徴化された存在ともいわれている。一方で実在説もあり、有力なのは室町時代に生まれた岸上甚五郎左義信（1504～1570？）がモデルという説だ。岸上甚五郎左義信は、日本で初めて建築物の木彫物に動物や植物など自然の形を作品にした先駆者である。16歳という若さで多武峯十三塔などを建立した名工だったという。

彼が亡くなったのちも岸上一族は代々活躍を続け、江戸時代に名前を「和泉」と改名して幕府作事方棟梁を担ったとされる。甚五郎の作品として知られる日光東照宮の『眠り猫』『三猿』などは、この時期、甚五郎の子孫が手がけた作品を指しているとの解釈もある。

「左」という名字の由来も諸説あり、幼少期を過ごした飛騨から「飛騨の甚五郎」が変化したもの、さらには左利きだったという説も残る。江戸初期の医師で歴史家の黒川道祐（？～1691）が記した『遠碧軒記』には、「左の甚五郎と云もの」が「左の手にて細工を上手に」し、京都の北野神社の透彫や豊国神社の龍の彫り物を作ったいう記述がある。

甚五郎の作品である動物の彫り物に共通するのは、今にも動き出すかと思われるような生命力を放つことだ。1592年に再建された秩父神社にある『つなぎの龍』には、「毎晩田んぼを荒らし、その翌日には、この龍の下に必ず水たまりができた」という逸話が残る。また、甚五郎が登場する落語『ねずみ』は、彼の彫った木彫りのネズミが動き出し、さびれた宿場が再び繁盛するという内容である。

左甚五郎が江戸時代の天才名工と伝承された背景には、当時神社や寺院に彫り物を多用する「江戸彫り」が流行し、宮彫師・堂宮彫刻師の地位向上の動きがあったこと、さらに江戸の落語・講談ブームが拍車をかけ、「左甚五郎」の壮大なエピソードが膨らんでいったとも考えられる。

豆知識

1. 福島県如法寺の鳥追観音には、左甚五郎作と伝わる『隠れ三猿』があり、それぞれ「災難より隠れ猿」「災難より逃れ猿」「安楽に暮らし猿」のいわれがある。3匹目の猿は牡丹の蕾に似せて隠し彫りされており、これを探し当てると「福マサル」とし、幸運がやってくるといわれている。

202 伝統・文化 陶磁器

日本には、全国各地に様々な種類の陶磁器の産地が存在する。陶磁器とは、土や粉末状の鉱物を練り固め、成形・乾燥・焼成したものの総称である。やきものとも呼ばれる。原料の状態や焼成温度などによって、土器・炻器（せっき）・陶器・磁器に分類され、後者ほど焼成温度が高い。成形法には手びねり、ひも造りなどといった手工芸的な方法と、ろくろ、鋳込み、プレスなどの器械的な方法がある。

◈

ろくろで陶磁器を作る様子

「土器」は、釉薬（ゆうやく）（うわぐすり）をかけずに700～900℃の低温で焼かれた器物を指す。窯を使わず、粘土を積み上げ、草木などの可燃物をくべて野焼きの状態で焼かれる。日本では、縄文・弥生時代に作られたものが有名である。歴史的に見ると、陶磁器の前身にあたる。

「炻器」は、古墳・飛鳥時代に朝鮮半島から伝わった「ろくろ」を使って器物を成形し、同じく伝来した「穴窯」で釉薬をかけずに高温帯（1200～1300℃）で焼き上げて作る。釉薬を使わずに高温で焼くと、素地が焼き締まることから「無釉焼き締め陶」とも呼ばれる。土器よりも頑丈で、水を通さないのが特徴である。

「陶器」は陶土と呼ばれる粘土が原料の高温帯（1100～1300℃）で焼かれた器物。焼かれた素地の粘土は、茶色がかったり、焼き方によっては褐色や黒味を帯びた色だったりする。一般的には釉薬のかかったものを指す。土器・炻器と陶器・磁器の大きな違いは、前者には釉薬がかかっていないが、後者にはかかっているという部分が大きい。

陶器が作られるようになった背景には、素地の表面をガラス質で覆って、水漏れや汚れを防ぎ、作品自体の強度を高める釉薬の登場と、窯の進歩があった。最初の日本の陶器は、愛知県出土の猿投窯（さなげよう）で作られた「人工施釉陶器（灰釉陶器）」とされている。代表的な陶器として「瀬戸焼」「伊賀焼」「大谷焼」などが知られている。

「磁器」は、陶石と呼ばれる岩石を主な原料に、1300℃程度で焼成する器物である。また、磁器は土器や陶器と比較すると、吸水性がほとんどないが、高温で焼き締まっているため頑丈だ。陶磁器の中では最も硬く、軽く弾くと金属音がする。日にかざすとうっすら光を通す陶器にはない透光性という性質もある。日本における磁器の始まりは、有田焼だといわれている。

豆知識

1. 陶器は吸水性が高いため、醤油などの有色水分はしみ汚れの原因となる。また、初めて使用する時は、温水か水によく浸してから使うのがよい。
2. 陶磁器を洗う時は、洗剤の中に長時間つけ置きしたり、熱湯を使うのは、腐食の原因となるので適さない。また、硬いタワシでこすると絵付けがはげることがあるので注意が必要である。
3. 中国から伝わったという由来から、陶磁器のことを英語で「china」という場合もある。

203 哲学・思想 ｜ 法然

法然（1133～1212）は浄土宗の開祖であり、念仏を唱えることによって誰もが極楽往生できること（専修念仏）を説いて庶民にも信仰を広めた。浄土真宗の開祖・親鸞（1173～1262）の師であるとともに、鎌倉新仏教そのものの開祖ともいえる。

◈

法然は美作国久米南条稲岡庄（現在の岡山県久米郡久米南町）に、押領使であった漆間時国の子として生まれた。幼名は勢至丸といったという。押領使は地方の治安維持に当たる役職であったが、時国は法然が９歳の時に夜討ちにあって死んでしまった。遺言によって復讐が禁じられたため、法然は出家の道を選んだという。

比叡山で出家した法然は18歳の時に比叡山西塔黒谷の叡空の弟子となり、厳しい修行のかたわら経典の研究に励んだという。また、24歳の時からは南都（奈良）の学僧（仏教の教理の研究に専念する僧のこと）を訪ねて、様々な宗派の教えも学んだ。その一方で源信（942～1017）が著した『往生要集』の影響を受けて、浄土信仰に傾いていった。特に中国の浄土教の僧・善導（613～681）の著作に惹かれていった。そして、宇治の宝蔵（平等院の経蔵とされる）で見出した『観経疏』の「散善義」という章に「一心専念弥陀名号」（一心にもっぱら阿弥陀仏の名前を念ずる）という一節があるのを目にして信仰の確信を得たとされる。すなわち、末法の世では自力で悟りに至ることはできず、難行苦行を行っても功徳を得られるのかわからない。それよりも、自分の名前を唱えた（「南無阿弥陀仏」と唱えた）者は必ず極楽浄土へ迎えようと誓った阿弥陀仏を信じて、念仏に専念するべきとしたのである。これを専修念仏という。

この時をもって浄土宗開宗とされており、法然43歳の時であった。法然は住まいを東山の吉水に移して、人々に教えを説き始めた。教えを受ける者には、九条兼実（1149～1207）などの貴族や平重衡（1157～1185）のような武士のほか、名もなき庶民もおり、親鸞など弟子も徐々に増えていった。1198年には教えをまとめた『選択本願念仏集』が書かれ、高弟に授けられた。しかし、専修念仏の流行は既成の仏教をないがしろにするものという反発もあった。特に比叡山延暦寺の抗議は激しく、専修念仏の停止を訴えた。これに対し法然は弟子たちに違法な布教をしないことを誓わせて事態の沈静化を図ろうとした。だが、興福寺からも批判が起こり、状況は悪化していった。1206年には後鳥羽上皇が熊野参詣で留守をしている間に２人の女房が法然の弟子のもとで出家してしまうという事件が起き、ついに念仏は禁止された。出家に関わった僧２名は死罪、法然は四国に流罪となった。４年後には赦されて京に戻るが、間もなく病没した。

法然の専修念仏は単に自力行から他力行への転換ではなく、自己の無力さを認識した上で阿弥陀仏への信仰に専念するものであり、より内省的であった。教えが明快で誰もが行いやすい行であることも民衆の心を惹きつけた。これは以後の仏教に大きな影響を与えた。

豆知識

1. 上に記したように法然は善導の教えを重視していたので、浄土宗の寺院には善導の像が安置されている。その中には下半身を金色に塗っているものがあるが、これは法然が夢の中で見た善導の姿だという。

204 自然 日本人と昆虫

作家のラフカディオ・ハーン（小泉八雲、1850～1904）によれば、昆虫の姿や鳴き声を楽しむ文化を持つのは日本とギリシャだけだという。日本人と昆虫の関わりの歴史は古い。日本では、平安時代から現在に至るまで昆虫は文学的な題材となり、ペットとして飼われてきた。私たち日本人は、昆虫の何に惹かれるのか。昆虫に関係する産業が古くから連綿と営まれている日本は、世界で最も「虫愛づる国」なのかもしれない。

◈

スズムシ

日本には3万2千種の昆虫がいるといわれている。小さな虫に興味を持ち、愛でるのは、世界でも珍しい特有の文化とされる。文学的に見ても、俳句には夏なら「蟬」、秋なら「鈴虫」、晩秋なら「哀れ蚊」という季語があるほどだ。作家の小泉八雲（ラフカディオ・ハーン）は著作の中で、明治の日本の祭りでは普通だった虫売りの屋台に「それはなかなか珍しい見もので、外人はたいてい心をひかれるのである」（『虫の音楽家』）と書いている。

日本人の虫愛好の歴史はとても古い。平安時代の貴族たちが、スズムシやマツムシ（当時は2種の呼び名が逆だった）の声に耳を傾けた話は数々の文献に登場する。また、平安時代後期の物語集『堤中納言物語』の中の「虫愛づる姫君」は昆虫マニアの元祖のような姫君が主人公で、身なりを気にせず化粧もしない風変わりな姫の恋愛事情を描いている。鎌倉時代に成立した説話集『古今著聞集（ここんちょもんじゅう）』には虫籠の話題が記されているので、この頃にはすでに虫飼育の文化が定着していたことがわかる。「一寸の虫にも五分の魂」ということわざがあるように、日本人は昆虫にも“情”を見出していたのかもしれない。

江戸時代中期にあたる18世紀後半には、養殖された鳴く虫や捕獲したホタルを売り歩く行商人が現れた。屋台を肩に担いで売り歩くスタイルで、市松模様の着物が目印だった。その元祖は神田の忠蔵という行商人だったという。忠蔵はスズムシに次いでカンタン、マツムシ、クツワムシ養殖にも成功し、虫籠とのセット売りで儲けたという。虫売りは、江戸ではかなり人気商売だったようで、幕府は業者の数を36人に規制するまでになった。

ペット人気だけでなく、イナゴなどを食べる昆虫食（江戸時代は串焼きに醬油をつけて食べるシンプルなおやつだったらしい）、絹糸生産のカイコガの養蚕、『日本書紀』にも記述がある養蜂などの昆虫利用も長い歴史を持つ。現在、昔と比べて昆虫文化は下火ではあるが、それでも子どもたちのカブトムシ・クワガタブームや、遺伝子操作による産業用昆虫の開発など、日本人と昆虫との密接な付き合いは脈々と生き続けている。

豆知識

1. 聴覚の研究をしている角田忠信医師の著作『日本人の脳』によれば、欧米人には虫の声がかすかな雑音としか聞こえないという。日本人は虫の声を言語と同じ左脳で、欧米人は言語以外の雑音と同じ右脳で情報処理をしているためだという。つまり、日本人は虫の声などの自然界の音の機微を、言葉のように聞いているのだという。
2. 江戸時代には多くの人々が郊外で虫の声を楽しむ「虫聴き」と呼ばれる行楽があり、その名所が各地にあった。例えばスズムシを聴くのに良い場所として、山城（現・京都府）の神楽カ岡、山城の小倉山、伊勢（現・三重県）の鈴鹿山、尾張（現・愛知県）の鳴海などがあった。

205 歴史 戦国大名

応仁の乱が将軍家の後継者争いの枠を超え、広域化、長期化したのは、当時の室町幕府の弱体化に原因があったと考えられる。それまで管領や四職といった家格の高い守護大名は京都に滞在していることが多く、領国を守護代に任せていたため、戦後の混乱に乗じた「下克上」を行う戦国大名が各地で誕生した。

◈

北条早雲公銅像(神奈川県)

応仁の乱以降、力を失っていく幕府と各地を支配する大名の関係性は急速に弱まり、大名の独立性が強くなった。幕府によって公に「守護」と認められる必要はなくなり、国内を平定、統治する実力の有無だけが大名の条件となっていった。このような戦国大名の始まりとされるのが伊勢新九郎盛時(長氏、氏盛とも)こと、後の北条早雲(1432～1519)である。

早雲の出自は明らかでないが、1476年に死去した駿河国の守護大名、今川義忠の後継問題をめぐり、京から駿河に下った。早雲の姉または妹が義忠の側室であったことが機縁だったと見られる。早雲は義忠の嫡男・龍王丸(後の今川氏親)を助け、内乱を平定した功績により駿河国内に城と所領を与えられた。1491年、隣国の伊豆で内紛が起こると、早雲は陸と海から伊豆に侵入し、堀越御所を急襲して火を放ち占領。韮山城を居城にして同国を支配した。さらに早雲は相模国も平定し、死後「後北条氏」として氏綱、氏康、氏政、氏直と5代、100年余りにわたる繁栄の基礎を一代で築き上げた。同じように戦乱に乗じて立身出世を果たした戦国大名としては、美濃国の斎藤道三(1494?～1556)がいる。上位の者が下位の者に実権を奪われる「下克上」もまた、戦国時代の権力移動に見られる特徴だった。北条早雲もその一人に数えられるが、ほかに有名な戦国大名の例としては、以下のような人々が挙げられる。

長尾為景(?～1543):主君である越後国守護、上杉房能(?～1507)を倒した。為景は景虎(後の上杉謙信。1530～1578)の父である。

毛利元就(1497～1571):安芸国の国人で、同国守護の武田元繁(?～1517)を破った。一代で10カ国まで所領を拡大した、西日本最大の戦国大名。

長宗我部元親(1539～1599):土佐国の国人で、同国国司で公家出身の一条兼定(1543～1585)を追放した。元親は「一領具足」と呼ばれる半農半兵の軍団を用いてさらに領土を広げた。

武田晴信(1521～1573):後の武田信玄。父の武田信虎(1494～1574)を追放し、甲斐国を治めた。

豆知識

1. 北条早雲の出自についてはいまだにはっきりしないが、室町幕府の高級役人の家に生まれたという説が有力である。

206 文学 ｜ 俳句

俳諧は芭蕉の没後、与謝蕪村（1716〜1783）の登場によって一時の再興を果たした。しかし、江戸後期から明治初期に至る100年以上再び停滞期が続く。俳人は生活のための添削や流派の対立に明け暮れた。明治維新では暦が切り替わり俳句の命ともいえる「季語」にも大きな影響が出た。そんな長く低迷する俳壇を改革したのが正岡子規（1867〜1902）である。

◈

松尾芭蕉の50回忌を迎えた1740年代は、俳諧にとって復興の時期となった。特にその中心を担ったのが与謝蕪村である。優れた画家としても知られ、生計は主に画業によって得ていたようだ。俳句の賛と草画（簡素な絵）を組み合わせた「俳画」の創始者でもある。

蕪村の俳諧活動が最盛期にあった頃、日本は度重なる大火、洪水、疫病、飢饉などの災害に見舞われていた。本来ならその世情が作品に反映されるべきところだが、蕪村はあえて、「離俗論」を提唱する。俳諧は、俗語を用いて俗を離れることが最も重要で、その実際的方法の基礎は、古典をたくさん読むことだと唱えた。旅の中で経験した風景や生活を対象にした芭蕉に対し、蕪村はあくまでも芸術性を追求し自身の嗜好や感受性のみにこだわった。

蕪村の死で、俳諧は再び停滞期に戻る。その期間は長く、およそ100年以上後の「俳句の成立」を待たなければならない。そして近代になり、芭蕉、蕪村の作風を乗り越え、俳諧に新たな風をもたらしたのが正岡子規だった。明治政府は、日本の伝統的価値観を主張するために俳句を利用し、特に芭蕉を正式に神事の対象としていた。子規は、芭蕉没後200年となる1894年の新聞に「芭蕉の俳句は過半悪句駄句を以て埋められ上乗と称すべき者は其何十分の一たる少数に過ぎず」と書き、神聖視を真っ向から否定した。その上で、有名な「古池や〜」の一句のみを「俳諧の歴史上最必要なる者」と絶賛している。

また、蕪村について子規は「芭蕉に匹敵すべく、或は之に凌駕する処あり」とし、その評価が低かったのは「蕪村以後の俳人尽く無学無識なるとに因れり」としている。子規は芭蕉を「消極的な美」、蕪村を「積極的な美」の俳人としてとらえ、前者は東洋的、後者は西洋的だとした。その例は、次のような蕪村の句に見られる。

牡丹散て打かさなりぬ二三片

夏の官能的な花である牡丹を芭蕉はめったに題材としない。一方、蕪村には20以上の牡丹の句がある。子規は蕪村の句の魅力を絵画的であると評し、この「写生」を自身の句作にも取り入れた。

いくたびも雪の深さを尋ねけり

鶏頭の十四五本もありぬべし

晩年、若くして寝たきりになった子規は、窓外に見える庭とそこに咲く草花を時にみずみずしく、時にユーモラスに「写生」し近代の俳句を成立させた。また、子規が生み出した新たな俳句は、弟子の高浜虚子や河東碧梧桐（かわひがしへきごとう）らに受け継がれていった。

豆知識

1. 明治における芭蕉の神聖化の例として、政府は「神道芭蕉派」を名乗る「古池教会」の設立まで認可していた。
2. 平凡、陳腐を意味する「月並み」という言葉は、子規がそれまで開催されていた月例の句会の作品を「月並み調」と批判したことが由来だという説がある。

207 科学・技術 | 和時計

江戸期の鎖国政策によって欧米からの知識や技術の流入が阻害され、工業化が立ち遅れた日本。しかし、近世までの日本の職人がそうした海外の技術に対応できなかったわけではない。16世紀に輸入された機械式時計は、日本で独自に研究、改良され、日本の風土に合わせた仕掛けを盛り込んだ和時計が作られている。

◈

日本へ機械式時計が輸入されたのは室町時代の末頃だ。最も古いものでは、1551年にスペインの宣教師フランシスコ＝ザビエル（1506～1552）がキリスト教布教の許可を願い出た時、周防国の大名・大内義隆に贈った品々の中に「自鳴鐘」があったとの記録がある。宣教師たちは九州や京都に職業学校を設け、印刷技術などと一緒に、時計の製作技術を伝えている。そこで日本の鍛冶たちが製作したのが、機械式時計「和時計」だ。日本人が作った機械式時計では、1832年編纂の『尾張志』に、細工事を好む安芸（現・広島県）の鍛冶職人・津田助左衛門が、徳川家康（1542～1616）が朝鮮より献上された「自鳴鐘」を修理し、それを手本に同じものを作って献上したとの記述がある。助左衛門は、この功により1598年に尾張徳川家に召し抱えられたという。

現在の時計は一日を24等分した定時法を原則として使うが、和時計は一日を昼と夜に分け、基準を夜明け（明け六ツ）と日暮れ（暮れ六ツ）に定めて６等分した不定時法を使っている。つまり昼と夜の長さは季節によって変わるため、分割した単位時間の長さも変化するわけだ。時刻は、十二支を当て、子の刻、丑の刻などと呼ぶ。しかし、和時計に時間の季節変化を自動で表示させるのは困難なので、二十四節気に合わせて、15日ごとに一刻の長さを調整する。時間の遅速を調整する棒天秤の重りを昼と夜で掛け替え、15日ごとに一刻の季節変化を調整する「二挺天秤」型と、文字盤の文字の間隔が違うプレートを15日ごとに替える「割駒式文字盤」型の２種類がある。

やがて幕府が鎖国政策をとったため、和時計の技術は国内で独自に発展した。長崎をはじめ、松江や京都、大坂、堺など海外との交渉の多い地域で、大名の力を象徴するステータスシンボルとして作られ、天保、弘化、嘉永と続く時期に全盛期を迎える。その後、明治になると、1881年に服部金太郎が服部時計店を創業し、1892年に工場である精工舎を設立して国産時計の販売を開始するなど、洋式時計の時計産業が発展していった。

豆知識

1. 和時計というと置時計型のものが思い浮かぶが、小型の懐中型のものもあった。薬を持ち運ぶための印籠型ケースに時計を入れた懐中時計だ。印籠といえば水戸黄門だが、水戸藩主・徳川斉昭も、印籠型懐中時計を持っていた一人だった。
2. 1872年、明治政府は太陽暦に基づいて定時法への全面移行を実施。それに伴い、アメリカから無関税で定時法時計が大量に輸入された。ここから和時計は使われなくなっていくのだが、定時法のボンボン時計の構造が和時計より単純であったため、各藩お抱えの時計師だった技術者たちは洋式時計製作に転換した。
3. 時計のもう一つの読み方は12時と６時、最上部と最下部を「九」とし、そこから八、七、六と下がり、四の次に「九」へと戻る。すると午後２時から午後４時あたりが「八(やつ)どき」になる。かつては、この時刻に軽食をとっていたことが「おやつ」の語源である。

208 芸術 浄瑠璃・文楽

浄瑠璃とは三味線の伴奏に合わせて太夫が詞章を「語る」芸能をいい、この浄瑠璃に合わせて人形を操るのが人形浄瑠璃である。文楽は植村文楽軒（1751～1810）という人物が大坂で始めた人形浄瑠璃一座が中心的な存在になったため、使われるようになった通称を指す。世界各地にも人形を使った演劇は存在するが子ども向けかコミカルなものが多く、本格的な芸能として300年以上の歴史を持つ文楽は、ほかに類を見ない人形劇といえる。

◈

浄瑠璃の起源は戦国時代にまで遡り、当初は三味線ではなく琵琶で伴奏された。その際、遊女である浄瑠璃御前と牛若丸の物語が語られ、この浄瑠璃御前の名が浄瑠璃という名称の由来とされる。やがて琉球（現・沖縄県）から三線(さんしん)が渡来し、これが三味線へと発展して伴奏に用いられるようになったという。さらに浄瑠璃は人形遣いの芸能民である傀儡師(くぐつし)に受け入れられ、人形浄瑠璃へとつながっていく。浄瑠璃は江戸時代に入ると「肥前節」「語斎節」「半太夫節」「金平節」などの流派が誕生する。そんな中で大きな変化をもたらしたのが竹本義太夫（1651～1714）である。出身地である大坂や京都で修業を重ねた義太夫は、1684年に道頓堀で「竹本座」を開設する。歌うよりも叙情性と重厚さに重点を置いた語りを特徴とする義太夫節を成立させ、さらには近松門左衛門（1653～1724）と連携し浄瑠璃の芸術性を高める。近松の描く戯曲と義太夫の語りは熱狂的な支持を受け、義太夫節以前の浄瑠璃が「古浄瑠璃」と呼ばれてしまうほどの影響を与えた。さらに竹本座から独立した豊竹若太夫（1681～1764）が同じ道頓堀に「豊竹座」を開設。音楽性を重視した語りで竹本座のライバルとなり、義太夫や近松亡き後の浄瑠璃界は竹豊両座による対抗の時代に突入し、歌舞伎を凌駕するほどにまで人気を高めた。そんな浄瑠璃を代表する作品といえるのが『曽根崎心中』である。これは実際に起こった心中事件をもとに近松が書き上げた作品で、特に主人公である徳兵衛の「この夜も名残り、死にゆく身をたとうれば～」というセリフは、それを耳にした儒学者の荻生徂徠(おぎゅうそらい)（1666～1728）が感嘆の声をあげたと伝わり、昭和に入っても作曲家の黛敏郎（1929～1997）はテレビ番組で、音楽美の極致だと絶賛している。また近松が手がけた心中物には『心中天網島(てんのあみじま)』があり、こちらも実際の事件がもとになっており大評判となった。

浄瑠璃は太夫の語りと三味線の伴奏で構成され、文楽はここに人形が加わる。黎明期は一人で人形を使っていたようだが、現在は１体を３人で操る。主(おも)遣いが顔と右手、左遣いが左手、足遣いが両脚を担当し、まるで命が備わったかのような微妙な動きや、心情でさえも表現する。人形の頭である「かしら」は男のものが34種類、女性が14種類、特殊なものが24種類とされ、同じ種類でも髪形や顔の色で区分され、現在保管されているのは約300。これらのかしらは、それぞれ決まった性格と役割を表す。人形の衣装には人形遣いの手を入れる背穴が開けられ、胴体には一部の夏物を除いて綿が入れられている。また太夫は公演の際、「床本」という詞章本を使う。１行９文字前後で１ページあたり５行が標準となっている。

豆知識

1. 浄瑠璃を受け入れた傀儡師は兵庫県の西宮神社の近くに住んでいて、諸国を回って「えびすかき」という人形操りで門付けを行い、西宮神社の祭神である夷神の札を配っていた。現在、西宮神社の近くには傀儡師故跡の石碑と傀儡師の始祖とされる百太夫神の銅像が建てられている。

209 伝統・文化 | 竹工芸

竹工芸とは、中国、朝鮮半島、日本、東南アジアなどで産出される竹を使った工芸のことをいう。強靭で弾力性に富み、様々な大きさに裂いて編める竹の特性と、素朴で清らかな色感が活かされている。竹は日本では古くから様々な方法で加工され、日用品として使われてきた。竹の特色に従って発達した竹工技術は、丸竹物、編組物の2種に大別されている。

◈

日本の竹工芸の最古の例は、青森県にある縄文時代晩期の是川遺跡などから出土した籃胎漆器である。籃胎漆器とは、竹を裂いて薄く削って編んだ素地に、漆を塗り重ねた器物で、縄文時代前期から晩期にかけての各地の遺跡で出土している。弥生時代の遺跡からは、奈良県の唐古遺跡や静岡県の登呂遺跡などで竹製のざるや籠と見られるものが出土している。奈良時代に入ると、仏教寺院で仏具として竹の工芸品が作られるようになった。奈良・平安期に作られた「法隆寺献納宝物」の一つである「竹厨子」は、竹幹をそのまま素材として活かした経巻を入れる厨子(本棚)で、国宝に指定されている。

室町時代には現在の大分県の別府で竹細工が始まったといわれている。『日本書紀』に、第12代景行天皇(生没年未詳)が九州の熊襲征伐の帰途に別府に立ち寄ったところ、お供の台所方が良質のシノダケが多いことを発見し、メゴ(茶碗籠)を作ったという記述があるほど、別府は古より竹の産地として有名だった。

安土桃山・江戸時代には茶道が盛んになり、花入れをはじめとした竹工芸品がやきものと並んで珍重された。また、江戸時代、東海道を行き来する参勤交代の大名たちの間で駿河国(現・静岡県)の精巧な竹細工の籠枕が人気を博した。その他、竹細工の産地としては、前述した別府竹細工、宮崎県の都城大弓、岡山県の勝山竹細工、奈良県の高山茶筌、大阪府の大阪金剛簾、静岡県の駿河竹千筋細工、東京都の江戸和竿がよく知られている。江戸中期に黄檗宗の僧・売茶翁(1675〜1763)の尽力によって煎茶が普及すると、竹工芸品がさらに茶の席で取り入れられるようになった。煎茶ブームの中心地である堺では、唐物を模した籠花入れや茶道具が作られ、多くの籠師(籠を作って売る職人)たちが腕を競った。中でも初代早川尚古斎(1815〜1897)は、唐物の写しに飽き足らず、優れた技術で意匠に独自の創造性を取れ入れ、竹工芸の近代化を推し進めた。

昭和に入ると、独自の様式を確立した、飯塚琅玕斎(1890〜1958)、その息子の飯塚小玕斎(1919〜2004)、生野祥雲斎(1904〜1974)、二代田辺竹雲斎(一竹斎、1910〜2000)らの竹工芸作家が現れた。

豆知識

1. 竹から生まれたかぐや姫で知られる『竹取物語』の登場人物・竹取の翁は竹工芸の職人だったと考えられている。
2. 1967年、重要無形文化財「竹工芸」の保持者として生野祥雲斎が指定されたのに始まり、1982年には飯塚小玕斎、1995年に2代前田竹房斎(1917〜2003)、2003年に5代早川尚古斎(1932〜2011)が選ばれている。

210 哲学・思想 ｜ 親鸞

親鸞（1173〜1262）は浄土真宗の開祖である。法然（1133〜1212）に師事し、その教えの後継者と自認したが、専修念仏（他の行を行わず、念仏を唱えることに集中すること）弾圧のため越後に流罪となり、独自の道を進むことになった。

◈

親鸞は皇太后宮大進であった日野有範の子として山城国宇治郡日野（現在の京都市伏見区）に生まれた。日野氏は藤原氏の支流であるが父は中級の官吏にすぎず、高位高官に出世できる地位ではなかった。しかし、日野氏の氏寺であった法界寺（京都市伏見区）には平等院のものに見劣りしないほどの阿弥陀堂と阿弥陀如来像（ともに国宝）があるので、経済的には恵まれていたものと思われる。９歳で出家し、比叡山に登った。以後、29歳まで比叡山で過ごしたが、この間にどのような修行をしていたのか明確なことはわからない。横川の常行堂でひたすら念仏を唱える常行三昧などを行う、堂僧をしていたのではないかと考えられている。29歳の時に市中の六角堂（頂法寺、京都市中京区）にこもって祈願を行い、90日目に聖徳太子の示現（神仏が霊験を現すこと）を受けたという。そして、これをきっかけとして法然に入門したとされる。おそらく以前から法然のことは知っており、その弟子となるか比叡山に残るべきか決断をするために六角堂にこもったのであろう。法然も親鸞の才能を認め、親鸞33歳の時に主著の『選択本願念仏集』の書写と御影（肖像）の制作を許している。これは自分の教えの後継者の一人としたことを表している。なお、親鸞が恵信尼（越後の豪族の娘とされるが出身には諸説ある、1182〜1268？）と結婚したのも、この頃ではないかといわれている。

しかし、専修念仏に対して比叡山延暦寺や興福寺の反発が高まっているところに、後鳥羽上皇の女房らが無断で法然の弟子のもとで出家するという事件が起こり、親鸞は法然などとともに流罪に処せられてしまう。しかも、配流先は法然とは異なる越後となり、親鸞は大いに憤慨した。親鸞はその怒りを主著『教行信証』のあとがきに記しており、「しかればすでに僧にあらず俗にあらず、このゆえに禿の字をもって姓とす」と述べている。

４年後の1211年には罪が許されたものの親鸞は京に帰らず、1214年には常陸（現・茨城県）に移っている。その後も20年にわたって関東にとどまり、布教と執筆に取り組んだ。この時期の弟子や信徒たちが初期の真宗教団で重要な役割を果たすことになる。1235年に家族と別れて京に上り、和讃（日本語で綴られた、仏や経典などへの賛歌）などを執筆するが、1256年には関東で異端の教えを説いていた子の善鸞（生没年未詳）を絶縁するという出来事も起きた。1262年、京で入滅（死去）した。90歳であった。親鸞は法然の専修念仏の信仰をさらに突き詰めた。法然においては他の行ではなく念仏を選択するという念仏者の意思が入り込む余地があったが、親鸞は、念仏を唱えた者はすべて極楽浄土に迎え入れると阿弥陀仏が誓っているのだから、本人の意思とは関わりなくすべての者は救われるものと決まっているとする。問題はそれを自覚し、報恩の行としての念仏を唱えるかどうかなのである。

豆知識

1.「浄土真宗」は親鸞を開祖とする宗派に対する呼称となっているが、もともとは法然の浄土宗への美称であった。浄土宗大本山の金戒光明寺（京都市左京区）の山門には、後小松天皇宸筆（天皇自筆の書のこと）による「浄土真宗最初門」の額がかかっている。

211 自然 | 水辺の生き物

もともと農業国である日本には水辺が多い。そのため、水辺を好むことが多い爬虫類や両生類も多く、それらは日本人にとっても身近な生き物になっている。また、両生類や爬虫類は、日本では様々な伝承、伝説、文学にも登場し、親しまれてきた。両生類・爬虫類とのこうした関わり合いは、自然と共生する日本人ならではの文化なのかもしれない。しかし現在、両生類・爬虫類は様々な要因で数を減らしつつある。

◈

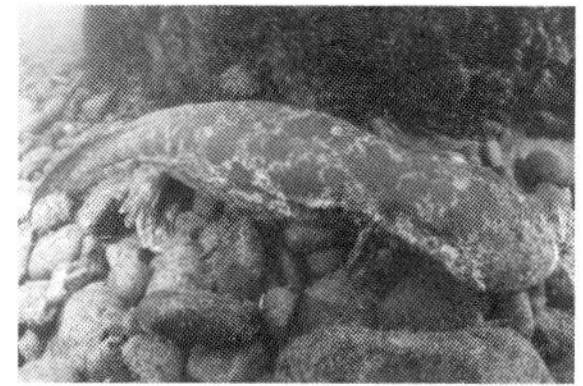
オオサンショウウオ

豊かな水資源を有し、農業国である日本には、そうした環境の中で生きる小動物たちも多い。ヘビやカエルといった水辺に暮らす爬虫類や両生類は、日本人にとっては古くから近しい存在だった。日本人は、イモリ（井守）は井戸を、ヤモリ（家守）は家を守ると考え、白蛇を水神や金運の神様として信仰している地方も多い。

両生類は３億8500万年前から３億5920万年前までの古生代に、浅瀬を移動できる脚を備えて登場した。現生種はサンショウウオなど短い四肢のある有尾目、カエル類など四肢の発達した無尾目、アシナシイモリ類など細長い体の無足目の３つである。日本固有種では１m以上にも成長するオオサンショウウオが知られている。

爬虫類は３億年前に両生類から分かれて進化した。乾燥にも耐えられる体表を獲得したワニやトカゲ、ヘビ、カメなどがいる。爬虫類は「地を這う虫」の意味だが、古来の本草学の分類では、ヘビは虫の仲間で、カメはエビやカニ、貝の仲間とされた。日本固有種としては、地面に潜るヘビのジムグリや、幼体の青い尾が美しいニホントカゲなどがいる。

古くから日本では両生類・爬虫類のどちらも身近な動物であり、文化的にも多くの伝承、伝説、文学などで扱われてきた。「鶴は千年、亀は万年」といったことわざや、童話のもとになった「浦島伝説」に登場するウミガメ、江戸時代の講談本『猿飛佐助』に登場する大ガマや大蛇などは、日本人なら誰でも知っている定番のキャラクターといえる。また、作家の井伏鱒二（1898～1993）は、短編小説『山椒魚』において、成長し過ぎて棲家の岩屋から出られなくなった山椒魚をユーモラスに描いた。井伏は中学時代、学校の池で飼われていたオオサンショウウオに着想を得て、この短編を書いたのだという。

豆知識

1. 日本固有種のオオサンショウウオをヨーロッパに初めて紹介したのは、幕末に日本を訪れたドイツの博物学者のフィリップ・フォン・シーボルトだ。シーボルトが持ち帰った膨大な日本コレクションや動物標本の多くは、現在もライデン国立自然史博物館に保管されている。
2. シーボルトの持ち帰った研究資料をもとにオオサンショウウオを文学作品に登場させたのが、フランスの作家ジュール・ヴェルヌだ。ヴェルヌは代表作『海底二万里』で、オオサンショウウオを海洋生物として登場させている。
3. 近年、世界中の両生類を絶滅の危機に陥れているのが、致死率90％という感染症「カエルツボカビ症」だ。カエルツボカビは急速に広がっており、日本でも死んだ両生類を土に埋めないなどの対応策がアナウンスされている。一方で、日本の両生類はもともと免疫性があるとの報告もあり、実はこのカビは日本やアジアの固有種なのでは、と考える研究者もいる。

212 歴史 鉄砲とキリスト教の伝来

大航海時代にヴァスコ・ダ・ガマ（1469？～1524）がインドへ、マゼラン（1480？～1521）がフィリピンへ到着して以来、ポルトガルとスペインはアジア貿易への進出を積極的に進めていった。鉄砲とキリスト教の日本への伝来は、南蛮貿易の始まりとその発展に密接に関係した出来事であった。

◈

フランシスコ＝ザビエル

1543年、九州南端の種子島にポルトガル商人を乗せた中国船が漂着し、島の領主であった種子島時尭（1528～1579）の居城に連れてこられた。時尭はポルトガル人から２丁の鉄砲を購入し、家臣に火薬の調合を学ばせた。なお、近年の研究では、東南アジアに伝わっていた火器が、1543年以前に倭寇勢力を通じて日本の複数の地域に持ち込まれたという説も有力になっている。ポルトガルは1510年にインドのゴアを占領し、ここを拠点に中国商人や倭寇との接触を持っていた。いずれにせよ、このポルトガル人の種子島への漂着が、南蛮貿易が始まる契機となったのは間違いないようだ。種子島に伝わった鉄砲は、マスケット銃（先込め式で、銃身にらせん状の溝がない滑腔式の銃）で、ポルトガルではなく東南アジアで作られたという説が有力である。時尭が購入した２丁のうち１丁は本州へ送られ、種子島では残りの１丁を研究し「種子島（銃）」の製作に成功したと伝えられる。本州でも後年、和泉の堺、紀伊の根来、近江の国友といった土地で鉄砲鍛冶による生産が盛んとなり、1575年の長篠の合戦などで大量の鉄砲が実際の戦いに投入されるようになった。

キリスト教もまた、南蛮貿易ルートを通じて日本に伝えられた。1549年、イエズス会の宣教監督フランシスコ＝ザビエル（1506～1552）は、ゴアを出発し日本へ向かう。ゴアで日本人最初のカトリック教徒となったヤジロウ（アンジローとも。生没年未詳）の案内で同年、薩摩の坊津に着いた。ザビエルは宣教のみならず、学問、教育、文化の諸方面において活発に活動した。日本人の伝統と特質を尊重し、宣教に際しては、まず日本人の素朴な質問に答えることから始めたという。布教は南蛮貿易と密接な関係を保つことにより、諸大名から保護を受けることができた。ザビエルは望遠鏡、置時計、眼鏡といった珍しい文物を大名に献上し、布教の許可を得た。周防（現在の山口県）の大名・大内義隆（1507～1551）はザビエルの申し出を一度断りながら、２度目に献上品を受けるとすぐに布教を許可し、その上、廃れた寺を教会兼住宅としてザビエル一行に提供した。この教会では500人以上が信徒となったという。

ポルトガルは1557年頃に中国のマカオにも拠点を確保し、マカオ・日本間の定期航路を開設。日本には中国産の生糸や絹織物、ヨーロッパ産の鉄砲、火薬、東南アジアの香料などを積んだ商船が、平戸や長崎などに盛んに来航するようになった。日本からは銀や銅、刀剣や工芸品が輸出され、イエズス会の拠点もマカオに移された。

豆知識

1. 日本に初めて眼鏡を持ち込んだのはザビエルだといわれている。
2. ザビエルは京で後奈良天皇（1497～1557）と第13代将軍・足利義輝（1536～1565）に拝謁を願ったが、献上品が親書だけだったため叶わなかったという。また、当時の京は応仁の乱後の荒廃が続いていたという記録もある。

213 文学 写実主義と言文一致体

第122代明治天皇（1852～1912）が『五箇条の御誓文』で、「旧来の陋習を破り」、「知識を世界に求め」ると天地神明に誓うと、幕末の攘夷論はたちまち鎮まり、西洋の影響が政治、技術、生活文化などあらゆる面に流入し始めた。文学においてもその影響は逃れ得ず、作者、作品、読者には「近代化」が求められたという。

◈

明治維新直後の日本文学には、先に述べた俳諧に限らず、ほとんどのジャンルにおいて特筆すべきものはなかった。人気だったのはごく一部の戯作と、河竹黙阿弥（1816～1893）の歌舞伎脚本などに限られていた。当時の著名な戯作者には、『西洋道中膝栗毛』や『安愚楽鍋』で知られる仮名垣魯文（1829～1894）がいるが、その魯文が明治政府に提出した文書には、戯作者を生業とする者は自分を含めて５人しかいないと書かれている。

一方で、明治期に新しいジャンルとして加わったのは、西洋文明の流入による「翻訳文学」と、国会開設や自由民権運動の高まりに合わせた「政治小説」だった。ただし、いずれも文語体（漢文体）で書かれていて、内容も啓蒙的、道徳的であった。

この頃、小説から勧善懲悪や道徳主義を排し、心理や風俗の客観描写、「写実主義」に努めるべきだと説いたのが坪内逍遥（1859～1935）の文芸評論『小説神髄』である。逍遥はその理論に基づいて小説『当世書生気質』を書いたが、文体にはまだ戯作の影響が強く残っていた。その『当世書生気質』に満足できず、二葉亭四迷（1864～1909）が発表したのが小説『浮雲』である。

「何故と言って、彼奴は馬鹿だ、課長に向かって此間のような事を言う所を見りゃア、いよいよ馬鹿だ」

「そのうちでまず上策というは、この頃の家内の動静を詳く叔父の耳へ入れて父親の口から篤とお勢に云い聞かせる、という一策で有る。そうしたら、或はお勢も眼が覚めようかと思われる。」

四迷は、小説の文体に初めて「だ」「である」調で終わる「言文一致体」を採用した。執筆にあたっては、幕末から明治期に活躍した落語界中興の祖、三遊亭円朝（1839～1900）の速記本（口演筆記）を参考にしたといわれている。

「おう今帰ったよ、お兼……おい何うしたんだ、真暗に為て置いて、燈火でも点けねえか……おい何処へ往ってるんだ、燈火を点けやアな、おい何処……其処にいるじゃアねえか」（円朝作『文七元結』より）

『浮雲』は日本最初の近代小説として読者の好評を得、逍遥はその才能に敬服し、小説執筆をやめたという。しかし四迷もまた、専門であったロシア文学に遠く及ばない自身の筆力に納得がいかず、しばらくは小説を書かず、翻訳に専念した。

豆知識

1.「二葉亭四迷」という筆名の由来は「くたばってしめぇ」である。『浮雲』が逍遥の本名「坪内雄蔵」名義を借りて出版されたことなどに対する四迷自身の卑下であり、父に罵られたというのは俗説である。

214 科学・技術 からくり人形

現在、日本のロボット工学は世界でも有数の技術力を誇っている。そのジャンルは多岐にわたり、産業用だけでなく、災害救助用、警備用など、様々な業界から注目されている。日本のロボットの原点は、古くから伝わる「からくり」に遡ることができる。そして独自に発展し、複雑な機械機構を組み込んだ「からくり人形」へと進化していったのである。

◈

からくり人形

日本のからくり技術が大きく飛躍したのは、戦国時代に西洋から輸入された機械式時計の歯車やカムの工学が動力装置に使われた「からくり人形」が作られ始めてからだ。

からくり人形は、当初、公家や大名らの高級玩具であったが、祭りの見世物や興行として使われるようになると、専門の職人も現れて精巧なものが作られるようになった。種類は、人間が糸などを介して遠隔操作するものと、ゼンマイなどを利用した自動的に稼働するものに分けられる。前者は、1620年に名古屋東照宮祭の山車にからくり人形が登場したことをきっかけに日本各地に普及した「山車からくり」。また1662年頃、大坂でからくり芝居を興行した初代竹田近江の影響力も大きかったと考えられている。後者の「座敷からくり」は、人形がお茶を入れた茶碗を運ぶ「茶運び人形」が代表作だ。現在、各地で公開されている新造の人形は、からくり師・細川半蔵（？～1796）が著した、日本初の機械工学書『機巧図彙（からくりずい）』からの復元である。また、もう一つの代表作「弓曳き童子」は、人形が矢立てから自ら矢を抜き、弓で射て的に当てる動作を再現するもの。現存する当時の人形は、からくり師・田中久重（1799～1881）の作で、江戸からくりの最高傑作の一つといわれる。2013年、機械遺産に認定された。

細川半蔵は、天球儀や天体望遠鏡、万歩計なども製作した人物で、細川の製作したからくりのネズミが、からくりのネコを食い殺したとの伝説があるほどの技術者だった。田中久重は、「東洋のエジソン」「からくり儀右衛門」と呼ばれた発明家で、後の東芝の重電部門である芝浦製作所の創業者である。日本初の蒸気機関車、蒸気船の模型を製造した人物としても知られる。

こうした、からくり人形の歴史は、ヨーロッパから近代工業が流入してきた明治初期に一度、終わる形となった。しかし、からくりを支えた技術は、新しい機械技術の受け皿となり、今日の産業基盤形成に大きな役割を果たしたのである。

豆知識

1. 奈良時代の歴史書『日本書紀』に記載のある、仙人の人形が常に南の方向を指し示す「指南車」が、日本におけるからくりの最古の記録と考えられている。指南車は方位磁針的機構ではなく、左右の車輪の回転の差から方位を特定するディファレンシャルギア的な仕組みであったとされている。
2. 山車からくりでは、ほかにも愛知県の「知立まつり」で江戸時代から伝承されている、山車の上で人形浄瑠璃が上演される「山車文楽」や浄瑠璃に合わせて動く「山車からくり」があり、国の重要無形民俗文化財に指定されている。
3. 日本のからくり人形の傑作の一つ「文字書き人形」は、右手に持った筆を墨の入った硯につけて文字を書く。田中久重製作の一体は「寿」「松」「竹」「梅」の４文字を、とめ、はね、はらい、緩急強弱も自在に書き上げ、180度回転した額縁を観客に披露する。

215 芸術 岩佐又兵衛

岩佐又兵衛（1578～1650）は江戸前期に人気を博したやまと絵絵師の一人で、菱川師宣（1618？～1694）よりも早く浮世絵を確立したという説もあり、「浮世又兵衛」とも称される。和漢の故事説話など物語絵を多数描き、豊かな頬と長い顎が特徴的な「豊頬長頤（ほうきょうちょうい）」と呼ばれる人物表現と残忍な独特の画風で一世を風靡した。徳川将軍家や大名家関連の作画も多いが、大派閥に属さない独立系の絵師として活動を続けた。

◈

岩佐又兵衛は「奇想の絵師」と呼ばれ、その人生は謎が多い。戦国武将・荒木村重（1535～1586）の正妻の子として生まれたとも伝えられ、村重の一族が有岡城で処刑された際、２歳だった又兵衛は乳母とともに逃亡。母方の姓である岩佐に改め、京の都に出たともいわれている。その後、生活のため絵の才能を活かし、織田信長（1534～1582）の子・信雄（のぶかつ）（1558～1630）の近習小姓となっていた時期があるが、そこで描いていたのは猥雑で卑俗な画風であったという。

小田原城攻め（1590年）で豊臣秀吉（1537～1598）の怒りを買った信雄が所領を没収された後は浪人となり、又兵衛は絵師として本格的に活動を開始する。土佐派や狩野派の絵画を習得しながらも、どの流派にも属さなかった。現存している京都時代の作品は数少ないが、『舟木本・洛中洛外図』と『豊国祭礼図屏風』は、この時期に描かれたものという説がある。国宝に指定されている『舟木本・洛中洛外図』は慶長年間（1596～1615）の京都を描いているが、『初期洛中洛外図』では必ず描かれていた郊外の風景が描かれていないのが特徴である。

又兵衛は大坂夏の陣（1615年）が終わった直後の40歳頃、京都での活動が順調なのにもかかわらず越前国（現・福井県）の福井に移り住んだ。その背景には、都の文化を越前に取り入れようとしていた越前藩主・松平忠直（1595～1650）の思惑があったようである。又兵衛は福井で工房を持ち、その時期の作品の多くは、弟子たちに背景や建造物などを描かせていたとの説がある。今日、又兵衛作と伝わるものの多くは、この頃の作品で、代表作が『山中常盤（やまなかときわ）物語絵巻』『浄瑠璃物語絵巻』『小栗判官絵巻』『堀江物語絵巻』。この４つの絵巻は、すべてにおいて血しぶき、生首などが生々しく描かれ、凄惨な描写が特徴だ。この表現は乱行で悪名を馳せた忠直の好みであり、また又兵衛自らの壮絶な生い立ちが反映したともいわれている。

忠直が死去したのちも、又兵衛とその一派は約20年間、福井で絵筆をふるった。その評判が江戸にも届き、1886年に幕府より突然の招請を受け、又兵衛は妻子を残し江戸に出る。そして第３代将軍・徳川家光（1604～1651）の娘・千代姫の婚礼調度品、川越の仙波東照宮の再建で拝殿に奉納する『三十六歌仙額』を制作する。次々と仕事が舞い込み、江戸で73歳の生涯を終えた。最後に描いた自画像には、満身創痍、虚ろな目をした又兵衛の姿が描かれている。

豆知識

1. 近松門左衛門（1653～1724）による人形浄瑠璃の演目の一つ「傾城反魂香」の中に登場する大津絵師・吃又平は、又兵衛がモデルとされている。彼が絵に描いた仏画が飛び出し、敵に追われている姫を救うという場面がある。
2. 岩佐又兵衛の『山中常盤物語絵巻』は全12巻、全部で150ｍを超えるという大作。東京・神保町の書店でドイツ人が購入し、海外に持ち帰ることになっていたが、それを知った第一書房社主の長谷川巳之吉（1893～1973）が、全財産をなげうって購入。長谷川はその後、又兵衛を紹介し、この作品が日本で広く知られることになった。

216 伝統・文化 | 花火

完全な球体を描く日本の打ち上げ花火の美しさは、世界一との呼び声も高い。花火は、火薬と金属の粉末を混ぜて包んだものに火をつけ、燃焼や破裂時の音、火花の色、形状などを演出するものである。火花に色をつけるために金属の炎色反応を利用しており、混ぜ合わせる金属の種類によって色合いの違う花火を上げることができる。法律上は「煙火」と呼ばれ、信号用などの火工品も含む。

◈

打ち上げ花火

花火のルーツは、煙による通信手段として使われた狼煙(のろし)だったといわれている。1242年に黒色火薬が発明され、火薬技術の発達過程で生まれた副産物である花火は、イタリアのフィレンツェを中心として15世紀頃までにはヨーロッパ各地に広まっていたという。花火は国内には鉄砲とともに伝来し、ほどなくして日本でも製造されるようになったといわれているが、その最初はよくわかっていない。

『駿府政事録』『宮中秘策』『武徳編年集成』などによると、1613年８月３日、明国の商人がイギリス人、ジョン・セーリス（1579／1580～1643）を案内して駿府に徳川家康（1542～1616）を訪ね、鉄砲や望遠鏡などを献上した。同月６日に城の二の丸で明人が花火を立て、家康がこれを見物したとある。これが花火についての信頼できる最も古い記録だといわれている。また、『駿府政事録』には、1615年に駿府で伊勢踊りが流行し、この時、唐人に頼んで花火を飛ばしてもらったという記述もある。

その後、1732年に大流行したコレラによる死者の慰霊と悪疫退散のために、翌年、第８代将軍・徳川吉宗（1684～1751）が大川（隅田川）の川開きの日に花火を打ち上げた。これが隅田川の花火大会の始まりだといわれている。

文化・文政年間（1804～1830）になると、「鍵屋」と「玉屋」の二大花火師がその腕を競い、それぞれに見物客を唸らせる花火を上げていたという。見物客は「玉屋～」「鍵屋～」とひいきの花火師に声をかけたが、これは後に花火大会の名物となった。花火大会の主役である「打ち上げ花火」は、火薬を星と呼ばれる球の形にし、それを詰めた大きな玉を打ち上げるものである。宙で同心円状に広がるものが主流で、花火が落ちるまでに色を変えたり、さらに爆発を繰り返したりと、多くの仕掛けが施されている。ただ、当時の花火は暗い赤橙色で、花火が彩り豊かになったのは明治以降である。

豆知識

1. 大川（隅田川）の花火大会は川開きの日に行われたため、古くから浅草や向島周辺に住む人たちは、隅田川の花火大会のことを今でも「大川の川開き」と呼ぶ。
2. 花火師の玉屋は、1843年に火事を出してしまい、その責めを負って廃業になってしまうが、玉屋がなくなっても川開きの時の声は「玉屋～」が多かったという。
3. 仕掛け花火の一つ「ナイアガラ」は、花火が滝のように見えることから、アメリカとカナダの国境にある大瀑布、ナイアガラの名前から付けられたといわれている。

217 哲学・思想 | 禅宗

禅宗は坐禅を中心とした修行によって悟りを得ようとする仏教の宗派である。菩提達摩（達磨、生没年未詳）によってインドから中国に伝えられたとされるが主に中国で確立した。「不立文字」（文字で書かれた経典にとらわれないこと）を標榜し、経典研究より悟り体験を重視した。日本には白鳳時代（7世紀後半）に伝えられたとされるが、本格的に導入されたのは宋に留学した栄西（1141～1215）の帰朝以降のことである。

◈

「禅」は静かな場所に座って精神を統一する行のことで、仏教の基本的な修行法の一つである。したがって禅宗以外の宗派でも坐禅もしくは坐禅に類する瞑想行が行われている。しかし、他宗派は坐禅的な行を準備運動的なものとして位置づけているのに対し、禅宗では坐禅を修行の根幹におき、そうした修行体験によって直接的に悟りに至ろうとする。

禅は6世紀初めに菩提達磨によって南北朝時代の中国に伝えられたとされるが、これが歴史的事実なのかは疑問視されている。実在が確認されるのはその孫弟子の世代以降である。五祖弘忍（中国禅宗初期の大成者、602～675）の時に禅宗は、段階的に悟りに達することを目指す（漸悟）北宗禅と、すばやく悟りに達することを目指す（頓悟）南宗禅の二派に分裂した。当初、北宗禅が優勢であったが、やがて南宗禅の方が盛んになった。日本の臨済宗・曹洞宗・黄檗宗はみな南宗禅の系統に入る。日本へは唐に留学した道昭（629～700）または渡来僧の道璿（702～760）が伝えたとされるが、当時は普及しなかった。注目されるのは日本天台宗の開祖・最澄（767～822）で、唐に留学した際に禅の奥義の伝授を受けており、それを自分の教義に取り込んでいる。

しかし、本格的に日本に伝えたのは栄西が最初である。栄西は天台宗の僧で葉上流という天台密教の一派の祖でもあるが、1187年の2度目の入宋で臨済宗（臨済義玄［？～867］を祖とする一派）を学んで帰国、建仁寺（京都市東山区）を建てて禅を広めた。栄西の弟子の道元（1200～1253）も宋に留学し、曹洞宗（洞山良价［807～869］と曹山本寂［840～901］を祖とする一派）を伝えた。ともに南宗禅に属するので教義そのものに大きな違いはないが、臨済宗は祖師の語録や公案（禅問答）を悟りのヒントにするのに対し、曹洞宗はひたすら坐禅をすることを通して悟りを得ようとする。ここから臨済宗を看話禅、曹洞宗を黙照禅という。なお、日本の臨済宗は蘭渓道隆（1213～1278）や無学祖元（1226～1286）などの渡来僧・留学僧を祖とする宗派もあり、すべてが栄西を祖とするわけではない。しかし、臨済宗を初めて日本に紹介した功績から（日本）臨済宗の祖と称されている。

禅は江戸時代にも伝えられている。1654年に来日した隠元隆琦（1592～1673）が伝えた黄檗宗である。教義的には臨済宗と似ているが、建築や仏像、儀礼などが中国・明時代風であることから区別されている。

豆知識

1. 黄檗宗の伝来は日本に黄檗ブームを巻き起こした。黄檗宗の僧の筆跡をまねた唐様の書やいんげん豆などの中国野菜が普及した。読経の際に木魚を使うようになったのも黄檗宗の影響である。

218 自然 恐竜化石の発見

日本には恐竜ファンが多い。しかし、実は1970年代まで、日本で恐竜化石が発見されるとは誰も考えていなかったのである。その常識を打ち破ったモシリュウ化石以降、国内で化石の発見ラッシュが続き、太古の日本には大型の竜脚類から肉食の獣脚類まで、あらゆる種類の恐竜が生息していたことがわかってきた。

◈

ティラノサウルス

かつて日本本土では「恐竜の化石は発見されない」というのが定説で、初めて恐竜化石が見つかったのは1978年と比較的最近である。

ただしこれは本土の話で、「日本領」で最初の恐竜化石が見つかったのは1934年である。発見場所は日本統治時代の樺太で、同地の白亜紀後期（約8300万〜8000万年前）の地層から出土したハドロサウルス科の恐竜は「ニッポノサウルス」という学名がつけられた。

日本列島は沈降と隆起を繰り返し、始新世（5600万〜3400万年前）頃から原型が形成された。つまり恐竜時代は、日本は海の底だったと思われていたが、実際の地殻変動はもっとめまぐるしく、恐竜はそれ以前の時期の日本にも存在していたのである。

本土で、初めて大型の古生物化石が発見されたのが1968年である。福島県のフタバスズキリュウだ。これは恐竜ではなく海棲爬虫類だが、日本中に恐竜ブームを巻き起こした。そして1978年に岩手県岩泉町の茂師（もし）で発見された竜脚類モシリュウ化石は、上腕骨の一部だけだったが、恐竜が本土にもいたことを証明し、各地での恐竜発掘事業を過熱させた。

その結果、化石産地は各地に拡大した。福井や石川などに広がる手取層群は白亜紀の地層で、フクイラプトルやフクイサウルス、フクイティタンや獣脚類、鳥脚類などの足跡化石が出土した。兵庫県の白亜紀前期の篠山層群からは、状態の良いティタノサウルス類タンバリュウの化石が発見された。コハクの採掘産地として知られる岩手県久慈市にある白亜紀後期の久慈層群玉川層からは、竜脚類化石やティラノサウルス類の歯化石が発見されている。

豆知識

1. 2003年、北海道で発見された通称「むかわ竜」は尾骨発見以降、全長８ｍの全身の８割以上が発掘された。2019年、この白亜紀後期のエドモントサウルス類は新種と認められ、学名カムイサウルス・ジャポニクス（日本の神トカゲ）として記載された。
2. 日本では地質上、全身骨格の化石が残りにくい。国土が火山活動でできあがっているため地層が少ない上、岩盤が硬いので発掘しにくいのだ。また発掘場所も木々の生い茂った山の中や私有地だったりして、そもそも発掘作業ができない場所も多い。ただし、恐竜の歯は折れやすく、一生に幾度も生え替わるため数が多く、化石にもなりやすい。
3. 1968年のフタバスズキリュウ発見時には日本に化石発掘のノウハウがなく、地元の石材店の協力で作業が進められた。発掘された化石はクリーニング前にイベントで展示されたが、これが日本初の古生物イベントだった。

219 歴史 | 織田信長

周囲を有力な大名に囲まれた尾張国から天下を目指した織田信長（1534～1582）は、破竹の勢いで京都をはじめ畿内を平定し、天下統一まであと一歩のところまで迫った。戦いに明け暮れた49年の生涯だったが、謀反により天下統一は果たせなかった。

◈

織田信長

応仁の乱の後、尾張国（現・愛知県）では守護の斯波（しば）氏の権力はすでに弱まっており、守護代は下四郡の「清洲織田家」と上四郡の「岩倉織田家」に分かれていた。信長の父・信秀（1510？～1551？）は、武将としての実力や権威は内外に知られていたものの、形式上は、清洲織田家に仕える三奉行の一人にすぎなかった。信長が家督を継ぐことになったのは18歳の頃だ。それは決して尾張国を支配する権力を得ることではなく、前途多難の船出といえた。信長はまず、尾張国内での地位を固めることにした。清洲織田家の武将が守護の斯波氏を殺害したことを大義名分に清洲城を奪い、清洲織田家を滅亡させた。次に、家督を狙う弟の信勝（？～1558）を暗殺。さらに岩倉織田家が治める上四郡を攻めて岩倉城を陥落させ、当主を追放した。1560年、尾張国は今川義元（1519～1560）の大軍の攻撃を受ける。信長は少ない兵で防戦すると見せかけ、今川軍本陣を急襲して義元を討ち取った。有名な「桶狭間の戦い」である。1565年には犬山城を落とし、尾張国全体の平定を果たした。

その後は浅井、朝倉、武田、上杉などの大名からたびたび「信長包囲網」を敷かれ、それを破りながら勢力を広げた信長は、1571年に「比叡山焼き討ち」を行った。

比叡山延暦寺は伝教大師・最澄の開山以来、鎮護国家の大道場として人々の崇敬を集め続けてきた。その一方、10世紀後半から僧兵が現れ、武力は増すばかりだった。膨大な荘園を所有し、金貸しによる運用で財力にも恵まれ、独立国の様相を呈していた。

京都周辺を制圧した信長は、比叡山に再三の武装解除と帰属を勧告したが拒否されたため、焼き討ちを決行する。その様子を『信長公記』はこう伝える。「根本中堂・三王二十一社を初め奉り、霊仏・霊社・僧坊・経巻、一宇に残さず、時に雲霞の如く焼き払い、（中略）僧俗・児童・智者・上人一々に頸をきり、（中略）目も当られぬ有様也」

比叡山が、宗教に名を借りた政治的権力になっていたことは想像に難くない。信長にとって、それは天下統一の障害だった。一部の研究者には、この焼き討ちが「政教分離」という近代的偉業だったとする者もある。宣教師ルイス・フロイス（1532～1597）は、信長と会見した感想を「神仏その他偶像を軽視し（中略）宇宙の造主なく、霊魂不滅なることなく、死後何物も存せざることを明に説けり」と書いている。信長が「無神論者」であり、焼き討ちを実行できた理由と受け取れる面もあるが、信長が戦勝祈願をたびたび行ったという史料もあり、このフロイスの記述については信憑性を疑う意見も多い。

豆知識

1. 信長はヨーロッパ文化への関心や仏教への対抗意識から、キリスト教に庇護的な立場をとり、安土にイエズス会の初等教育機関「セミナリオ」の設置を許可している。また京都には同会の教会堂である「南蛮寺」の建設を認めた。

220 文学 夏目漱石

夏目漱石(1867〜1916)は明治への改元の前年に生まれ、大正5年に49歳で亡くなった。その生涯は、ほぼすべてが「明治」と重なっており、日本の急速な近代化の中で様々なことに苦悩しながら教師として、作家としての生活を送った。多くの作品が現在に至るまで読み継がれており、間違いなく日本を代表する文豪の一人である。

◈

夏目漱石

漱石の作品は小説以外にも、評論、随筆、俳句などが残されているが、特に漢詩が高く評価されている。本人は平仄(ひょうそく)や脚韻などの規則に疎いと謙遜しているが、中国文学の専門家によれば、漱石は明治期を代表する漢詩の名手であり、中国人もその出来栄えに賛嘆したといわれている。若き日の漱石は漢学に興味があったが、家族から反対され、大学進学のために英語を学ぶことになったという。東京帝国大学(現・東京大学)では英文科に進み、卒業後は高等師範学校、小説『坊っちゃん』の舞台となる旧制松山中学、熊本の第五高等学校などで、いずれも英語教師として勤務した。さらには英語教育法研究のためイギリスへの官費留学を命じられるが、日本人が英文学を学ぶことへの疑問や違和感は、この頃から漱石の中にあったようだ。漱石は、この2年間のイギリス留学は人生で最も陰鬱だったと回想している。漱石は英国留学からの帰国後、東京で英語講師を務めるが、学生の反発や自殺などがあり神経衰弱に陥る。その療養として勧められたのが小説『吾輩は猫である』の執筆で、1905年、友人の正岡子規が創刊した『ホトトギス』に連載された(当時の主宰は子規の弟子である高浜虚子)。

やがて『坊っちゃん』などの小説で世間の注目も浴びるようになった漱石は、1907年に一切の教職を辞し、朝日新聞社へ入社する。『虞美人草』の連載で、職業作家としてデビューを果たした。それから朝日新聞に連載小説を次々に執筆したが、重度の胃潰瘍を抱えており、前期3部作とされる『三四郎』(1908)、『それから』(1909)、『門』(1910)を書き終えた後、転地療養に訪れた修善寺で、危篤になるほどの大吐血をした。

帰京した1912年、『彼岸過迄』の連載を開始。胃潰瘍とノイローゼは再発を繰り返すが、『行人』(1913)、『こゝろ』(1914)とあわせて、後期3部作と呼ばれる小説が完成する。特に『こゝろ』は、漱石の最高傑作とする声も多い。1916年、『明暗』を連載中に死去。死因は胃潰瘍だった。死後、漱石の遺体は解剖され、脳は現在も東京大学医学部に保管されている。漱石は、幼少時の両親の冷遇、心身の持病、妻との不和、末娘の急逝など実生活では不幸が多かったという。小説も初期こそ文体やテーマにユーモアもあるが、前後期の3部作は、いずれも知識人のエゴイズムや孤独、狂気を描いている。晩年は常に病との戦いであり、その創作は、決して希望にあふれるものではなかったようだ。

豆知識

1. 英語教師をしていた頃の漱石が「I love you」を「月がきれいですね」と訳したというのは伝説的な逸話で、典拠は不明である。男女がお互いを見つめ合うのではなく、月を見て、「きれいですね」「そうですね」とやりとりするのが、日本人の愛の告白だというような意味で、西洋嫌いの漱石らしいエピソードとして語り継がれている。

221 科学・技術 華岡青洲

現在、手術などの医療行為では当たり前に使われている全身麻酔だが、この技術は様々な困難を乗り越えて完成したものだった。世界で初めて全身麻酔を用いた手術を成功させたのは、江戸時代の外科医・華岡青洲（1760〜1835）である。青洲は試行錯誤の中、身内を実験台にしながらようやく麻酔薬を作り上げた。

◈

華岡青洲

記録に残るものとして全身麻酔が成功したのは、1804年に外科医・華岡青洲が行った乳癌の手術である。

医師の長男として紀伊国に生まれた青洲は、22歳、京都に出て古医方だけでなく、洋医学の外科も学んだ。25歳の時に家督を継いで故郷で開業するが、そこで手術時の患者の苦しみを和らげるための麻酔薬の開発を始めた。この時、青洲が参考にしたのは、中国の後漢末期の医師・華陀が発明したとされる麻酔薬「麻沸散」の記録である。だが、そこには曼荼羅華（チョウセンアサガオ）が用いられたと記されているだけで、詳細な成分は明らかでなかった。研究を重ねた青洲は、曼陀羅華、草烏頭（トリカブト）、川芎、当帰、白芷など10種類以上の薬草を配合して麻酔薬を製造した。これを飲むと、2〜4時間で効果が表れたという。青洲はこの薬の処方を秘伝としたため、それぞれの正確な調合分量は記録されておらず、その全容は不明である。

青洲は動物実験を重ね、数回にわたる人体実験にまで行きつくが、毒性は強かったらしく扱いは難しかったという。親族は人体実験の被験者となることを申し出たが、実母の於継は死亡し、妻の加恵は失明。この犠牲の上に全身麻酔薬「通仙散」が完成したのである。

1804年、青洲は大和国の60歳の女性に対し、通仙散による全身麻酔下で乳癌の摘出手術に成功した。これを機に、手術を希望する患者や入門を希望する者が殺到した。ほかにもオランダ式の縫合術、アルコール消毒などを導入し、膀胱結石、脱疽、痔、腫瘍摘出術など様々な手術を行った。1813年には紀州藩の「小普請医師格」に任用されるが、本人の希望で自宅での治療を続ける「勝手勤」を許された。また、門下生育成にも力を注ぎ、医塾「春林軒」を設立して1000人を超える門下生を育てている。青洲が考案した薬は麻酔だけではなく、現在も使われている和漢薬に、十味敗毒湯、中黄膏、紫雲膏などがある。

豆知識

1. 青洲による乳癌の手術を受けた女性は、麻酔から目覚めたのち約20日で故郷へ帰ったという。これ以来、全国から患者が集まり、その数は、記録に残るだけでも152名にのぼり、当時の医師が手術する人数としては異例の多さだった。
2. 華陀は中国の後漢末期の「神医」と呼ばれた伝説的な医師。『三国志』華佗伝や『後漢書』方術伝には、華陀の行った医療が記録されている。『三国志』には麻沸散を用いて手術を行ったとの記述があり、全身麻酔薬があったと考えられている。
3. かつては麻酔なしで手術を行っていた。古文書『木村宇右衛門覚書』には、伊達政宗は腹部を切開して膿を排出させたとの記録がある。馬具を使い、麻酔なしで行った虫垂炎手術ではないかと考えられている。

222 芸術 尾形光琳・乾山

尾形光琳（1658～1716）と乾山（1663～1743）は、元禄文化の代表とされる芸術家の兄弟だ。兄の光琳は画家・意匠作家で、優れた水墨画や「光琳模様」と呼ばれる明快で装飾的な彩色画を残した。弟の乾山は、陶芸家として和歌や水墨画を連想させる作品群を残す一方、大胆な図柄の色絵の食器も精力的に制作した。光琳・乾山の作品は「琳派」と呼ばれた。

◈

尾形光琳・乾山兄弟は、京都の雁金屋という高級呉服屋に次男・三男として生まれ、その環境から、幼少時より能をはじめ多様な文化に親しんできた。しかし、光琳が画業を本格的に開始したのは決して早くはなく30代半ば頃からである。派手な生活で雁金屋の経営が傾き、父親の死後入ってきた莫大な遺産を使い果たし、借金返済のために絵を描き生業にしたのである。

光琳は俵屋宗達（生没年未詳）に私淑し、その作品を模写して学んだ。現存している光琳の作品は44歳以降のものが多く、西本願寺伝来の『燕子花図屏風』は比較的に早い時期の作品である。その影響力は大きく、代表作の一つである『紅白梅図屏風』に描かれているような梅花紋や流水紋など、あらゆるモチーフを簡略化した独特の画風は、後に「光琳文様」と称された。これはその後の琳派の絵師が受け継ぎ、工芸や着物など様々な用途に使われ、琳派を有名にしたのである。さらに光琳模様の自然表現は海外でも評判となり、クリムト（1862～1918）やミュシャ（1860～1939）などの画家に大きな影響を与えたという。

光琳と合作をし、角皿など様々な分野で優れた作品を遺したのが弟の乾山である。乾山は内向的な性格で、社交的で派手好きな光琳とは正反対だったが仲は良かったという。陶芸を野々村仁清（生没年未詳）に学び、1699年、京都・仁和寺近くの鳴滝泉谷に開窯。13年続けた後、京都の町中に移り、窯を借りて焼くようになっていく。時間や温度が違っても十分焼ける技術が身についた乾山は、形も色合いも多彩になっていった。光琳が絵付け、乾山が器形と書という分担の乾山焼は一世を風靡し、『寿老六角皿』『色絵槍梅文茶碗』は特に有名である。後に江戸へ移り、文人陶工・絵師として活動し弟子を育成。この乾山晩年の江戸活動期が、江戸への琳派普及のきっかけとなったのである。光琳の「琳」を取っている琳派ではあるが、その始まりは安土桃山時代の後期まで遡り、当時京都で活躍した本阿弥光悦（1558～1637）と俵屋宗達が起点とされている。特徴は「背景に金箔・銀箔を使用」「インパクトのある構図」「型紙を使った模様の繰り返し」で、その潮流を受け継ぎながら、デザイン性を加味した光琳が大成し琳派と呼ばれるようになった。江戸時代後期には、酒井抱一（1761～1828）や鈴木其一（1796～1858）が琳派の再興を志した。これらが海外に流出して西洋美術にも大きな衝撃を与え、「ジャポニズム」という日本文化の流行の要因の一つとなり、19世紀末から20世紀初めにヨーロッパで流行した「アール・ヌーヴォー」につながった。

豆知識

1. 画家として後世に残る作品を描いた光琳だが、光琳自身は画業を「家業」と見なしてはいなかった。死の３年前に長男に宛てて遺言書を出しているが、その文中に「相究タル家業モ之レ無ク」とあり、「しっかりした家業がないため、息子の寿市郎を他家へ養子に出す決心をした」という内容が書かれていた。
2. 多くのパトロンを持ったが派手な生活がやめられず、光琳は常にお金に困窮していた。時には乾山が光琳にお金を貸したり、光琳に苦言を呈することもあったという。

223 伝統・文化 ｜ 和柄

泥棒が持っている風呂敷包みの柄といえば、唐草模様をイメージする人が多いかもしれない。その唐草模様も和柄の一つである。和柄とは、文様をパターン化し、規則正しく並べたものだ。和柄は、平安時代中期からのデザインが中心となってできており、いくつかのパターンは、現在も当時のままのものが使用されている。

◈

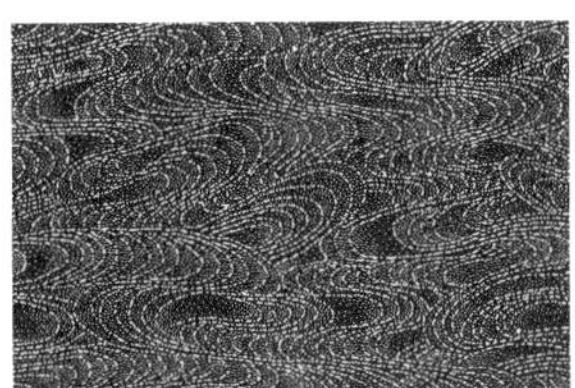
江戸小紋の流水文様

日本人は古より森羅万象、あらゆるものを意匠化し使いこなしてきた。そういった日本独自の文化は、平安時代以降、遣唐使が持ち帰った中国の文化と混ぜ合わさり、新たなデザインとして貴族の間で広まった。現在の和柄と呼ばれるデザインの起源は、この頃のデザインが中心となっている。

例えば自然を題材とした文様の一つである「流水文様」は、小川をモチーフとしている。古くから水を意匠化した文様は存在するが、流水文様は弥生時代の銅鐸にも描かれており、特に古いものの一つである。植物を題材とした文様の一つ「松の木文様」は、文字通り松をモチーフとしている。松は寿命が長いことから長寿の象徴とされており、めでたい時だけでなく、季節を選ばず用いられる。また、日本を代表する花である桜をモチーフとした「桜文様」も、季節やシチュエーションを問わずに用いられる。桜は花の芽吹く春を連想させることから、物事の始まりとして縁起が良いとされている。

鳥や動物や昆虫を題材とした文様もある。例えば、中国では千年の命を持つ瑞祥の鳥とされている鶴がモチーフとなった「鶴文様」は、美しい立ち姿や飛び交う姿から日本でも特に好まれている吉祥文様（縁起が良いとされる動植物や物品などを描いた図柄）だ。亀の甲羅の形から生まれた「亀甲文様」も吉祥文様の一つで、鶴や松竹梅と取り合わされて、花嫁衣装や留袖の裾に描かれたりすることが多い。この文様のルーツは西アジアにあるとされており、中国や朝鮮半島を経て日本に伝わったという。また、蝶をモチーフにした「蝶文様」は、蝶がさなぎから美しい成虫になることから不滅の象徴として武士の紋章にもなっている。一方、「花に蝶」という言葉があるように、次々と蝶が花々の間を飛び移る姿を連想させるので、婚礼や正装時の着物の柄には敬遠される場合もある。

その他、「市松模様」のように、江戸時代の歌舞伎役者・佐野川市松（1722〜1762）が愛用していたことからその名が付いた、人名由来の呼称を持つ文様もある。

豆知識

1. 七柱の福徳の神様を表しためでたい文様である「七福神」は、着物などに描かれる場合、人物図ではなく、小槌、釣竿と鯛、宝塔、琵琶、鹿の角、絵巻、唐団扇（とううちわ）など、それぞれの持ち物で暗示して表現される場合が多い。
2. 中国の故事にちなんだ文様「桐竹鳳凰」は、吉祥文様の一つで、天皇の衣服に織り表される高貴な文様とされている。
3. 紫式部が著した『源氏物語』にちなんだ「源氏香」は、主に訪問着や留袖のような盛装の着物や袋帯などに用いられる文様である。

224 哲学・思想 ｜ 日蓮

日蓮（1222～1282）は日蓮宗の開祖である。数ある仏典の中で『法華経』（妙法蓮華経）が最も優れた教えが記された経であると説き、題目（「南無妙法蓮華経」）を唱えることを勧めた。また、『法華経』を正当に評価しない浄土宗・真言宗・禅宗などを強く非難した。このためしばしば迫害に遭い、伊豆や佐渡への流罪にもなった。

◈

日蓮は安房国長狭郡東条郷（現在の千葉県鴨川市小湊）に漁師の子として生まれた。日蓮自身は「貧窮下賤」であったと書いているが、実際は豊かな家柄で教育も受けられる環境にあったものと思われる。幼少の頃から虚空蔵菩薩に「日本第一の智者」になることを願っていたといい、それをかなえるために12歳の時に天台宗の清澄寺に入った。ここで日蓮は天台教学と浄土教を学んだが、日蓮の知的好奇心を満足させるものではなかったらしい。18歳頃より鎌倉、続いて比叡山延暦寺など畿内の大寺に滞在して諸宗の教えを学んだ。そして、真の釈迦は無限の寿命を持ち現世を浄土として今も説法をしていることを明かす『法華経』こそが、最高の真理を説く経典であると確信したのである。1253年、清澄寺に戻った日蓮は寺の僧たちを前にその教えを説いた。日蓮宗ではこの時をもって開宗としている。しかし、日蓮の教えに賛同する者は少なかった。清澄寺は地頭で浄土教信者の東条景信の影響力下にあったため、浄土教批判は受け入れられなかったのである。清澄寺を追い出された日蓮は鎌倉に移り、布教と執筆に取り組んだ。1260年には『立正安国論』を書き上げ、執権家北条氏の家長であった北条時頼（1227～1263）に上呈した。この書の中で日蓮は災害の頻発は邪教が重用されているからで、浄土教などを排して法華信仰に目覚めるべきだと説いており、時頼にその実行を求めたのである。だが、受け入れられるどころか、日蓮は伊豆に流罪となってしまった。伊豆から戻った後も故郷で東条景信の一派に襲われるなど、難が続いた。しかし、『法華経』を布教する者は様々な妨害・迫害に遭うと説かれていることが実現したと日蓮は考え、さらに信仰を固めた。

1268年、元寇のことを知った日蓮は『立正安国論』で予言した他国侵逼難が現実化したと考え、今度は執権・北条時宗（1251～1284）に書を献じたが、今回も反応はなかった。1271年には祈雨に失敗した真言律宗の忍性（1217～1303）を批判したことがきっかけで佐渡への流罪が決まった。この時、龍ノ口（現・神奈川県藤沢市）で首を斬られそうになったが奇跡により助かったと日蓮は書き残している。佐渡から戻った後も幕府への諫言（忠告）を行ったが受け入れられなかったため、甲斐国の身延山（現・山梨県南巨摩郡）に隠棲した。身延山では弟子の育成と執筆に専念した日蓮だが、各地の信徒には手紙を使って指導を続けた。1281年、病が悪化した日蓮は常陸の温泉に向かう途上、武蔵国千束郡（現・東京都大田区池上）の池上宗仲の館で没した。61歳であった。日蓮の教義は決して平易ではないが、唱題目（唱題）という誰でも実践できる行や、『法華経』で説かれる仏や日本の神などを文字で書き表した大曼荼羅本尊（十界曼荼羅）を用いることで庶民にも感覚的に理解できるものとなっており、急速に信者を増やした。

豆知識

1. 身延山の冬は冷え込むため体を温めるために酒が必需品であったが、あまりの寒さのために「酒は凍って石のごとく」だったと手紙（「兵衛志殿御返事」）に書いている。

225 自然 | 花

植物は平安時代から日本人の生活とともにあり、独自の文化を形作ってきた。江戸時代には、園芸は市民の精神修養や娯楽となり、一大ブームを巻き起こした。中でも「花」は、観賞するだけでなく、文学を通じて日本人の精神性にも大きな影響を与えた。

◈

桜

日本の文化発展に、植物資源が果たした役割は大きい。例えば習俗の原点である神道や仏教でも、様々な植物を神事に用いている。奈良時代の歌集『万葉集』で詠まれている植物は160種を超えるが、興味深いのは、その名称が1000年の時を経て、現在もほとんど変わりがないということだ。この事実は、どれほど植物が日本人の生活に身近なものであったかを物語る。中でも「花」は、日本人の情緒の象徴として生活文化に深く根ざしてきた。

「東風吹かば　匂ひおこせよ　梅の花　主なしとて　春を忘るな」
菅原道真が都落ちする時に詠んだ歌
「散る桜残る桜も散る桜」曹洞宗の僧侶、良寛和尚の辞世の句
「さまざまのこと思ひ出す桜かな」松尾芭蕉がかつて仕えた藤堂家の庭で読んだ句

いずれも、かわいらしく見える花の中に、楽しさとは別の感情や哀れさを感じ取る感性こそ、日本人ならではの花の見方といえる。どんなに美しく咲く花も、必ず散るという万物の道理のもの悲しさが、日本人の心を惹きつけるのかもしれない。

植物・花にまつわる文化が特に大きく花開いたのは江戸時代である。当時の日本は、園芸が非常に発達した国であった。他の文化同様、初期の園芸は上方で起こったが、早々と江戸に持ち込まれ、武士階級から庶民までの精神修養や芸術、娯楽として成立した。これは歴代将軍が花の愛好家であった影響も大きく、また参勤交代や交通路の発達で各地の植物が持ち込まれたことも要因だった。身分階級を超えた花見も盛んに行われ、徳川吉宗（1684～1751）は1720年、行楽地であった飛鳥山（現・東京都北区）に桜を植栽、江戸市民の憩いの場所としている。また向島百花園（1805年）や堀切菖蒲園（1856年頃）などが開園されたのも江戸時代である。こうした伝統的な植物・花文化は、現在の日本人の情緒の拠り所にもなっている。

豆知識

1. 「小石川植物園」の名で親しまれている東京都文京区の東京大学大学院理学系研究科附属植物園は、貞享元年（1684）に幕府が設けた「小石川御薬園」が前身で、世界有数の歴史を持つ施設である。薬園とは、園内で薬草を栽培し、乾燥、調整して、薬を作る施設である。現在も、東アジアの植物研究の世界的センターとして機能している。
2. 春の行楽の定番「花見」で見る花が桜となったのは平安時代から。平安初期の歴史書『日本後紀』によれば、嵯峨天皇が催した宴「花宴の節」が、桜の花見の起源のようだ。
3. 江戸時代に園芸がブームになった背景には、もう一つ、新花、珍花が高値で取引されるという投機的側面もあった。キクやナンテン、マンリョウ、フクジュソウなど、新花作出が盛んになり、また各地の野山に珍花が求められた。この傾向は現在も同じで、新品種、希少種などは高値で取引されている。

226 歴史 | 豊臣秀吉

1582年、「本能寺の変」で織田信長（1534〜1582）が自害した後、その遺志を継ぐ者として羽柴秀吉（後の豊臣秀吉、1537〜1598）が軍事的、政治的な支配力を強めていった。秀吉の出自については諸説あるが、足軽の子ともされる秀吉はやがて天下統一を果たし、関白太政大臣にまで上り詰める。

◈

豊臣秀吉

明智光秀（1528？〜1582）が本能寺を包囲したのは、1582年6月2日の早朝であった。信長は小姓の森蘭丸から謀反人が光秀だと知らされると「是非に及ばず」とだけ言った。一説には午前8時頃、この討ち入りは終わったという。同日、秀吉は備中高松城を攻略していた。信長の死を伝えられたのは6月3日の夜から4日未明とされている。秀吉は、異変を秘したまま毛利方と和睦を結び、すぐに高松を発ち、京都へ戻った。これが「中国大返し」である。

6月13日、秀吉は光秀と対峙する。この「山崎の戦い」では、兵力と勢い、また大義名分も得ていた秀吉軍が圧勝し、光秀は落ち武者狩りによって絶命した。秀吉が光秀討伐を急いだのは、自身が信長の第一の忠臣であり、後継者であることを、いち早く天下に明らかにするためだったといわれている。

1583年、秀吉は賤ケ岳の戦いで柴田勝家を破り、同年、近国の諸大名から人足と木石を徴発し、石山本願寺の跡地に大坂城の築城を開始した。1584年の小牧長久手の戦いでは、徳川家康・織田信雄連合軍と衝突し、和解した。秀吉は1585年に関白に任ぜられ、翌年には豊臣の姓を賜り太政大臣となる。天下平定に残る四国、九州、小田原（北条）、東北（伊達）の軍事的攻略を進めながら、豊臣政権として全国支配に必要な政治的体制の確立も急いだ。

九州平定を済ませた後の1587年、秀吉は「バテレン（伴天連）追放令」を遠征先の博多において発した。九州の神社仏閣が破壊を受け、また住民が強制的に改宗させられ、一部は奴隷としてポルトガル人に売買されていると聞いたことがきっかけだったという。伴天連とは宣教師のことであり、キリシタン（信徒）ではない。同令は宣教師に、20日以内に国外に退去するよう命じている。ただし南蛮貿易は対象としていない。

1588年には、一揆の防止と兵農分離を目的に「刀狩令」を発布した。特に兵農分離は封建体制の確立に不可欠な政策で、1591年に出された身分の変更を禁じる「人掃令」にも通じる。「刀狩令」は「諸国百姓」に対し、「刀、脇差、弓、槍、鉄砲、その他武具の類」の所持を禁じた。専属奉行を置く徹底ぶりで、没収した武具は大仏（方広寺の木像大仏）造立の釘にすると明記した。ほかにも秀吉の政策としては「太閤検地」や、大名間の私闘を禁じる「惣無事令」などが知られている。1590年、秀吉は伊達政宗（1567〜1636）とともに小田原攻めを成功させ、ここに全国平定がなった。晩年は2度にわたり朝鮮出兵（文禄の役、慶長の役）を企てるも、戦果をあげられぬまま1598年に62歳で没した。

豆知識

1. 秀吉の辞世の和歌は「つゆとをち　つゆときへにし　わがみかな　なにわのことは　ゆめのまたゆめ」と伝えられている。詠み人には「松」とあり、これは秀吉が用いた一字名である。

227 文学 樋口一葉

樋口一葉(1872～1896)は、長い空白期間を経て、日本文学史上に現れた女流作家である。その空白はおよそ600年、実に鎌倉時代末期以来のことだった。宮廷の女流文学が衰え、武士による封建社会の圧力によって、近世には女性の社会的地位そのものが危機にあったといえよう。一葉が生まれた明治初期には、まだその影響が強く残っていた。

◈

樋口一葉

11歳で学校を中退させられた一葉は、当時の女性にわずかながら認められた短歌修業の道へ進み、14歳で歌塾「萩の舎」に入った。そこで短歌を作る技術や心得、日本の古典文学を学んだが、15歳になると兄が、17歳になると父が亡くなり、一葉は家族の生計を支える立場に追い込まれる。その年(1889年)、歌塾の先輩が小説を発表して、多額の原稿料を得たという話を聞き、一葉は小説執筆を志した。初めは半井桃水(なからいとうすい)(1860～1926)という新聞記者に指導を受け、桃水が刊行した雑誌に何作かの短編を発表したが、一葉は自分が桃水と恋人関係にあるとの噂があることを知り、桃水のもとを離れた。1892年、権威ある文学雑誌『都の花』に小説『うもれ木』を発表し、これが文壇で評判となった。

『うもれ木』は、雑誌『文学界』の同人だった星野天知(1862～1950)の賞賛を受け、一葉は、若き上田敏(1874～1916)や島崎藤村(1872～1943)なども参加していた『文学界』に寄稿の機会を得る。編集者は一葉の貧しさを知り、寄稿者中唯一の原稿料を一葉に支払ったという。一葉は同人作家との交流で西欧文学にも触れ、強い刺激を受けた。

1894年12月、一葉は『大つごもり』を『文学界』に発表。私生活の貧しさと、歌塾で裕福な子女に感じた隔たりなどが、迫真の描写に活かされている。1895年には『文学界』で『たけくらべ』の連載が始まり、続いて『文藝倶楽部』に『にごりえ』『十三夜』を発表。合間に著名な文芸誌『太陽』に『ゆく雲』が掲載されると、一葉の名は広く知れ渡った。ほかにも雑誌、新聞に数作の小説が発表された。この、『大つごもり』から始まった一葉の集中的な作品発表期は「奇跡の14カ月」と呼ばれる。

1896年、一葉は肺結核を発病する。その一方で、代表作の『たけくらべ』が『文藝倶楽部』に一挙掲載され、たちまち話題となった。特に森鷗外と幸田露伴は彼らの同人誌で、『たけくらべ』を激賞し、鷗外は以下のように書いている。「此人にまことの詩人という称をおくることを惜まざるなり(中略)この作者は、まことに獲易からざる才女なるかな」

『たけくらべ』は、遊郭吉原を舞台に、遊女の妹・美登利、寺の息子・信如などの少年少女が、思春期に入っていく微妙な心理を描いた作品である。「廻れば大門の見返り柳いと長けれど、お歯ぐろ溝に灯火うつる三階の騒ぎも手に取る如く」という冒頭の一節も有名だ。

一葉は24歳という若さでこの世を去る。亡くなるまでの数カ月の間、露伴・鷗外の批評を受けて、多くの有名作家が一葉宅を訪れたという。

豆知識

1. 2004年から日本銀行が発行している五千円札の表面には、樋口一葉の肖像が採用されている。日本銀行券の表面の肖像に女性が採用されたのは、これが初めてである。

228 科学・技術 岩橋善兵衛

遠くを見る技術は、学問的だけでなく軍事的にも大きな価値を持つ。世紀の発明「望遠鏡」が本格的に日本にもたらされたのが17世紀。それを独自に発展させ、様々な局面で使われる国産望遠鏡を作り上げたのは、レンズ磨きの職人である岩橋善兵衛(1756〜1811)であった。

◈

天文学だけでなく、航海術や測量術の発展にも大きく寄与した重要な発明が「望遠鏡」である。初期の望遠鏡は、16世紀末にイタリアで作られていたとの記録があるが、日本に伝来したのはそれからほどなくの1613年。イギリス国王ジェームズ1世(1566〜1625)から徳川家康(1542〜1616)に献上されたものだった。

この望遠鏡を「窺天鏡(きてんきょう)」と名付け、日本で初めて製作・販売したのが岩橋善兵衛である。眼鏡の玉(レンズ)磨きを家業としていた善兵衛は自然科学に興味を持っており、日時計を考案したり、窮理(物理)を学ぶために自然科学者に教えを乞うなどして、独自に研究していた技術者である。1793年頃、善兵衛は渡来品を分析して国産の望遠鏡を製作した。最初の望遠鏡は板で筒を作り、自ら磨いたレンズをはめたもので、当時の医師や知識人に披露して天体観測を行った。この望遠鏡は、太陽黒点や月面の詳しい様子を鮮明に観察できたという。

その後も創意工夫を重ねた善兵衛は、様々なタイプの望遠鏡を製作して、専業の望遠鏡職人となった。紙を幾重にも巻いて漆を塗った一閑張(いっかんばり)望遠鏡や、竹筒を使った望遠鏡など、性能や実用性だけでなく製作数も多数に及ぶ。善兵衛の望遠鏡は、徳川幕府の天文方である高橋至時(よしとき)や間重富(はざましげとみ)に用いられたほか、日本地図作成のための測量をしていた伊能忠敬(1745〜1818)などにも使われている。また和歌山の徳川家、近江彦根の井伊家などの諸大名や学者から、天体観測用や軍事、航海用として求められるなど人気となった。

また、自然科学者としても優秀だった善兵衛は、月の満ち欠けや星の位置、大坂湾の潮の干満を読む、早見盤「平天儀」を作成するとともに、解説書の『平天儀図解』を著し、日本の自然科学の発展に貢献した。その後、岩橋家は4代にわたり望遠鏡の製作を続けた。

豆知識

1. 大阪府貝塚市には、市立の天文台と併設の博物館「善兵衛ランド」(1992年開館)がある。展示室には、岩橋善兵衛製作の天体観測機器や測量機器、著書などの資料が展示されている。
2. 善兵衛以降の初期の望遠鏡職人には、天体観測を前提とした望遠鏡を製作した讃岐(現・香川県)の久米通賢(1780〜1841)、オランダ製やイギリス製の反射望遠鏡を独力で国産化した近江(現・滋賀県)の国友一貫斎(1778〜1840)らがいる。一貫斎の望遠鏡は当時、世界でも高水準で、現在の工業技術レベル並みと評価されている。
3. 幕末には、色消レンズ(アクロマートレンズ)を装着した屈折望遠鏡が輸入された。そのレンズ製造技術は国産では難しく、輸入に頼ることになった。1675年創業の眼鏡屋の「玉屋」ほか、明治時代には民間業者が測量器械を輸入販売するようになった。

229 芸術 俵屋宗達

絵画を主体とする江戸時代の装飾芸能流派が「琳派」で、創始者の一人とされているのが俵屋宗達（生没年未詳）である。ただ宗達に関する記録は少なく、生涯は謎が多い。

◈

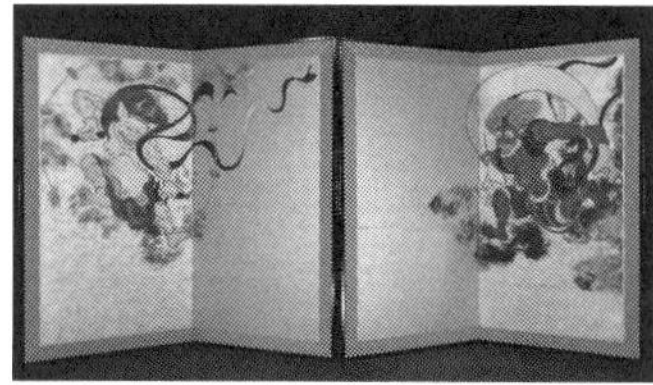
『風神雷神図』（レプリカ）

「俵屋」という名字は、宗達が京都で主宰していた絵屋（絵画工房）の屋号だとされ、町衆相手に扇絵や掛け軸、屏風などを販売していた。とりわけ扇絵は江戸時代初期に仮名で書かれた物語集である仮名草子の『竹斎』に、「俵屋の扇がもてはやされている」との意味が記されるほど人気があった。その評判と宗達の名は皇族や公家の間にも広まり、醍醐寺三宝院の門跡（皇族・公家の住職）・覚定（かくじょう）（1607～1661）は、『源氏物語関屋澪標（せきやみおつくし）図屏風』を発注し、公家の烏丸光広（からすまみつひろ）（1579～1638）は、『西行物語絵巻』を描かせている。また1602年には厳島神社に納められていた『平家納経』の修復に関わり、1630年には後水尾天皇（1596～1680）から屏風３双の制作注文を受け、同時期には町絵師としては破格の「法橋」の位を与えられている。宗達の功績の一つといえるのがやまと絵の復興である。宗達が活躍した江戸時代初期は宮廷絵所が弱体化し、極彩色のやまと絵が衰退していた。京都の町衆の間では、古典の復興を目指す機運が生まれ、『源氏物語』や『伊勢物語』をモチーフにした扇絵が流行する。それらの物語の絵画化を一手に引き受けたのが宗達である。宗達は極彩色の王朝やまと絵をベースにして扇絵を描き、これがやまと絵の復興につながる。またやまと絵だけでなく、中国伝来の水墨画を日本独自のものへと進化させ、それまで「線」で表現されていたものから「面」の要素を持つ技法を加えた。これは「たらし込み」という生乾きの水墨に濃淡の墨を含ませる技法で、『蓮池水禽図（れんちすいきんず）』などに用いられている。宗達自身は自宅で茶会を催していた記録などから、裕福な京都町衆だったと考えられている。同じように、芸術家でありながら富裕な町衆だったのが本阿弥光悦（1558～1637）だ。光悦は書家であり、陶芸家でもあり、出版にも携わった多才な当代随一の文化人である。宗達同様、琳派創始者の一人にも数えられる。また光悦は古典復興の中心的な立場でもあったため、宗達との距離は近くなる。やがて光悦は自身の書の下絵を宗達に任せた。２人の合作が『鶴下絵三十六歌仙和歌巻（つるしたえさんじゅうろっかせんわかかん）』である。このことから、宗達の地位が確立したのは光悦の後ろ盾によるものだとする説もある。宗達の作品で、現在国宝に指定されているものは、覚定発注の『源氏物語関屋澪標図屏風』、水墨画の『蓮池水禽図』、そして『風神雷神図』の３点だ。特に『風神雷神図』は宗達の最高傑作だといっても過言ではない。屏風は６曲が標準だった時代に、あえて２曲１双とし、中央に空間を設けた斬新なデザインで、金地に浮かぶ二神の表情はおどろおどろしくもあるが、見方によってはユーモラスでもある。風神と雷神の足もとにある雲はたらし込みが用いられて、全体的に立体感があり、見つめていると絵の中から風が吹いてきそうな錯覚すら覚える出来栄えとなっている。

豆知識

1.『風神雷神図』は尾形光琳や酒井抱一（1761～1828）にも模写され、光琳の作品は国の重要文化財に指定されている。また2008年に行われた洞爺湖サミットでは、会場に風神雷神図のレプリカが置かれた。

230 伝統・文化 | 家紋

家紋とは、各家で定めている家の印である。図柄は名字にちなんだもので、家の歴史的事跡を記念するものや信仰にちなんだものなど多数存在する。当主が代わっても家紋は代々受け継がれる。現在、日本には約２万5000の家紋があり、実際に使われているのはその２割ほどだという。

◈

日本の家紋は中国、朝鮮半島から伝わった文様を原型としており、平安時代から鎌倉時代にかけて公家や武家の間に定着したという説がある。そのほか、白河天皇（1053～1129）の外祖父・藤原実季（さねすえ）（1035～1092）が自分の牛車に「巴紋（ともえ）」をつけて目印にしたのが家紋のルーツという説や、保元・平治年間（1156～1160）に武家が旗や幕に家の印としてつけたのが家紋の始まりという説など諸説ある。いずれにせよ、公家の家紋も武家の家紋も平安後期頃に生まれたと考えられており、当初は使用している者はそれほど多くなかったといわれている。

武家社会となった鎌倉時代以降に家紋は爆発的に普及し、鎌倉中期頃にはほぼすべての武士が家紋を持っていたといわれている。公家の典雅な家紋と違い、武家の家紋は戦場において敵味方の陣地の識別に使われる実用的なもので、幾何学模様のものが多かった。武士の家紋は、戦場において自分の働きを証明するため、あるいは名を残すためという意味もあった。武家の中には名門の末流と称し、その家紋を自分の家のものにしてしまう者も多く、一つの家で表紋、裏紋、本紋、替紋など10余個の家紋を用いる者もいたという。室町時代に入り、武将たちが群雄割拠する時代になると、一軍の将は敵味方を判別するために家紋を覚える必要があり、諸家の家紋を集録した『見聞諸家紋』が刊行されたりもした。

江戸時代になると、家紋は実用というより装飾的な意味合いが強くなり、町人なども家紋を用いるようになった。「加賀紋」「伊達紋」「鹿の子紋」「比翼紋」などが流行し、姓氏と家紋の関係は徐々に薄れていった。

明治維新後、四民平等の時代になると、武家や公家と縁もゆかりもない平民が豊臣家の「五三桐」や藤原家の「藤」の家紋を使うようになったといわれている。

豆知識

1. 日本人の７割以上の先祖は、言い伝えという形で「源平藤橘」にたどり着くという説がある。
2. 日本で最も有名な家紋である「菊」と「三つ葉葵」。菊は天皇家、三つ葉葵は徳川家の紋所である。「三つ葉葵」は水戸黄門こと徳川光圀（1628～1700）の紋所としても有名。菊と三つ葉葵の家紋にはどちらも10種類以上のバリエーションがある。
3. 公家と武家の家紋は、その家が属している氏族の系譜上の称号、苗字と関係のあるものだが、庶民の家紋は、明治以後につけられた苗字と関係のあるものが多い。

231 哲学・思想 一遍

一遍(1239〜1289)は時宗の開祖である。法然(1133〜1212)の浄土宗の流れをくむ聖(各地をめぐって教えを説く民間の宗教者)であるが、時宗は念仏を唱えながら踊る「踊り念仏」に特徴がある。日本各地をめぐったことから遊行上人と呼ばれた。また、財産も家族も捨て去ったことから捨て聖ともいわれる。

◈

一遍は河野通広の次男として伊予国道後(現在の愛媛県松山市)に生まれた。河野家は豪族で源平の合戦でも活躍した武勇の家柄であったが、後鳥羽上皇と幕府が争った承久の乱(1221年)で上皇方についてしまったので、一遍が生まれた頃は家の存続も危ぶまれるほど衰亡していたといわれる。次男である一遍(幼名は松寿丸といった)には財産を分けてもらえるあてもなく、出家の道を選ばざるを得なかった。10歳の時に母が亡くなり、その年のうちに一遍は出家した。幼い頃にどのような修行をしたのか明らかではないが、13歳の時に太宰府で浄土宗の教えに触れ、浄土信仰の道に進むことになった。

ところが、1263年、一遍25歳の時に父が亡くなり、故郷に帰って還俗した。結婚もして子どももできたらしいが身内同士の争いがあり、再び出家したという。この時、妻と子どもも出家させて連れていったといわれている。一遍の生涯を描いた伝記絵巻には妻と子どもと思しき連れが描かれている。その後、善光寺や四天王寺をはじめとした各地の霊跡をめぐったのち、1274年に熊野本宮大社を参詣した。一遍は念仏を勧める札を出会う人に渡しながら(これを賦算という)遊行をしていたのだが、熊野では山伏に受け取りを拒否されてしまう。このことにより一遍は自分の行に対する疑念を抱くが、熊野権現(熊野三山で祀られる神)が夢に現れて「念仏による極楽往生は阿弥陀仏によって遠い過去に定められたことだから、相手の信不信にかかわらず札を配ってよい」と教えたとされる。時宗ではこの時を開宗としている。それから九州などをめぐって再び善光寺を拝した。そして、小田切の里(現在の佐久市臼田)で念仏を唱えている時、自然に体が踊り出したという。これが時宗の踊り念仏の始まりとされる。

踊り念仏自体は一遍の発明ではなく、市の聖と呼ばれた空也(903〜972)の先例がある。一遍はこの空也を尊敬していたが意図的に空也の踊り念仏を継承したのではなく、信仰の喜びが踊りとなって表れたのである。その後、奥州、鎌倉、近江、京、丹波、因幡、伯耆、美作、摂津、大和、播磨、備後、安芸、伊予、讃岐などを遊行して念仏を広め、1289年、播磨国兵庫の観音堂(現在の神戸市の真光寺)で没した。51歳であった。一遍はその場その場で信仰をともにする者が念仏を唱え踊ることを重視し、自分の教団を作るつもりはなかったが、弟子や信者たちはその信仰を受け継いで時宗を形成した。一遍は教理を体系的に述べるような著作は遺さなかったが、多くの和歌・和讃(仏教賛歌)を作った。ここにも信仰を感覚的に分かち合おうとする一遍の姿勢が表れている。

豆知識

1. 時宗はもともと「時衆」と書いた。念仏の催しに集まった信仰をともにする仲間といった意味で、一遍在世当時の教団の雰囲気をよく表している。一遍の没後、宗派としての形をとるようになり「時宗」となった。

232 自然 | 温泉

日本人の行楽の定番といえる「湯治」は、日本神話にも登場する。戦国時代には日本各地の名武将たちがこぞって湯につかり、江戸時代には庶民あこがれのレジャーとなった。温泉は、火山国・日本ならではの文化である。

◈

温泉

世界有数の火山国である日本では、国土の広範囲から温泉が湧いている。日本人は古くから温泉を利用する文化を持っていた。まだ医療技術が十分に発達していなかった時代には、入浴して疲れを癒やすだけでなく、ミネラル分の多い温泉水を飲用する、温泉宿へ長期逗留するなどして回復療法を試みていた。これが湯治である。湯治の歴史は古く、奈良時代初期の地誌『伊予国風土記』には、大国主命が大分の鶴見岳から湧く「速見の湯」（別府温泉）を、愛媛県の「道後温泉」へと導き、少名毘古那神の病を癒やしたとの神話が記されている。

戦国時代になると、数多くの武将たちが湯につかったとの伝説や伝承が残る。仙台藩の伊達政宗（1567〜1636）は、奥州三名湯の一つで、平安時代から続く秋保温泉を訪れたという。武田信玄（1521〜1573）の隠し湯だったとの伝説があるのは、山梨県の下部温泉だ。この温泉では、川中島の合戦で負傷した兵士が傷を癒やしたという。徳川家康（1542〜1616）ゆかりの温泉は群馬県の草津温泉で、家康は草津の湯を江戸城へ運ばせ、家康の正室・朝日姫も病気療養のためこの地を訪れている。この草津には、平安時代に源頼朝（1147〜1199）や義経（1159〜1189）も訪れたとの伝説もある。また、兵庫県にある有馬温泉には、豊臣秀吉（1537〜1598）が北政所（？〜1624）とたびたび湯治に訪れていたという。

一般庶民の湯治が盛んになったのは江戸時代以降である。戦乱がおさまったことで庶民に手隙の時間ができ、街道が整備されて遠方への往来も容易になったためだ。農民や町民は「湯治願い」を出し、関所を越える「通行手形」を受けて温泉地に向かった。また、伊勢参りや金比羅参りなどの途中でも温泉地に宿泊した。中世には宿泊湯治が長期逗留の「三廻り＝３週間」だったのに対し、江戸後期には「一廻り＝１週間」とされ、さらに三日、ついには一泊湯治と称する湯治が行われるようになった。知らない場所で温かい温泉につかりながら土地の名物料理を楽しむという贅沢が生まれたのである。

豆知識

1. 温泉は「火山性温泉」と「非火山性温泉」に大別でき、非火山性の温泉は「深層地下水型」と「化石海水型」に分類できる。地下数km〜10数kmの部分のマグマ溜まりに温められたのが火山性温泉で、地熱を熱源として温められた温泉が非火山性の深層地下水型、太古の地殻変動などで地中に閉じこめられた古い海水が地熱で温められたのが化石海水型である。
2. 日本三古湯の一つとされる道後温泉は3000年もの歴史を持つといわれる温泉地で、温泉の周囲からは縄文土器も出土している。『伊予国風土記』には聖徳太子が来訪したとの記録が、『日本書紀』には景行天皇や仲哀天皇など、多くの皇族が行幸したとの記録がある。
3. 山梨県南巨摩郡の西山温泉にある「慶雲館」は世界最古の温泉宿とされる。705年、藤原真人が狩猟のさなか、川の岩の間に湧く温泉を発見。宿の名は慶雲年間（704〜708）に造られたことに由来する。慶雲館は「ギネス世界記録」にも世界最古の宿泊施設として認定されている。

233 歴史 | 徳川家康

豊臣秀吉（1537～1598）の天下統一後、徳川家康（1542～1616）はその筆頭家臣となった。家康は所領である５カ国の城や都市の整備を進め、秀吉亡き後の天下支配についても構想をめぐらせていたと思われる。しかし家康は完成したばかりの駿府城の天守にゆっくりと居座ることはできずに終わる。

◈

徳川家康

1589年、家康は、駿河・遠江・三河・甲斐・信濃の所領で大規模な「五カ国総検地」を行ったと伝えられている。しかしその翌年、秀吉は家康に対し、北条氏の旧領であった武蔵・伊豆・相模・上野・上総・下総・下野・常陸の関八州へ移封（国替え）を命じた。家康の５カ国には秀吉は側近の家臣を配したことから、本州の中心部である重要地に政敵の家康を置いておくことに、秀吉は不安を感じていたのかもしれない。家康は家臣8000人を引き連れて、初めて江戸城に入った。当時の江戸は、平地のほとんどが萱（かや）に覆われた湿地帯だった。しかもすぐそばまで台地が迫っていて、そのまま使える土地は10町ほど（東京ドーム２個分）だという報告が家臣から上がったほどだった。

家康は、まず運河の掘削を命じた。小名木川がその最初である。現在も東の旧中川と西の隅田川を直線約５kmで結び、水運に利用されているこの運河は、東の行徳塩田（現在の千葉県市川市行徳）から江戸へ塩を運ぶ目的で造られた。さらに江戸の水運機能を高めるために濠や水路が次々に掘削され、出た土は江戸城の近くまで入り込んでいた「日比谷入り江」や湿地帯の埋め立てに使われた。現在の丸の内、日比谷、霞が関といった都心部は海だったのである。足りない土は神田の山を切り崩し、充てられた。

1600年、関ヶ原の戦いに勝利した家康は、本拠地を上方にするか江戸にするか、家臣と話し合ったという。結論は江戸で政務をとることと決まった。1603年、江戸幕府開府とともに、家康は全国の諸大名に向けて江戸城の改築と江戸の町の整備を命じる。この「天下普請」には、石高千石に対して一人の人足（千石夫）を出すよう割り当てられたが、諸大名は割り当て以上の人数を送り込んだ。また、大名は屋敷の建築許可を家康に願い出て、初めは断られたが、再三の申し出に対して土地が提供され、屋敷建築の許可が出た。こうして大名は自発的に江戸屋敷を建て始め、大量の建築資材が運河を使って往来した。江戸城と町の整備工事は大幅にスピードアップし、家康晩年の頃まで、わずか25年で15万人の住む都市に発展していた。幕末には100万人を超え、実にその半数が町人だった。当初、武士が住む政治都市として構想された江戸は、いつの間にか多様な機能を兼ね備えた、総合的大都市へと成長していったのである。

豆知識

1. 現代の建設会社の試算では、日比谷入り江を2.5mの高さに埋め立てるのに必要な土は約800万m^3、ダンプカーで約130万台分に相当する。江戸期の作業には、延べ300万人が土を運ぶのに動員されたと推測されている。

234 文学 | 森鷗外

明治の文豪として、夏目漱石（1867〜1916）と並び称される森鷗外（1862〜1922）は、東京大学医学部を卒業後、軍医としてドイツへ留学した。その経験は『舞姫』ほか多くの名作に活かされた。帰国後は軍医総監医務局長にまで昇進する一方、小説家、翻訳家、評論家など多方面で活躍し、明治の文学界を牽引した。

◈

森鷗外は、石見国津和野藩（現・島根県）の御典医の長男として生まれた。本名は森林太郎といい、別号として観潮楼主人とも称した。幼い頃から四書五経やオランダ語をよく学び、家族や周囲から大きな期待を寄せられて育った。10歳の頃に父に従い東京の向島に転居した。若い頃にはよく寄席に通い、落語にも親しんだという。

少年時から神童ぶりを発揮し、12歳で東京医学校への入学資格を得た。しかし、正規の入学資格は14歳からだったため、鷗外は年齢をごまかして受験したという。東京大学医学部卒業後、陸軍軍医となった鷗外は22歳の時にドイツ留学を命じられる。イギリスでの留学生活を陰鬱に過ごした漱石と異なり、鷗外は4年間（1884〜1888）のドイツ滞在を極めて快適に過ごしたという。当時の経験は、鷗外文学の第1期とされる『舞姫』（1890）や『うたかたの記』（1890）、『文づかひ』（1891）の3部作として小説に描かれている。また、帰国の翌年には、訳詩集『於母影（おもかげ）』を同人とともに発表している。1894年に日清戦争、1904年に日露戦争が勃発すると、鷗外はどちらにも軍医として出征。1907年には陸軍軍医総監、陸軍省医務局長となった。軍医の最高位で、階級は中将と同じである。

1909年、鷗外は与謝野鉄幹・晶子らと協力し文芸雑誌『スバル』を創刊。同誌に『半日』（1909）、『ヰタ・セクスアリス』（1909）、『青年』（1910）、『雁』（1911）などの小説を発表した。鷗外文学の第2期とされる、これらの作品中、『半日』は鷗外初の口語体小説だったが、主人公の妻と母が嫁姑の凄まじい確執を起こす内容で、これを知った鷗外の妻は怒り、自分が死ぬまで同作の公刊を認めなかった。また『ヰタ・セクスアリス』は、鷗外自身の性的体験がありのままに書かれた作品で、そのセンセーショナルな内容により同作が掲載された『スバル』は発禁処分を受けた。晩年の鷗外は日本の歴史と伝統に目を向け、『興津弥五右衛門の遺書』『阿部一族』『山椒大夫』『高瀬舟』『渋江抽斎』など日本を題材とした名作を生み出していった。自身も軍人であり、武士の家系とその伝統について理解が深かった鷗外は、その文学の第3期を「史伝小説」の開拓によって締めくくったのである。

鷗外の小説の中には、作者の私的な感情や生活はあまり見られず、“仮面の作家”とも評される。また、当時は一般の読者よりも職業作家や知識人の支持者が多かったという。

豆知識

1. 鷗外はドイツ留学から帰国後すぐに妻を得たが、翌年に離婚している。『半日』の内容に怒ったのは2度目に迎えた妻・志げだが、鷗外は亡くなるまで志げと添い遂げており、その点で虚実のほどは不明である。
2. 鷗外は最初の妻と2人目の妻の間に多くの子がいたが、長男に於菟（おと・Otto）、長女に茉莉（まり・Marrie）、次女に杏奴（あんぬ・Anne）、次男に不律（ふりつ・Fritz）など変わった命名をした。これはドイツ留学中に、海外の人に鷗外の本名「林太郎」という名前をうまく発音してもらえずコンプレックスになっていたためだという。
3. 幕末生まれで高級軍人というと父権主義的な印象を持つが、実際の鷗外は女性に対して理解があり、樋口一葉、与謝野晶子、平塚らいてうなどを早くから高く評価していた。

235 科学・技術 | 伊能忠敬

人工衛星の利用が可能になった現在、地図などに使う測量はGNSS（全地球航法衛星システム）を用いて、位置、高さが正確に求められている。こうして収集したデータと比べても、ほとんど遜色のない地図が江戸時代の日本で作られていた。伊能忠敬（1745～1818）の『大日本沿海輿地全図』だ。忠敬の地図は1800年から1816年までの17年をかけて作られた。

◈

伊能忠敬像

18歳の時に伊能家の養子となった忠敬は、商人として酒造、米穀取引などに携わり、傾いた家運を回復して名主となった。その後、49歳にして隠居し、江戸で幕府天文方の高橋至時（1764～1804）に弟子入りした。天文や暦学、測量を学んで、1800年に蝦夷（現・北海道）に旅立ち、南東海岸の測量を開始した。この測量の旅の背景には、当時の蝦夷地には通商を求める帝政ロシアの圧力が強まっていたという事情があった。至時は北方の緊張を踏まえ、蝦夷地の測量を幕府に願い出たのである。学者としては、地図を作成しながら子午線の１度の距離を求めようとする狙いもあったのだ。そして、この事業の責任者として白羽の矢が立ったのが測量技術や指導力にも申し分のない忠敬であった。

忠敬は、第１次測量の地である蝦夷地までの道中、子午線の距離を測るため、あえて陸路で移動した。1800年、息子を含む内弟子３人、下男２人を連れて自宅から出発し、かかった日数は180日であった。この後、伊豆・東日本東海岸への第２次測量においては、忠敬は「元百姓、浪人」の身分であったが、1801年には幕府からも名字帯刀を許されている。続いて、第３次測量の東北日本海沿岸、第４次測量の東海・北陸、第５次測量の近畿・中国、第６次測量の四国、第７次測量の九州第一次、第８次測量の九州第二次（九州北部）、第９次測量の伊豆諸島、９次の測量と並行して行われた第10次測量の江戸府内と、測量の旅は計10度にも及んだ。

測量作業を終えた忠敬らは、八丁堀の屋敷で最終的な地図作成作業に取りかかったが、忠敬の喘息がひどくなり、1818年、74歳でその生涯を閉じた。この時、地図は未完成だったため忠敬の死は隠され、弟子たちが地図の完成作業を進めた。

1821年、『大日本沿海輿地全図』はついに完成。完成した約２カ月後、忠敬の喪が発せられたのである。

豆知識

1. 忠敬以前にも、日本には精密な地図が存在した。江戸時代中期の水戸藩の漢学者・長久保赤水が作成したものである。赤水は、全国の地理に関する様々な情報を照らし合わせて、日本で初めて緯線と経線を用いた精密な地図『改正日本輿地路程全図』を1779年に出版し、ベストセラーになっていた。実際に測量した「伊能図」はごく一部の人しか見ることができなかったため、当時、一般に普及していた地図は、この通称「赤水図」だった。値段は現在の価格にして5000円程度で、地図の普及に大きく貢献した。
2. 忠敬は第１次測量の手当として合計22両２分を受け取っている。１日銀７匁５分の180日分だ。この測量で忠敬の持ち出した資金は70両以上。ほかに測量器具代として70両を支払っているので、自己負担分は140両にもなる。これを現代の金額に換算すると2400万円以上になる。

236 芸術 | 白隠慧鶴

臨済宗中興の祖といわれる白隠慧鶴（1686〜1769）は、江戸中期、幕府が取り入れた檀家制度によって、布教や修行を怠り権威に安住していた臨済宗教団を批判し、生涯を衆生済度という菩薩道の実践に捧げた。禅の意味を絵と賛で重層的に表現する「禅画」は、そういった活動の一つである。

◈

『達磨図』

幼少時代から繊細で人一倍感性が鋭かったという白隠は、母に連れられて日蓮宗昌源寺で「摩訶止観」という地獄の説法を聞いて恐怖におののき、その苦しみから逃れるために仏の道に入ったという。両親の反対を押し切って15歳で出家してからは、現在の静岡県や福井県、愛媛県などの禅の師匠をめぐって修行を重ねる。だが、19歳頃に禅の修行に疑問を感じ、１年ほど書画の世界に耽溺。22歳で出会った高僧・大愚宗築（1584〜1669）の書から「上手い下手ではなく人格を表すことで心を動かす」と刺激を受け、これは後々の画風にも大きく影響を及ぼした。

33歳で当時荒廃していた松蔭寺の住持となり、42歳となった白隠は庭のコオロギが鳴くのを聞き、真の大悟を得る。ここからは大衆への禅の教化に励み、そして仏教の４つの基本的な「四弘誓願」の重要さを解きながら「公案」（禅問答）による禅を大成。全国行脚に出向いて説法や禅画を描いた。そういった活動を通して、当時、同じ禅宗である曹洞宗・黄檗宗と比較して衰退の一途をたどっていた臨済宗を復興させていったのである。

白隠の描く著作や禅画は、根本に「大衆にもわかりやすく禅を説く」という目的がある。「衆生本来仏なり（人はみな仏と同じ）」で始まる著作『白隠禅師坐禅和讃』は、中国から日本に伝わったため、それまでは漢字によるものが一般的だった座禅の教えを、親しみやすい七五調の和文で示したものだ。総数１万点以上ともいわれている白隠の禅画は、そのほとんどが60代以降に描かれたもので、どれもデッサンや写実性に重きを置かず、単純だが大胆かつユーモラスな筆致を駆使し、人としての本質を問う意味を込めている。それがプロの絵師には出せない迫力と説得力を醸し出すこととなった。生涯禅の普及に努めた白隠は、晩年も地元駿河国（現・静岡県）に戻って布教を続け、「駿河には過ぎたるものが二つあり、富士のお山に原の白隠」と、富士山と並び称されるまでの名声を得た。

1769年、多くの弟子に囲まれ、長年住んだ松蔭寺で84歳の生涯を終えた。

豆知識

1. 白隠は修行時代、食事や休養を無視した座禅を長期継続したため、重い神経症を患ってしまう。これは「禅病」とも呼ばれ、禅を行う若い修行僧にも同じ症状で悩むものが大勢いた。白隠は禅病を治す治療法を考案し、多くの若い修行僧を救っている。この体験を73歳で執筆したのが『夜船閑話』である。
2. 白隠には多くの弟子がいたが、その中で「二大俊足」と呼ばれたのが東嶺円慈（1721〜1792）と遂翁元盧（1717〜1790）。２人は正反対の性格で、人付き合いが苦手だった元盧は白隠に師事する20年の間、誰にも会わないよう禅室には深夜に訪れるほどだった。白隠の後の松蔭寺を継いだのはその元盧で、これは円慈が推薦したからであった。

237 伝統・文化 ｜ 錦鯉

錦鯉は、鮮やかで美しい紅白・三色・丹頂（頭頂部のみ赤で、それ以外は赤・白・黒の３色）などの体色が錦にたとえられ、「泳ぐ芸術品」とも呼ばれている。錦鯉は、突然変異した真鯉（普通の黒色の鯉）を観賞用に飼育改良したもので、北陸甲信越地方、新潟県の地域ブランドの一つである。現在は、主に小千谷市で生産されている。別名、「変わり鯉」「模様鯉」とも呼ばれる。

◈

錦鯉

『日本書紀』には、94年に景行天皇（生没年未詳）が美濃国の詠宮(くくりのみや)の池で鯉の泳ぐ姿を観賞したと記されていたり、620年に推古天皇（554～628）が大和飛鳥川のほとりにある蘇我馬子（？～626）の庭園で泳ぐ鯉を観賞したという記述がある。このように、古くから鯉は観賞用に養殖されていたようだが、いわゆる「錦鯉」が生まれたのは江戸時代の中頃だといわれている。山古志村（現在の新潟県長岡市）で、食用として飼われていた真鯉に突然変異で綺麗な色と模様のついた変種が生まれ、それを観賞魚として飼育改良して養殖し始めたのが錦鯉である。

錦鯉は、遺伝子的には固定されておらず、繁殖が非常に困難な種で、大正時代に白い肌に赤い模様がある「紅白」、黒い肌に赤と白の模様がある「大正三色」、昭和初期に黒い肌に赤と白の模様がある「昭和三色」の主要品種が作り出された。現在は80種以上の品種が作られており、斑点模様、色彩の鮮やかさ、大きさ、体形を価値基準として、高額取引されている。

錦鯉が全国的に知られるようになったのは、1914年に東京・上野で開催された「東京大正展覧会」に「越後の変わり鯉」の名で紹介されたことがきっかけといわれており、1938年にはアメリカの博覧会でも出品され、好評を得たという。錦鯉は第二次世界大戦で養殖業者が大きな打撃を受け減少するも、わずかに残された親魚をもとに再興された。その後、1960年代に錦鯉は国内で大きなブームになった。

近年では、観賞用の鯉の総称として、「Nishikigoi」の名でアジア、ヨーロッパ、北アメリカなど、世界中に普及している。国内での生産は各地に広がり、品種改良が施され、新たな品種も誕生している。

豆知識

1. 錦鯉という呼び名が生まれたのは、第二次世界大戦中からで、それ以前は「花鯉」「色鯉」などと呼ばれていた。
2. 1968年に催された「第一回全国総合錦鯉品評会」で、日本を代表する観賞魚として錦鯉に「国魚」という呼び名がつけられた。

238 哲学・思想 | 一向宗(一向一揆)

一向宗は専修念仏を宗旨とする宗派の意味で、主に浄土真宗のことをいう。蓮如(1415～1499)が本願寺宗主となった15世紀半ばより急速に勢力を伸ばした。特に経済力をつけた北陸・関西地方の農民の間で広まり、村落の境界を越えた門徒(信者)組織が形成され、組織化された門徒集団はところによっては戦国大名に匹敵する力を持った。このような門徒集団の封建領主に対する反抗を一向一揆と呼ぶ。

◈

「一向」とは「一心に」「ひたすらに」「そのことだけに専念して」といった意味であるが、「一向宗」という場合は専修念仏(ひたすら念仏を唱える行のみを行うこと)を旨とする宗派のことをいい、主に浄土真宗のことを指す。ただし、専修念仏を標榜したのは浄土宗・浄土真宗だけではなく、民衆の中で教えを説いていた聖と呼ばれる在野の宗教者の中にもいた。しかし、彼らの教えは法然・親鸞の教えのような真摯なものではなく、民衆受けを狙った安易なものもあった。専修念仏が朝廷や延暦寺・興福寺などから目の敵にされたのも、そうした宗教者と信者たちの無軌道な行為によるところが少なくなかった。一向宗と呼んだ場合、そうした者たちも含むことがあるので注意がいる。

浄土真宗は寺院の数においても信者の数においても日本最大を誇るが、蓮如が本願寺8世を継いだ1457年当時、本願寺は天台宗の青蓮院の末寺(本山に所属する寺)となっており、すっかり寂れていた。東国の真宗教団は徐々に勢力を拡大していたが、まだまだ小さな宗派にすぎなかった。しかし、蓮如は地道な布教活動を通して着実に勢力を拡大させた。特に中世に入って経済力をつけた北陸や近畿の農民に信仰を浸透させ、堅固な門徒組織を形成していった。一向宗の進出に反発した比叡山の衆徒は1465年に本願寺を破壊。このため蓮如は越前国吉崎(現在の福井県あわら市吉崎)に本拠地を移転した。これによって北陸の門徒の組織化はさらに進み、信仰圏も奥羽まで広がった。しかし、加賀の守護職家富樫氏の内紛に門徒が巻き込まれたことから、蓮如は吉崎を離れて山科(京都市山科区)に移り、ここに本願寺を再興した。この山科本願寺も1532年に戦火で焼失したため、本願寺はさらに大坂の石山(大阪市中央区)に移転する。そして、織田信長と石山合戦(1570～1580)(石山本願寺・一向一揆と織田信長の争い)を繰り広げることになるのだが、破壊と移転を繰り返すたびに一向宗の勢力が拡大し、寺院の規模も大きくなった。山城本願寺も石山本願寺も周囲を堀や土塁で囲み、門徒が暮らす町も敷地内にある城塞都市のような造りになっていた。北陸や近畿などの門徒の町も同様の造りを持っており、こうした町を寺内町という。

一方、加賀の門徒たちは蓮如が山科に移った後、富樫氏と全面的に対立し、1488年にはその居城を落として加賀国を支配下においた。このほか西三河(現在の愛知県安城市付近)や伊勢長島(現・三重県桑名市)でも一向宗門徒と戦国大名との衝突が起こったが、いずれも最終的には大名側の勝利に終わった。

豆知識

1. 石山本願寺が破却された後に建てられたのが豊臣秀吉の大坂城だ。石山本願寺は蓮如が造った石山御坊を拡張させたもので、吉崎御坊や山科本願寺も戦略的要地に建っていた。蓮如は築城家としても才能があったのかもしれない。

239 自然 エネルギー資源

エネルギー供給と地球温暖化の関係は、エネルギー資源を輸入に頼る日本にとって極めて深刻な課題である。日本ではかつて石炭が経済成長を支えるエネルギー源として使われていたが、近年、大気汚染物質の排出を抑えた石炭火力発電が再び注目されている。

◈

中国、アメリカ、インドに次ぐ世界第4位の電力消費国である日本だが、そのエネルギー自給率はたった8％である。日本はエネルギー資源のほとんどを海外からの輸入に頼っており、その自給率は先進諸国の中でも極めて低い。

高度経済成長期以降、日本は1973年と1979年の2度にわたる石油危機を経験した。1973年の第1次石油ショック時、海外からの化石燃料輸入の依存度は約75％だったが、その後、エネルギー源の多様化を図ったことでエネルギー需給構造が改善され、東日本大震災直前の2010年までは約60％にまで減少していた。しかし、翌年の震災の影響による原子力発電の長期停止で、火力発電の発電量が大幅に増加。2015年度は約80％まで上昇し、再び依存度が高い状況となっている。しかし、日本の化石燃料の埋蔵量は石炭を除いて乏しく、価格変動が激しい原油や天然ガスなどを輸入して需要を満たしているのが現状だ。

近年、再注目される石炭は、明治維新以後、燃料や製鉄用として使用量が増大した。全国に800以上の炭鉱が開かれ、経済成長を支えるエネルギー源として黒いダイヤモンドとも呼ばれた。しかし、日本の炭鉱は石炭が地下の深部にあることが多いので採掘の労働条件は悪く、第二次世界大戦後、エネルギー源は大量に輸入される石油に切り替わったのである。近年、中東からの石油輸入が政情的に不安定になったことで、NEDO（新エネルギー・産業技術総合開発機構）は、熱量あたりの単価が化石燃料の中で最も安い石炭の安定供給を促進する「産炭国石炭産業高度化事業」を実施している。それを受けて、営業採炭を続ける唯一の炭坑である北海道の「釧路コールマイン」は、最新の機械掘削によって年間採炭量約70万トンを産出している。また、石炭を用いた火力発電はCO_2排出量を抑えた最新の「クリーンコール技術」を活用し、大気汚染物質を大幅に削減している。

一方で、近年は日本の領海や排他的経済水域に広がるメタンハイドレートや石油、天然ガスなどの海洋エネルギー資源が注目を集めている。しかし、その採掘および利用推進にはまだ多くの課題が残されている。

豆知識

1. 日本では、わずかながら石油も産出する。北海道の勇払(ゆうふつ)油ガス田の1日の生産量は、原油が約619kL、ガスが89万2千m^3。秋田県の八橋(やばせ)油田の1日の生産量は約43kL。最盛期の1955年頃は年間30万kLを生産していた。しかし現在は、閉山した油田も多い。
2. 震災で原発稼働の是非が問われてから、再生利用エネルギーも注目されている。中でも、日本ならではの発電方法が、地熱発電や潮汐(ちょうせき)発電だ。地熱発電は、主に火山活動による地熱を用いる方法で、各国で利用拡大が図られつつある。潮汐発電は、潮の満ち引きの運動エネルギーを電力に換える発電だ。
3. 石油産出は60％以上が中東に集中しているが、石炭の分布は地域的な偏りが少なく、アメリカ、ロシア、中国など、政治的に安定した各国にも広く分布している。石炭の確認可採埋蔵量は約8900億トン。今後100年以上採掘することが可能だと考えられている。

240 歴史 | 徳川将軍家

初代家康（1542〜1616）から第15代慶喜（1837〜1913）まで、徳川将軍家は260年余りの間、いわゆる「幕藩体制」によって全国を統治する役割を果たした。自身で政務を司った将軍も一部いるが、ほとんどは政治の多くの部分を老中や若年寄などの幕閣に委ねていた。

◈

家康が「徳川」に改姓したのは1567年。当初は家康ひとりに限ったもので、松平氏一族からの優越、さらに家臣の統制のためになされたと見られる。家康の存命中に徳川姓を許されたのは後継者である秀忠（1579〜1632）のみで、幕府成立後も徳川の姓は「将軍家」、尾張・紀州・水戸の「御三家」、田安・一橋・清水の「御三卿」に限られている。

室町幕府将軍が実権を失い、戦国時代を経て国内では久しぶりに誕生する新幕府において、将軍は世襲であることをあらためて天下に印象づける必要があった。そのため家康は、わずか２年の在任で秀忠に将軍職を譲り、その道筋を明らかにした。家康、秀忠と続いた江戸幕府の基礎固めを完成させたのが第３代将軍・家光である。家光は1623年に将軍となったが、まだ父の秀忠が存命中だったため当初はその影響力を無視することができず、父の死後、本格的に政治を行うことになった。まず、家康、秀忠の時代の家臣は信頼のできる２人を大老として他は排除し、老中、六人衆（後の若年寄）には自分と近い世代の者を置いた。また、参勤交代を確立し、諸大名の統制を徹底した。謀反を呼びかけるニセの手紙を大老の名で諸大名に送り、告発や拒否の反応をしない家を取り潰すという計略も用いた。家光は在任中、実に44家を廃している。これにより各地に浪人が大量発生し、治安の悪化や倒幕の機運を招くこととなった。

1637年の島原の乱では大軍を送ってこれを鎮圧。キリスト教宣教の中心だったポルトガルと断交し、オランダ商館を長崎の出島に移転させ、いわゆる「鎖国」体制を完成させた。

家光の死後、第４代将軍・家綱が11歳という若さで就任すると、家光が断行した強権的な武断政治への不満から、政権交代の隙を狙って慶安の変（由井小雪の乱）が起こる。この「武断政治」を「文治政治」に切り替えたのが第５代将軍・綱吉（1646〜1709）であった。「生類憐みの令」で知られる綱吉は「犬公方」と揶揄されたが、近年の研究では名君と評価されることが多い。儒教道徳を世間に広め、安定した主従関係を構築することが政治の前提であると考えた綱吉は、儒学者・林羅山（1583〜1657）が上野に建てた孔子廟を移転して湯島聖堂を建立した。そこに開かれた林家の私塾は、後の「昌平坂学問所」となる。第７代将軍・家継（1709〜1716）が８歳という幼さで亡くなり徳川将軍家の嗣子が途絶えたため、第８代将軍・吉宗（1684〜1751）は御三家の紀州藩から招かれた。吉宗は新田開発や上米制、米相場の改革など米に関する政策を行ったことから「米将軍」とも呼ばれる。また目安箱を設置し、その投書から、小石川療養所を設立している。幕末となり外国の脅威が迫ると、最後の将軍・慶喜（第15代）は大政奉還を行い将軍職を辞職。慶喜は田安徳川家から家達（いえさと）を養子として徳川宗家第16代当主とし、明治維新後は徳川公爵家として存続した。

豆知識

1. 歴代将軍の中で最も在位期間が長かったのは第11代家斉（1773〜1841）の50年である。
2. 「生類憐みの令」は約20年の間に100回以上発令された。当初は、将軍通過中の路上に犬が出てもよいという程度だったが、生きた魚や鳥、ウナギ、ドジョウの販売禁止、釣りの禁止など、徐々にエキセントリックになっていった。

241 文学 尾崎紅葉・幸田露伴

明治20年代（1887～）の文学界は「紅露時代」と呼ばれた。当時の文壇に君臨した尾崎紅葉（1867～1903）と幸田露伴（1867～1947）を指す言葉だが、両者は対照的な存在で、作品や人物において交流があったわけではない。

◈

明治維新直前の同じ年に江戸で生まれた紅葉と露伴は、それぞれ別の機会に、淡島寒月（あわしまかんげつ）（1859～1926）と知遇を得た。寒月は井原西鶴を再発見したことで知られ、「紅露」の両人に西鶴を勧め、影響を与えている。

紅葉は「硯友社（けんゆうしゃ）」の創立メンバーとして知られる。「硯友社」は戯作者的な雰囲気を持った文学結社で、機関誌『我楽多文庫（がらくた）』の名前にもそれを感じることができる。同誌は坪内逍遥、二葉亭四迷が打ち出した近代文学の流れに対し、いわば「反革命」的立場を取った。紅葉は、そもそも「言文一致体」に懐疑的であり、「言文一致？あれは誰にもできる」と述べたという。

紅葉は、雅俗折衷の文体による『二人比丘尼色懺悔』（1889）で作家としての地位を確立し、読売新聞社に入った。その後、言文一致体を採用し、完成の域に高めたといわれるのが『多情多恨』（1896）である。多くの作家が本作を紅葉の最高傑作と讃える一方、題材が些末で、社会性がないという指摘もあった。その批判に応えるために書かれたのが、有名な『金色夜叉（こんじきやしゃ）』であった。

『金色夜叉』で、紅葉は再び言文一致体を捨て、雅俗折衷の文体を用いた。1897年から1902年まで断続的に連載されたこの小説は爆発的な人気となり、特に貫一がお宮を足蹴にする熱海の一場は話題となり、連載中から舞台化されるほどだった。しかし、紅葉が35歳の若さで没したため小説は未完となった。

露伴も紅葉と同じく西鶴に傾倒し、逍遥の『小説神髄』にも強い影響を受けたが、文体よりも思想の面で、当時の文壇の流れに同調しなかった。

1889年に発表された『風流仏』は、仏師を主人公とした小説で、露伴はこの作品で名声を得ることとなる。1891年には『五重塔』の連載を始め、こちらは寺院を建立する大工を主人公にしている。両作に共通するのは男性的、東洋的な題材である。芸術家を主人公とする作品は、当時も多くあった。そのほとんどは作者自身が仮託された画家、小説家などで、いわゆる古風な職人は見られない。職業的で、私的な苦悩を持たない主人公には「闇の部分」がないとの批判もあるが、これは露伴自身が自然主義との差異を明らかにするために選んだ手法だったようだ。

日露戦争以後、露伴は小説を離れ、史伝や随筆などに専念する。特に芭蕉俳句の注釈に熱心で、17年をかけて『芭蕉七部集』を編んだ。1937年には第１回文化勲章を受章した。

豆知識

1.『金色夜叉』の連載当時、死期の近い女性読者が「墓前には続編を供えてほしい」と遺言したという逸話がある。

242 科学・技術 そろばん

江戸時代、来日した外国人を驚かせたのが日本人の平均的な教育水準だったという。男性だけでなく、女性や子どもまでも読み書きができ、また加減乗除などもこなす計算力は欧米を完全に上回っていた。この計算力を育んだのが寺子屋で習う「そろばん」だった。江戸末期の寺子屋の数は日本全国で1万5000〜2万ほどで、就学率は70〜86%もあったという。

◈

経済社会であった江戸時代の庶民層の学力を支えていたのは、初等教育を施す教育機関「寺子屋」だ。寺子屋の授業内容は、読み・書き・そろばん。通っている子どもたちが、すぐにでも仕事につけるような実務教育である。中でも実用的な算術・そろばんは、通貨や品物ごとに単位が変わったり、換算比率が複雑だった江戸時代には必要不可欠な知識だった。

そろばんの発祥は古代中国で、2世紀頃の数学書『数術記遺』には、すでに「珠算」という記述が登場している。日本への伝来がいつ頃かはわかっていないが、奈良時代に成立した地誌『風土記』にはそろばんの記述がある。「そろばん」という名称は、「算盤」の中国読み「スワンパン」が変化したものだと考えられている。日本に現存する最古のものの一つは、戦国時代に活躍した武将・前田利家(1538〜1599)が所有したものである。

そろばんによる算術はかつて侍の教養だったが、次第に民衆に広まっていった。これは豊臣秀吉の家臣で、江戸時代前期には和算家として有名になる毛利重能(生没年未詳)が明に留学したのち、京都で「割算の天下一」という看板を掲げて開塾し、そろばんを教授するようになってからである。重能は、江戸時代初期を代表する和算書『割算書』を著した人物で、和算の始祖とも称される。こうしてそろばんは、日常の実務に必要な知識として寺子屋の必修科目になっていった。

当時、どれだけそろばんが庶民の間に広がっていたかを物語る例として、1627年に吉田光由(1598〜1672)の教則本『塵劫記』が大ベストセラーとなって、類似本や海賊本が数多く出版されたという事実がある。当時の算学の本は、入門書から数学パズルのようなものまでバラエティに富んでいたのだ。

こうしたそろばん教育は明治時代には一時的に排斥されるものの、急速な近代化を支える底力となり、1881年には、文部省令で筆算と珠算を併用する法令が発布された。

豆知識

1. そろばんの起源には、アステカ起源説、アラブ起源説、バビロニア起源説など諸説ある。ギリシャ時代には、テーブル上に石を置いて計算を行う道具もあった。これは「アバクス(abacus)」と呼ばれた。現存する最古のそろばんは、ギリシャのサラミス島で発見された紀元前300年頃のタブレット式の「サラミスのそろばん」と呼ばれるものである。
2. 現在、日本から輸出されたそろばんは、アメリカ、台湾、シンガポール、中国、イギリス、ドイツ、ポーランドなど30〜40カ国に普及している。そろばん教育の英名は「Abacus Maths」だ。
3. 日本のそろばんの二大産地は、兵庫県小野市と島根県奥出雲町。小野市の播州そろばんは1976年に、奥出雲町の雲州そろばんは1987年に、国から伝統工芸品の指定を受けている。

243 芸術 与謝蕪村

俳諧・絵・書と多彩であり、「江戸のマルチプレーヤー」とも呼ばれているのが与謝蕪村（1716～1783）である。俳人で画家の蕪村は江戸中期に活躍した。俳諧は写実的な発句を得意とし、松尾芭蕉（1644～1694）、小林一茶（1763～1827）と並ぶ江戸期の三大俳人に数えられている。画家としては、これまで模倣にすぎなかった中国伝来の文人画（南画）に日本的な特徴を加味。池大雅（1723～1776）と並び日本の文人画を大成させていった。晩年には俳諧と絵画を融合した「俳画」を確立させ、和漢の絵画と文学の混合を実現した。

◈

蕪村は20歳の頃江戸に下り、俳諧師を志して松尾芭蕉の孫弟子・早野巴人（1676～1742）に入門した。27歳で巴人が亡くなった後は、敬愛してやまない芭蕉の代表作『おくのほそ道』の跡を辿る旅に出た。その放浪は北関東から東北にかけて約10年間も続け、俳諧活動や絵画制作に励んだとされている。55歳の時には、芭蕉時代の格式高い風格が失われて堕落していた俳諧を立て直すため、「蕉風復興」を唱えて奮闘。江戸俳諧の再興に貢献し、「俳諧中興の祖」と呼ばれるようになった。絵画の世界で蕪村は、50代になって文人画でも注目を浴びるようになったが、絵は独学だった。「吾に師なし、古今の名画をもって師となす」と語ったと伝えられている。1751年、36歳で京都へ上り寺社仏閣をめぐったことが、絵画にも力を入れる大きなきっかけになったと思われるが、初期は新奇な中国絵画の模写にすぎず、自身の画風を確立したのは55歳の時で、池大雅との合作『十便十宜図』以降である。

一方、池大雅は、幼少時代から絵画の才能を発揮し、儒学者や禅僧の援助を受け、早くから画才を開花させていた天才肌の画人である。伝統的な主題にも墨の濃淡や点と線の強弱などをつけ、独自の大胆な画面を創出していた。現在国宝となっている『楼閣山水図屏風』などは、彼が40代前半で描いた作品である。蕪村は世代が一つ下の天才・大雅と合作することで、技術の差を目の当たりにし、それを克服するための工夫をしていく。そこで俳諧と絵画、中国文化と日本文化が融合した独自の画風に至ったようだ。

そもそも日本における文人画の発生は、中国の明・清時代（17世紀前半）に制作された『八種画譜』や『芥子園画伝』などの木版画譜類が輸入されたことが大きな要因だとされる。文人画の先駆者としては儒学者の祇園南海（1677～1751）や武士の柳沢淇園（1704～1758）といった知識人が挙げられる。だが彼らが描いたものは、絵画的というよりも模写として高い完成度を示すものであった。そこからオリジナリティを生み出し、文人画を大成させたのが蕪村と大雅だったのである。

この２人の影響を受け、江戸時代後期には谷文晁（1763～1840）、渡辺崋山（1793～1841）など、京都に多くの文人画家が誕生した。京都で刊行された人名録『平安人物志』の1822年版には、画家とは別に「文人画」の項が単独で設けられるほどになっている。

豆知識

1. 与謝蕪村は64歳の時、妻子がいるにもかかわらず、祇園の美人芸者に入れ込んだことがあった。友人がとがめ、彼女とは別れることになったが「桃尻の光りけふとき蛍哉」という未練たらしい句を残している。
2. 池大雅は、同じく画家の玉蘭（1728～1784）と結婚したが、お互い天才肌の浮世離れした性格だった。大雅は結婚してもしばらく玉蘭に指一本触れず、玉蘭も取り立てて急かすこともなく、様子を見て仲人がせっついたところ、大雅は「結婚ってそういうものだったのか」と語ったという。

244 伝統・文化 こけし

こけしとは、ミズキ、イタヤカエデなど白肌の雑木をろくろでひいた人形のことである。円筒状の胴に球形の頭をつけ、手足がなく、顔と胴模様が描彩されている。江戸時代後期、東北地方の温泉地の湯治客の土産物として誕生したといわれている。

◈

こけし

こけしの起源には諸説ある。木地師の山の神信仰をもとに作られたもので、精霊の姿を象(かたど)っているという説や、幼児のおしゃぶりを起こりとする説などだ。日本最古のこけしは、称徳天皇（718〜770）の治世に作られた木製の塔婆（供養塔）だといわれている。木地師と呼ばれる職人が作った100万個のこの塔は、「百万塔」と呼ばれていた。その後、ろくろ挽きの技術を学んだ木地師たちは、関東や東北、九州や四国へと散らばり、日本各地の湯治場（温泉街）にも移住。温泉地の湯治客を相手にお土産の玩具を作った。それがこけしにつながっていったといわれている。

土産物として最も古いこけしは、文化・文政年間（1804〜1830）に蔵王連峰の東麓の遠刈田(とおがった)で作られ始めたものだ。湯治客の多くは農民で、農作業で疲れた身体を癒やすために来ており、木地師たちが作ったこけしは、心身回復と五穀豊穣、山の神とつながる縁起物として農民たちの村に持ち帰られ、大事に扱われたという。

こけし（小芥子）の名前は、江戸時代の子どもの髪型、芥子(けし)坊主に似ているからつけられたという説がある。芥子坊主とは、頭頂部の髪だけ残した坊主頭のこと。当時の子どもは手入れがしやすいようこの髪型をした者が多かったという。また、こけしのことを木製の人形を意味する木偶(でく)の意味で「きでこ」と呼んだり、木を削ることから「木削子」と表記するなど、地域それぞれの呼び名や表記があったが、1940年にこけし愛好家の会「東京こけし会」で開催された総会によって、「こけし」という名前に統一された。

こけしは古くから伝えられてきた「伝統こけし」と、全国の観光地で作られるようになった「新型こけし」とに大別される。伝統こけしは、こけしが誕生した時の様式にのっとって作られ、産地、形状、伝承経緯などによって、鳴子系、作並系、土湯系、遠刈田系、弥治郎系、肘折系、山形系、蔵王高湯系、木地山系、南部系、津軽系の約11種類の系統に分類される。

豆知識

1. 敗戦直後の日本が貧しかった頃、それ以上子どもが増えないようにあえて中絶する間引き、口減らしという文化があり、こけしを「子消し」「子化身」として死んだ子どもを供養する象徴としたという説があるが、この説には明確な根拠はなく、俗説だとされている。
2. 三大こけし発祥地は、宮城県の鳴子・遠刈田、福島県の土湯である。

245 哲学・思想 | キリシタン

キリシタンとは戦国時代に伝わったキリスト教の信者のことである。主にキリスト教に改宗した日本人に対して使うが、宣教師などの外国人に対しても用いることがある。しかし、キリスト教に対する禁止令が解除された明治以降の信者に対しては用いない。禁教であった江戸時代に隠れて信仰を守った人々については隠れキリシタンと呼ぶこともある。

◈

キリスト教は紀元前後に生まれたイエスがユダヤ教を母体として作った宗教で、イエスの死後に古代ローマ帝国に広まった。その後、ヨーロッパ全土に広まり、そのほとんどの国が国教とした。日本に伝わったのはフランシスコ＝ザビエル（1506〜1552）が来日した1549年のこととされる。ザビエルはフランスで1534年に結成された修道会イエズス会の創設メンバーで、ポルトガル王の依頼によりアジアに派遣された。当時、インドなどとの交易はポルトガルに莫大な富をもたらしていたが、取引をより効率的にするために現地の人々の教化が求められていた。そこでキリスト教を広めることに強い使命感を抱いていたイエズス会に布教が委ねられたのである。ザビエルは鹿児島に上陸し、ここに1年間とどまったのち、平戸・山口を経て京に入った。天皇や将軍の改宗を目論んでいたザビエルだったが謁見することもできなかったため、山口を布教の拠点とすることにして、日本最初の教会を建てた。

ザビエルの後にもポルトガルの宣教師が次々と日本を訪れ、九州北部や山陽道の大名を教化していった。大名たちはキリスト教の教義を理解して改宗したわけではなく、ポルトガルとの交易が目的でキリスト教を受け入れただけであったが、中には大村純忠（1533〜1587）のようにイエズス会に土地を寄進し、領民に改宗を強制した領主もいた。織田信長（1534〜1582）もキリスト教を保護し、京に南蛮寺（教会）の建設を許した。1582年には12人の少年がローマに派遣され（天正遣欧使節）、ローマ教皇との謁見を果たした。

豊臣秀吉（1537〜1598）も当初はキリスト教を公認していたが、イスパニア（スペイン）は日本を占領するために宣教師を送り込んでいると思い込み、1587年にバテレン追放令を出し、1597年に宣教師ら26人を十字架刑にした。その翌年に秀吉が死んだこともあり、以後も宣教師たちの活動は続き、宣教師の報告によると信者の数は70万人を超えたともいう。このように急速に信者が増えたのは、大村純忠の例のように領主層の改宗が領民に影響を与えたことに加え、宣教師たちが学校や病院を建てるなどの慈善活動をしたことが大きい。神の前の平等などの教義も民衆には魅力だったようだ。しかし、江戸幕府は1612年に禁教令を発布し、徹底した弾圧に出た。踏み絵を強制し、棄教しない者は容赦なく死罪に処した。1639年には鎖国も断行され、宣教師が潜入する余地は塞がれた。そのような状況でも信仰を持ち続けた者たちもいた。聖母子像を観音像に偽装したり、仏像に十字の刻みを入れて十字架の代わりとして密かに祈りを捧げた。時に露顕して（これを「くずれ」という）処罰されることもあったが、明治の解禁（1873年）まで信仰を守り続けた集落もあった。

豆知識

1. 431年のエフェソスの公会議で異端とされたネストリウス派は、唐時代の中国に伝わって景教と呼ばれて大流行した。この信仰が日本に伝わっていたという説があり、聖徳太子が厩（うまや）で生まれたという伝説はその影響という説もある。

246 自然 金山・銀山

鉱物資源が乏しい日本だが、かつては金や銀の一大産地として海外に知られていた時代があった。その様子はイタリアの商人マルコ・ポーロ（1254〜1324）が旅行記『東方見聞録』で「黄金の国ジパング」として記述している。

◈

日本は、自然は豊かだが鉱物資源には乏しい国だ。例えば刀や鎧の材料となった鉄だが、日本では国産の和鉄だけではまかなえず、いろいろな国から輸入していたことがわかっている。室町時代、明から輸入されていた「唐鉄」、室町時代末から江戸時代初頭にかけ、南蛮貿易で輸入された「南蛮鉄」などだ（南蛮鉄は、ひょうたん形に成形されていたことから「ひょうたん鉄」とも呼ばれていた）。しかし、乏しかったのは工業材料となる鉄だけで、かつて日本は貴金属を世界に輸出する資源大国だった。

13世紀頃の商人マルコ・ポーロの旅行記『東方見聞録』には、「黄金の国ジパング」が登場する。そこは莫大な金を産出し、宮殿や民家が黄金でできている島国だ。この噂話のもとは、奥州（現・東北地方）産の金で装飾された「中尊寺金色堂」だったとの説もある。奥州の金山は17世紀に廃山したが、それと前後して1601年に発見されたのが佐渡金山である。幕府の直轄領に置かれた佐渡金山は、最盛期で年間400kgの金を産出。採掘は江戸末期まで続き（閉鎖は1989年）、約270年間に41トンもの金を産出した。

石見国（現・島根県西部）の石見銀山が注目されたのは、イギリスの東インド会社が世界進出を果たしていた時代だ。当時のイギリスは世界各地で植民地政策を進めていた。工業は産業革命で大量生産体制が勃興し、貿易にも巨大な資金が必要だった。イギリスはその資金としてスペイン領メキシコから産出する銀を交易で手に入れ、貨幣にして充てていた。そしてイギリスがアジアとの交易のため注目したのが日本の石見銀山だった。イギリスはオランダ商人を介して長崎、平戸での貿易で銀を大量に手に入れ、その銀で綿製品を買うという三角貿易を展開。石見銀山の銀供給はイギリスの産業革命や銀本位制を支えていたのだ。こうした歴史的事実が判明したのは近年のことで、この研究を受けて2007年、石見銀山はユネスコ世界文化遺産に認定された。近年は、日本の領海および排他的経済水域に広がる海底熱水鉱床やコバルトリッチクラスト、マンガン団塊、レアアース泥などの海底鉱物資源も注目を集めている。

豆知識

1. 現在、日本で実働している金山は鹿児島県の菱刈鉱山と赤石鉱山のみである。どちらもすでに、埋蔵量の半分以上は採掘されていると考えられている。推定埋蔵量は2カ所合わせて約260トン。1985年以降、毎年約7トンの金の採掘をしているので、埋蔵量は残りわずかである。
2. 近年、注目される金属資源に「都市鉱山」がある。これは都市部の廃棄家電製品などに使われている金属の総称。金は日本だけで推定約7000トン、世界の金の埋蔵量の15％前後に相当する量が存在するといわれる。回収コストを考えると採算のとれるリサイクル事業ではないが、東京2020オリンピックパラリンピックでは優勝メダルが都市鉱山の金で作られ注目を集めている。
3. 日本に金鉱脈が多いのは火山国だからである。地下に浸み込んだ地下水が、マントルで高温高圧になる。そこにイオン化した金が溶け込む。その熱水が割れ目を通り地上に出る過程で減圧冷却され、金鉱脈が生成される。

247 歴史 | 元禄文化

第5代将軍・徳川綱吉(1646〜1709)の「文治政治」の影響もあり、学問を中心に、文芸、工芸、絵画などの分野で文化の興隆・発展が見られるようになった。関東・関西でそれぞれ特色があり、その担い手は町人(特に豊かな商人)だった。当時の元号にちなんで「元禄文化」と呼ばれている。

◈

尾形光琳『紅白梅図屏風』(模写)

「文治政治」は儒教道徳に基づく政治だが、幕府が積極的に奨励したのは朱子学である。朱子学は『論語』に代表される孔子の教えを、12世紀中国(南宋)の学者・朱熹(1130〜1200)が体系化した学門で「新儒教」ともいわれる。日本には鎌倉時代に伝わっており、徳川家康の時代になって林羅山が武家政治の基礎理念、秩序維持のための学問として再興した。

綱吉は自身が建立した湯島聖堂内に私塾を開く林鳳岡(羅山の孫。1644〜1732)を江戸城に招き、講義を受けたり、討論をしたりしている。朱子学は江戸幕府の正学に指定され、幕末まで引き継がれていく。

歴史学では、水戸藩主・徳川光圀(1628〜1700)が『大日本史』の編纂を開始したのがこの頃で、実に明治期までその作業は続いた。

文芸では、上方では浮世草子が評判となり、俳諧師としても知られる井原西鶴の『好色一代男』『日本永代蔵』など町人の生活を描く小説が発表された。また、この時期には文楽(人形浄瑠璃)も上方で発展した。近松門左衛門の台本による竹本義太夫の浄瑠璃口演は連日大盛況であったという。一方、江戸では俳諧の初句を芸術的に完成させた「俳句」が松尾芭蕉によって広められた。

絵画では尾形光琳(1658〜1716)の『燕子花図屏風』や『紅白梅図屏風』に代表される「琳派」が登場する。光琳は書家・芸術家の本阿弥光悦(1558〜1637)や『風神雷神図』で知られる画家の俵屋宗達(生没年未詳)に私淑し、伝統的なやまと絵を基盤としながら大胆なデザインを取り入れ、金銀箔などを用いた装飾性の高い絵画を完成させた。また、菱川師宣(1618?〜1694)の肉筆絵画『見返り美人図』は「浮世絵」の始まりとされる。もとは浮世草子の挿絵版画にすぎなかったものを芸術作品にまで昇華し、後世には世界的に知られるようになった。陶芸では色絵磁器の発展が大きい。有田焼の酒井田柿右衛門(1596〜1666)が成功した赤絵付けや野々村仁清(生没年未詳)の上絵付けによる京焼、伊万里焼などが知られている。戦国時代の殺伐とした遺風を拭い去ることが、綱吉の「文治政治」が目指すところであった。元禄文化の芸術は安土桃山時代の「桃山文化」に通じるところが多く、将軍の願いは相当程度、達せられたといえよう。

豆知識

1. 経済成長と文化隆盛、戦争の記憶の払拭などの特徴が共通しているところから、1960年代の高度経済成長期を指して「昭和元禄」と呼ぶようになった。

248 文学 島崎藤村

初めはロマン主義の詩人として、その後は自然主義の小説家として、どちらでも日本文学史上に残る傑作を数々残した島崎藤村（1872～1943)。特に小説作品においては、家と自我の問題を深く追求した。晩年には日本ペンクラブの初代会長も務めている。

◈

島崎藤村

若い頃の藤村は政治家を志し、英語の勉強に熱心に取り組んだ。通っていた明治学院は日本で最も古いキリスト教学校で、藤村も入学後に洗礼を受けている。また同校の校歌は藤村が作詞した。在学中は西洋文学や日本の古典文学を読み漁っていたという。明治学院卒業後は、明治女学校の英語教師として勤務する傍ら、文芸雑誌『文学界』の同人となる。同誌には小説、詩、評論などを発表した。

文学上の活動よりも、この時期は私生活において、藤村は様々な苦悩や悲哀を抱えていた。まず、教え子である佐藤輔子と恋愛関係になり、自責の念からキリスト教を棄教。わずか3カ月で教職を辞した。さらに友人、北村透谷の自死や兄の逮捕、輔子の病死などが重なった。藤村は1896年に東京を離れる。ちなみに、筆名「藤村」の「藤」は、佐藤輔子から一字をとったという説がある。

宮城県仙台市に移り、教師となった藤村は、東京での苦悩を忘れ去るかのように詩作と読書に没頭した。『文学界』に発表された多くの詩作品は、たちまち評判となり、藤村はロマン主義詩人として文学的名声を得た。

東北には約1年間の滞在だったが、藤村はその名声とともに帰京。第一詩集『若菜集』を刊行する。さらに『一葉舟』(1898)、『夏草』(1898)、『落梅集』(1901）が出版され、これら4詩集が『藤村詩集』(1904）としてまとめられた。その序文冒頭には「遂に新しき詩歌の時は来りぬ」とある。まさに藤村によって、日本近代詩は確立されたのである。

1899年、恩師の誘いを受け、藤村は長野県の小諸義塾に赴任し、英語と国語、作文を担当した。この頃、第4詩集『落梅集』が出版され、藤村は自ら「沈黙三年」と呼ぶ時期を迎える。藤村は詩歌では満足できず、散文への転換を探っていた。それは青春の終わりだった。後に発表される写生文『千曲川のスケッチ』は韻文から散文への移行として、この当時に書かれたものである。

藤村は再び上京するが、定職がなく生活は困窮し、3人の娘を亡くしている。代表作の長編小説『破戒』が自費出版されたのは、まさにこの頃のことだ。被差別部落出身の青年教師を主人公に、その苦悩を描いた同作はすぐに文壇で評判となり、夏目漱石も「明治の小説として後世に伝ふべき名編也」と絶賛した。自然主義文学運動の先駆けとされる作品である。

小説家としても、確かな地位を得た藤村は、新聞小説で生活を立て直し、『春』、『家』などを発表した。1929年には「木曽路はすべて山の中である」の有名な一節で始まる『夜明け前』の連載を開始した。

文壇の大家として、1943年、71歳でこの世を去った。

249 科学・技術 シーボルト、クラーク

日本は、国家というものが形成されて以来1000年以上、様々な文化や技術を輸入しながら独自に熟成させ、近代に向かって発展してきた。そうした外来の知識を伝えたのが、シーボルトやクラークをはじめとする、来日した多くの外国人である。日本が大きな変革期を迎えた幕末にも、外国人から学んだ知識が、日本の近代化に対して重要な役割を果たした。

◈

クラーク像

近代へと向かう日本史の舞台には、様々な外国人が登場してきた。文化史の中でも有名なのが、東洋学研究を志した医師で博物学者のフィリップ・フォン・シーボルト（1796～1866）だろう。1823年、長崎の出島のオランダ商館医となったシーボルトは、翌年、鳴滝塾を開設して西洋医学教育を行い、日本の動植物を調査した『日本博物誌』を書き上げた。しかし近年の研究では、日本の内情の調査も行っており、本国に送った書簡からは「江戸城本丸詳細図面」や「樺太測量図」、武器・武具解説図などの政治的資料も発見されている。

1876年に開校した札幌農学校（現・北海道大学）の初代教頭となったのは、アメリカの教育者ウィリアム・スミス・クラーク（1826～1886）だ。専門の植物学のほか自然科学一般を英語で教え、1期生との別れの際に語ったとされる「Boys, be ambitious」の言葉は有名である。

長崎の観光名所にもなっている「グラバー園」は、武器商人だったトーマス・ブレーク・グラバー（1838～1911）の邸宅跡である。グラバーは蒸気機関車の試走を行い、長崎に西洋式ドックを建設するなど日本の近代化に多大な貢献を果たした。また国産ビールの育ての親でもある。

幕末から明治にかけ、18年間も駐日英国公使を務めたのがサー・ハリー・スミス・パークス（1828～1885）で、日本人留学生の教育や日本海軍の育成に関して尽力し、日本アジア協会の会長も務めた。フランスの外交官ミシェル・ジュール・マリー・レオン・ロッシュ（1809～1901）は、英国公使パークスに対抗しながら横須賀製鉄所建設や横浜仏語伝習所設立、パリ万国博覧会への参加推薦など幕末期の幕府を積極的に支援した。ただロッシュの支援は度が過ぎ始め、フランス外務省は帰国命令を出している。時代の端境期には、世界に日本を伝えた外国人と、海外の情報を得ようとした日本人がいたのだ。

豆知識

1. シーボルトは1828年の帰国直前、荷物の中に国外に持ち出すことが禁じられていた日本地図などが見つかり、翌年、国外追放の上、再渡航禁止の処分を受けた。これはシーボルト事件と呼ばれる。シーボルトはオランダに帰着後、日本から持ち帰った膨大な資料、標本などのコレクションを研究し、日本学の祖となっている。
2. 幕末で最も有名な外国人は、日本へ開港要求を行ったマシュー・ペリーだろう。ペリーは蒸気船を主力とする海軍の強化策を進めた、蒸気船海軍の父と呼ばれる人物だった。
3. 近代ではなく中世の人物だが、宣教師フランシスコ＝ザビエルも有名な外国人の一人。ザビエルは社会的身分の低い人からキリスト教化しようとしてうまくいかなかったインドでの布教を考慮し、日本では上位的階級から改宗させキリシタン大名を作り出す戦略をとった。

250 芸術 『見返り美人図』

『見返り美人図』は、菱川師宣（ひしかわもろのぶ）（1618？～1694）の浮世絵で最も著名な作品であろう。辻で呼びとめられふと振り向く女の色彩あざやかな着物姿にはおおらかな色香が漂っている。この絵は肉筆画であり、師宣の名を高めた美人画である。郵便切手として1948年に初版発行され、歌川広重（1797～1858）の『月に雁』などとともに今も人気を集めている。

◈

『見返り美人図』

師宣は「浮世絵の祖」と呼ばれる。移りゆく今、当世の風俗などを描く浮世絵は、一点物の肉筆と、幾枚も印刷される版画・版本の２つの方向があったが、師宣は後者の絵師であり、多くの好事家に普及した。徳川時代とはいえ、文化の中心はまだ京都にあった。それに対抗するように、師宣などの浮世絵師は新興都市・江戸に華麗な文化の華を咲かせ始めたのであった。

師宣は安房国平郡保田本郷（現・千葉県鋸南町）の縫箔師の家に生まれたことから色彩に対する感覚が優れ、着物への造詣も深く、紅地に菊と桜が施された構図を巧みに見せる演出が見事である。師宣が江戸に出たのは明暦の大火（1657年）後のことで、狩野派、長谷川派などの技法を学んだ。初めは名所絵や仮名草子や浄瑠璃本、吉原本などの挿絵を描いていたが、やがて吉原もの、歌舞伎ものなどの風俗画を描くようになり、人気を集めていく。その頃はまだ無名の絵師であったが、1675年に刊行された『小むらさき』で「大和絵 菱川吉兵衛」と記したことから、師宣の名が広まっていく。やまと絵とは、故事や歴史上の人物、事物を題材とした中国の「唐絵」に対する言葉で、日本古代中世の伝記や説話などを描いたものの呼称である。

1680年５月に刊行された『大和絵つくし』では、画面の上部に文章、下部に絵が配置されるという新しい形式で、やまと絵師・菱川師宣の名は盤石となった。1682年に上方で井原西鶴（1642～1693）の『好色一代男』が著され、師宣が挿絵を受け持ち、人気を集めた。また、絵図師の遠近道印（おちこちどういん）（1628～？）と組んで作られた『東海道分間絵図』は、江戸前期を代表する道中図として貴重な史料的価値がある。

明暦大火からようやく復興してきたこの時代の江戸において、師宣が描いた役者や遊女の浮世絵は一般庶民が買い求め、楽しめるものとなった。もっとも、当初浮世絵版画はモノクローム印刷による墨摺りの絵であり、彩色するには塗り絵のように一枚ずつ色を塗る手間が必要ではあったのだが、師宣のおおらかで開けっぴろげな浮世絵は、江戸庶民に大いに称賛された。時は徳川幕府第５代将軍・徳川綱吉（1646～1709）の御代、華やかな元禄文化が花開く時代であった。

豆知識

1. 師宣の描いた役者や遊女たちの着物は、当時流行のファッションを取り入れたもので、名作『見返り美人図』の遊女の帯は、その当時最先端ともいうべき「吉弥結び」という結びである。市井の娘たちはこの絵を見て、影響を受けたものと思われる。

251 伝統・文化 | 醤油

和食の味付けに欠かせない調味料といえば醤油だ。醤油は、大豆と小麦で作った麹と塩水を発酵・熟成させて造る、黒茶色の日本独自の調味料だ。別名「むらさき」、「したじ」ともいう。JAS規格によると、醤油は濃口醤油、淡口(うす)醤油、再仕込醤油、溜(たまり)醤油、白醤油の5つに分類される。中でも濃口醤油は一般的な醤油とされ、全体の流通量の約80%を占める。

◈

醤油のルーツは、古代中国に伝わる「醤(ひしお)」だといわれている。醤とは、当時の塩蔵品の総称で、原料別に草醤(そうしょう)、肉醤(にくしょう)、穀醤(こくしょう)の3種類に分かれ、草醤は今でいう漬物、肉醤は塩辛類、そして最後の穀醤が醤油の原型であったといわれている。701年に制定された『大宝律令』によると、宮内省の大膳職に属する「醤院(しょういん)」で大豆を原料とする醤が造られていたとある。また、奈良時代から平安時代の宮中宴会では、膳の上に「四種器」と呼ばれる4種類の調味料「塩・酒・酢・醤」がのっていたそうだ。醤は今の醤油と味噌に近いもので、卓上調味料として使われていたようである。鎌倉時代に入ると、禅僧の覚心が中国の径山寺(きんざんじ)から味噌の製法を持ち帰ったという。その味噌の製造過程で出てくる液体は、最初は捨てていたが、やがて調理に使うととてもおいしく仕上がることが判明した。この水分こそが「溜」であり、いわゆる「溜醤油」の原型である。その後、鎌倉・室町時代にこの調味料造りの伝統は主に寺院に受け継がれ、室町時代の中頃には、ほぼ現在の醤油に近いものが造られるようになったという。醤油という文字が誕生したのは室町時代の中頃で、醤油の醸造は室町時代末頃から盛んになり、当時の文化の中心であった関西から工業化が始まった。

そして江戸時代の1640年代、それまで原料は大豆が中心で、それに大麦を加えて醤油を造っていたが、大麦の代わりに煎った小麦を使用するようになり、現在にもつながる「濃口醤油」が生まれた。また、淡口醤油の始まりは、1587年から1670年に当時の醸造業者の発案により醤油もろみに米を糖化した甘酒を混入して搾り、生み出したのが色が薄くて香りの良い「淡口醤油」だといわれている。

醤油は関西が淡口、関東は濃口と地方によってはっきり二分されているのが、他の調味料にはない特徴だ。ちなみに淡口醤油は、色は淡いが塩分濃度は濃口醤油よりも約2%高い。そば、天ぷら、蒲焼きなどの江戸料理が完成したのは文化・文政時代といわれているが、そのどれもが醤油なしには生まれなかった味わいである。現在、醤油は海外では「ソイ・ソース」と呼ばれて世界的に認知され、評価を受ける日本の調味料となっている。

豆知識

1. 濃口醤油は関東では銚子、野田が主産地。淡口醤油は関西の小豆島、竜野地方が主産地で、淡く美しい色が好まれている。溜は愛知県や岐阜県で嗜好されている。
2. フランスのルイ14世(1638~1715)は、宮廷料理の肉の隠し味に当時、貴重品だった醤油を使っていたという。
3. 醤油が初めて文献に登場するのは、安土桃山時代の日常用語辞典『易林本節用集』だとされている。

252 哲学・思想 ｜ 檀家制度

檀家とは寺（僧）に布施をする者（檀那）の家・一族という意味であるが、江戸幕府の宗教政策で日本に住む者はすべてどこかの寺の檀家となることが強制された（この決まりは長崎に住む華僑などにも適用されていた）。キリシタンではないことを証明するためであるが、寺院ごとに作成が義務づけられた宗門人別改帳は戸籍簿の役割も果たした。すなわち、幕府は寺を行政の末端機関として利用したのである。一方、寺は信者を増やす努力が必要なくなり、宗教活動の停滞も招いた。

◈

もともと寺（僧）と信者は布施を通したギブ・アンド・テイクの関係であった。寺は信者に対して教えを説いたり信者に代わって儀礼を行い、信者は寺に食べ物や金銭を施すという関係である。寺から信者への布施を法施（ほうせ）、信者から寺への布施を財施（ざいせ）という。そして、財施をする人のことを檀那と呼んだ。葬式や法事、合格祈願などの祈禱の際にされる布施も同様である。布施を読経などの対価のように思っている人もいるが、僧は檀信徒に代わって読経などを行って功徳を積み、その功徳を自分のものとせずに依頼してきた檀信徒や故人に回（めぐ）らし向けているのである。それゆえ、これを回向（えこう）という。

古くは朝廷や貴族、大名などが寺の経済を支えたが、中世になると商人や農民なども寺の担い手となっていった。特に農村部の寺は集落全体で寺を支えるところも少なくなく、その場合、集落のすべての家がその寺の檀家ということになる（これに対して寺のことは檀那寺もしくは菩提寺という）。江戸幕府はこうした関係をキリシタン排除や戸籍管理に利用したのである。

1640年に幕府は切支丹（キリシタン）奉行（後の宗門改役）を置くことを決め、キリシタンではないことを証明するために誰もが特定の寺の檀家になることを定めた。寺は宗門人別改帳（現在でいう戸籍原簿・租税台帳にあたるもの）を作って檀家の家族全員をこれに記した。旅に出る場合は檀那寺から寺請証文を出してもらわなければならず、これがないと関所を通ることはできなかった。奉公に出る時にも必要なことがあった。また、檀家の者が亡くなった時は、檀那寺の僧が死体を調べて本人であることなどを確かめねばならなかった。

こうした制度を寺檀制度（檀家制度）という。この制度は寺の経営を安定させる一方、宗教活動の沈滞を招いた。葬式さえ行っていれば寺は維持できるので、葬式仏教などと揶揄されることもある。この制度は幕府の崩壊とともに法的強制力を失ったが、今も多くの寺が昔からの寺檀関係を維持している。

豆知識

1. 宗門人別改帳は毎年３月に村役人によって作成され、１部が領主などに提出され、１部は村に残された。

253 自然 | 海底資源の発見

国土が狭い島国の日本は資源に乏しいというのが、これまでの常識であった。ところが近年、掘削技術が飛躍的に向上したことから、国土周辺の海底に眠る希少な資源の存在が明らかになってきた。

近年、日本の領海・排他的経済水域（EEZ）の海底に石油やメタンハイドレートなどのエネルギー資源、およびレアアースなどの鉱物資源が眠っていることがわかってきた。

メタンハイドレートとはエネルギー資源のひとつで、海底で水分子がメタン分子を取り込んで氷上に固まったものである。火を近づけると燃えるため、「燃える氷」とも呼ばれる。経済産業省によると、メタンハイドレート１m^3から生み出すことができるメタンガスの量は、なんと約160m^3。小さな体積から多くのエネルギーを生み出すことができ、かつその際に排出されるCO_2は、石炭や石油を燃やすときよりも約30％ほど少ない。こうした特徴から、石炭や石油に代わる次世代エネルギー資源として期待が高まっている。日本では2013年に世界ではじめて、愛知県沖合の水深1000メートルの海底下にある地層から、６日間連続で合計約12万m^3のメタンガスを取り出すことに成功し、世界から注目を集めた。エネルギー自給率が７％（2015年時点）ときわめて低い日本にとって、自国の領海内のエネルギーは大変貴重である。そのため、更なる採掘と活用のための研究・技術開発を日本が世界の先頭に立って進めている。メタンハイドレートは大陸斜面の水深700～4000mの海底堆積物中に分布し、日本周辺では南海トラフ（静岡県の駿河湾から九州の日向灘にかけての海底）や日本海陸側斜面に大量に存在していると考えられている。

日本の海底には鉱物資源も豊富だ。2018年には、東京・小笠原諸島の南鳥島周辺、深さ約5700mの海底にレアアースが大量に埋蔵されていることを、海洋研究開発機構と東京大学や早稲田大学の共同研究チームが突き止めた。レアアースとは先端技術製品の製造に欠かすことができない金属で、「産業のビタミン」とも呼ばれる。具体的にはハイブリット自動車のモーターなどに使われるジスプロシウム、自動車の排気ガス浄化などに活用されるセリウムなどを含む、計17種類の元素（希土類）の総称だ。2018年の調査で発覚した南鳥島周辺のレアアース埋蔵量は、約1600万トン。これには、世界需要の約730年分にあたるジスプロシウムなどが含まれる。現在、レアアース供給は中国一極に集中しているが、この発見により日本からの供給にも期待が高まっている。これらの海洋エネルギー・鉱物資源の安定的な発掘と供給は簡単ではないが、そのための研究と技術開発が、日夜進められている。

豆知識

1. 海底資源には外交問題も発生する。東シナ海の大陸棚の海底にある天然ガス田開発では、日中間の排他的経済水域が重なり、境界が未確定だった。しかし中国は、中間線から４km中国側に入ったガス田の開発に乗り出し、パイプラインや生産設備の建設を開始している。
2. 国連海洋法条約によって、各国の深海底における活動を管理するため、1994年に設立されたのがISA（国際海底機構）だ。各国の主権が及ばない国際海底区域を管轄し、海底資源を共有財産として、探査と開発を規制している。
3. 日本でも自治体が独自に海底資源を調査するための組織を結成している。海洋エネルギー資源開発促進日本海連合は、日本近海の表層型メタンハイドレートなどの海底資源を共同調査するため、2012年、自治体で組織された広域連合である。

254 歴史 江戸の三大大火

「火事と喧嘩は江戸の華」という言葉はよく知られているが、江戸という町は確かに火事が多く、実はそのたびに都市の規模を拡大している。大火としては明暦3年（1657）、明和9年（1772）、文化3年（1806）に起こったものが有名で、そのうち「明暦の大火」が最も損害規模が甚大だった。

◈

「明暦の大火」は別名「振袖火事」とも呼ばれる。出火元の本郷丸山の本妙寺（現在の東京都文京区本郷）で、いわくつきの「振袖」を供養のために焚き上げたところ、炎とともに振袖が舞い上がり、寺の屋根から燃え始めたという逸話がその名の由来である。これはあくまで作り話だと思われるが、出火元は確かな事実であるようだ。火災の当日まで、江戸には80日も雨が降っておらず、かなり乾燥した状態だった。さらに北西の強風が吹いていて、本郷の火はまたたく間に江戸全域に広がり、大名旗本の屋敷1270、寺社300、蔵9000、橋60を焼き尽くし、徳川家綱の住む江戸城も本丸、二の丸、大奥、天守閣まで焼け落ち、天守閣はその後も再建されなかった。死者は3万とも10万ともいわれ判然としない。町人は西から東へ向かう火の手から逃げていて隅田川に阻まれた。当時は幕府の防衛上の理由から、橋が架かっておらず、多くの人が溺れ死んだり、群衆に潰されて圧死したという。

火事の後、御三家の屋敷は江戸城外へ移った。また、隅田川に橋が架かり、本所や深川方面に大名屋敷や寺社、長屋などの民家も広がっていった。ほとんどが身元不明である大火の死者を弔うために、隅田川東岸に大きな石塔が建てられた。世間では「万人塚」と呼び、ここは後に「諸宗山回向院無縁寺」、通称「回向院」（両国回向院、本所回向院とも）となった。両国橋は本院の参拝者用に架けられたものである。

このほか、1772年には目黒行人坂の大円寺から燃え広がった「明和の大火」がある。原因は、坊主による放火とされ、麻布から日本橋、神田、浅草まで延焼した。また1806年の「文化の大火」（丙寅（ひのえとらの）大火）では、芝・車町（現在の港区高輪）から出火し、南風にあおられた炎は日本橋、京橋、神田、浅草方面まで広がった。以上、明暦・明和・文化の大火を「江戸の三大大火」と呼ぶ。

火事の絶えない町で暮らす庶民の家は、囲炉裏がなく、梁が少なく、建て替えやすい。着の身着のままで、身の回りのものは最小限。宵越しの銭を持たず、さっぱりしていて、細かいことを気にしない。まさに江戸っ子の気風（きっぷ）は火事によって作られたといえる。

豆知識

1. 昔の江戸の名物づくしに「武士、鰹、大名小路、広小路、茶店、紫、火消、錦絵、火事に、喧嘩に、中っ腹」というのがある。火事が名物というのも奇妙だが、広小路はその名の通り幅の広い道路のこと。明暦の大火の後、延焼を防ぐために上野（現在の上野広小路）や両国などに整備された。

255 文学 与謝野晶子

与謝野晶子（1878〜1942）は歌人、詩人としての創作のほか、古典文学の研究、女性の地位向上についての評論活動、教育活動など多岐にわたる分野で活躍した。私生活では、夫の与謝野鉄幹（1873〜1935）との間に６男６女、12人をもうけた子だくさんの母親でもあった。

◈

現在の大阪府堺市で誕生した晶子（旧姓名は鳳（ほう）志やう）は、幼い頃から優れた教育を受け、女学校では『源氏物語』などの古典文学に親しんだ。また、紅葉、露伴、一葉などの小説もよく読み、文学少女として育った。創作は、最も古いものでは晶子が18歳（1896年）で作った短歌が残っている。和歌の道に明るい、伝統に沿って詠まれた旧派の歌で、この頃、晶子は『文芸倶楽部』や地元短歌会の同人誌に短歌の投稿を始めた。

19世紀最後となる1900年は晶子にとって重要な年になった。４月、鉄幹は前年に結成した文学結社「東京新詩社」の機関誌『明星』を創刊する。鉄幹の短歌に影響を受け、同様の新しい短歌を作るようになっていた晶子は、すぐに『明星』に作品を投稿するようになる。８月、鉄幹は東京新詩社への参加を募るために関西地方を訪れ、ここで晶子と出会った。翌年に晶子が上京、もともと鉄幹には妻があったが、２人は結婚。また同年、第一歌集『みだれ髪』を刊行し、晶子は一躍、新進女流歌人として名声を得たのである。

夜の帳にささめき尽きし星の今を下界の人の鬢のほつれよ
その子二十櫛にながるる黒髪のおごりの春の美しきかな
やわ肌のあつき血汐にふれも見でさびしからずや道を説く君

１句目は歌集冒頭の句である。使われている言葉や語順が風変わりで、様々な評釈があるが、この傾向は歌集全体にわたった。２句目は「髪」に象徴される若さと美しさを誇る歌で、女性は謙虚であるべきという封建的な道徳観念に反抗している。有名な３句目は、女性が官能的に男性に語りかける歌で、現代歌人の俵万智は「燃える肌を抱くこともなく人生を語り続けて寂しくないの」（『チョコレート語訳みだれ髪』河出書房新社）と訳している。

晶子はその後も次々に歌集、詩集を発表。1904年に『明星』に掲載された長詩「君死にたまふこと勿れ」は現在もよく知られている。日露戦争に従軍中の弟の身を案じた詩で、内容が反戦的だとして世間の非難を浴びたが、晶子は決して引き下がることはなかった。

1908年、『明星』は第100号をもって廃刊し、1911年に鉄幹が渡欧する。晶子もすぐに後を追った。数カ月の滞在中に、晶子は女性の地位向上と教育の必要性を感じ、1921年、日本初の男女共学専修学校「文化学院」を鉄幹らとともに設立している（2018年に閉校）。ヨーロッパからの帰国後、鉄幹は不振が続き、晶子は生活を支えるために歌作、評論、古典の翻訳など精力的な執筆活動を展開。その結果、生涯に５万首ともいわれる短歌を遺した。1935年に鉄幹が死去。晶子は1942年、64歳で亡くなった。

豆知識

1. 鉄幹、晶子夫妻の子ども12人の名は個性的で、順に、光、秀、八峰、七瀬（双子）、麟、佐保子、宇智子、アウギュスト、エレンヌ、健、寸（生後２日で死亡）、藤子である。
2. 2017年に亡くなった政治家で、文部大臣、財務大臣などを歴任した与謝野馨は孫にあたる。祖父母が創立した文化学院の院長、理事長も務めた。

256 科学・技術 | 国産の蒸気機関

幕末日本では動力機関といえばほとんどが人力か馬や牛だった。幕府は黒船をはじめとする蒸気船や蒸気機関車を目の当たりにし、その驚異の力を手に入れんと純国産の蒸気機関の完成を急いだ。一方で当時の日本にはまったくの興味本位で蒸気船の開発を手がけた藩もあった。

◈

ペリーの来航以降、季節や天候に左右されない蒸気機関の船を欲した集団が４つあった。まず、様々な外国や諸藩から圧力を受けていた江戸幕府、次に海外の情報が豊富で、砂糖などの収益により資金の豊富だった薩摩藩、さらに長崎を所管していたため海外の情報が豊富だった佐賀藩、そして四国の宇和島藩である。

ところが宇和島藩は成立当初から財政が苦しく、幕末になると領民からの献金で藩財政をやりくりしたような弱小藩で、特に蒸気船を造らなければならない事情はまったくなかった。軍隊の洋式化に熱心だった藩主の伊達宗城（1818〜1892）が参勤交代のおり、品川に停泊していた黒船を見て、単純に「蒸気船が欲しい」と思ったのが動機だったのである。宗城は、さっそく蒸気船を造るよう家臣に命じるが、藩内に技術者がおらず、資金もないため海外から機関を購入できるわけでもない。困った家老・桑折左衛門が豪商の清家市郎左衛門に相談すると、紹介されたのが嘉蔵（1812〜1892）という職人だった。貧乏のため嫁にも逃げられ、仏壇や仏具、提灯の職人として糊口をしのいでいた嘉蔵は、効率の良い推進システムの船を造れないかと相談され、最初はさすがに辞退した。ところが、効率良く車輪を回転させる外輪車を思いつき模型を作ってみると宗城の知るところとなり、嘉蔵は二人扶持（ににんぶち）五俵の士分に取り立てられた。突然、役所から腰に刀を差し袴をはいて帰った嘉蔵に、近所の者は頭がおかしくなったと思ったとの記録が残っている。

こうして嘉蔵は前原喜市（巧山）となり、1854年に蒸気船建造を命じられて長崎に留学して必要な技術を学んだ。喜市は長州藩の西洋学者・村田蔵六（後の大村益次郎、1824〜1869）と共同で蒸気船研究を進め、蔵六が蘭書から翻訳した蒸気機関の図面をもとに度重なる試作と試運転を重ね、ついに1859年、蒸気船が完成した。この船は国産蒸気機関としては薩摩藩に続く２例目であったが、宇和島藩は日本人のみで成功させた第１号だった。この功績により喜市は三人扶持九俵の譜代となった。

豆知識

1. 前原巧山は蒸気船のほか、木綿織機やミシン製造、砲台や純宇和島産ゲベール銃の製作、雷管、藍玉の製造にも携わった。また、長崎留学の経験を活かしてパン焼き機やパンの研究にも乗り出したが、これは成功しなかったという。
2. 巧山が試作した蒸気機関はボイラーの密閉率が低く、運転中、高圧になると蒸気が漏れるなど、試行錯誤の連続であった。これはボイラーに鋳物の湯釜を使ったからである。巧山は鋳物職人の反対にあいながらも、材質に銅を使用することで、ようやく成功にたどり着いた。
3. 巧山の蒸気船よりも先に成功した薩摩藩の船が「雲行丸」で、越通船に試作蒸気機関を搭載したものである。1851年、薩摩藩支配下の琉球へ上陸したジョン万次郎に藩士の田原直助や船大工らが教授を受け、また幕府がオランダから寄贈を受けた日本初の蒸気船「観光丸」を参考に蒸気機関が試作された。推進方式は外輪船方式であった。

257 芸術 ｜ 伊藤若冲

今も世代を超えて人気を集めている絵師・伊藤若冲（1716〜1800）は、京の台所といわれる錦小路の青物問屋「枡源」の長男として生まれた。家業より画業に熱中するあまり、生涯独身を貫き、芸事も酒も嗜まず、世俗にまみれることなく絵一筋に打ち込んだ絵師という印象があるが、40歳で隠居してからも、錦市場の町年寄として市場の存続に奔走していたということが近年判明している。

◈

『動植綵絵』より「群鶏図」

若冲という不思議な号は、相国寺の禅僧・月海元昭（売茶翁、1675〜1763）によって与えられたと推測される。「冲」とは空虚という意があり、若冲には「充実したものは空っぽに見える」という意味があるという。若冲は23歳で父・源左衛門が亡くなり家業を継いで４代目伊藤源左衛門を名乗るが、商売熱心ではなく、後に弟に家督を継がせている。

若冲の絵の特徴は、写実と想像を巧みに融合させた独特の画風で、若い頃から狩野派に学び、次に宋元画から模写の技法を得たという。さらに、より正確な画法である実物写生へと移行していく。この時代、大坂の木村蒹葭堂（1736〜1802）らによって流行した医薬に関する学問「本草学」の実証主義に影響を受け、緻密な写生画へと傾斜していったのである。だが若冲は、正確な写生画にとどまらず、若冲自身の想像力が多分に加味された独特の画風を生み出した。

代表作の一つである『動植綵絵』は、1757年から1766年頃まで10年の歳月を費やして制作された30幅に及ぶ着色画だ。昆虫や鳥、魚類、草木など多種多様な生き物がリアリズムを超えた精度で描かれ、後の西洋のシュールレアリスムの手法を先取りしたかのような幻想世界を構築している。若冲は絵具を惜しみなく使い、日本で最初に「ベロ藍（紺青）」を使ったともいわれている。ちなみにそれは、魚類ルリハタを描くのに使用されている。贅沢な絵具使用により、200年以上を経た現在でも保存状態は極めて良好である。この『動植綵絵』は、『釈迦三尊像』とともに相国寺に納められたが、現在、『動植綵絵』は皇室御物となり、宮内庁が管理している。

1788年１月に発生した天明の大火は、応仁の乱による火災を上回る京都最大の火事となり、市中の８割が焼失する惨事であった。若冲も自宅を失い、困窮状態に陥った。そこで寺の障壁画制作を行い、現在の大阪府豊中市にある西福寺の『仙人掌群鶏図』『山水図』『野晒図』、現在の京都市伏見区にある海宝寺の『群鶏図障壁画』を描いた。晩年には、伏見の石峰寺で五百羅漢の下絵を描き、『若冲五百羅漢』として残っている。

若冲は幕末から明治にかけて、忘れられた絵師となっていたが、1926年に美術史家の秋山光夫（1888〜1977）によって研究が行われ、1990年頃より、その技巧と奇抜な作風が再評価され高い人気を集めている。「奇想の画家」として、水墨画の曽我蕭白（1730〜1781）、円山応挙（1733〜1795）の高弟絵師である長沢芦雪（1754〜1799）と並び称されている。

258 伝統・文化 鰹節

鰹節とは、カツオの肉を煮てあぶり、乾燥・カビつけなどの工程を経て作った燻乾製品である。別名「かつぶし」ともいう。削って料理にかけたり、だしをとったりして用いる。うまみ成分であるイノシン酸を多量に含んでいる。カツオは春から秋にかけて日本の太平洋岸を北上するため、鰹節は沿岸各地で製造される。カツオの筋肉の油含量が1～3％のものが鰹節の原料として適しているとされており、4～7月頃に九州近海から伊豆七島付近で漁獲されるカツオはこの条件に合致するため「春節」といわれる高品質のものができるという。

◈

鰹節

712年に成立した『古事記』の中にも「堅魚(かたうお)」の名が出てくるが、これはカツオを素干にしたもので、この堅魚からカツオと呼ばれるようになったといわれている。

後北条氏の5代の逸話を集めた書『北条五代記』によると、1537年に北条早雲（1432～1519）の子・氏綱（1487～1541）が小田原沖でカツオ釣りを見物していると、突然一匹のカツオが氏綱の船に飛び込んできた。その後、その船で武州の兵との戦に出たところ大勝利を収めたため、以降、出陣の祝宴には鰹節を欠かさず供えたといわれている。それでなくても鰹節は、その語感から「勝男節」「勝男武士」などと当てて書かれ、古より縁起の良いものとされていた。また、鰹節は兵食として普及し、旅人にとっても重要な携帯食料とされていた。

室町時代に入り、干しカツオや煮干しカツオに「焙乾」という技術が導入され、現在の荒節(切り分けたカツオの身を煮た後、燻して寝かせるという作業を繰り返したもの)に近いものが作られるようになった。当初の焙乾設備は、台所兼用のもので、囲炉裏の上にしつらえた平籠におろしたカツオを入れておくと、煮炊きする熱と煙により自然と焙乾されるものだったという。焙乾の創始者といわれる甚太郎（生没年未詳）は、1688年前後から1780年頃までに紀州の焙乾小屋に大きな改良を行い、それによって鰹節は広く名声を得るようになった。江戸時代初期になると、紀州で作られた鰹節は「熊野節」の名で一世を風靡した。この時期、たくさんの料理書が発刊されたが、その中で鰹節を取り上げないものは一つもないほど、和食の必需品だったという。

豆知識

1. 日本では昔から、カツオ以外の様々な魚類でも節が作られてきた。鰹節以外の節は総称して「雑節」と呼ばれている。

259 哲学・思想 こんぴら参り

「こんぴら」とは今の金刀比羅宮（香川県仲多度郡琴平町）のことである。近世までは金毘羅大権現と呼ばれていたので、金刀比羅宮を参拝することを「こんぴら参り」といった。金毘羅大権現の信仰は北前船（江戸時代に活躍した貨物船のことで、蝦夷や北陸の物産を大坂に運んだ）などの船乗りたちや読本などによって広められ、全国に信者を獲得した。このため江戸時代には参拝者が激増した。

◈

金刀比羅宮

「こんぴらさん」こと金刀比羅宮は琴平山（象頭山）中腹に鎮座する古社であるが、その起源は明らかではない。琴平山は海上交通の目印となっていたので、そこから海の神・水神として崇められたと思われる。一説では「こんぴら」の語源は雷除けの呪法「ことひき（琴弾き）」にあるとして、古代の雷神信仰に起源があるとする。社伝では祭神の大物主神がこの地をめぐった時の行宮跡に社殿を建て、琴平神社としたことに始まるとされている。かつて琴平山にあった松尾寺の縁起では、金毘羅はインドの護法神（仏教や仏教徒を守る神）で、薬師如来の眷属（従者・家臣）である十二神将の一神、宮毘羅大将のことだとされた。江戸時代にはこの説が一般化し、当社は金毘羅大権現と呼ばれた（権現は仏の化身としての神の意）。社殿あるいは堂塔が建てられるようになったのがいつの頃なのか不明だが、讃岐に流罪になった崇徳上皇（1119～1164）が参籠したともいわれるので、平安後期には名の知られた霊場になっていたと思われる。927年に完成した法令書『延喜式』の「神名帳」に記されている雲気神社が当社のことであるならば、10世紀には名前が朝廷に知られていたことになる。

しかし、その信仰が広まるのは中世後半以降のことだ。江戸初期には西国を中心として大名の参拝が多く見られた。江戸中期になると庶民の参詣が増え、門前町は参詣を終えた庶民が遊興する場所として発展していった。各地に分社も勧請され、そこからさらに信仰が広まった。金毘羅大権現の信仰が急速に広まったのは北前船などの船乗りが、寄港先にその霊験譚を伝えたことにあるとされる。滝沢馬琴や十返舎一九などの著作でも知られるようになった。また、参拝のために就航した乗り合い船で大坂から丸亀まで移動できることも人気の理由であった。これが金毘羅船で、後には俗謡で歌われるようにもなった。

こうした金毘羅信仰は「こんぴら犬」や流し樽といった習俗を生んだ。こんぴら犬は犬の首に初穂料などを入れた包みを結び、讃岐方面に向かう旅人に託すというもの。犬はリレー式に旅人が順に預かって金毘羅大権現まで連れていった。流し樽は空き樽に初穂料などを入れ「奉納　金毘羅大権現」と書いた旗を立てるもので、金毘羅大権現まで参詣に行けない者が瀬戸内の海岸や海上から流した。讃岐の海岸まで漂着すると拾った者が金毘羅大権現まで届けたのである。

豆知識

1. 金刀比羅宮は石段の多さで知られるが、本宮までの参道で1カ所だけ1段下がる場所がある。それゆえ本宮までの石段の数は786－1で785段とされる。なぜ1段下がるのかは不明だが、786段だと「なやむ（悩む）」に通じるのを忌んだともいわれる。

260 自然 | 北海道

原生林などを擁する大自然と開拓された都市が混在する北海道は独特の気候と風土を持ち、津軽海峡を分ける動物相の境界線「ブラキストン線」を境に動物の分布が大きく変わる。この、本土とはまるで違った世界はかつてはアイヌ民族の先住地であり、その後、独立国となったこともあった。

◈

北海道の風景

国土の５分の１を占める広大な面積と、いまだ手付かずの大自然を擁するのが日本列島最北の地、北海道である。高緯度に位置し、気候的には年平均気温が低い亜寒帯に属する。北海道の森林面積は日本の22％を占める558万 ha で、道土面積の71％を占めている。北海道といえば雪景色のイメージが強いが、道内全体の降雪量が東北などの他地域と比べて多いわけではなく、気温が低いので雪がなかなか溶けないのである。本州とは違った独特の気候で、同時に山地や海の形状、位置などが北海道内での地域差を生んでいる。例えば除雪条件においての道内の土壌凍結の深さは、西部は40～50cm、東部は約80cmだが、この深さの違いも地域の寒さに関係している。広大な北海道ならではだ。

夏期には熱帯気団と寒帯気団の境界が北海道の上空に来る年と来ない年があるので、夏の天候は年による変動が大きい。冬は海外の同緯度帯の他の地域、都市に比較して寒冷である。北海道の日本海側は特に豪雪地帯であり、太平洋側には日本で唯一、流氷を見ることができるオホーツク海岸がある。また、津軽海峡を東西に横切る形で動物相の分布境界線「ブラキストン線」が走っている。この線を境に、北のユーロシベリア亜区と南の満州亜区に分かれ、生息する動物がガラリと変わる。ヒグマ、エゾモモンガ、エゾヤチネズミ、エゾリスなどは境界線を南限とする北海道特有の動物だ。

北海道は、約600万年前は大陸の一部であったが、地殻変動を受けて大陸で開裂が起こり、現在の西北海道の東北日本から続く地塊、中央北海道の樺太から続く南北性の地塊、東北海道の千島弧の地塊が接合して形成された。最深部が約60m の宗谷海峡が海水面下に没したのは、約１万3000年前から１万2000年前とされる。

かつて蝦夷地と呼ばれた北海道には、先住民であるアイヌが独自の言語と文化を育んでいたが、鎌倉時代からは幕府の支配地となり、江戸時代になると松前藩として幕藩体制に組み込まれていった。明治になると開拓使や、有事には兵士となる屯田兵が置かれて積極的に開拓が進められ、現在のような自然と近代都市が共存する地となった。

豆知識

1. 幕末に幕府が大政奉還すると、新政府と旧幕府軍残党の間で戊辰戦争が勃発した。旧幕府軍は榎本武揚を総裁に仰ぎ、事実上の政権である「蝦夷共和国」を設立。一時的に北海道は独立国的な存在となった。
2. 北海道名物といえば羊肉の焼肉ジンギスカンが有名。しかし、これはモンゴル料理ではなく日本製焼肉だ。北海道では明治時代から綿羊の飼育が行われており、その羊毛自給を目指す羊増産計画に基づいて、1920年代に羊肉消費のため考え出されたレシピだった。
3. 1972年の札幌オリンピックは、札幌市で開催されたアジア初の冬季オリンピックだった。本来は幻となった1940年の東京オリンピックと同年開催のはずだったが、日中戦争の激化で開催権を返上。32年後に初開催となった。

261 歴史 鎖国

南蛮貿易以来、日本にはポルトガル、スペイン、オランダ、イギリスなどのヨーロッパ諸国の商船が訪れるようになった。貿易とキリスト教の布教には密接な関係があったが、豊臣秀吉（1537～1598）のバテレン追放令以降、キリスト教に対する弾圧は徳川家康（1542～1616）の時代にも引き継がれ、しだいに鎖国体制への舵を切ることとなる。

◈

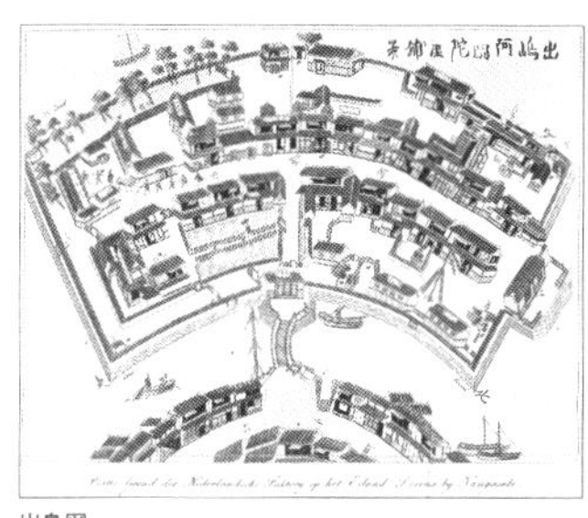

出島図

徳川家康は1604年に「糸割符（いとわっぷ）」制を敷く。京、堺、長崎の3都市商人に限り、「白糸」と呼ばれる中国産生糸の輸入を認めるという貿易独占の政策である。輸入価格と国内転売価格は徳川幕府の指導で、糸割符を持つ商人が決定する。日本への輸出を担っていたのは主にポルトガルで、買い叩かれる可能性が高かったが、将来的にはオランダやイギリスの参入も予想されたので、この制度を認めざるを得なかったという。1616年には、中国（明）以外の船は、寄港地を平戸、長崎に制限された。1624年にはスペインとの国交を断絶。イギリスも前年に業績不振で平戸の商館を閉鎖していたため、この時点でポルトガルとオランダのみがヨーロッパの貿易相手となった。日本船は老中が発行する奉書を持つ「奉書船」だけが渡航できた。また、5年以上海外に滞在した日本人は帰国を禁じられ、1635年には日本人の渡航、帰国すべてが禁止となった。

一方、キリスト教については、1612年に幕府直轄領、翌年には全国を対象に「禁教令」が発せられた。1629年頃、長崎で「踏み絵」が始まったとされ、キリスト教関係の書籍輸入が禁止された。その後1637年にキリシタン信徒による島原の乱が起きている。

1639年、老中7名連署の渡航禁止令によって国交を断絶されたポルトガルは、交渉団を翌年派遣してきたが、幕府は61人の使者を処刑し、法令の厳重な実施を表明。鎖国体制が完成した。1641年にオランダ商館が長崎港内の人工島「出島」に移されると、オランダと中国に限定した、いわゆる「長崎貿易」が行われるようになる。幕府は出島を直轄地とし貿易を独占したが、金銀の流出増大が常に課題となっていた。そのため「貨物仕法」によって輸入価格を決定し一括購入したり、「定高（さだめだか）貿易法」によって貿易額を制限したりした。この制限を超える額は物々交換でのみ取引可能とした。これによって日本産の生糸や陶磁器など輸出品も増えるようになった。出島に滞在するオランダ人は貿易関係者のみ10人程度で、全員成人男性だった。島の外へ出ることはできず、商船は毎年7月に入港し9月に出港する慣例だったので、残りの期間は幕府の役人を接待することぐらいしか仕事がなかったという。商館長（カピタン）だけは交代時と年に一度江戸へ旅行し、将軍に拝謁することが許されていた。

豆知識

1. 1793年にオランダはフランスに占領されたが、出島のオランダ商館は旧国旗を掲げ続けた。1815年に再建国するまでの22年間、出島は地球上で唯一の「オランダ」として存在したことになる。
2. オランダ商館では、太陽暦の1月1日に幕府の役人や通訳を招いて祝宴を催した。この風習が江戸の蘭学者にも広まり、「オランダ正月」と呼ばれ長く続けられた。太陰暦とのズレがあるので、冬至から11日目に開くのが江戸の慣例だった。

262 文学 自然主義と白樺派

20世紀日本文壇の中心的な文学活動といえば、「自然主義」であろう。最も盛んだったのは明治末の数年間に限られるが、そこから派生した作品は数多い。一方で「白樺派」は、「反自然主義」運動の一派として、同人誌『白樺』を中心に起こった文芸思潮である。

◈

日本自然主義文学の始まりを告げたとされる長編小説『破戒』の評判によって、島崎藤村(1872〜1943)が朝日新聞社に入社したのは1907年であり、同じ年に、夏目漱石が教職を辞して同社に入り『虞美人草』の連載を開始している。藤村は翌年から『春』という小説連載を始めた。これは自然主義の自伝的小説で、青年時代に参加した『文学界』の同人たちとの交流を描いたものだったが、この初期の自然主義小説は、あまり読者の興味を引かなかった。

藤村以外にも、自然主義小説の作家として田山花袋(たやまかたい)(1871〜1930)、国木田独歩(くにきだどっぽ)(1871〜1908)らが挙げられる。特に花袋は代表作『蒲団』(1907)によって、後の「私小説」の源流となった。ヨーロッパでは、個人を科学的、客観的に描き出すのが自然主義文学の定義とされたが、日本では写実、告白、暴露的な部分が強調された。「私小説」はそのような日本独特の自然主義から生まれた、最大の副産物であるともいえる。

1910年、文学や芸術を志望する若き学習院出身者たちによって、同人誌『白樺』が創刊され、この雑誌に関わる人々は「白樺派」と呼ばれた。中心的な人物は、武者小路実篤(むしゃのこうじさねあつ)(1885〜1976)、志賀直哉(1883〜1971)らである。彼らはみな上流階級の子弟であり、そのことを自覚もしていた。恵まれた環境で獲得した美的感覚に確固とした自信を持ちながら、特権的な立場への批判として、作家や画家などの道を選んだ。こうした"上流"のエリート層には、自然主義作家が自分を憐れみ、軽蔑したような視点で書く小説は理解できなかったようで、白樺派は反自然主義を掲げて活動した。白樺派を代表する一人、武者小路実篤は『お目出たき人』(1911)、『友情』(1920)などの小説を著している。また、「新しき村」という自給自足型の村の建設に取り組み、社会運動家としても知られる。書画にも通じ多くの作品を残した。また、後に「小説の神様」とも評された志賀直哉は、『清兵衛と瓢箪』(1913)、『城の崎にて』(1917)、『暗夜行路』(1937)などの代表作を発表した。

この『白樺』創刊の頃の1910年、幸徳秋水らによる「大逆事件」が起き、他の文学雑誌に大きな影響を与えたが、『白樺』はほとんどそれに触れることはなかった。これは白樺派の人々に共通する特徴で、社会的事件からは一定の距離を置いていた。実篤の「新しき村」の実践も、あくまで理想的な人道主義に基づくもので、ある種の隠遁、現実社会からの逃避ととらえることもできよう。

豆知識

1. 藤村が『春』に続いて書いた『家』は読売新聞に連載されたが、不評のため前半のみの掲載で打ち切りになっている。
2. 『白樺』は美術雑誌としての役割も果たし、ロダンをはじめとした西洋美術作家を一般の日本人に初めて紹介した。ある同人は所有していた浮世絵と引き換えに、ロダンのブロンズ像を入手するなど、白樺派による美術館の建設も計画されていたが、実現はしなかった。

263 科学・技術 豊田佐吉

幕末から明治に向け、日本が近代化した工業立国へと向かうための重要な産業だったのが製糸と絹産業であった。この産業を大きく発展させたのが動力で動かされる自動式の織機で、これを作り上げたのが発明家で実業家の豊田(とよだ)佐吉（1867〜1930）だった。この佐吉の織機の技術力は海外でも高い評価を得た。そして佐吉が遺言したのが、国産自動車の開発だった。

◈

開国した当時の日本では生糸が主要な輸出品であった。1872年にフランスの技術を導入して設立された富岡製糸場は最初の官営模範工場であり、器械製糸工場としては、当時世界最大級の規模であった。製糸と絹産業は、日本が近代化した工業立国へと向かうための重要な産業だったのだ。この時代に、織物の効率化と自動化を図り、発明特許84件、実用新案35件の発明をしたのが発明家で実業家の豊田佐吉だ。

大工との兼業農家に生まれた佐吉は、1885年公布の専売特許条例に刺激されて発明家を志した。青年時代は放浪を繰り返して各地を行脚し、発明のヒントとなる機械や技術を見て回ったという。23歳の時に東京の上野で開催された内国勧業博覧会を見学し、出品されていた外国製機械から着想を得て木製人力織機を発明する。これは従来の織機を改良して作業を容易にしたものだったが、出資者が現れなかったため、翌年に自ら浅草に機屋を開業した。ところが佐吉の事業は失敗し、妻とも離別。たまたま発明した糸繰返機を市販するため、1895年、名古屋に豊田商店を創立する。佐吉は、豊田商店において日本最初の小幅綿織物用の動力織機「木鉄混製動力織機」を発明。その後、協力者や企業と合資会社や合名会社を設立するが、発明と経営は両立せず、1902年に独立して豊田商会を設立。1907年、豊田式織機株式会社を創立し、同社の取締役技師長となった。以降も、数々の発明と改良を繰り返し、第一次世界大戦時には好況によって工場は発展を続けた。

1920年代になると、佐吉は世界恐慌のあおりもあり産業合理化のための自動織機の研究を開始、試験工場が設立された。通称マジックルームと称され、世界でも称賛されたプラントの完成は1925年。1903年の着想から22年目であった。1930年、佐吉は自動車の研究を進める提案を遺言として残し死去。遺された特許権使用料は息子の喜一郎によって国産自動車の開発に向けられ、トヨタ自動車創業の基礎が築かれた。

豆知識

1. 佐吉が1890年に東京に行ったときは、同僚の大工見習いの佐原五郎作を誘っての徒歩旅行だった。佐吉は到着しても観光はせず、工場ばかりを見て回ったという。同年、上野の第3回内国勧業博覧会に行ったときは、外国製の機械と、日本の発明家・臥雲辰致(がうんたっち)製作の発明機械を見るのが目的だった。両方とも、家出同然の旅だったのだ。
2. 自分で道を切り開いてきた佐吉は、様々な名言を残している。職業に関するものは、現代にも通じる含蓄の深さだ。「仕事は自分で見付けるべきものだ。また職業は自分でこしらえるべきものだ。その心掛けさえあれば、仕事、職業は無限にある」
3. 1918年に佐吉は上海への進出を画策。海外進出は佐吉の長年の夢であった。しかし、社内の親族からは強い反対があった。佐吉は渋る親族たちを「障子を開けてみよ、外は広いぞ」と説得したという。

264 芸術 円山応挙

円山派の祖である円山応挙（1733～1795）は、写生を重要視し、見る者に親しみを届ける江戸時代中期から後期にかけて活躍した画家である。京都の郊外・亀岡の農家の次男として生まれた応挙は、京に出て玩具や人形を扱う「尾張屋」で働きながら、狩野探幽の流れをくむ石田幽汀（1721～1786）に師事し、30代半ばで「応挙」と名乗るようになった。現存する『写生帖』（東京国立博物館蔵）には昆虫から動植物などを多角的にスケッチしていて、その技術の高さがうかがい知れる。

◈

円山応挙の画業の根底にある技術として、若い頃に玩具商で携わった「眼鏡絵」の技法が挙げられる。当時、オランダから渡ってきた眼鏡絵は、遠近法を使った風景画を「覗き眼鏡」という凸レンズをはめこんだ箱を通して見ると立体的に見えるという仕掛けで、応挙は京都の風景を描いた眼鏡絵を数点制作した。こうした経験が、後に絵師となった応挙に少なからず影響を与えている。特定の流派に属すことがなかった応挙は、水墨画からやまと絵、琳派といった諸派の画法から、中国の清代の画家である沈南蘋（1682～？）が来日してもたらした色彩豊かな写生法までを貪欲に吸収した。流派にとらわれない自由な作風は、見る者に自分が描いた絵がいかに映っているのか常に意識し、考え探求し続けた応挙の創作姿勢に由来していた。

代表作は、障壁画の『大瀑布図』、『竹林七賢図』、屏風絵の『雪松図』や『雲龍図』などがあり、中でも幅 1 m44cm、長さ 3 m62cmの巨大な『大瀑布図』は実物大と見紛うばかりのスペクタクル作品で、応挙の自由な精神が発する奔放な世界が広がっている。金刀比羅宮障壁画の『竹林七賢図』は、世事を忘れて清談する自由人たちの様子が童子とともにゆったりとした雰囲気で描かれている。国宝指定の屏風絵『雪松図』は、一面の雪の中に、墨の黒と紙の白、そこに金泥を載せ、直線的な老松と曲線的な若木が左右対称に並び立つ。写生を重んじる画風が、伝統的な装飾画法と融合され、応挙ならではの世界を構築している。『雲龍図』に至っては、写生を超えた世界が描かれている。龍は架空の生き物ではあるが、これまで多くの絵師たちによって描かれた龍の姿とは明らかに異なり長い手足もなく、頭だけが海から雲を突き抜け天へ昇っていくというシュールレアリスムさながらのタッチで描かれている。

親しみやすい応挙の絵は人気が高く、多くの門人を抱えた。与謝蕪村（1716～1783）の弟子であった呉春（1752～1811）は応挙に傾注し、応挙の画風を取り入れた『白梅図屏風』などを制作した。応挙の円山派、呉春の四条派から「円山四条派」となり、現代の京都画壇へとその流れは続いている。

豆知識

1. 応挙は幽霊画でも有名である。「足のない幽霊」を初めて描いたともいわれているが、応挙の描いた幽霊は美人揃いともいわれている。一説によると、幽霊の絵を依頼された応挙は悩んでしまい、しばらく描けなかった。とある夜、夢に亡き妻が現れ、妻には足がなかったことから、そのまま描いたという。「会いたくても会えない人」として幽霊画を描いたともいわれている。幽霊画に美人が多いのは、「会いたくても会えない人は美しい人」だからかもしれない。

265 伝統・文化 | 寿司

寿司は、今では世界的に「sushi」という言葉として知られるほど人気になった和食の一つだ。魚が自然発酵して酸味を生じるのを発見したことから作られるようになったといわれる。「なれずし」と「はやずし」に大別される。前者は関西地方の押し鮨やさば鮨など、後者は新鮮な魚介類で作った握り寿司や巻き寿司、ちらし寿司、五目寿司、いなり寿司、茶巾(ちゃきん)寿司などで、全国的に広く作られている。しかし寿司と言えば、後者の特に握り寿司を想像する日本人が多いのではないかと思われる。

◈

握り寿司

寿司は、紀元前4世紀頃の東南アジアで誕生したといわれている。日本には奈良時代に中国より伝わった。この頃の寿司は「なれずし」と呼ばれ、甘酢で味付けした米飯に開いた生魚をのせ、一晩寝かせたものだった。なれずしは冷凍保存の技術のなかったこの時代に保存食として食べられていたようである。現在でも、近江（滋賀県）地方に伝わる鮒ずしやサバの飯寿司、ハタハタの漬け込みずしなど、当時のなれずしに近いものが残っている。

やがて平安時代になると、京都や近江だけでなく、東海や西日本においてもなれずしが作られるようになるが、庶民が口にできるものではなく、貴族や一部の僧だけが口にできる高級食だった。室町時代には、魚介類を米などと合わせて、飯に酸味がつくかつかないかの10日ほどの期間で食するようになった。この食べ方は「なれずし」に対して「生なれすし」または「半なれ」と呼ばれた。また、関西地方を中心に寿司桶に魚と飯を交互にのせ、蓋をして重しを置くというやり方で作られる現在の「箱寿司」や「押し寿司」の原型が広がっていった。日本で最初に酢が作られるようになったのは、安土桃山時代で、この頃、酢飯にそのまま魚介類をつけて出す「はやずし」が作られるようになった。

そして、江戸時代後期、握り寿司が考案される。考案したのは、「与兵衛寿司」の華屋与兵衛（1799〜1858）とも、江戸深川の「松が鮨」の堺屋松五郎（生没年未詳）ともいわれている。与兵衛寿司と松が鮨は、毛抜鮓(けぬきずし)と合わせて「江戸三鮨」と呼ばれ、江戸の名物と謳われた。当時の握り寿司は、現在のテニスボールほどの大きさだったという。また、握り寿司は、現在の東京湾すなわち江戸の前にある海で獲れる魚介、海苔を使うことから、「江戸前寿司」と呼ばれた。その後、1923年の関東大震災で被災した東京の寿司職人たちが故郷に帰り、日本中に握り寿司が広まったという。

豆知識

1. 寿司の語源は酢を混ぜた飯「酢飯(すめし)」からきており、この酢飯の「め」がいつの間にかなくなり、「すし」と呼ばれるようになったという。
2. シャリと呼ばれる寿司飯は、白く細かい寿司飯が仏舎利（お釈迦様の遺骨）に似ているためそう呼ばれるようになったといわれている。
3. ガリと呼ばれる甘酢漬けの生姜は、噛む時や削る時にガリガリというので「ガリ」と呼ばれるようになった。
4. わさびはナミダと呼ばれるが、わさびが効きすぎると辛くて涙が出るので「ナミダ」と呼ばれるようになった。

266 哲学・思想 | 七福神

七福神は福をもたらす７柱の福神のことで、神と呼んでいるが仏教の仏や僧、道教の神も含まれており、諸宗習合の日本的な信仰である。七福神の構成は恵比須・大黒天・毘沙門天・弁才天・福禄寿・寿老人・布袋のことが多いが、異なる組み合わせもある。この７柱をすべて祀る神社や寺院もあるが、１柱ずつ祀ることが多く、これを巡拝することを七福神めぐり・七福神詣でといい、主に正月に行われる。

◈

河鍋暁斎『七福神宝船之図』

福神の信仰は室町時代頃に成立したとされるが、その背景には仏教とともに日本に伝えられた財神信仰があるものと思われる。財神とは祈願する者を富裕にするという神のことで、ヒンドゥー教の信仰に由来する。日本に伝わった尊格では毘沙門天・大黒天・弁才天・吉祥天などがその性質を持つ。一方、日本では商業の発展に伴って商売の神・財産の神の信仰が生まれ、市に祀られていた恵比須などがそうした神徳を持つ神だと考えられるようになった。さらに家に祀られる福をもたらす神（竈神など）も、福＝財運とみなされて財神化していった。この両方の信仰が合流して福神信仰が成立した。

最も早くに福神としての信仰が広まったのは恵比須と大黒天であった。15世紀半ばには大黒に扮して踊って祝福する大黒舞の門つけが京などで行われていたので、14世紀には大黒天は福神化していたものと思われる。七福神というセットで崇敬されるようになった時期も不明である。記録に残る最古の七福神図は1491年と伝わる。ちなみに、この像では弁才天ではなく天宇受売命（天照大神が天の岩屋にこもった時に岩屋の前で踊った女神）が描かれていた。７柱とする数の根拠についても諸説ある。竹林の七賢人（俗塵を避けて竹林に住んだとされる３世紀頃の中国の賢人）に倣ったとも、仏典にある「七難即滅、七福即生」によるともいう。数は異なるが中国の八仙人を模したという説もある。

七福神を構成する神を簡単に説明する。恵比須（恵比寿・戎）は日本古来の神で、漁師などが信仰した海の神であるが市に祀られたことから福神化した。大黒天はヒンドゥー教の軍神であったが仏教に取り込まれて台所に祀られる財神となった。袋を担ぐ姿から大国主命と同一視され、神社でも祀られる。毘沙門天は仏教の護法神。四天王の１柱だが単独で祀られる時に毘沙門天と呼ぶ。弁才天はバラモン教の河川の神で、財産・芸能の神としても崇敬される。福禄寿は道教の神の南極老人に由来する、出世・長寿の神だ。寿老人も道教に由来し、福禄寿と同体ともいわれる長寿の神だ。布袋は唐時代の中国に実在した禅僧で、中国では弥勒の化身とされる。このほか吉祥天（ヒンドゥー教の美と繁栄の女神）・猩々（猿に似た空想上の霊獣）が入っていることもある。

豆知識

1. 宝船に乗った七福神の絵を枕の下に入れて寝ると縁起の良い初夢が見られるといわれる。この宝船図に書かれる「なかき夜の遠の眠りの皆めさめ波のり舟の音のよきかな」は、逆から読んでも同じ文になる回文である。

267 自然 沖縄と奄美

現在は世界中から観光客を集めるリゾート地となっている沖縄と奄美。この２つの諸島には、南国独特の気候や豊かな自然だけでなく、かつての独立国としての独自の文化が今も息づいている。

日本列島の西南に位置し、国内屈指のリゾート地として毎年多くの観光客を集めるのが沖縄諸島と奄美群島である。

沖縄諸島は南西諸島中央部、奄美群島は南西諸島の薩南諸島南部に位置する。これらに宮古列島、八重山列島を加えた琉球諸島は、かつての琉球国の領土とほぼ重なり、本土とは違う琉球文化圏に属している。気候的には全域が亜熱帯気候であり、一部は熱帯に属する。両地域には毎年多くの台風が接近するため、沖縄は「台風銀座」とも呼ばれている。

15世紀成立の琉球国は、17世紀に日本の薩摩藩の侵攻を受けた後も、独立した王国とみなされていた。日本や清、交易していた南方の影響も受け、独自の文化を形成していった。

生物相も本土とは一線を画し、沖縄県全面積の約３分の１を占める山原と呼ばれる森林には、ノグチゲラやヤンバルクイナなどの固有種が数多く生息する。そのほかにもラムサール条約登録湿地の漫湖や慶佐次湾のマングローブ林など、重要な自然が少なくない。

奄美は８世紀の歴史書『日本書紀』に「海見嶋」として登場している。13世紀の『平家物語』では奄美と沖縄は違う国ととらえられており、14世紀の歴史書『元亨釈書』では日本の影響下にあるとしている。この体制も、1466年に琉球国が全域を支配することで琉球文化圏に属することになった。だが奄美群島の風習の中には沖縄より本土に近い文化もあり、方言には昔の大和言葉が残っている部分もある。

奄美にも独自の動物相があり、国指定の特別天然記念物アマミノクロウサギや、国内で唯一、産卵行動が確認されたオサガメ、固有種の両生類などが生息している。また沖縄諸島に次いで、ザトウクジラを中心としたホエールウォッチングの基地としても注目されている。

沖縄諸島は第二次世界大戦の激戦地となり、その後のアメリカ合衆国による統治時代を経て、1972年に本土に復帰している。しかし今もなお、米軍基地問題などリゾート地としての明るいイメージだけでは語ることのできない問題を抱えている現実がある。

豆知識

1. 東京2020オリンピックパラリンピックの正式種目となる「空手」（琉球唐手）の発祥の地が沖縄である（「空手」138ページ参照）。
2. 「奄美大島、徳之島、沖縄島北部および西表島」の４島は、ユネスコの世界遺産（自然遺産）登録を目指しているが、2020年現在まだ実現していない。
3. 沖縄食文化の一つにヤギ肉料理がある。沖縄県のヤギ飼養頭数は、戦前の1936年には15万頭を超えていたが、戦争で大打撃を受けたのち、本土復帰後は消費者の嗜好の変化やヤギ農家の後継者不足などで１万頭を切るまでになった。だが2019年では観光グルメブームに乗り、飼養頭数は前年比13.4％増の１万2035頭にまで回復している。

268 歴史 | 士農工商

「士農工商」は長い間、江戸時代における身分制度を表す言葉とされ定着したが、近年は当時の実態とは異なる理解を与えかねないとして、慎重に取り扱われるようになった。現在は教科書から「士農工商」「四民平等」といった記述は消えつつある。

◈

そもそも「士農工商」という四字熟語の典拠は、『管子』の「小匡」に「士農工商四民者、國之石民也」とあることによる。これは紀元前7世紀の中国春秋時代・斉の政治家、管仲の言葉で、主君の桓公から「民の居場所を決め、民に生業を与えるのはなぜか？」という問いに「士農工商の四民は、国の礎となる民である」と答えたものである。そして四民それぞれの持ち場について続く（「農」は「田野」、「商」は「市井」など）。この時代の「士」は知識人や官吏を指すと考えられ、あとは現在と同じように「農民、職人、商人」のことであろう。つまり支配者でない「一般民衆全体」を表した言葉と考えられる。

江戸初期の陽明学者・中江藤樹（1608～1648）は、この一節を引用し、支配者である「士」と被支配者である「農工商」を分けた。しかし江戸期においても農民、職人、商人の間に制度上の上下関係はなく、都市に住む町人（職人、商人）は、農民より上位に見られることも多かった。つまり、近世の身分制度は流動的、恣意的に運用されていたといえる。例えば、『本佐録』には「百姓は天下の根本なり」とあるが、別の『昇平夜話』には「百姓共は死なぬ様に、生ぬ様にと合点致し」とある。どちらも藩主家臣の理想や心得をまとめた書物で、為政者の利害によってこれだけ異なるのである。

幕府が重要視したのは幕藩体制を維持することで、それは徳川将軍が諸大名を配下に置き、諸大名が領主として農民や町人などの民衆を支配し搾取する体制である。確かに武士は四民の最上位に置かれ、苗字帯刀の特権や、農民や町人の無礼に対して「切捨御免」が認められることもあった。これは「兵農分離」政策の一環であり、秀吉の「刀狩り」にもその発想が見られる。

「士農工商」の「下」には、「えた」「ひにん」という身分が置かれた。彼らが従事したのは皮革産業、芸能、警察、刑場雑役などの仕事であり、近年、その実態が明らかになるにしたがって、「下」というよりも「別」あるいは「ほか」という表現がふさわしいとする説もある。

いずれにせよ、幕府や諸藩はこのような身分序列が動かせないものであるかのように人々に思い込ませることで、体制の維持を図ったと考えられる。

豆知識

1.「医師・僧侶」は「下級武士」よりも優遇されている場合があった。例えば、『武家諸法度』では前者に駕籠（かご）の利用を認め、後者には禁じている。

269 文学 | 石川啄木

文学的な活動期間は極めて短かったにもかかわらず、石川啄木（1886～1912）の短歌は現在に至るまで、多くの人々の記憶に残り、愛されている。近代短歌の潮流のいずれにも似ていない、独自の歌風で知られる若き天才歌人は26歳でその生涯を閉じた。

◈

石川啄木

岩手県の辺鄙な村で育った啄木は、1902年、16歳で学校を中退し、文学で身を立てることを目指して上京、創刊間もない『明星』の与謝野鉄幹・晶子夫妻の知遇を得た。鉄幹主宰の「東京新詩社」の同人となり、東京で短歌作りに取り組むつもりでいたが、体調を崩して岩手に帰郷する。だが『明星』への短歌や詩の投稿は続き、その名が知られるようになった。短歌や詩は『明星』以外の雑誌にも掲載され、1905年に詩集『あこがれ』を刊行すると、すぐに「天才詩人」という評価を受けた。この年に結婚もしている。1907年、啄木は職を求めて妻子とともに北海道へ移住する。新聞社に勤めたが長続きせず、妻子を残し、単身再び東京へ向かう。朝日新聞社で校正の仕事を得て、同紙短歌欄の選者にもなった。創作で生計を得るためには詩歌では足りない。小説にも取り組んだが、書き終えることはできなかった。啄木は、周囲に生活の貧しさを訴えながら、実は救いようのない浪費家だったと言われる。日記には、小説ができない焦りを書いており、浪費はともすれば、その焦燥感がもたらした自暴自棄の表れだったのかもしれない。彼には短歌という詩形が最も適していた。『一利己主義者と友人との対話』（1910）という著書では、「歌の形は小さくて不便だといふが、おれは小さいから却って便利だと思つてゐる」と書いている。

啄木の名を一躍有名にしたのは『一握の砂』（1910）と『悲しき玩具』（1912）という２つの歌集であった。『一握の砂』の書名は、第２首目に掲げられた次の歌に由来している。

頬につたふ
なみだのごはず
一握の砂を示しし人を忘れず

三行書きも啄木独自の形式である。すでに亡くなった人であろうか、涙をぬぐうこともなく、一握りの砂を示した人の記憶を詠ったものだ。啄木の歌はどれも文語を用いているが、読者にはそれを感じさせない。歌風にも明星派のような情熱はなく、自然や草花を詳しく取り上げることもあまりない。当時の歌壇の潮流と異なる独自のスタイルで、啄木は短歌においても「天才」と評された。先に挙げた『一利己主義者と友人との対話』には次のような一文がある。「歌という詩形をもつてるといふことは、我々日本人の少ししか持たない幸福のうちの一つだよ」

豆知識

1. 石川啄木の歌碑は多く建てられているが、中でも有名なのは、上野駅15番線ホームの「ふるさとの訛なつかし／停車場の人ごみの中に／そを聴きにゆく」や、盛岡駅前広場の「ふるさとの山に向ひて／言ふことなし／ふるさとの山はありがたきかな」。どちらも『一握の砂』に収録されている。ちなみに、盛岡駅東口の駅名表示「もりおか」は啄木の筆跡を集めたものである。
2. 岩手県陸前高田市には「いのちなき砂のかなしさよ／さらさらと／握れば指のあひだより落つ」の歌碑があったが、2011年に東日本大震災の津波で流失し、現在は本文で紹介した「頬につたふ―」の歌碑が新たに建てられている。

270 科学・技術 | 鉄道

蒸気機関で動く鉄道がイギリスで初めて実用化されたのが1825年。それから約30年後、近代化へと向かおうとしている幕末日本へ鉄道技術が輸入された。日本へ初めて持ち込まれた鉄道は、1853年にロシアからもたらされた蒸気機関の模型だ。翌年、ペリー(1794〜1858)が将軍への献上品として持参した蒸気車も模型であった。蒸気機関へ多大な興味を示した日本人は、1855年、蒸気機関車の模型を完成させた。

◈

高縄鉄道の図

幕末日本は蒸気機関車の模型を完成させていたものの、本格的にレールを敷設し、人を乗せたのはトーマス・ブレーク・グラバー(1838〜1911)が鉄道紹介のために輸入し、長崎で走らせた1865年のアイアンデューク号が最初だ。19世紀のアジアでは、欧米諸国による植民地政策が進められていたが、明治政府はそれに対抗し近代国家を整備するため鉄道の建設を決定した。当初は江戸幕府が、アメリカ領事館に経営権がある鉄道設営免許を与えたが、明治政府はそれを却下し、1869年に自国管轄方式による新橋〜横浜間の鉄道建設を決めた。この時、援助国としてイギリスを選定したのは日英の友好に尽力した駐日公使サー・ハリー・スミス・パークス(1828〜1885)との強いつながりがあったからだろう。建築師長はイギリスから、鉱山頭兼鉄道頭には日本から井上勝が就任している。

日本人にとってまったく未知のテクノロジーであった「鉄道」は、様々な試行錯誤を繰り返しながら工事が行われた。反対運動も少なくなく、薩摩藩邸などが所在していた芝や品川付近では海上に築いた築堤の上に線路を敷設することになり、全線の約3分の1が海上線路になっている。レールの幅は、イギリス植民地で多く採用された狭軌の1067mm。軌間が大きいと輸送力やスピードに優るが、カーブのための土地を大きく取る必要があり、建設費がかさんでしまうためだ。こうして外国人技師主導による線路工事が終了し、1872年6月に品川駅〜横浜駅(現・桜木町駅)間が仮開業。10月14日に新橋駅〜横浜駅間で正式開業するのである。当時、鉄道に対する大衆の期待と好奇心は膨らみ一大ブームとなった。その過熱ぶりは「横浜絵」と呼ばれる浮世絵に、多くの鉄道想像図が残されていることでもわかる。

鉄道の敷設をきっかけに横浜は人口が流入し、外国人および外国人の商用を取り持つ商人が多数居住する近代的な国際都市へと変貌していった。

豆知識

1. 仮開業の品川駅〜横浜駅間の運賃は、上等が1円50銭、中等が1円、下等が50銭だった。
2. 1872年9月12日(翌年採用のグレゴリオ暦の10月14日)に新橋駅(後の汐留貨物駅)と横浜駅間が開業し、明治天皇のお召し列車が走った。正式営業は翌日。1922年、これを記念して10月14日が「鉄道記念日」に指定された(1994年「鉄道の日」に改称)。
3. 鉄道開通時期の横浜を舞台にしたエピソードが登場するジュール・ヴェルヌの『八十日間世界一周』。設定は鉄道開業年の1872年だが、物語中に鉄道は出てこない。これはヴェルヌが参考にした資料が、スイスの首席全権大使エメ・アンベールが鉄道計画開始以前の1863年に著した紀行文だったから。『八十日間世界一周』は鉄道が計画される直前の横浜の様子を描写した貴重な資料となった。

271 芸術 喜多川歌麿

明和から文化年間（1764～1818）頃、それまで難しかった多色刷り技術が確立し、極彩色版画が誕生する。それに伴い浮世絵も多色刷りとなり、新参絵師が続々と現れる。そこに登場した喜多川歌麿（1753？～1806）は、美人画を得意とする絵師であった。しかも、それまで女性の全身を描くのが美人画の伝統であったが、歌麿は「美人大首絵」という半身からクローズアップされた顔を描くのが特徴だった。

◈

『美人大首絵 ポッピンを吹く女』

姓は北川、幼名市太郎として1753年頃、武蔵国川越もしくは江戸市中に生まれた歌麿は、浮世絵師で妖怪画を多く描いたことで知られる鳥山石燕（1712～1788）に師事し、根津に暮らして細判の役者絵などを描いていた。1775年、北川豊章の名で中村座の富本節正本『四十八手恋所訳』二巻の下巻表紙絵を受け持ち描いたのが処女作であるといわれている。また、錦絵は1777年の細判（約33cm×15cm）『すしや娘おさと』が初作で、当時の人気浮世絵師の作風に似せた役者絵、美人画などを描いて腕を磨いていった。出世作となったのは、版元である蔦屋重三郎（1750～1797）と組んで出した、当時流行の狂歌に浮世絵を合わせた狂歌歌本の代表作、『画本虫撰』『汐干のつと』『百千鳥』だ。これらは植物や虫、魚や貝、鳥をテーマにした繊細で美しい絵本である。これが世に歌麿の名を知らしめることとなった。しかし、歌麿が名実ともに江戸で人気を博したのは美人画である。1790年頃から、昭和になって切手にもなった『ポッピンを吹く女』が収められた『婦女人相十品』や『婦人相学十躰』は庶民の間で大いに人気を集めた。

これまで美人画といえば、菱川師宣の『見返り美人図』のように全身を描いたものが多かったが、歌麿の美人画は半身から顔にクローズアップしたもので、その表情などから、モデルとなった女性の性格、日常の暮らしまでを描き出そうというのが歌麿の意図であった。歌麿は女性の美しさや豊かな情感といった明るい部分も描きつつ、同時に「陰の部分」も描いたのである。例えば、『北国五色墨』に収められた『川岸』は、遊里吉原の川岸にいる安女郎の姿を描いたもので、片方の乳房を露わにしてくわえた楊枝を持ち、もう片方の手でずれ落ちる着物をつかんでいる。ややもすれば「何を見ているんだい！」と責めたてられそうな気配を漂わせている。また、秘画などに見られる強烈な肉感性は、人という生き物が持つ存在の濁りを写実的に表現している。

こうした清濁併せ呑むような世界を、女性の半身を描くことで表現した歌麿は、世俗を乱す絵師として、幕府から睨まれる存在であった。1804年、豊臣秀吉（1537～1598）の醍醐の花見を主題とした『太閤五妻洛東遊観之図』を発表したことで、時の江戸幕府将軍・徳川家斉（1773～1841）を揶揄するものだとして捕縛され、手鎖50日の刑を受ける。これが原因で歌麿は病に倒れ、過労の末に２年後、54歳で没してしまう。

陰と陽の世界を美人画という浮世絵で表現した歌麿は、海外での評価も高く、ボストン美術館には300点を超えるコレクションが残っている。

第39週 第6日(土)

272 伝統・文化 ｜ 日本茶

お茶とは、アジアの亜熱帯地域を原産とするツバキ科の植物だが、日本茶はその中でも日本で作られたものを指す。不発酵茶（茶の葉を摘採後すぐに蒸すなどして加熱し、葉を酸化させずに作るもの）である緑茶が大部分を占め、煎茶、番茶、玉露、玉緑茶、抹茶、ほうじ茶、玄米茶、粉茶などがある。

◈

日本茶

お茶は聖徳太子の時代に仏教とともに伝来したといわれている。平安時代初期の勅撰史書『日本後紀』に「嵯峨天皇に大僧都(だいそうず)永忠(えいちゅう)が近江の梵釈寺において茶を煎じて奉った」とあり、これは日本初の日本茶の喫茶に関する記述といわれている。当時、お茶は飲み物というより、薬として用いられており、非常に貴重で、僧侶や貴族階級などの限られた人々だけが口にできるものだった。当時のお茶の製法は、8世紀頃、唐で著されたお茶に関する書物『茶経』にある「餅茶(へいちゃ)」（蒸した茶葉をつき固めて乾燥させたお茶）だったようだ。

お茶が一般に広まったのは、日本の臨済宗（禅宗の一派）の開祖である僧・栄西（1141～1215）が宋から帰国後、抹茶を日本に伝えてからだといわれている。1214年、栄西は深酒の癖のあった将軍・源実朝（1192～1219）に自らが著した日本初の茶の専門書『喫茶養生記』に茶を添えて献上したと、鎌倉時代に成立した歴史書『吾妻鏡』に記されている。鎌倉時代には、禅宗寺院に喫茶が広がるとともに、社交の道具として武士階級にも喫茶が浸透した。また、華厳宗の僧である明恵(みょうえ)上人（1173～1232）は、京都栂尾(とがのお)の高山寺に日本最古の茶園を作り、喫茶を奨めた。その後、鎌倉末期から南北朝にかけて、寺院を中心に作られた茶園は京都だけでなく地方にも広まり、伊勢、伊賀、駿河、武蔵などでも栽培されるようになった。

江戸時代、庶民は抹茶ではなく、簡単な製法で加工した茶葉を煎じたものを飲んでいたようだ。煎茶が飲まれるようになったのは、1738年、宇治田原郷の永谷宗円（1681～1778）が優良な煎茶の製法を編み出してからである。宗円が生み出した製法は「宇治製法」と呼ばれ、宗円は煎茶の祖と呼ばれた。18世紀後半以降、宇治製法は全国の茶園に広がり、日本茶の主流となった。その後、1835年、山本嘉兵衛（生没年未詳）により玉露の製法が編み出された。現在、日本で生産されるお茶のほとんどが緑茶であり、茶種別生産量で見ると、普通煎茶が3分の2を占めている。

豆知識

1. 世界遺産に指定されている京都栂尾の高山寺の茶園で採れた茶は、「本茶」と呼ばれ、「非茶」と呼ばれるそれ以外の茶と区別されている。
2. 中国の緑茶が釜煎りでの加熱なのに対し、日本のお茶は大半が蒸気で蒸しており、お茶独特のうまみや渋み、青っぽい香りが、より鮮明に味わえるのが特徴である。
3. 日本茶は発酵を行っていないため、中国茶や紅茶と違い、生の葉の成分がそのまま残っている。そのため、烏龍茶や紅茶にはほぼ含まれないビタミンCを含んでいるほか、抹茶には他のビタミンも多く含まれる。さらに、抗酸化力の強いエピガロカテキンガレートというカテキンも豊富である。

273 哲学・思想 おみくじ

おみくじ（御神籤・御御籤）は日本古来の占いの一種である。紙や竹などのくじを引いて運勢や物事の吉凶成否を占い、古くは神事などの適任者の選択などで用いられた。現在、社寺で用いられている漢詩や和歌が書かれた形式のものは平安時代の天台宗の僧・元三（がんざん）大師良源（912〜985）が考案したとされるが、実際は中国のものを模して室町時代頃に作られた。福引き・くじ引きは神判としてのおみくじが遊戯化したものである。

◈

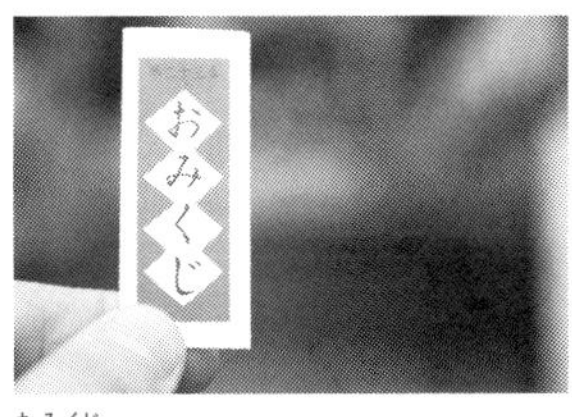

おみくじ

古代の日本人は様々な方法で神意を知ろうとした。亀の甲羅や鹿の骨を焼いてみたり、聖なる寝床で眠って神のお告げを待ったり、粥に細い管を入れて米粒がどれだけ入るかを見たりなど、いろいろな手段が試みられてきた。おみくじもその一つである。その最も古い事例は、『日本書紀』の斉明4年（658）11月3日の条に載せられている有間皇子の謀反の記事であろう。そこには有間皇子や蘇我赤兄らが「短籍（ひねりぶみ）」を取って謀反の成否を占ったとある。この記述だけでは具体的な形状や方法はわからないが、成功・失敗を表す文字か記号を書いた小さな紙片（布片）をいくつか作って、無作為に拾った（静電気で御幣に吸いつける方法もある）ものがどれにあたるかで運勢を判断したのだろう。占いの結果は書かれていないが、有間皇子の謀反は失敗に終わった。

室町時代には将軍の後継者選びにくじが使われた。第4代将軍であった足利義持（1386〜1428）が臨終を迎えた時のことだ。位を譲った息子の義量（よしかず）はすでにこの世におらず、他の男児もなかったため、このまま義持が死ぬと次期将軍の後継者が決まらなくなってしまうおそれがあった。そこで群臣たちは評議を行い、石清水八幡宮でくじを引いて義持の4人の弟から後継将軍を決めることにした。そして、義教が第6代将軍となることが決まった。なお、この話には前段がある。義持が後継者を定めなかったのは、義量の死後に石清水八幡宮でくじを引いて男児が生まれるというお告げを受けていたからというのだ。

現在普及している漢詩または和歌が書かれているおみくじは「元三大師百籤」（観音籤）がもとになっている。これは五言絶句百首からなるくじで元三大師良源が作ったものとされているが、実際は中国のものをベースに室町時代頃に作られたものらしい。江戸時代にはこの漢詩の解説書もたくさん出版されている。ただし、当初は今のように印刷されたおみくじが渡されるのではなく、くじを引くとその番号に相当する漢詩を神職や僧が読み上げ、解説するという形だったようだ。くじを引くのも本人ではなく、古くは神職や僧が引く方式であった。江戸末期になると国学の発達・普及の影響もあって漢詩に代えて和歌を載せたおみくじが登場する。明治以降は漢詩より和歌の方がわかりやすいこともあって和歌みくじを採用する社寺が増えていった。

豆知識

1. あみだくじももとは神意をはかるおみくじであった。線を放射状に書き、しるしをつけた中心部は隠しておき、候補者がそれぞれ線を選んであたりはずれを見た。この放射状の線が仏画の阿弥陀如来の光背を思わせることから「あみだくじ」と呼ばれるようになった。

274 自然 江戸(東京)

東京の前身である「江戸」は、当時、世界トップの大きさを誇る文化都市であった。その巨大な街の屋台骨を支えるのは、ライフライン・水道の完備や流通ルートの確立、そしてリサイクル事業の確立であった。システマティックな都市運営はやがて人口を100万人にまで増加させた。

◈

これまで震災や空襲などによる壊滅的事態を乗り越え、東京は都市として成長してきた。この日本の中心地が巨大都市化したのは、江戸時代からであった。

1603年、徳川家康(1542〜1616)が征夷大将軍になると、根拠地である江戸市街地の山の切り崩しや湾の埋め立てなどの普請を命じ、大規模な拡張を開始した。市域が整備されると最初に武士や家臣たち、続いて町人が呼び寄せられ、江戸は急速に拡大していった。加えて1657年の「明暦の大火」が起きると、再建事業で市域は東へとさらに拡大した。18世紀初頭、江戸は人口が100万人を超え、当時世界一の巨大都市へと膨れ上がった。ちなみに1801年のロンドンの人口は86万4845人、パリは54万6856人であった。この江戸の巨大化が可能だったのは、全国の生産地と消費地を結び、生活物資を絶え間なく供給できる流通システムを構築していたからである。江戸に入った大量の物資は、張り巡らされた運河などの水上交通網を通って運ばれていたのである。

江戸では大量の人口に対する飲料水の確保もなされた。1653年、羽村から四谷大木戸まで総距離約50kmもの玉川上水が開削され、多摩川から取水された水は江戸城内まで流れるようになっていた。その設計は高度な測量技術によって成立したものである。

大量消費都市ではゴミの増加も問題になる。幕府指定のゴミ処理請負人は、町内のゴミを埋め立て処理する事業を運営していた。また市民が出した糞尿は、契約した近郊の農民がくみ取りに来て、肥料にしていた。紙屑は漉(す)き直され再生紙に。古着屋や陶磁器を修理する「焼き接ぎ」、ろうそくの燃え残りを買い取り再利用する「ろうそくの流れ買い」、かまどや炉の灰を肥料用に買い取る「灰買い」など、江戸ではリサイクル事業が確立していたのである。これだけ多岐にわたった循環型社会は世界的にも珍しい。江戸が巨大な最先端都市でありえたのは、現在の都市も抱える問題を今から300年も前に持続可能な方法で解決していたからなのである。

豆知識

1. 玉川上水の水は、江戸時代初期には長屋の共同井戸などにも引かれた。掘削技術が進んだ江戸中期以降は、地下水をくみ上げる「掘抜井戸」が増えていった。
2. 江戸の開発は、平安時代後期、武蔵国の秩父地方から進出した桓武平氏によって始められたという。江戸の地名は、平安時代後半に呼ばれるようになり、「江(川や入江)の入り口」に由来したと考えられている。その後、室町時代には太田資長(後の太田道灌)が入り、江戸城を築いた。記録によれば、交通の要衝として発展していたようだ。
3. 江戸っ子の識字率は非常に高かったとロシア人革命家メーチニコフや、ドイツ人考古学者シュリーマンらが書き残している。一説には幕末の成人男性の識字率は70%を超えていたとも。読み書きや算術は、大規模な共同作業を行うには必要不可欠なスキルだったのである。

275 歴史 江戸時代の乱

「武断政治」から「文治政治」への転換のように、江戸幕府は「士農工商」の不満や要望について柔軟に対応する一面もあった。これは中世までの権力組織にはあまり見られなかった特徴である。ここで紹介する「乱」のほかにも、農村における一揆、都市における打ちこわしなど、支配権力に対する抵抗や蜂起は少なからずあった。結果的に幕府が260年以上政権を維持したのは、その時々の剛柔織り交ぜた判断と対応によるものだろう。

◈

天草四郎像（熊本県）

そもそも島原の有馬晴信（1567〜1612）と天草の小西行長（1558〜1600）はどちらもキリシタン大名だった。したがって領民にもキリシタンが多くいた。やがて島原・天草は領主が代わり、どちらも厳しい年貢の取り立てとキリシタン弾圧を始めた。幕府が1612年に禁教令を発すると弾圧はさらに強化された。拷問も行われ、表面上キリシタンは一掃される。

1635年から島原・天草は３年連続の飢饉に見舞われる。飢饉は棄教の罰だと考えた領民は、表立ってキリスト教への復帰を始めた。そこに16歳の美少年、天草四郎が現れる。彼は聖書や教典を見事に暗誦した。「天草四郎は天人であり、キリシタンにならない者はデウス様に地獄に落とされる」という書状が村々を回った。1637年10月、島原の３分の２を超える領民たちが蜂起する。天草領民もこれに合流し、有馬・小西家の旧臣に率いられ、３万７千人が島原城を襲った。幕府は12万の大軍で鎮圧に乗り出し、領民は半島の端にある原城へ入った。ポルトガルの援軍を期待した籠城だった。1638年元旦、幕府軍の攻撃が始まると、領民は鉄砲や投石で反撃した。幕府軍は老中・松平信綱を指揮官に送り、オランダ船にも砲撃を依頼。幕府の攻撃は激しさを増し同年２月に原城は陥落した。城内の３万７千人はほぼ全員が戦死。幕府軍は遺体を城ごと埋めたので、近年の発掘調査で遺骨と十字架が大量に発見されている。

1837年に起きた大塩平八郎の乱は、島原の乱以来200年ぶりに旗本が出兵した合戦となった。きっかけは天保の大飢饉だった。全国各地で百姓一揆が多発し、大塩が住む大坂でも米不足が起こった。そんな中、大坂東町奉行の跡部良弼（？〜1869）は、新将軍就任祝賀のため江戸へ米を送り続けていた。同奉行所の元与力で陽明学者でもあった大塩は、与力である息子から奉行へ民衆の救済策を提言したが聞き入れられず挙兵を決意した。陽明学の思想は「知行合一」であり、正義を知ったら行動しなければならない。大塩は私塾の門下生に砲術を教え、大砲、鉄砲などの武器を用意する。さらに蔵書を売って1000両余りの金を作り、貧しい人々に米を分け与えた。決起の際の味方もそれを期待していたようである。大塩は東西の町奉行が市中をめぐる日を決起の日とし、内部から密告者が出たものの同日に蜂起した。大塩は自邸に火をつけた後、大坂市中を300人で大砲や火矢を放ちながら行進し、豪商の館などが立ち並ぶ町の５分の１を焼き払った。しかし少人数だったため、半日でこの反乱は鎮定された。大塩は大坂近郊に潜伏したが、大名家や近隣各藩が出陣し、大規模な検問が行われた。大塩が事前に江戸へ送った建議書は幕府中枢に届かず失意のまま自害した。しかし市民に向けて発した檄文は取り締まりをかいくぐって書写され、全国へ広まったという。

276 文学 | 芥川龍之介

大正時代に最も活躍した作家といえば、間違いなく芥川龍之介（1892〜1927）である。1920年代から1950年代半ば、日本文学がほとんど海外に紹介されていなかった頃、初めてその名が広まった近代日本の作家ともいわれている。

◈

芥川龍之介は、少年時代から極めて優秀で、古今東西の文学を読み漁っていた。旧制一高には無試験入学、当時、超難関だった東京帝国大学英文学科も２番の成績で卒業している。ただし幼少期は不遇で、生後数カ月で母が精神を病み養父母に引き取られるなど、その影響は常に芥川を悩ませ、晩年に至るまでその性格や作品に影を落としていた。

本格的に芥川が執筆を始めたのは、東京帝大の学生が中心として発行していた文芸誌『新思潮』の第３次同人になった頃である。一高時代からの同級生で、後に作家となる久米正雄（1891〜1952）、菊池寛（1888〜1948）、松岡譲（1891〜1969）らも同人となり、芥川は彼らとともに「新思潮派」と呼ばれ、大正文壇の一拠点を築いた。『新思潮』には海外小説などの和訳や短編小説を寄稿していたが、ある失恋をきっかけに、後に代表作となる２編の小説を書いている。『羅生門』と『鼻』だ。芥川は当時を回想して「独りになると気が沈んだから（中略）なる可く愉快な小説が書きたかつた」（1918『あの頃の自分の事：別稿』）と述べている。1915年、『羅生門』は『帝国文学』という東京帝大文科の機関紙に発表された。ところが周囲の友人に酷評され、芥川は発表後も推敲を重ねた。この頃、芥川は久米正雄とともに、少年時代から尊敬していた夏目漱石を訪ね以降も頻繁に「漱石山房」の弟子の集いに参加している。

1916年、第４次『新思潮』が刊行され、創刊号に発表した芥川の『鼻』は夏目漱石の激賞を受けた。同作は当時の一流文芸誌『新小説』に転載され、芥川の名前は世間に広く知られるようになった。この年の終わりに、漱石は亡くなっている。

大学を卒業した芥川は、海軍機関学校の英語教官の職を得た。創作活動は、その傍らに続けられ、1917年に第一創作集『羅生門』を刊行した。表題作のほか、『鼻』『芋粥』など14の短編小説を収録している。同年には第二創作集『煙草と悪魔』も続けて刊行された。芥川の小説はそのほとんどが短編で、先述の『羅生門』『鼻』『芋粥』以外にも、『地獄変』『藪の中』など、『今昔物語集』『宇治拾遺物語』などの日本の古典から題材を取った作品が多い。1919年、師である夏目漱石もそうしたように、芥川は教職を辞して新聞社（大阪毎日新聞社）に入社し、文筆業に専念するようになる。1921年には海外視察員として中国を訪れるが、その後から徐々に体調が悪化し、たびたび転地療養を繰り返しながら小説や評論を発表し続けた。晩年の代表作としては『河童』『歯車』（いずれも1927）などが挙げられる。1927年７月24日、芥川は自宅で服毒自殺した。「遺稿」として残された『或旧友へ送る手記』の中に「将来に対する唯ぼんやりした不安」という動機が記されていた。満35歳の生涯だった。

豆知識

1. 芥川龍之介は本名だ。辰年、辰月、辰日、辰の刻に生まれたため「龍之介」と命名されたという。
2. 命日である７月24日は、晩年の小説に由来し、「河童忌」と呼ばれる。
3. 俳号は「我鬼」。主に英語教師時代、作家時代に句作を行っている。初めての句は小学校４年生の時に詠んだ「落ち葉焚いて葉守りの神を見し夜かな」。

277 科学・技術 北里柴三郎

「日本の細菌学の父」と称されるのが北里柴三郎（きたさとしばさぶろう）（1853～1931）である。柴三郎は予防医学を強く説き、伝染病から国家国民を救うため研鑽を重ね、日本の医学界に多大な足跡を残した。2024年度から発行される新千円札の肖像となることが決定している。

◈

北里柴三郎

北里柴三郎は、肥後国阿蘇郡小国郷北里村（現・熊本県）の庄屋の家に生まれた。幼少時より士族出身の母から厳しい教育を受け、明治時代になり熊本医学校に入学、オランダ人医師のマンスフェルト（1832～1912）に出会い、解剖学や生理学などを学んだ。1874年に東京医学校（現・東京大学医学部）へ進学し、何度も留年を重ねながら、1883年に医学士となった。

その後、柴三郎は内務省衛生局に就職し、1886年にはドイツのベルリン大学に留学する。結核菌やコレラ菌を発見した細菌学者のロベルト・コッホ（1843～1910）のもとで研究に打ち込み、破傷風菌だけを取り出す破傷風菌純粋培養法に成功、1890年には破傷風菌抗毒素を発見する。また、菌体を少量ずつ動物に注射しながら血清中に抗体を生み出すワクチンによる治療を開発し、さらに同僚のドイツ人医師フォン・ベーリング（1854～1917）との連名でジフテリアの血清療法の論文を発表した。この論文によって柴三郎は第1回ノーベル生理学・医学賞の候補者となるが、実際の受賞はベーリングだけであった。これは柴三郎が補助的なパートナーとみなされたこと、また、当時は共同受賞というシステムがなかったためといわれている。

1892年、帰国した柴三郎は感染症の研究機関設立を画策するが、政府の支援は受けられなかった。結局、プライベートマネーを投じて私立伝染病研究所設立に協力したのは、教育者・福澤諭吉であった。この後、研究所は東京大学の付属となるが、たもとを分かった柴三郎は「私立北里研究所（現・学校法人北里研究所）」を作り、福澤への恩返しのため慶應義塾大学に医学科を開設、医学科長として指導を行っている。

1917年に大日本医師会、1923年に医師法に基づく日本医師会を作った柴三郎は初代会長を務めるが、1931年に死去する。日本の公衆衛生に力を尽くした78年の人生だった。

豆知識

1. 正義感が強く、真っすぐで激しい性格の柴三郎は、野口英世や志賀潔などの弟子たちに「カミナリおやじ」を意味するドイツ語「der Donner」をもじって「ドンネル先生」と呼ばれていた。
2. 柴三郎が留学先のドイツから帰国する際、学者としての決意を「細菌学者は、国民にとっての命の杖とならねばならない」と語っている。東京医学校時代には、「研究だけをやっていたのではだめだ。それをどうやって世の中に役立てるかを考えよ」とも述べている。
3. 伝染病研究所の所長となった柴三郎は、1894年に政府の命を受けて疫病が流行していた香港に赴きペスト菌を発見。同時期にスイス人医師アレクサンドル・イェルサンも菌を発見していたため公的な発見者の座は譲ることになったが、柴三郎が感染症予防の必要性を政府に説いたおかげで日本でのペスト流行は避けられた。

278 芸術 東洲斎写楽

江戸中期の浮世絵師として有名な東洲斎写楽（生没年未詳）は、役者絵など140数点の傑作を残したが、約10カ月という短い活動の後、忽然と姿を消し、以来不明であることから、謎の絵師と呼ばれている。現代の調査では、阿波徳島藩主蜂須賀家お抱えの能役者であった斎藤十郎兵衛（1763～1820）とする説が有力であるが、歌川豊国（1769～1825）、歌舞伎堂艶鏡（1749～1803）、葛飾北斎（1760～1849）、喜多川歌麿（1753？～1806）、司馬江漢（1747～1818）、円山応挙（1733～1795）など、多くの絵師たちの別人説も残っている。

◈

『市川鰕蔵の竹村定之進』

写楽の絵は、すべて版元である蔦屋重三郎（1750～1797）のもとから出版されていて、わずか10カ月間に出された絵が４期に分類されている。第１期は1794年５月に発表された大版の『黒雲母摺大首絵』28枚で、これは江戸三座の中村座、森田座、市村座の夏興行に登場した役者を描いたもの。翌月７～８月から第２期となり、役者の全身像や黒雲母摺ではなく白雲母摺や黄つぶしの細判の作品へと変わる。第３期は同年11月からの顔見世狂言を描いた44枚などで、写楽全作品中、最も多数の役者絵が描かれている。相撲絵などもこの時期から描かれた。そして、第４期は1795年正月に発表された春狂言を描いたもので、役者絵は10点となっている。すべて細判で、舞台の情景なども描かれている。

写楽作品で最も華やかなものは第１期の大首絵であり、その後の画業は精彩を欠いたものが多く、別人が描いたのではないかともいわれている。140数点の作品のうち、役者絵は134枚、その他に役者追善絵、相撲絵、武者絵、恵比須絵、役者版下絵、相撲版下絵があり、2008年には新たな写楽絵とされる肉筆扇面画『四代目松本幸四郎の加古川本蔵と松本米三郎の小浪』が発見されている。

写楽の最高傑作といえば、やはり第１期の役者絵28枚である。極端にデフォルメされつつも、目の表情や大きな鷲鼻、皺までをリアルに描いたその絵からは、役者そのものと演じる役柄の２つの人物像の気配を感じ取ることができる。『市川鰕蔵の竹村定之進』や『三代目坂田半五郎の藤川水右衛門』、『嵐龍蔵の金貸石部金吉』といった代表作にも強烈な個性が横溢している。写楽の作品はあまりの写実性ゆえに、美を求める役者好きからは敬遠され、売れ行きはかんばしくなかったといわれている。役者好きにしてみれば、容貌の欠点までも誇張された絵は好まれなかったのである。役者本人にとってもそれは同じで、「艶色を破る」といった評価がなされ不評であった。狂歌師の大田南畝（1749～1823）も著作『浮世絵類考』で、役者をあまりにもありのままに描いたためにすぐに流行らなくなったと写楽のことを評している。

豆知識

1. 2008年に、新たに写楽の肉筆画とされる扇面画「四代目松本幸四郎の加古川本蔵と松本米三郎の小浪」が発見された。１世紀以上もほとんど人の目に触れることのなかった、ウィーン駐在ギリシア大使グレゴリオス・マノス氏のコレクションから発掘され、これまでの写楽研究に大きな影響を与える大発見となった。この作品は、写楽が表舞台から姿を消した４か月後に制作されたと考えられている。

279 伝統・文化 ｜ 和菓子

古典落語にも登場する饅頭や羊羹は、昔から日本人が親しんできた和菓子である。和菓子は日本特有の菓子で、製法により、生菓子、干菓子、半生菓子などに大別される。中国の唐菓子や西洋の南蛮菓子の影響を色濃く受けており、米とあずき餡が主材料となった甘味の強いものが多い。茶の湯の文化との関係も深く、精巧で季節感を豊かに盛り込んでいるのも特徴だ。

◈

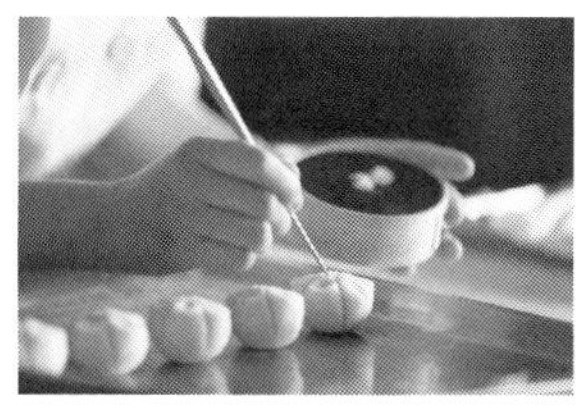
和菓子職人が作る和菓子

菓子の起源は、古代人が空腹を感じると食べていた野生の「古能美」（木の実）や「久多毛能」（果物）とされ、間食として食べるこれらの食べ物が「菓子」と呼ばれるようになったと考えられている。縄文時代末、大陸から稲作が伝わると、木の実や果物を加工して餅やだんごを作るようになった。当時、何よりも大事だった米を原料に作られた餅やだんごは神聖なものとして扱われたようだ。平安時代中期に作られた辞書『倭名類聚抄』によると、餅は「毛知比」や「持ち飯」と記載されている。

その後、遣唐使によって、唐より唐菓子が伝来した。唐菓子は、「梅枝」「桃枝」「餲餬」「桂心」「黏臍」「饆饠」「鎚子」「団喜」などと呼ばれた。祭祀用としても尊ばれた唐菓子は、和菓子に大きな影響を与えた。

また、室町時代に茶席で出された「点心」と呼ばれる食事と食事の間に食べる小食も、和菓子に多大な影響を及ぼした。点心の中に「羹」という汁があり、具材によって「猪羹」「白魚羹」「芋羹」「鶏鮮羹」など48種類の羹があったといわれている。また、禅僧は肉食が禁じられていたため、あずきや小麦粉、葛粉などの植物性の材料を使い、羊肉に見立てたものを汁に入れていた。それが時代とともに甘味が加わって、「蒸羊羹」になり、江戸時代後期（1800年頃）には寒天を用いた「煉羊羹」になったといわれている。その他、「打栗」「煎餅」「栗の粉餅」「フノヤキ」などの茶席のために作られたそれらの食べ物が、和菓子の発展につながっていった。

戦国時代には、ポルトガル人やスペイン人によりボーロ、カステイラ、金平糖、ビスケット、パン、有平糖、鶏卵素麵などの南蛮菓子が渡来し、それらも現在でも食べられている和菓子の原型となった。また、江戸時代に入ると、日本中の城下町や門前町で独特の和菓子が生まれ、京都の京菓子と江戸の上菓子が競い合うようにして、意匠を凝らした和菓子が考案されていった。江戸時代に誕生した和菓子の多くは、今も全国に伝わって食べられ続けている。

豆知識

1. 和菓子の大福には「大いに富んで福の多いこと」という意味があり、「大福者」「大福長者」といえば、大金持ちのことを指した。

280 哲学・思想 朱子学

朱子学は中国・南宋時代の儒学者・朱熹（朱子、1130～1200）によって大成された儒教の一派をいう。森羅万象は根本的な法則である理と物質的な原理である気によって成り立つということを根幹とし、仁・義・礼・智・信という社会倫理の実践によって理に従った世界の実現を目指した。元（げん）（モンゴル人が中国に建てた王朝、1271～1368）時代に科挙に採用されてからは公認の政治思想となり、東アジア諸国、特に朝鮮半島に強い影響を与えた。

◈

朱熹

宋時代に儒教は大きな展開を見せた。漢時代は国教的地位を得ていた儒教だが、隋・唐時代になると道教や仏教の陰に隠れてあまり振るわなかった。隋時代に科挙（官吏登用試験）が始まり、その科目に取り入れられたことにより権威は維持されたが受験勉強用の学問となり形骸化が進んだ。ところが宋時代になると隋唐時代の貴族中心の政治から士大夫（科挙を経て登用された高級官僚・知識人）中心の政治へと変わり儒教は政治を担う官僚たちの政治倫理・理念として再認識されるようになったのである。そうした要求に応えたのが朱熹であった。朱熹は世界を構成している根本原理を理と気の２つだとし、このうち理を重視した。物質的原理である気はいつか消滅する可能性があるが、時空を超えた根本原理である理はたとえ世界が消滅したとしても存在し続けるからだ。この意味で理は仏教の法（ダルマ）に似ているが、仏教の法が悟りという世俗を超越した境地と結びついているのに対し、朱熹のいう理は君臣や親子といった人間関係の中にもあると説く。仁・義・礼・智・信が理にあたり、これらは本来的に人間に備わっているものなのだが、欲望などによって阻害され十分発揮できない状態にある。それゆえ、国の統治に関わる者はまず自身を道徳的に高め、それによって人々を感化して平和な国を作るというのである。

朱子学は鎌倉時代に日本に伝わった。宋・元に留学した禅僧が仏典とともに朱子学の典籍を持ち帰ったのである。そして、京都五山などで研究された。僧たちは仏典の副読本的にそれらを読んだのだが、実践の学問として取り組んだのが藤原惺窩（せいか）（1561～1619）であった。惺窩も相国寺（しょうこくじ）の僧であったが還俗して儒者となり、徳川家康（1542～1616）にも進講し、幕府の政治に儒教思想を取り入れるきっかけを作った。

惺窩の弟子の林羅山（1583～1657）は侍講（君主に仕え学問を講義する者）として徳川家康に召し抱えられ、家康・秀忠・家光・家綱の４代将軍に仕えた。各種の書類の起草にも関わり、朱子学の政治への反映、官学（公認の学問）への道を開いた。また、仏教・キリスト教を排し、神道から仏教色を除くことも主張した。上野忍岡に私塾と孔子廟を建てたが、これが後の昌平坂学問所・湯島聖堂の基礎となった。

豆知識

1. 若いうちに勉強すべきことのたとえとしてよく引用される「少年老い易く学成り難し、一寸の光陰軽んずべからず（少年易老学難成　一寸光陰不可軽）」は朱熹の「偶成」という漢詩の一節だとされてきた。朱熹の詩文集に同内容のものはなく、朱熹の作であるのかについては議論がある。

281 自然 古都(奈良・京都)

関東平野に江戸が開かれる以前は、日本の中心地は西日本、現在は「古都」と呼ばれている奈良や京都であった。かつては政治や宗教をコントロールした平城京、平安京は、現在の東京都とは違う日本独自の文化・理論で運営されていた。

◈

東京・江戸は、日本の首都であり行政の要だが、かつての日本の中心地は、奈良・京都であった。こうした往時の政治・文化の中心などとして、歴史上、重要な地位を有する都市を「古都」と呼ぶ。奈良と京都はその中でも、天皇の居住地として重要な都であった。

奈良時代の710年、都が置かれた奈良の平城京は、当時の日本の中心である。貴族・仏教文化である天平文化が花開いた地でもあり、784年の長岡京への遷都後も、東大寺や薬師寺、興福寺といった仏教寺院勢力が奈良に残り、「南都」と呼ばれた。

この時期、短期間で何度かの遷都があったが全ての理由が定かだったわけではない。政略的な理由と同時に、天変地異や勢力争いなどが起きた時に、原因を宗教的な部分に求め、悪霊を鎮めるためだったのではないかとの説もある。市街の北は、かつて平城山と呼ばれた丘陵地帯で、ここを越えて山城（京都）と通じる奈良坂は重要交通路の一つであった。

その京都の平安京は、794年に遷都された都城で、その後、1000年以上にわたって日本の首都を担ったため「千年の都」との雅称も持つ。平安京の市街地は「京中」、鎌倉時代以降は「洛中」と称され、平安時代から江戸時代前期までは政治の中心地であり、日本最大の都市であった。平安京は、唐の首都・長安城に倣い東西4.5km、南北5.2kmの長方形に区画された計画都市である。この地の選定は、中国から伝わった陰陽道の四神相応の考え方をもとに行われたとの説があり、北の玄武にあたる船岡山、東の青龍が鴨川、西の白虎には山陽、山陰道、南の朱雀には巨椋池（現在は埋め立てられた）が位置し、都を風水的に守護していると考えられる。

平安京（京都）や奈良は、やがて関東地方を基盤とする幕府の成立により行政府としての機能を次第に失うが、時代の要所で宗教や政治の中心の一つとして大きな役割を果たした。そして現在は、古来の日本文化を世界に発信する古都となり、多くの外国人観光客が訪れている。

豆知識

1. 川端康成（1899～1972）の長編小説であり代表作『古都』は、四季折々の美しい風景や京都の伝統を背景に、生き別れになった双子の姉妹の人生を描く。海外での評価が高くノーベル文学賞の受賞対象作にもなった。また、川端は本作品連載中に文化勲章を授与されている。
2. 平安時代初期の公卿・文人である小野篁は、京都を代表するミステリアスな人物だ。昼間は朝廷で官吏を、夜間は冥府で閻魔大王の裁判の補佐をしていたとの伝説が残る。京都東山の六道珍皇寺には、冥府との往還に通ったという井戸が残されている。
3. 奈良県の明日香村には、亀石と呼ばれる飛鳥時代の石造物が残されている。長さ3.6m、高さ1.8mの巨大な花崗岩に、亀のような彫刻が彫られている。伝説では、現在、東を向いているこの亀が西に向いた時、奈良一円は泥の海と化すという。

282 歴史 倒幕運動

「権力は腐敗する。絶対的な権力は絶対的に腐敗する」―― イギリスの歴史家ジョン・アクトン(1834〜1902)の有名な言葉である。もちろん江戸幕府を指した言葉ではないが、奇しくもアクトンの生きた時代は、ある思想が武家を中心にした人々に急速に広まったことによって、260年も続いた絶対的な権力が倒されようとする、まさにその時であった。

◈

月岡芳年『安政五戊午年三月三日於テ桜田御門外ニ水府脱士之輩会盟シテ雪中ニ大老彦根侯ヲ襲撃之図』

徳川御三家のうち、水戸徳川家は副将軍を務めることが慣例となっていた。第2代水戸藩主の徳川光圀が始めた歴史書『大日本史』の編纂作業は、第9代・徳川斉昭(1800〜1860)が藩主の頃にもまだ継続していた。斉昭が1841年に設立した藩校・弘道館は『大日本史』編纂の場であったほか、朱子学、国文学、自然科学など幅広い学問や武道が学べる大規模な藩校だった。史料編纂の作業では、主に日本古来の伝統を追求していたが、ほかにも様々な知識や情報が収集され、やがて『大日本史』編纂に携わった人たちを中心に「水戸学派」と呼ばれる学派が形成されていった(「水戸学」307ページ参照)。

その水戸学派の学者や門弟の間で広まったのが尊王攘夷論である。そもそも『大日本史』は神武天皇から始まる歴代天皇を「本紀」、皇后や皇子を「列伝」として扱う「紀伝体」で編纂されており、そこには「尊王(皇)論」が貫かれていた。徳川幕府将軍といえども朝臣であり、天皇から政権を委任されているのだという考え方は、幕末にこの水戸学派から広まっていった。

「攘夷論」は、天子を中心に世界は構成されていて、遠い存在ほど野蛮で卑しいという古代中国の思想に基づいている。鎖国時代の日本では西洋諸国の文化や宗教は有害とされていたことも影響していたと思われる。「攘」は打ち払うという意味で、「夷」は「夷狄(いてき)」、すなわち外国をあらわす語である。

大老・井伊直弼が勅許を得ずに日米修好通商条約を結び、開国したことは、尊王攘夷論者にとっては許すことのできないことであった。さらに井伊は、安政の大獄で幕府を批判した水戸藩の家老や重臣を大量に処分していたため、一部の水戸藩士に倒幕を決心させるに十分な動機となったと思われる。その後、井伊直弼は桜田門外の変で水戸藩浪士に斬られた。

幕末における長州藩と薩摩藩も尊王攘夷の志士が多い藩だったが、長州は英・蘭・仏・米との下関戦争(1864年)、薩摩は薩英戦争(1863年)という欧米列強との直接対決と敗北を経験したことで攘夷論は薄れていき、むしろ欧米列強と肩を並べるためには幕府を倒し、新しい政府を作る必要があるとの考えが主流となっていった。なお、幕末に明治維新を推進した薩摩、長州、土佐、肥前の4藩は「薩長土肥」と総称され、倒幕後の新政府では、この4藩の出身者が主要官職をほぼ独占した。

283 文学｜私小説

日本における「私小説」は「自然主義文学」の中から誕生した。ただし、後に反自然主義を標榜する「白樺派」の志賀直哉（1883〜1971）や、「耽美派」の谷崎潤一郎（1886〜1965）によっても私小説と呼べるような作品が生み出された。夏目漱石（1867〜1916）の『道草』や森鷗外（1862〜1922）の『半日』『ヰタ・セクスアリス』なども、自伝的要素が支柱となっているという意味では私小説ととらえることもできる。

◈

日本における私小説の始まりは、田山花袋（1871〜1930）の『蒲団』（1907）だとする説が有力である。主人公である妻子持ちの中年男による若い女性の弟子への恋慕を描き、その結末で、失恋した主人公が弟子の使っていた蒲団の匂いを嗅ぐという描写が、当時、相当ショッキングに受け止められた。さらに、花袋自身の実生活が主人公と同じで、弟子とその恋人にもモデルがいたことがわかり、この作品はさらなるセンセーションを呼んだ。

私小説のジャンルとしては、ほかに「ギルド小説」と呼ばれるものがある。これは文壇、芸術サロンなどの交流について描いた小説で、同時代の作家や芸術家、学者、編集者などが実名、あるいはイニシャルで登場するものである。一般大衆は、尊敬するそれら登場人物の思想や性格、行動を読むことにも興味を示したのである。また、作家の自堕落な生活や自虐的エピソードを綴った私小説も読者の共感を呼び、日本における純文学の一潮流となった。初期の太宰治（1909〜1948）がその代表例である。

大別すると、私小説は『蒲団』のように、日本的な遠慮や、規範の中では決して表に出てこない恥ずべきことや罪、堕落などを告白する「破滅型私小説」と、何も打ち明けはしないが、仕草や、言葉遣い、起きた出来事を細かく描写して、そこから深い意味を探ろうとする「調和型私小説」とがあり、どちらも純然たるフィクションとは異なる領域で発展してきた。

ちなみに、私小説の始まりは花袋の『蒲団』ではなく、志賀直哉の『和解』（1917）こそが典型であるとする説もある。この中編小説は、実際に父との確執を抱えていた志賀が主人公「順吉」となって、父と和解する内容で、舞台も登場人物もほぼ事実に基づいており、作者の主観的視点とその内面が描かれている。

そもそも「私小説」という言葉自体が、志賀のような白樺派の作品に対する揶揄として用いられたという指摘もあり、「私は」で始まる文体が「“私は”小説」などと呼ばれたのが由来ともいわれている。

豆知識

1. 「私小説」をドイツ語の「イッヒ・ロマン」の訳だとする説では、日本における私小説の始まりは、鷗外の『舞姫』(1890) まで遡る。ただし、鷗外は自身で同作を「イッヒ・ロマン」だと称してはいるが、内容はほとんど虚構に基づくもので、私小説とはいいがたいというのが定説である。
2. 「破滅型私小説」の代表的な作家としては、花袋や初期の太宰のほか、近松秋江（しゅうこう）(1876〜1944)、葛西善蔵 (1887〜1928)、牧野信一 (1896〜1936)、嘉村礒多 (1897〜1933)、宇野浩二 (1891〜1961) などが挙げられる。
3. 『蒲団』の弟子とその恋人のモデルは岡田美知代と永代静雄だ。2人は実際に結婚し2児をもうけた（後に離婚）。美知代は「永代美知代」名義でいくつかの小説を発表している。静雄は新聞記者、小説家であり、『不思議の国のアリス』の日本初の訳者でもある。

284 科学・技術 | 南方熊楠

天才的な科学者の中には、いわゆる“奇人変人”タイプの人物も多い。日本にもそんな人物がいた。民俗学者の柳田國男（1875～1962）に「日本人の可能性の極限」と称された、博物学者、生物学者、民俗学者の南方熊楠（みなかたくまぐす）（1867～1941）である。熊楠は世界でも評価された日本人科学者の草分けである。

◈

和歌山城下橋丁（現・和歌山市）の金物商・雑賀屋の次男として生まれた南方熊楠は、亡くなるまで和歌山県に住んだ。小学校から高校まで和歌山の学校で過ごし、高校在学中に教師に博物学を勧められたことで研究に夢中になっていく。卒業後に上京して現・開成高校に進学、1884年には現・東京大学へと入学する。この時、同期で入学したのが夏目漱石や正岡子規だった。

ところが大学の講義へはまったく興味がなく、遺跡発掘や菌類の標本収集に明け暮れ、試験の落第をきっかけに19歳で東京大学を中退。いったん帰郷するが、翌年から約14年間、アメリカやイギリスなどで遊学した。1892年からは渡英し、日本文学研究者の翻訳を手伝いながら、1895年には大英博物館の東洋図書目録編纂係の職に就いた。ところが３年後、人種差別を受けたことで暴力事件を起こして博物館への出入りを禁止されてしまった。この処分は翌年に解除されるが、今度は閲覧室で女性の高声を制したことから監督官と口論となり、ついに博物館追放の通知を受けてしまった。

こうして和歌山に帰った熊楠は、田辺市を拠点に、近隣や熊野でキノコ、藻類、コケ、シダなどの研究のほか、高等植物や小動物の採集活動を精力的に行い、菌類の研究では新しい種70種を発見した。この頃、熊楠は自宅の柿の木で新しい属となった粘菌も発見している。

当時、熊楠は18カ国語を駆使して多くの論文を発表し、科学雑誌『ネイチャー』への論文寄稿で世界的に有名になっていく。だが突飛な行動は相変わらずで、神社林が伐採されることになる神社合祀に反対し、担当の県の役人に会うため教育会主催の講習会場に酔っ払って乱入して逮捕された。しかし、勾留された監獄で菌を発見して夢中になってしまうという熊楠らしいエピソードもあった。熊楠の研究の対象は、生物学のほか人文科学など多岐にわたり、民俗学においては柳田國男とともに重要な役割を果たした。生涯、在野の学者に徹し「南方先生」「南方さん」と呼ばれて町の人々に親しまれながら、1941年、74歳の時に自宅で永眠した。

豆知識

1. 1929年、熊楠は和歌山を訪れた昭和天皇に、連合艦隊旗艦の戦艦長門艦上で進講を行った。熊楠の粘菌学の一番弟子であった小畔四郎が、昭和天皇の博物学の担当者・服部広太郎の甥の上司という関係で、粘菌の標本を見たいとの依頼を受けたからである。熊楠は粘菌標品37属90点を進献し、生物学に強い関心を持っていた昭和天皇の要望で講義時間が５分延長された。1962年、白浜町を行幸した昭和天皇は、神島を眺めて御製「雨にけぶる 神島を見て 紀伊の国の 生みし南方熊楠を思ふ」を詠んだ。
2. 汗かきの熊楠は薄着や素っ裸で過ごすことが多かった。山中での標本採集でもふんどし一丁で駆けまわり、夏の家の中ではふんどしさえもつけなかったという。
3. 現在、熊楠の脳は、本人の要望で大阪大学医学部にホルマリン漬けで保存されている。熊楠はたびたび幽体離脱を体験していたため、死後に脳を調べてもらおうとしたようだ。

285 芸術 歌川国芳

歌川国芳（1797～1861）は江戸日本橋本銀町（現・東京都中央区日本橋本石町付近）の京紺屋（染物屋）に生まれ、幼少期から絵を学び、1811年、15歳で初代歌川豊国（1769～1825）に入門する。豊国は役者絵の人気絵師で、兄弟子に歌川国貞（1786～1864）がいた。著名な歌川広重（安藤広重、1797～1858）とは同年代である。国芳は師匠の豊国に月謝が支払えず、兄弟子で人気の歌川国直（1793～1854）の家に居候して腕を磨いたが、絵が売れるにはしばらくの時が必要であった。

◈

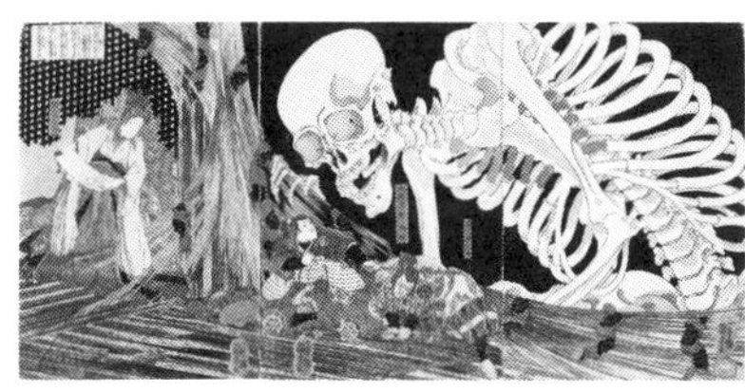
『相馬の古内裏』

国芳は、1818年に発表した錦絵『平知盛亡霊図』『大山石尊良弁瀧之図』などで人気を得た。後者の絵は、神奈川県伊勢原市にある大山阿夫利神社の滝に打たれ身を清めている男たちの姿が印象的で、当時の「大山詣で」の様子がよくわかる。その後、役者絵を描くものの師匠の豊国や国貞の人気が高く不遇の時代を過ごす。国芳が脚光を浴びたのは、1827年に発表した『通俗水滸伝豪傑百八人』という『水滸伝』に題材をとるシリーズものであった。これにより「武者絵の国芳」の名が広まった。以来、武者絵にとどまらず美人画、役者絵などを描き、西洋絵画の陰影法も取り入れた名所画などの名作を生み出した。

国芳が44歳の1841年、老中・水野忠邦（1794～1851）による天保の改革のひとつとして、倹約令が発動される。芝居小屋の郊外（浅草）移転や寄席閉鎖とともに、国芳や国貞の人情本や艶本が絶版処分を受けた。しかし、国芳はその鬱憤を『源頼光公館土蜘作妖怪図』に込めた。頼光の妖怪退治が主題であるが、土蜘蛛の幻影に悩まされる頼光を時の将軍・徳川家慶（1793～1853）にたとえ、その主君に見向きもせずにいる卜部季武は老中・水野忠邦であり、囲碁を打つ２人も老中たちといった具合に、徳川幕府を揶揄する内容となっている。また、妖怪たちは改革で弾圧された富くじ、芸者、噺家（歯がない妖怪）で、幕臣たちに襲いかかっているという構図になっている。

この絵は江戸中で評判を呼ぶものの、忖度した版元が自主回収したといういわくつきの作品であった。もちろん幕府は国芳を要注意人物として奉行所に呼び出したが、それでも国芳は創作の手を止めなかった。江戸庶民にとって国芳の風刺画は、幕府の横暴にいくらかの留飲を下げる最高の娯楽だったのだ。

また、国芳は無類の猫好きでもあり、猫を擬人化して社会風刺する絵や、猫や人の姿を寄せ集め、入り乱れて一匹の猫や人間の姿に造形する「寄せ絵（だまし絵）」も描き、これも人気を集めた。

豆知識

1. 2011年、東京新聞の記事がもとで、国芳作の『東都三ツ股の図』が注目を集めた。そこに東京スカイツリーが描かれていたというのである。地勢的な方角、塔の構図もスカイツリーに合致していることから、「国芳はタイムトラベラーだったのではないか？」と話題になった。この絵の塔は、実際は井戸を掘る際の櫓ではないかと推測されている。

286 伝統・文化 蕎麦・うどん

蕎麦とは、蕎麦の実を挽いた粉（蕎麦粉）を水で練って薄く伸ばし、細く切って作った麺またはそれを用いた料理のことだ。つなぎに小麦粉、やまいもなどを用いるものも多い。一方、うどんとは、小麦粉に少量の塩と水を加えてこね、薄く伸ばして細く切った麺またはその料理のことである。

◈

日本での蕎麦の栽培は約9300年前の縄文時代から行われていたと、高知県佐川町の遺跡の地層から見つかった花粉の様子から推測されている。ちなみに、日本で蕎麦粉を使った料理が増えたのは鎌倉時代以降といわれている。蕎麦粉を水で練った「蕎麦がき」や蕎麦粉を水で溶き焼いた「おやき」や「せんべい」、鍋の具材として「つみれ」や「すいとん」、中に餡を入れた「蕎麦饅頭」や「蕎麦団子」などが当時食べられていたという。江戸時代、朝鮮半島から来た僧侶によって蕎麦のつなぎに小麦粉が使われることが伝授され、今のような細長い麺状の蕎麦を作ることができるようになったといわれている。

江戸の文献には、蕎麦は「蕎麦切り」の名で登場する。「二八蕎麦」というものがあるが、これは１杯16文の蕎麦を「にはち十六」に掛けて「二八蕎麦」と呼んだという説、つなぎの小麦粉２に対して蕎麦粉８という割合からきたとする説などがあるが、どの説が本当かは現在でも論争が絶えない。また、「十割蕎麦」は100％蕎麦粉だけで打った蕎麦である。蕎麦粉の扱いを熟知し、蕎麦打ちを極めた達人だけがそのおいしさを引き出せるといわれている。

うどんは、小麦粉に水を加えて練った中国の「餅」が日本に伝わった後、長い年月を経て「うどん」に変化したという説がある。また、昭和初期の中国文学者、青木正児（1887～1964）は、「餛飩」からの言葉の派生で「饂飩」に変化したと提唱している。しかし、うどんの語源に関しても昔から諸説があり、現在でもこれが正解だというものはない。麺の伝来は遣隋使・遣唐使の時代という通説があるが、香川県には、空海（774～835）が唐からうどん作りに適した小麦と製麺技術を伝えたという伝説が残っている。「うどん」の語はその後、南北朝時代末期の教科書『庭訓往来』などに出てくる。

ちなみに、有名な香川県の讃岐うどんに関する最も古い資料は、元禄時代（1688～1704）の金刀比羅宮の大祭の様子を描いた屏風絵『金毘羅祭礼図』の中にある。神事の様子だけではなく、参詣者や軒を連ねる商家の様子が描き込まれており、そこには３軒のうどん屋の外観も確認できる。昔のうどんの麺は、だんごをつぶしたような形であったと推察される。

豆知識

1. 天かすの入った東京のたぬきうどんは大阪にはない。
2. 歌舞伎狂言作者・河竹默阿弥（1816～1893）の『雪暮夜入谷畦道』には蕎麦をすするシーンが出てくるが、役者の芝居が巧いと終わった後で、蕎麦を食べたくなる客が殺到し、近所の蕎麦屋が混むといわれていた。

287 哲学・思想 陽明学

陽明学は中国・明時代の王陽明（1472〜1529）が興した儒教の一派である。形骸化した朱子学を批判し、心即理・知行合一（ちこうごういつ）などの実践倫理を説いた。日本では中江藤樹（1608〜1648）・熊沢蕃山（1619〜1691）らがこの説をとった。幕政を批判して決起した大塩平八郎（1793〜1837）も陽明学者であった。

◈

王陽明

儒教の改革思想として登場した朱子学であったが、公認の思想となったことから学問としての清新さを失い、形式主義的なものに変質していった。これに対して実践的な道徳の必要を説いて形骸化した朱子学を批判したのが王陽明であった。王陽明が朱子学を全面的に否定したように理解されることがあるが、彼の思想は朱子学の至らぬところや誤ったところを修正して実践の学とするというものであり、朱子学と共通する部分も少なくない。

例えば、朱子学は知先行後（知識によって体験の意義が理解される）を説いたが、陽明は知と行は分離不可能だと考え知行合一を主張した。陽明は、実在するのは今われわれが生きている「現在」だけだと考え、そこにおいて知と行が同時に起こるのだという。また、朱子学を大成した朱熹は心を性（理）と情（気）の２つに分け根本原理の表れである性を重視したが、陽明は心そのものが理であるとした。陽明は人間は先天的に心に良知（真理）を持っているので、これに従って行動すればおのずと聖人への道は開け、世も泰平になるのだと考えた。すなわち、朱子学が上からの改革を説いたのに対し、陽明学は下からの改革を説いたのである。しかし、陽明学は異端の説とされ、陽明や門下生の活動には制限がかけられた。明代末には公認され、多くの思想家を輩出したが、清時代には衰えた。

日本でも形式主義化した朱子学への批判として陽明学が受け入れられた。その先駆者が中江藤樹だ。藤樹はもともと朱子学者であったがその思想に満足できず、晩年になって陽明学に転じた。ただし、藤樹の場合、老荘思想（老子・荘子を祖とする中国哲学・神秘思想）の影響も受けており、宗教的要素を求めて陽明学に移ったという面もある。彼は仏教に対しては批判的であったが日本の神に対しては崇敬の念を抱いており、儒教と神道を結びつけた独特の信仰を持っていた。なお、藤樹は故郷の近江で民衆の教化にも努めたので近江聖人とも呼ばれる。

日本の陽明学は実践性を重んじたためか政治批判に向かう傾向があった。熊沢蕃山は幕府への出仕を拒否しながら幕政改革を提言し、これがもととなり古河藩（現・茨城県古河市）で幽閉され、この地に没した。江戸後期の大塩平八郎も、天保の大飢饉に苦しむ民衆を私財をなげうって救おうとし、この施策が幕府に受け入れられないと知ると弟子たちとともに蜂起した。

豆知識

1. 王陽明の父は科挙を首席で合格した文字通りの「秀才」であった。陽明は３度目の受験でようやく合格した。

288 自然 四国

四国は、西日本の中でも歴史的に重要な地域であった。古くから海上交通の要所として繁栄し、奈良時代から皇族や権力者などが訪れていた記録が残っている。また中世には源平両軍の紛争地ともなり、現在に至るまで政治的に重要な地域として多くの要人を輩出している。その土地の形成は約1900万年前から始まり、超巨大カルデラ噴火によって険しい山地が生まれたことがわかっている。

◈

九州の東北側、畿内から南西側に位置し、世界で第49位の大きさの島が四国だ。7～8世紀に成立したとされる五畿七道と令制国という地方区分で、この島に阿波国、讃岐国、伊予国、土佐国の4つの国が置かれたことが、その名前の由来となっている。

地質学的には、約1900万年前に日本列島が生じたと同時に、四国の前身が誕生している。この時、沖縄付近にあったフィリピン海プレートの東に引っ張られ、中央に巨大な割れ目ができてマグマがあふれ出した。1400万年前、移動してきた西日本が、高熱のフィリピン海プレートに乗り上げて大量のマグマが発生。四国では高知、愛媛で超巨大カルデラ噴火が起きている。四国中部には、四国山地や讃岐山脈の山々がそびえ、最高標高は愛媛県石鎚山の天狗岳（1982m）である。山が多く陸上の交通が妨げられていた四国だが、古くから海上交通が盛んで、瀬戸内海側は近畿・九州航路の要所として栄えていた。『古事記』には伊予国の道後温泉に舒明天皇（593～641）が入浴した記録が、和歌集『万葉集』にも山部赤人（生没年未詳）や額田王（ぬかたのおおきみ）（生没年未詳）が来浴したとの記録があり、政治的、文化的にも重要な地域だったことがわかる。

中世には、源平合戦で平氏が都落ちした際、安徳天皇を擁して現在の高松市の東北に位置する屋島を本拠地にしたため、この地で源平両軍が争った。時を置いて戦国時代になると、様々な名武将が現れ、長い騒乱の末、長宗我部（ちょうそかべ）氏が四国を統一。江戸時代には戦国大名は四国から駆逐され、徳川氏の信任厚い諸将がこの地に封じられている。

こうした政治的に重要な風土から、幕末維新においても土佐藩は終始政局に関わり続け、坂本龍馬（1835～1867）をはじめ、板垣退助（1837～1919）、岩崎弥太郎（1834～1885）ほか、近代まで多くの重要人物を輩出した。現在、4県の総人口は約372万人で、特別名勝の栗林公園、日本三古湯の道後温泉、四国八十八カ所霊場といった長い歴史を活かした観光立県として、世界中から観光客を集めている。

豆知識

1. 四国は、古代から辺地と呼ばれ、平安時代頃には修験者の修行の場であった。讃岐国に生まれた空海の入定後、修行僧は空海ゆかりの寺院をたどる旅を始めた。これが四国遍路の原型で、88の寺院と山や谷をめぐる488里の修行「遍路」である。文化庁により日本遺産「四国遍路—回遊型巡礼路と独自の巡礼文化」に認定された。
2. 奈良時代の歴史書『古事記』に記された「国生み神話」では、四国は淡路島に続き、日本列島で2番目に作られた島とされている。『古事記』では「伊予之二名島」、『日本書紀』では「伊予二名洲」と表記。平安時代後期の説話集『今昔物語集』では「四国」の記述があるので、四国という名も、その頃に呼ばれるようになったと考えられる。
3. 四国ゆかりの文学作品では、東京出身の夏目漱石の著した松山市を舞台にした小説『坊っちゃん』が有名だ。愛媛県出身の俳人・正岡子規と漱石は、親友同士であった。

289 歴史 幕政改革

江戸幕府はたびたび幕政の改革に取り組んだ。そのほとんどは財政の改善、諸藩の統制、治安の維持などが主たるテーマになっている。この項で触れる「享保・寛政・天保」の各改革は江戸の三大改革と呼ばれる。必ずしも成功したわけではないが、後の時代に影響を残したものだといえるだろう。

◈

享保の改革(1716〜)は、三大改革の中で唯一、将軍(第8代・吉宗)自身の主導で行われた。まず、財政再建は倹約と増税で図った。「足高の制」は役職ごとに決まっていた家臣の俸給(石高)を在任中に限り加増するもので、幕府としては支給額を倹約することができた。また、年貢の割合を四公六民から五公五民に増税し、納付量も豊作不作にかかわらず一定となる「定免法」を採用した。ひどい凶作の場合は減免措置もあったが、これで幕府の収入安定が期待された。治安維持には、紀州藩から登用した大岡忠相(大岡越前、1677〜1752)を南町奉行に任じ、刑法にあたる『公事方御定書』を編纂させた。また防火対策として「町火消」を創設している。

寛政の改革(1787〜)は、第11代将軍・家斉の老中を務めた松平定信(1758〜1829)が主導した。浅間山噴火と天明の大飢饉で失脚した田沼意次(1719〜1788)の後を継ぐ形となった定信は、まず祖父にあたる吉宗の享保改革の制度にすべての幕政を戻した。

定信はまず、旗本や御家人などの借金を帳消しにする「棄捐令(きえんれい)」を発する。これは飢饉後の豊作で米価が下がったにもかかわらず他の物価が下がらなかったことにより、幕府から支給される米を金に換える仲介業者・「札差」に借金を抱える幕臣が増えたためだ。棄捐令によって120万両近い債権が約100軒の札差から取り上げられたので、旗本・御家人は狂喜し、定信を「世直し大明神」と称えたという。また、治安維持の一環として、石川島に「人足寄場」を設置。無宿人、浮浪人に仕事を与え、訓練した。また、「寛政異学の禁」は朱子学以外の儒学の講義や出版を禁ずるのが主目的だったが、定信は風紀の粛清として、洒落本や滑稽本についても作者を罰し、発行を禁じている。諸藩の統制としては「囲米」がある。飢饉への備えに、社倉・義倉を設置し、穀物を備蓄するよう諸藩に命じた。江戸では「七分積金」という基金で同様に対応した。

天保の改革(1841年)は、第12代将軍・家慶の老中・水野忠邦(1794〜1851)が主導した。財政政策として「人返し令」を発したが、これは都市に人口が集中し、地方の農地が荒廃していることへの対策で、定信の「旧里帰農令」と異なり、忠邦の令には強制力があった。また、農民の江戸への移住を禁止し、短期間の労働には地方で免許を発行した。

治安の維持には、風紀の取り締まりのため芝居小屋の郊外移転や寄席の閉鎖などが行われ、人気歌舞伎役者だった七代目市川團十郎(1791〜1859)に至っては江戸追放の処罰を受け成田山蟄居を余儀なくされたという。

豆知識

1. 享保の改革の一つとして、吉宗が設けた幕府の役職に「御庭番」がある。将軍周辺の警護や、諜報活動を行う役職で、小説や時代劇ではいわゆる「隠密」として描かれることが多いが、実際は江戸市中の情報収集が主な活動だったともいわれている。

290 文学 ｜ 谷崎潤一郎

谷崎潤一郎（1886～1965）は遅筆で知られていたが、その活動時期は1910年から1965年までと半世紀以上に及び、小説、戯曲、随筆、翻訳、和歌などあらゆるジャンルで活躍し、多くの作品を残した。その芸術性は海外でも高く評価され、ノーベル文学賞にも数回ノミネートされている。

◈

幼少期の谷崎潤一郎は学業に優れ「神童」と呼ばれるほどだったという。しかし、10代半ば頃に父の事業が傾き、経済的には苦しい状況に置かれた。谷崎は住み込みの家庭教師をしながら中学を飛び級して卒業する。その後は旧制一高を卒業し、東京帝国大学国文科に進学した。当時、国文科は学業を怠けたい学生が選ぶことが多く、谷崎もその例にもれず、悪所で病をもらってしまう。小説を書き始めたのはその療養中である。

谷崎のデビュー作となる小説『刺青』は1910年、第２次『新思潮』に掲載された。同作の主人公の彫り物師は刺青を入れる理想の女性を追い求め、駕籠の簾からこぼれて見えた素足に惹かれる。下記はそのフェティシズムを表す一節である。

「この足こそは、やがて男の生血に肥え太り、男のむくろを踏みつける足であった。この足を持つ女こそは、彼が永年たずねあぐんだ、女の中の女であろうと思われた」

谷崎が小説に描きたかったのは奇抜な状況下にいる異常な人物だった。そのために、完全なフィクションと流麗で技巧的な文章を用いた。自然主義文学には初めから反発しており、初期の谷崎は反自然主義の「耽美派」作家として歩み出した。

帝大を中退した後の谷崎は執筆に専念し、1911年に発表した短編『秘密』が永井荷風（1879～1959）の賞賛を受けた。荷風は谷崎作品の特質として、「肉体的恐怖から生ずる神秘幽玄」「全く都会的たる事」「文章の完全なる事」の３つを挙げた。この評価は、谷崎に文壇における確固とした地位を与えた。以後、荷風と谷崎は互いの晩年に至るまで、師弟のような関係を続けていく。1923年の関東大震災以後、谷崎は関西に移住する。この時期、後に「それ以前のものは自分の作品として認めたくないものが多い」と記したほど、谷崎の小説は変化した。この時期の代表作はいずれも長編で『痴人の愛』『卍』『蓼食ふ虫』などである。1942年、太平洋戦争が勃発した翌年に、谷崎は代表作の一つである長編小説『細雪』の連載を開始した。３番目の妻、松子とその姉妹をモデルにしたもので、大阪の旧家における三姉妹の上流生活と四季折々の行事などを美しく、淡々と描いている。しかし、この連載は時局に合わないという理由で途中で打ち切られ、戦後に刊行された。この作品について谷崎は、「戦争と平和の間に生れた」と記している。戦後の長編小説としては、『少将滋幹の母』『鍵』『瘋癲老人日記』などが代表作として挙げられる。1965年、79歳で亡くなる直前まで執筆活動は衰えを見せなかった。

豆知識

1. 谷崎は『源氏物語』の現代語訳を３度行い刊行した。それぞれの刊行は1939～1941年、1951～1954年、1964～1965年だ。妻の松子によると４度目にも意欲を見せていたという。
2. ノーベル文学賞の候補になったのは1958年と、1960年から1965年。三島由紀夫（1925～1970）らが推薦状を書いた。パール・バック、ドナルド・キーン、エドウィン・ライシャワーらも推薦者に名を連ねている。
3. 1934年、谷崎が一般読者向けに文章の読み方、書き方について解説した『文章読本』にならい、川端康成（1899～1972）、三島由紀夫など、多くの作家が同題名の解説を発表した。

291 科学・技術 高峰譲吉

バイオテクノロジーの父とも呼ばれる高峰譲吉(1854〜1922)は、日本最初期の近代的化学者として知られる。欧米からの技術導入の時代に、日本の伝統的技術を科学で分析して様々な発明・発見を成し遂げた。また、その成果を引っ提げてアメリカに移住し、今でいうベンチャー・ビジネスを成功させた。譲吉は、デンプン分解酵素や副腎皮質ホルモンを発見し、日本で三共商店(現・第一三共)を創業したのだった。

◈

高峰譲吉は、越中国(現・富山県)高岡の漢方医の息子として生まれた。11歳で長崎に留学し、オランダ語、英語を学んだ後、1873年に工部大学校(現・東京大学工学部)に入学、1880年からのイギリスのグラスゴー大学への3年間の留学を経て、農商務省に入省した。1884年、アメリカのニューオリンズで開かれた万国工業博覧会に事務官として派遣され、そこで目にしたリン鉱石に注目し、人造肥料の製造を目指す。欧米の先進的化学工業を日本でも確立する先駆けとなった。また譲吉のユニークな面は、化学者としての才能だけではなく、アメリカの特許業務にも関心を寄せるなど、発明を世に出すマネジメントの能力も持ち合わせていたことだろう。

日本酒の麴を用いて効率的にウイスキー用のアルコールを造る高峰式元麴改良法で特許を得たのち、渡米時に知り合ったキャロラインと結婚した。これを機に、1890年、再びアメリカに渡り永住するのだが、譲吉の事業は地元業者の妨害にあい、工場も放火と思われる火災で灰塵に帰してしまう。ところが研究の副産物であった酵素の複合体であるタカジアスターゼの抽出に成功し、1897年、パーク・デービス社(現・ファイザー製薬)から消化薬として発売。続いて1900年、ウシの副腎から抽出されるホルモンの結晶化にも成功し、外科手術などに使われるホルモン製剤アドレナリンを発売した。この2つの成功で譲吉は富と名声を得た。

また、日本では三共商店を創設して独占販売を行ったほか、ベークライト工業の導入や黒部川の電力開発、アルミニウム工業の推進に関わるなど、多くの事業に参画した。同時に、日本人研究者育成のための理化学研究所(現・国立研究開発法人理化学研究所)の創設を提唱し、これを実現させている。これらは、日本の将来を科学技術や知的財産によって立国しようという、極めて先進的な考え方だった。譲吉は1922年、腎臓炎のためニューヨークにて死去した。当時の移民法で日本人は国籍を取得できなかったが、文化的にも日米の橋渡し役となった。

豆知識

1. 高峰譲吉はアメリカの事業で得た経済力と人脈を日米親善のためにも投じている。毎年、桜祭り(Cherry Blossom Festival)が開催されるワシントンD.C.のポトマック川沿いの約3000本の桜並木は1912年に東京市が寄贈したものだが、高峰は計画発案当初から参画し、資金を提供している。またニューヨーク市への桜の寄贈も行った。
2. アドレナリンの結晶化に初めて成功したのは譲吉だったが、同じ副腎皮質ホルモンのエピネフリンの抽出をしたアメリカ人の研究者が盗作だと非難した。そのためヨーロッパでは「アドレナリン」と呼ばれていたが、日本とアメリカでは「エピネフリン」と呼ばれてきた。この背景には、譲吉が薬学者ではなく醸造学者だったことがある。しかし2006年、有識者の要望により、厚生労働省は日本国内でも「アドレナリン」と呼称することを決めている。
3. 譲吉が眠る霊廟はマンハッタン島のウッドローン・セメタリーにある。案内書に“Father of Modern Biotechnology”と書かれており、同じ墓地には野口英世も眠る。

292 芸術 歌川広重

歌川広重（1797～1858）は、安藤広重の名が広まっていたが、安藤は本名であり歌川姓が雅号である。江戸の定火消屋敷の同心の家に生まれ、その後、浮世絵師になって風景を描く木版画で一躍有名になった。広重の絵から影響を受けた西洋画家にはモネ（1840～1926）やゴッホ（1853～1890）などがいる。幼少期から絵が得意で、1811年に歌川国芳（1797～1861）と同様、初代歌川豊国（1769～1825）に弟子入りしようとするが門人が多く、歌川豊広（？～1829）に弟子入りする。1818年に世に出た。

◈

『東海道五十三次』

広重といえば『東海道五十三次』であろう。1833年、広重35～36歳の作であるといわれているが、前年に、幕臣でもあった広重は京都まで旅をしたことで東海道シリーズが制作されたという。一方で、旅に出なかった説もある。いずれにしてもこの風景画は広重の名声を一気に高め、情感豊かなその筆遣いは江戸中で人気を集めた。

遠近法を用いて、雨や風、煙など動きのある風景を立体的に描くその手法は、当時の人々を「まるで動いているようだ」と驚かせ、また、旅情を掻き立てた。『四日市　三重川』の風に飛ばされた笠を慌てて追いかける商人の姿や、『庄野』のにわか雨（白雨）に蓑笠姿の旅人が坂道を上っていき、背景では木々が大きく揺れてたわんでいる情景など、一瞬の動きを絵の中に収めたことで注目を集めたという。

1841年、広重は甲府の町人から幕絵の制作を依頼され、春に甲州街道を歩き甲府へ入り、長逗留して描いた。江戸時代中期から後期にかけて江戸の経済は安定し、町人文化が花開いて、その余波が幕府直轄領甲斐国甲府にも及んでいたといわれている。この甲府行きの記録が『甲府日記』で、その際に眺めた富士山のスケッチが、晩年の作品である『冨士三十六景』に活かされている。甲府での幕絵は現存するものが少なく、山梨県立博物館に２枚が所蔵されている。

『名所江戸百景』は、広重晩年の作品で、1856年２月から1858年10月にかけて制作された119枚に及ぶ連作である。江戸の情景を遠近法を大胆に用い、朝から夕暮れ、夜空の星や月など時間への鋭い感覚、俯瞰や鳥瞰といった現在のドローンからの視点のような構図など、魅力あふれる仕上がりとなっている。

広重の絵はモネやホイッスラー（1834～1903）などのヨーロッパの画家たちに衝撃を与え、とりわけフィンセント・ファン・ゴッホは、広重の『亀戸梅屋舗』や『大はし　あたけの夕立』を模写するほどだったという。また、広重の絵にしばしば登場する青色、藍色の美しさは、日本古来の藍と思われがちだが、実際はヨーロッパから輸入された新しい顔料の「ベロ藍＝紺青」である。だが、木版画での青は油彩と異なったことから、「ジャパンブルー」「ヒロシゲブルー」と呼ばれ19世紀後半になってフランスで興った芸術運動である印象派に大きな影響を与えた。

293 伝統・文化 懐石料理と会席料理

懐石料理とは本来、茶の湯の際に供される食事を指す。古くは禅僧が温めた石を懐中に入れて空腹をしのいだことから出た言葉で、禅宗の精神の影響を色濃く受け、料理も山海の珍味ではなく、季節のものを合わせて、茶人の手料理でもてなすのがスタンダードだった。一方、会席料理とは、江戸時代の中期以降、1717年創業の東京浅草の八百善などの有名料亭が宴会などに供した豪奢な食事のことである。

◈

懐石料理

懐石料理の形式は、千利休（1522〜1591）が完成させたもので、飯と漬物と汁物に加えて、膾(なます)が1品、平皿と呼ぶ煮物が1品、そして焼き魚などの焼物が1品という「一汁三菜」が基本である。懐石料理では飯・吸い物・向付(むこうづけ)・煮物椀・焼き物・強肴(しいざかな)・箸洗・八寸・湯桶・香の物・菓子という順序でいただくのがマナーで、茶懐石のもてなしを受けた客は、後礼として毛筆でお礼の手紙を書くことが定められている。茶道や華道でも、前礼・御礼・後礼といって感謝の気持ちを表し、人と人とのつながりを深めるのが作法とされる。

また、会席料理は、酒を呑みながら旬の食べ物や珍味を楽しむなど、食に重点が置かれているため、時に「一汁五菜」「一汁六菜」多いものでは「二汁五菜」「二汁六菜」などになる場合もある。中国の道教の影響を受けており、料理の品数の合計がなるべく縁起の良い陽数である奇数になるように作られている。しかし、現在の会席料理の献立は懐石料理と同様、一汁三菜を基本にしていることが多い。

会席料理を出していた料亭・八百善には「一両二分の茶漬け」という逸話がある。江戸一おいしい茶漬けが食べたいという客の要望に、八百善の料理人は玉川上水の源流まで行って水をくみ、米は越後の特級のものを用意するなどして、できあがるまでに半日要したといわれている。現在の金額で換算すると、その茶漬けは一杯10万円前後もしたという。また、八百善の4代目主人・栗山善四郎（生没年未詳）は、文政から天保期にかけて江戸の料亭料理を詳らかに記した初の料理本『江戸流行料理通』を出版した。画家で俳人の酒井抱一（1761〜1828）、南画家の谷文晁（1763〜1840）ら当時一流の文化人の寄稿や挿絵を盛り込んだこの本は、70年間にわたりロングセラーになったといわれている。

豆知識

1. 「懐石」という語に料理の意が含まれるので、懐石料理は本来、重言だが、現在は一般的に使われる。同じ発音の「会席料理」の影響と考えられる。実は懐石料理ももともとは「会席」と記していたという。
2. 懐石料理では食事の最初に飯と汁物を提供するのに対して、会席料理では、飯と汁物は食事の最後に提供する。
3. 「一汁三菜」の懐石料理は、飯・吸い物・向付・椀盛り（煮物椀）・焼き物・香の物で、飯と吸い物を除くと4品になるが、4という数字を避けるために三菜と呼んでいる。

294 哲学・思想 古学（古義学と古文辞学）

古学とは江戸時代に興った儒教の一派であり、朱子学・陽明学のように後世の学者の説を研究するのではなく、『論語』などの儒教聖典を詳細に読み込んで真理に至ることを主張した。山鹿素行（1622～1685）、伊藤仁斎（1627～1705）、荻生徂徠（1666～1728）などが代表的な学者であるが、狭義では山鹿素行の説を古学（聖学）といい、伊藤仁斎の説は古義学、荻生徂徠の説は古文辞学という。

◈

形骸化した朱子学への批判は、いわば儒学原理主義というべき展開も見せた。朱熹（1130～1200）や王陽明（1472～1529）といった後世の学者の解釈を通して儒学を論じるのではなく、その原点である『論語』『孟子』を正しく読むことを研究すべきという立場である。これを古学という。

その先駆者とされるのが山鹿素行である。山鹿素行は山鹿流兵法（兵法は実戦的な戦術・築城法などを研究・教授する学問）の創始者として有名であるが、林羅山（1583～1657）に学んだ儒学者でもあった。当初は朱子学を学んでいたが次第に疑問を抱くようになり、『論語』そのものの研究へと傾倒していった。しかし、朱子学への批判を幕府よりとがめられ赤穂（現・広島県赤穂市）へ流罪となった。蟄居中も朱子学に批判的な著作を書き続け、赦免後は江戸に兵法の私塾を開いた。

山鹿素行は原典回帰を説きながら、その注釈などは朱熹の著作によっていた。伊藤仁斎はそれらも否定して、孔子（紀元前551？～前479）、孟子（紀元前372？～前289？）当時の言語を研究して『論語』『孟子』の真意に迫ろうとした。さらには『大学』は孔子の著作ではないとして研究対象からはずすなど、学問の精密性にこだわった。仁斎を召し抱えたいという藩主もあったが終生出仕せず、市井の学者として生涯を過ごした。

一方、荻生徂徠は幕府側用人・柳沢吉保（1658～1714）の抜擢を受け、儒教の進講や政策への助言などを行った。また、柳沢吉保を通して将軍・綱吉の知遇も受けた。綱吉の死後は日本橋茅場町に塾を開き、後進の指導に当たった。余談であるが徂徠の塾の隣家は俳人の宝井其角（1661～1707）邸で、其角は「梅が香や隣は荻生惣右衛門」という句を残している（「惣右衛門」は徂徠の通称）。

徂徠は古代中国の言語に通じており、それをもとに『論語』『孟子』の正確な読み取りを試みた。ここから徂徠の説を古文辞学という。また、古典を精密に読み込んでその真意を読み取ろうとする姿勢は国学にも大きな影響を与えた。

豆知識

1. 荻生徂徠は若い頃に貧乏をし、日々の食費にも困るほどであったという。見かねた豆腐屋がおからを差し入れたという逸話があり、落語の『徂徠豆腐』の題材となっている。
2. 『徂徠豆腐』でも語られているが、徂徠は主君の仇をとるため吉良邸へ討ち入りを行った赤穂浪士に対し、多数を占めていた助命論を排し切腹させるべきと主張した。

295 自然 | 九州

現在も外国との貿易や輸送が盛んな九州は、歴史上、外国との玄関口であり、また防衛的機能を果たす要衝として栄えてきた。歴史書『三国志』や『古事記』にも登場する九州は、まさに悠久の歴史を誇るグローバルな地域だったのだ。中国、朝鮮半島、東南アジア、ポルトガル、オランダ、モンゴルなど、様々な国から影響を受けてきた。

◈

日本列島の南西部に位置する九州は、古くから中国の王朝や朝鮮半島との交流の玄関口であり、同時に侵略軍を撃退する防衛的機能を果たす要衝であった。

古代、九州は「筑紫島」「筑紫洲」などとも呼ばれていた。いつ頃から九州と呼ばれるようになったのかは不明だが、すでに鎌倉時代の歴史書『吾妻鏡』には、源範頼が「九州」攻撃を画策しているとの記述がある。筑前国、筑後国、肥前国、肥後国、豊前国、豊後国、日向国、大隅国、薩摩国の9国の総称とする説が一般的だ。

九州の形成は古く、1400万年前の超巨大カルデラ噴火が現在の宮崎、鹿児島県付近で起き、北部は比較的なだらかな山地、南部は白亜紀から第三紀にかけて生成された険阻な山地となった。中部は、数十万年前まで瀬戸内海の延長の海で分かれていたが、数回にわたる阿蘇山の噴火で埋まり、一つの島を形成したと考えられている。

有史以降の記録では、3世紀の歴史書『三国志』の中の「魏書」に、九州は小国に分立していたとある。小国は後の豪族へと成長し、6世紀に畿内を地盤とするヤマト政権が律令制を取り入れるにあたり、7国と島嶼(とうしょ)部の2国が成立した。玄界灘沿岸はアジア大陸からの交通が盛んだったため、朝廷は外交や朝鮮半島への軍事行動の要衝として、7世紀後半に筑前国に地方行政機関である大宰府を設置した。また、大宰府の管轄下に防人を統括する防人司を置き、西辺国境の防備を担わせた。鎌倉時代中期には、モンゴル帝国とその支配下にあった高麗の侵攻(元寇)を受け、九州北部が戦場となった。江戸時代になると平戸や出島などが対外交易の入り口となり、対ポルトガル貿易、対オランダ貿易が行われた。その後、明治期になると、北九州の八幡製鉄所は清の大冶鉄鉱から鉄鉱石を輸入し、日本の工業化の一翼を担った。

九州は、現在も朝鮮半島や中国、東南アジアなどとの行き来が盛んであり、同時に外国文化を取り込んだ観光地としても人気である。

豆知識

1. 九州の動物では屋久島の固有種が有名だ。ニホンザル亜種のヤクシマザル、ニホンジカ亜種のヤクシカ、昆虫ではヤクシマオニクワガタやオオセンチコガネなどがいる。熊本県のマスコットキャラクターである「くまモン」も有名だが、現在、九州のツキノワグマは絶滅したと考えられている。
2. 7世紀中盤、朝鮮半島では唐が新羅と手を組み百済に侵攻した。中大兄皇子は2万7000の軍勢で百済に援軍を送り、白村江で戦闘になるが大敗。追撃から大宰府を守るため、水城と呼ばれる防衛施設を配置した。この時、山城や石垣の技術が百済から輸入された。
3. 国際都市の九州の祭りには、様々な外国文化の影響が残っている。国指定重要無形文化財の「長崎くんち」では、中国の雨ごいの儀式である「龍踊り」や、貿易商人の荒木宗太郎がベトナム王族の娘を妻として長崎に凱旋する様子を表した「御朱印船」の奉納踊りが行われる。博多どんたくは、オランダ語の「Zondag(休日)」が語源だ。

296 歴史 | 黒船来航

1853年、マシュー・ペリー(1794～1858)司令長官が率いる米国東インド艦隊の一部が浦賀沖から江戸湾へ入ると、江戸の町は大騒ぎとなった。市中には半鐘が鳴り響き、幕府は浦賀奉行に「引き戻せ、引き戻せ」と命令したが、なすすべはなかった。後に奉行は「わが国の船を全部集めても、あの大船は引けない」と感想を記している。

◈

ペリー

冒頭に登場した浦賀奉行はさらに、「ただ応接掛と通詞両人の舌二枚で掛け合うほかなく、何ぶん力ずくというわけにはいかない」と続けた。この時、江戸湾に入ったのは、ペリーが乗るミシシッピ号だと思われる。大砲10門を積んだ1692トンのフリゲート艦(蒸気外輪)だった。一方、幕府が用意できるのは100トンから200トンほどの船にすぎず、確かに「引き戻せ」と命じられても対応のしようがなかったであろう。実は前年、出島のオランダ商館長が、「来年、アメリカが日本との通商貿易を求めて艦隊を派遣する」と幕府に伝えていた。それでもここまで幕府が動転したのには訳がある。フィルモア米国大統領の親書を携えたペリー艦隊4隻は、まず浦賀沖に停泊した。旗艦はミシシッピ号より大きい2450トンの最新鋭軍艦サスケハナ号だ。こちらも蒸気外輪で、帆のマストと煙突が立ち並び、煙を上げながら進んでくる。日本人はその威容を「黒船」と呼んだ。幕府の役人が来航の目的を聞いたが、米側は、「大統領の親書を最高位の役人に渡す。3日以内に来なければ、江戸湾から上陸して将軍に直接渡す」と脅していた。その黒船が江戸湾に入ってきたので、幕府は大慌てになったのである。艦隊は、江戸湾から久里浜へ移動して上陸し、代表の浦賀奉行に親書等を手交した。この時第12代将軍・家慶は病の床にあり、幕府は1年後の回答を約束。米側も承諾した。

江戸で砲学塾を開いていた兵学者の佐久間象山(1811～1864)やその門弟だった若き吉田松陰(1830～1859)らは、この時黒船を見物し強いショックを受けた。半年後、ペリーは軍艦8隻で再来航し江戸湾に侵入した。約束の期限より早かったため幕府は焦ったが、漂流民保護と薪水食料の給与は承認し、通商は拒否すると回答。米側もこれを了承し、交渉の結果、下田と箱館(函館)の2港をその目的で開き、アメリカに最恵国待遇を与えるなど、全12カ条の「日米和親条約」が締結された。

ちなみに前年、黒船を見た松陰は、欧米への密航を決意していた。ペリー再来航の際、下田に停泊中の艦隊へ小舟で向かい、船員に密航を依頼したが断られてしまう。松陰は帰宅後に奉行所に自首し、逮捕された。象山も関係者として投獄されている。

豆知識

1. ペリーは幕府との条約締結の帰路、琉球王国に寄港し、「琉米修好条約」を締結している。
2. ペリーに先立つ7年前、1846年にもアメリカ東インド艦隊司令長官ビッドルが浦賀に来航し、幕府に通商を要求している。浦賀奉行はこれを拒否し、ビッドルは帰国した。ビッドルは米国政府から穏便な要求を指示されていたと伝えられるが、幕府側も当時の旗艦コロンバス号が見慣れた帆船だったので落ち着いた対応ができたのかもしれない。

297 文学 『蟹工船』（プロレタリア文学）

小林多喜二（1903〜1933）による『蟹工船』（1929）は、映画化もされ、日本におけるプロレタリア文学の中で最も名前が知られているが、日本のプロレタリア文学運動は1921年の雑誌『種蒔く人』創刊に始まるとするのが通説だ。同誌は小牧近江（こまきおうみ）（1894〜1978）らによって編集され、秋田県土崎町でわずか200部の発行からスタートした。

◈

小牧の父は実業家、代議士を務めた地元の名士だった。小牧は1910年、16歳で父に連れられてフランス・パリに渡り、パリ大学を卒業した。第一次世界大戦を現地で経験したことから反戦運動にも参加し、1919年に帰国している。

『種蒔く人』はすぐに発行地が東京へ移され、部数も3000部に拡大した。しかし何度も発禁処分を受け、1923年の関東大震災を機に廃刊を余儀なくされた。震災発生後に小牧らによって発表された『帝都震災号外』と『種蒔き雑記』は、震災の混乱に乗じて起こった朝鮮人への迫害や虐殺、社会主義者への弾圧の実態を記した貴重な資料となっている。『種蒔く人』廃刊後、多くの同人は雑誌『文芸戦線』の創刊に再結集した。

1924年創刊の『文芸戦線』には、葉山嘉樹（1894〜1945）の『淫売婦』（1925）、『セメント樽の中の手紙』（1926）や、黒島伝治（でんじ）（1898〜1943）の『豚群』（1926）が発表され、若者の間で評判となった。間もなく、作家たちは社会民主主義系と共産主義系という当時の政治的な対立に組み込まれ分派していく。すなわち、葉山嘉樹に代表される労働芸術家同盟（機関誌『文芸戦線』）、中野重治に代表される日本プロレタリア芸術連盟（機関誌『プロレタリア芸術』）、蔵原惟人（これひと）に代表される前衛芸術家同盟（機関誌『前衛』）などである。

1928年、プロ芸と前芸は合同を果たし、全日本無産者芸術連盟（ナップ）を結成、その機関誌『戦旗』を創刊した。同誌には新進作家の小林多喜二の『一九二八年三月十五日』（1928）、『蟹工船』や、徳永直（すなお）（1899〜1958）の『太陽のない街』（1929）などの話題作が次々に掲載され、プロレタリア文学の代表的な雑誌となった。

プロレタリア文学の代表的な作家である小林多喜二は、北海道拓殖銀行に勤務しながら小説を執筆していたが、その内容から特高警察にマークされるようになり、銀行を解雇された後は、しばしば不敬罪や治安維持法違反などで逮捕、拘留された。1933年２月、小林は警察署での拷問により30歳で死亡する。没後、小林が地下活動中の経験を記した小説『党生活者』が発表された。

豆知識

1.『蟹工船』の作中、漁期の終わりに「献上品」の蟹缶詰を作るという話題があり、その後に、「石ころでも入れておけ！　かまうもんか！」という記述がある。小林はこれが理由で不敬罪として起訴された。本作は特定の主人公や人物を設定していないのが特徴で、労働者の群像が描写されているだけである。上記の記述も、誰かのセリフかどうかすら判然としない。

298 科学・技術 ｜ 鈴木梅太郎

米糠（こめぬか）が脚気（かっけ）の予防に有効であることを発見した鈴木梅太郎（1874〜1943）は、後の日本のバイオテクノロジーの基礎を作った農芸化学者である。鈴木はビタミンB_1と呼ばれる成分を発見しノーベル生理学・医学賞候補になったが、受賞には至らなかった。それでも鈴木は、日本の最先端科学である食品産業創出に尽力した。

◈

鈴木梅太郎

現在では、最先端科学となったバイオテクノロジーを担う日本農芸化学会を創立し、発展の基礎を作った農芸化学者が鈴木梅太郎だ。静岡県榛原郡堀野新田村（現・牧之原市堀野新田）で農家の次男として生まれた鈴木は、東京帝国大学農科大学（現・東京大学農学部）農芸化学科を卒業している。その後、東京帝国大学教授を務めるとともに、理化学研究所の設立者としても名を連ね、長岡半太郎（1865〜1950)、本多光太郎（1870〜1954）とともに理研の三太郎と称されている。

1911年、鈴木は米糠の中に脚気を予防する成分が存在することを発見し、論文を発表した。糠の有効成分はオリザニンと命名されるが、これが後のビタミンB_1（チアミン）であった。しかし、その結晶が分離できたのは15年後のオランダであり、構造が解明されたのは25年後のアメリカだ。命名についても、成分の発見、抽出を競ったポーランドのカジミール・フンクの提唱した「Vitamin(e)」が採用されたのだった。鈴木は、オリザニンの論文が評価され、1912年にノーベル生理学・医学賞候補となったが受賞には至っていない。この背景には、鈴木の論文がドイツ語に翻訳された時、「新しい栄養素」との主張が訳出されなかったとの理由があったといわれている。当時、毎年１万人から２万人の死亡者を出していた脚気だが、ドイツの学会では伝染病説を主張、イギリスでは栄養問題説を主張していた。鈴木が不運だったのは、所属する東京帝大医学部では伝染病説をとっており、そのためにノーベル賞への後押しを受けられなかったことも大きかったとされる（北里柴三郎は、この脚気問題で東京帝大と対立し、独立している)。

しかし鈴木は、その後も農学部の教授を務める傍ら理化学研究所でビタミンや薬品、酒の基礎・応用研究などを行って、食品加工技術の発明や日本初の育児用粉ミルクの開発など、今日に至る日本の食品産業創出に多大な貢献を果たした。

豆知識

1. 1922年、鈴木梅太郎は合成清酒も開発している。1924年に「理研酒『利久』」の名称で市販された。この合成酒は現在、アサヒビールから合成酒『利久』として販売されている。
2. イギリスの生化学者フレデリック・ガウランド・ホプキンズと、オランダの医師・生理学者クリスティアーン・エイクマンは、1929年にビタミン発見の業績によりノーベル生理学・医学賞を受賞。この候補者の推薦の時、東大はホプキンズを推したという。
3. 米糠から抽出して精製したビタミンB_1剤オリザニンは1911年に発売。その名称はイネの学名oryzaから命名されている。しかしオリザニンは、当時の医学界にはなかなか受け入れられなかったという。

299 芸術 葛飾北斎

江戸時代後期を代表する葛飾北斎（1760〜1849）は、世界的にも影響を与えた浮世絵師だ。北斎は武蔵国葛飾郡本所割下水（現在の東京都墨田区の一角）に生まれ、４歳の時に幕府御用達の鏡磨師の家に養子に入るが、家督は継がずに家を出て、貸本屋丁稚や木版彫刻師のもとで働く。1778年、19歳で浮世絵師・勝川春章（かつかわしゅんしょう）（1726〜1792）の門下となり、様々な画法を学んで名所画や役者絵の絵師となった。

◈

葛飾北斎『富嶽三十六景 神奈川沖浪裏』

北斎は生涯に号（名前）を30回、変えた。「春朗・宗理・戴斗・為一・卍」などから、「画狂人・天狗堂熱鉄・不染居・鏡裏庵梅年・百姓八右衛門・土持仁三郎・魚仏」といった奇妙奇天烈なものまである。なぜ変えたかは、弟子に号を譲ることで収入を得たという説や、自己韜晦（とうかい）癖があったという説など様々だ。最終的には、最も知られている「北斎」の号すら譲ってしまったともいわれている。また、転居すること93回という記録もある。画業に打ち込むあまり部屋の掃除がままならず、ゴミがあふれると引っ越したとされる。また、北斎の３女で、出戻り娘のお栄（葛飾応為（おうい）、生没年未詳）も転居癖があったという。

代表作は『北斎漫画』と『富嶽三十六景』であり、前者は50代半ば頃の作で、気の向くまま漫然と描いた画ということから「漫画」と呼んだという。人物画から風景、動植物、妖怪に至るまで約4000を超える図があり、北斎没後から約30年の1878年まで発行されたと言われている。1830年代にヨーロッパへ輸出する陶磁器の破損を防ぐ緩衝材として『北斎漫画』が使われており、それを見つけた西洋人が注目したことから、印象派の画家たちの手元にまで届き、日の目を見ることになったという説もある。

『富嶽三十六景』は、1823年頃から制作が始まり、1831年から同４年の間に刊行されたと伝えられる。60代後半から70代にかけての晩成の作品である。富嶽とは富士山のことであり、富士山を主題に、四季折々、場所を変えて様々な視点角度から描かれている。『凱風快晴』では赤い富士を画面全体に描き、『神奈川沖浪裏』では、荒波の彼方にそびえる富士を描く。それぞれ、富士の風景の中には人々の営みの情景も描写され、『東海道吉田』では、見物客の横で駕籠かきが汗を拭い、木槌で草履の手入れをしている様子など、微笑ましい光景も描かれる。『富嶽三十六景』によって北斎の名は不動のものとなり、1849年1月、その３カ月前に完成した『富士越龍図』を最後の作品として、北斎は逝去する。享年90だった。自らを龍にたとえ、富士山麓から黒い雲を伴い天へと昇っていったといわれる。落款には「九十老人卍筆」と記されている。

豆知識

1. 2024年度から新しく発行される千円札の紙幣は、表に細菌学者・北里柴三郎（1853〜1931）の肖像を、裏面には『富嶽三十六景』より『神奈川沖浪裏』が採用される予定だ。金銭に無頓着だったといわれる北斎の絵が紙幣に採用されるとは、何とも皮肉な話である。
2. ドイツの医師シーボルトは、自著『NIPPON』に『北斎漫画』の図を転載した。これも北斎の名をヨーロッパへ広めることに役立った。

300 伝統・文化 | 海苔

海苔は、おにぎりや巻き寿司などに用いられ、日本の食卓には欠かすことのできない食品の一つだ。食用とする海藻を漉いて紙状に乾燥させた日本独自の食品である。パリパリとした食感と海藻の風味が特徴で、香り、風味を楽しむほか、ヨードの摂取源として他の海藻食とともに重要視される。主な生産県は、福岡、愛知、三重、佐賀、千葉などである。

◈

701年に制定された日本で最初の法律書である『大宝律令』には、朝廷への税の一種として海苔を含む29種類の海産物が挙げられている。海苔は魚や貝と並び、海藻の中では最も高級品の扱いだった。710年には平城京の市場で海苔は売られていたようだが、まだまだ庶民には高嶺の花の貴族のごちそうだった。

10世紀後半に書かれた著者不明の長編物語『宇津保物語』には、甘海苔や紫海苔といった具体的な名前の海苔が登場している。鎌倉時代に入ると日本の食文化は大きく変わり、質素倹約を旨とした精進料理が生まれ、海苔が珍重されるようになっていく。

古くは天然のものを採るだけだった海苔は、江戸時代になると養殖の技術が確立され、江戸湾で採れた海苔（紫菜）を和紙の製紙技術を用いて紙状に加工するようになった。「浅草海苔」の誕生である。浅草海苔の始まりに関しては諸説あり、海藻学者の岡村金太郎（1867～1935）が著した『浅草海苔』においては遅くとも長禄年間（1457～1460）頃まで遡るとされており、江戸の考証家・斎藤月岑（げっしん）（1804～1878）が著した地誌『武江（ぶこう）年表』には貞享年間（1684～1688）に大森（現在の東京都大田区大森）において海苔作りを始めたという記述があり、正確な起源は定かではない。浅草海苔が日本全国に広まったのは、江戸後期に信濃諏訪の海苔商人が大森の海苔養殖技術を行商で伝えたためといわれている。当時、江戸湾では多くの魚が獲れ、そこで獲れた魚介類や食用海藻を「江戸前」と呼んだ。江戸湾で養殖された浅草海苔は、江戸の高級な名産品だったという。ちなみに、海苔を巻いた煎餅の一種を「品川巻」と呼ぶのは、江戸湾の品川沖で海苔を養殖していたからである。海苔の養殖が始まったことにより、これまでより多くの海苔が出回り、海苔は江戸の特産品として庶民にも親しまれるようになっていった。江戸時代中期になると、簀（すだれ）で漉く四角い板海苔が登場した。様々な具を芯にしてごはんを巻く「海苔巻き」が庶民の間でブームとなって「屋台寿司」と呼ばれる店も生まれ、より多くの海苔を使用した料理が食べられるようになった。浅草海苔は、1872年に発行された『日本産物志』に、「ポルヒラ・ヒュルガリス」の学名で紹介されている。

豆知識

1. 1949年、イギリスの海藻学者キャサリン・メアリー・ドリューが海苔は夏の間、貝殻の中で糸状体となって過ごしていることを突き止めた。これをきっかけに海苔の一生が解明され、人工採苗が実用化されることになった。

301 哲学・思想 水戸学

江戸時代に水戸藩で形成された歴史・政治思想を水戸学という。水府学ともいい、後期のものについては天保学という呼び名もある。儒学をベースとして史学・地理学・文献学・政治学が統合された。前期と後期の2期に分かれるが、その天皇を中心とした歴史観は同時代の思想界に大きな影響を与え、尊王攘夷・尊王倒幕への道を開いた。水戸藩内における学究のみを指す場合と、その影響を受けた者たちも含む場合がある。

◈

江戸時代、仏教の影響を離れて独立した学問として民間に広まりだした儒教は、次第に神道と接近を始めた。儒教は天への信仰と祖先崇拝を宗教的な核としていたので、この点を強調して日本の思想にふさわしいということを示そうとしたのである。

一方、神道の方も神仏習合からの脱却を図るために、神道に欠けている教義面を儒教で補おうという流れが出てきた。もともと神道には儒教から取り込んだ儀礼が少なくないので親和性は高かった。こうしたことから儒家神道・垂加神道といった神道流派が誕生した。

こうした神道界の動きは朱子学者などにも日本の歴史に対する意識を高めさせた。『古事記』『日本書紀』の神話に始まる日本の歴史と、理気二元論などの儒教の教理の整合性が意識されたのである。そして、再発見されたのが天皇を中心とした歴史観であった。

水戸学は、水戸黄門としても知られる水戸藩第2代藩主・徳川光圀(1628〜1700)による日本通史編纂事業から始まる。光圀はこの事業のために朱子学者を中心に史学・暦学・国学・天文学・地理学・書誌学などの学者を集めた。招聘に際しては学派にはこだわらず学識によって選んだので、多方面の碩学(せきがく)(広く深く学問を修めた人)が水戸に集まることになった。この編纂事業はやがて『大日本史』として結実する(最終的な完成は1906年)のだが、その過程で尊王史観というべきものが形成され、編纂に関わった学者を通じて各地に広まっていった。この時期を前期という。

後期は第6代藩主・徳川治保(はるもり)(1751〜1805)以降のことをいう。この頃に停滞していた『大日本史』の編纂が再開されるが、水戸学の中心はその編纂事業を離れ藩校の弘道館(1841年設立)に移っていく。当時、外国船が水戸藩内の海域にも現れるという状況で、その対応に国内は大きく揺れていた。こうした状況に会沢正志斎(せいしさい)(1782〜1863)、藤田東湖(とうこ)(1806〜1855)などの水戸学の学者は「尊王攘夷」を主張した。後期水戸学は第9代藩主・徳川斉昭(1800〜1860)が幕府より蟄居を命じられたことにより沈滞してしまうが、水戸から発信された尊王攘夷の思想は各地の志士に影響を与え、幕末の倒幕運動へとつながっていく(「倒幕運動」288ページ参照)。

豆知識

1.『大日本史』の特徴として資料(史料)の重視がある。編纂者たちは各地を訪れて資料の収集を行っており、本文には出典も明記されている。この点では近代的な歴史書を先取りしており注目される。

302 自然 ｜ 自然災害

近年、大型台風や異常気象など、日本では未曽有の自然災害が頻発している。しかし、多くの自然災害は、日本の国土の豊かさの裏返しでもある。

◈

日本の国土の広さは、世界の総面積と比べればわずか0.28%である。ところが災害で死亡する世界中の被災者の0.3%が日本に集中している。

地震に限っていえば、世界中の火山の約7%が日本に存在し、マグニチュード6以上の地震の20.5%が起こっている。保険金の支払額でいえば全世界のトップ3が、阪神・淡路大震災の約783億円、熊本地震の約3750億円、東日本大震災の約1兆2750億円である。日本の法令上の自然災害は「暴風、豪雨、豪雪、洪水、高潮、地震、津波、噴火その他の異常な自然現象により生ずる被害」と定義されている。確かにこれらの災害は、つい最近、日本で起きたものばかりだ。

こうした数値は、日本がいかに自然からの恵みを享受しているかの裏返しでもある。中緯度に位置する日本は気候が温暖で、様々な作物が実るが、ジェット気流の真下にあり台風を呼び込みやすい。多数の火山があり、地熱の利用は盛んに行われているが地震も起きやすい。2019年の台風19号では、土地に豊かな水を供給して恩恵をもたらしてくれていた河川が氾濫し、洪水の被害を与えた。

未曽有の災害が時代を変えることもある。江戸時代末期の1855年に発生した安政江戸地震は、前年に発生した南海トラフ地震である安政東海地震と安政南海地震と相まって、日本中に大きな被害を与えた。当時の江戸の被害は、一説には死者6万人ともいわれている。さらに翌年、江戸を襲った大暴風雨は、現在の推測では超大型台風並みと考えられ、高潮と合わせた被害は死者10万人ともいわれている。こうした莫大な被害によって、日本は経済的にも疲弊し、その後、10年もしないうちに江戸幕府は倒れ、開国を余儀なくされたのだった。

現在日本では、温暖化による異常気象が頻発しており、江戸時代以来6度目といわれる地震活動期に入ったと考えられている。被害を最小限にするために、私たちは、防災の知識を身につけ、日常から災害に備える必要がある。

豆知識

1. 近年、災害への対抗策が次々に生まれている。津波に備えたスーパー堤防などが代表的な例だが、豪雨によって増水した内陸の水が海に流れるのをせき止め、洪水になってしまったという事例もあり、その方法論はまだ研究途上である。
2. 江戸時代の安政期に起きた災害の被害は甚大だった。東京湾の直下型地震に見舞われた江戸は各地で出火し、江戸城は地震によって、櫓、門、塀、石垣などが崩壊。将軍家定は江戸城の吹上御庭に避難している。しかし、江戸地震をしのいだ施設も、伊豆から上陸し、江戸の西を通った翌年の暴風で被災。地震を耐えた築地本願寺も全壊している。
3. 今後、予測される大規模災害には、外来生物による被害、海外からの伝染病の蔓延などがある。一種の自然災害だが根本には人間の経済活動が大きく関与している。

303 歴史 | 新選組

「新選組」はもともと浪士出身の警護団だったが、最後は幕臣にまで取り立てられた。明治維新直後は新政府軍（官軍）に抵抗した「賊軍」として扱われていたが、昔から講談などで庶民には人気があったという。今は各隊士の個性的なキャラクターまで注目され、映画や小説、テレビドラマなどで数多く描かれるようになった。

◈

新選組の隊旗

第14代将軍・家茂（1846〜1866）が、第３代将軍・家光以来、実に240年ぶりとなる上洛を果たし二条城に入ったのは1863年のことだった。その前年に、将軍の上洛警備を担う浪士として集められたのが「浪士組」で、これが新選組のルーツである。

家茂上洛の目的は、「桜田門外の変」で暗殺された大老・井伊直弼（1815〜1860）が朝廷の許可なく「日米修好通商条約」を結んだことについて、朝廷に説明することだった。これは家茂が望んだことではなく、いわば天皇から呼びつけられた形である。

家光上洛の頃なら、政治は将軍の独断で行うのが徳川幕府の信念だった。それが尊王攘夷論の吹き荒れるこの頃には、政権は天皇から将軍に委任されているという考えがむしろ支配的になっていった。第121代孝明天皇（1831〜1866）は強硬な攘夷論者で、期限を切って幕府が攘夷を実行しなければ政権を委任しないと家茂に詰め寄ったという。

将軍を警護して京都に着いた浪士組は、天皇の配下に入ることを計画する。一部はそれに反対して江戸に戻り、一部は京都にとどまった。残留したのが近藤勇、土方歳三、沖田総司ら剣術道場「試衛館」出身組と、芹沢鴨ら水戸藩浪士組だった。彼らは滞在地名にちなんで「壬生（みぶ）浪士組」を結成。京都守護職の会津藩主・松平容保（かたもり）（1835〜1893）の配下として、浪士の取り締まりや市中警備の活動をしながら隊士を募った。その後、彼らは文久の政変での働きを認められ「新選組」という名称を（一説では容保から）賜る。その後、芹沢ら水戸派の隊士が暗殺などで排斥され、試衛館派が組を掌握。近藤を局長とする組織が整備された。新選組の立場は、当時朝廷でも主流だった「公武合体派」であり、敵は倒幕を唱える「尊王攘夷派」だった。1864年６月、新選組は旅館・池田屋に潜伏中の長州藩、土佐藩などの尊王攘夷派志士を襲撃。８月には、御所を警護する幕府軍を襲った長州藩勢の掃討に加わった。この「池田屋事件」と「禁門の変」の働きで新選組は一躍有名になり、最盛期には隊士が200名を超えたという。

1867年の大政奉還後、新選組は幕府軍に従い戊辰戦争に参加する。鳥羽伏見の戦いで新政府軍に敗北すると帰東し甲陽鎮撫隊を組織するも、再び敗北。榎本武揚（1836〜1908）の軍艦で江戸に撤退した。以降は、隊士が離脱しながら新政府軍へ対抗するものの敗走が続いた。近藤は捕縛されたのち処刑され、沖田は肺結核で死亡した。土方は蝦夷地で榎本と合流し、五稜郭の戦いで戦死した。

豆知識

1. かつては新「撰」組と表記することも多かった。幕末当時は「撰」「選」どちらも使われていて、現在、教科書などは「選」で統一されつつあるようである。

304 文学 萩原朔太郎

明治後期、島崎藤村の『若菜集』に収められた詩は七五調を基本としていたが、その内容が近代的であったため、近代詩の始まりとして評価された。大正時代に入り、萩原朔太郎（はぎわらさくたろう）（1886〜1942）は形式的にも定型を離れ、口語自由詩を採用することで近代詩を芸術的に完成させた。朔太郎は現在も熱心な読者を持つ、日本文学界を代表する詩人の一人である。

◈

群馬県前橋の医師の家に生まれた萩原朔太郎は、少年期から『明星』に詩を投稿していた。あまりに詩作に熱中したためか、中学では落第を繰り返し19歳で卒業した。朔太郎は高校もまともに通わず、25歳になるまで、熊本、岡山、東京などに転校を繰り返しながら卒業を目指したが、結局中退となった。しかし、家が裕福だったので特に問題はなく、朔太郎は実家に建てた書斎でマンドリンやギターを弾きながら西洋文学を読み、教会にも通うという、地方都市の前橋にいながら、まるで海外で生活しているような自由な暮らしを謳歌した。この頃書かれた詩が、有名な「旅上」である。

ふらんすへ行きたしと思へども／ふらんすはあまりに遠し
せめては新しき背広をきて／きままなる旅にいでてみん。

朔太郎が本格的に詩人としての創作活動に入ったのは1913年、27歳のときだった。北原白秋（1885〜1942）の雑誌『朱欒（ザンボア）』に短歌や詩が掲載されたことがきっかけだったが、同時代の作家、詩人としてはかなり遅いデビューだった。

1917年、第一詩集『月に吠える』を刊行する。風俗壊乱の理由により２編の詩が削除されたため朔太郎は抗議文を発表し、群馬の地方紙『上毛新聞』に掲載された。また同詩集を寄贈するため森鷗外、斎藤茂吉を訪問している。1923年には、第二詩集『青猫』が刊行された。同書には『月に吠える』を超える反響があり、口語自由詩の完成を告げる記念的な詩集となった。1925年、39歳の時に拠点を前橋から東京に移した。出発前には、マンドリンクラブによる「萩原朔太郎氏上京送別演奏会」が開かれたという。

東京では人生で初めて貧乏生活を体験した。また、芥川龍之介、堀辰雄、中野重治、三好達治らの知遇を得、特に近所に住んでいた芥川とは深い親交があった。詩作では、先に紹介した「旅上」を含む『純情小曲集』（1925）や『氷島』（1934）を刊行し、評論や随筆、講演も手がけるようになった。また、与謝蕪村を再評価するなど俳句や和歌への関心も強かった。『氷島』以降は詩の発表が止まり、エッセイ集『日本への回帰』（1938）の発表時には、一部から国粋主義者と指摘されることもあった。

1942年、肺炎のため東京の自宅で死去する。55歳だった。

豆知識

1. 朔太郎の命名の由来は「朔日（ついたち）」生まれの「長男」だったことから。
2. 群馬県前橋市では郷土の詩人として朔太郎を顕彰しており、「萩原朔太郎記念・水と緑と詩のまち前橋文学館」や「萩原朔太郎記念館」がある。
3. 長女の萩原葉子は作家。演出家の萩原朔美は孫にあたる。

305 科学・技術 池田菊苗

日本食には欠かせない「だし」は、食事のおいしさの基本となる「うま味」成分である。このだしの「うま味」は、日本に近代科学が本格的に輸入された明治以降、日本人科学者が中心となり、理論的に解明されていった。甘味、塩味、酸味、苦味に続く第5の味として提起されたうま味は、化学者・池田菊苗(きくなえ)(1864～1936)によって発見された。

◈

池田菊苗は、薩摩藩士の次男として京都で生まれた。年少の頃より私塾に通うなど勉学に励んでいたが、明治維新後は池田家が事業に行き詰まり、経済的に苦しむようになった。それでも勉学を諦められなかった池田は、1881年、衣類や布団を売って家人に無断で東京へと家出した。東京帝国大学の予備機関として設立された大学予備門に入った池田は、奮闘しながら勉学に励むその苦学生ぶりが知られ、特待生は成績上位2人までだったが、3番目の池田も特待生扱いで奨学金が支給されることになり、勉強を続けることができたという。

池田は東京帝国大学卒業後、東京高等師範学校の教授、東京帝大の助教授などを務めたのち、在職中の1899年にドイツに留学。硝酸の生成や触媒の研究で有名な化学者ウィルヘルム・オストワルト(1853～1932)に師事する。池田は最先端の理論化学だけでなく、オストワルトの化学者としての考え方、生き方などにも感化されたようだ。また、帰途、しばらく滞在したロンドンで夏目漱石と同じ下宿に住み、交流したこともよく知られている。帰国後、東京帝大教授となった池田は、1907年に食物の味成分を「うま味」と名づけて単離研究に着手する。きっかけは、妻が買ってきた湯豆腐用の昆布だったという。池田は昆布だしを味わいながら、甘味、塩味、酸味、苦味との4つの基本味のほかに、もう一つの味があると確信したという。池田は、約10貫(約38kg)の昆布の煮汁から、約30gの「うま味」を抽出。翌年、うま味成分が、アミノ酸の一種のL－グルタミン酸ナトリウムであることを発見し、それを主成分とする調味料の製造方法を考案して、特許を取得した。これが現在、商品化されている調味料「味の素」であり、化学的製造法による食品添加物の草分けとなった。池田が発見した「うま味」の存在は学界でも議論されてきたが、その後、人間の生体内にグルタミン酸受容体が発見され、現在は海外でも日本語の「UMAMI」として、味覚の一つに認められている。

池田は1917年、理化学研究所創立に参画し主任研究員となった。また、大学退職後はドイツで研究室を設立したほか、自宅の実験室で香気や臭気に着目するなど、生涯を通して異色の研究生活を送った。

豆知識

1. 池田菊苗が「うま味」を研究し始めた頃、日本初の医学博士・三宅秀(ひいず)が「佳味(かみ)は消化を促進する」との説を唱え、池田は大いに刺激を受け、励まされたことを著作に記している。その後、グルタミン酸受容体が発見され、消化器官にも存在することがわかり、胃にうま味が入ると、消化を促進するとする生理学的学説も提唱されている。
2. 池田は「味の素」開発の動機として「広く世に行はれ幾分にても国民栄養の上に貢献する」と書いており、「当初の目的の過半達成せられたる」としている。
3. ロンドンでは漱石と交流し、美人論から人生哲学まで幅広い議論を交わした。この出会いが漱石に与えた影響は大きく、文学論研究に取り組むきっかけともなった。漱石は「倫敦で池田君に逢ったのは自分には大変な利益であった。御蔭で幽霊のような文学をやめて、もっと組織だったどっしりした研究をやろうと思い始めた」と書いている。

306 芸術 ｜ 落語

落語とは、能や歌舞伎と違い話芸である。その源流をたどれば、仏教の説教に行き着く。浄土宗の説教師・安楽庵策伝（1554～1642）の『醒睡笑』は、説教の話材を集めた書で、これが後世の落語の教本になっていく。京都で京落語の祖といわれた露の五郎兵衛（1643～1703）、大坂の生魂國神社境内で辻噺を行った米沢彦八（？～1714）、江戸の芝居小屋や銭湯で噺を披露した鹿野武左衛門（1649～1699）らは、いずれも『醒睡笑』をもとにして話をしたといわれている。

◈

辻噺、辻説法から始まった落語が「寄席」になるまで、噺家たちは料理屋の座敷などに呼ばれて話を披露していたが、寛政年間（1789～1801）頃になると浄瑠璃や小唄など席料を取る場所が誕生する。これらは「寄せ・寄せ場」と呼ばれ、「寄席」の原点となった。1791年、大坂の岡本万作（生没年未詳）が江戸神田に寄席の看板を掲げ、1798年、初代三笑亭可楽（1777～1833）が下谷に寄席を開いたと伝えられている。

落語には上方、江戸の２つの流れがあり、古典落語には仏教の説教話から取材したものが多い。上方落語が浄土教系、江戸落語が日蓮宗（法華宗）系のものが多いといわれている。また、上方落語で使われる「見台」は演者の前に置く机で、「小拍子」は小さな拍子木のこと。これを噺の途中で打ち鳴らし、場面転換する。これらの小道具は説教師が用いたものの名残といわれている。江戸、上方とも落語は「落ち（サゲ）」がある「落とし噺」であるが、その後、人情噺や怪談噺なども登場する。人情噺の源流はやはり説教であり、笑いとともに涙を流して感動することを求める観衆のニーズに応えて生まれたものと思われる。また、怪談噺は江戸の初代林屋正蔵（1780～1842）が確立したもので、因果と輪廻を説く仏教説話と深い結びつきがある。正蔵は、上田秋成（1734～1809）の『雨月物語』や、四世鶴屋南北（1755～1829）の怪異作品が庶民に求められていることを見て、怪談噺を創作したものと推察される。

文化・文政年間（1804～1830）になると江戸落語は隆盛を極め、100を超す寄席が林立していた。そうした中、名人が登場する。初代三遊亭圓生（1768～1838）は人気役者の身振りを真似る芝居噺で人気を集め、常磐津の太夫である初代船遊亭扇橋（？～1829）は音曲噺を創作し、怪談噺の正蔵とともに、絶大な人気を誇った。

明治になると三遊亭圓朝（1839～1900）が登場する。滑稽噺より人情噺や怪談噺などを得意としていて、笑いよりも物語の面白さで聴衆を大いに引き込んだ。小説家の二葉亭四迷（1864～1909）が『浮雲』を書くにあたり、圓朝落語を参考にしたともいわれている。圓朝の登場は、言文一致運動にも大きな影響を与えたのである。

1925年に開始されたラジオ放送により、落語は電波を通して全国津々浦々に知れわたる。戦後になりテレビ放送がスタートすると、落語家たちが画面に登場し、人気者になっていく。戦後の江戸落語では五代目古今亭志ん生（1890～1973）、六代目三遊亭圓生（1900～1979）、八代目桂文楽（1892～1971）、三代目桂三木助（1902～1961）、五代目柳家小さん（1915～2002）、三代目古今亭志ん朝（1938～2001）の６人が名人と呼ばれ、上方では六代目笑福亭松鶴（1918～1986）、三代目桂米朝（1925～2015）、三代目桂春團治（1930～2016）、五代目桂文枝（1930～2005）が四天王と呼ばれた。

307 伝統・文化 ｜ 伝統野菜

伝統野菜は近年、ヘルシーで安全というイメージを打ち出し、一種のブランド的な人気を博している。京都府の京野菜、石川県の加賀野菜、大阪府のなにわ伝統野菜、岐阜県の飛騨・美濃伝統野菜などが有名である。伝統野菜とは、古くから地域で栽培・利用されてきた野菜の在来品種のことで、地方野菜とも呼ばれる。これらは地域の風土や生活に密接に結びつき、生産されてきた。

◈

様々な京野菜

伝統野菜は、同じ地域で長く採取を繰り返し、それぞれの気候条件や虫害などに耐えるうちに、その土地での生育に適応してきた品種である。香り、えぐみ、苦味、甘味といった風味をはじめ、形も独特になったものが多い。品種は同じ土地でしか育たないわけではなく、旅人や交易などによって、各地に伝えられ、新しい土地の環境に合わせて姿や形を変えたりもする。限定された地域内では安定した収穫が期待できるのが強みだったが、1960年代半ば頃から効率的に生産できるような品種への改良が進んだことで、伝統野菜の生産量は激減した。

近年は、お土産や郷土料理としても使えるなど、地域の食文化との関連が深いことから中小規模の農家などで伝統野菜に対する関心が高まっている。例えば、東京近辺では、2011年にJA東京中央会が大正期以前に作られていた伝統野菜を「江戸東京野菜」として商標登録し、「練馬大根」や「馬込三寸人参」など、30品種が認証されている。

日本の伝統野菜の中で一番多いのが大根である。大根は主に冬の保存食となる漬物の原料として各地で発達した。京都の「聖護院大根」、東京の細長い「練馬大根」、煮物に最適な石川の「源助大根」、赤紫と白の２種類がある宮崎の「糸巻き大根」などが広く知られている。また、根も葉も食べられて、漬物にもできる蕪（かぶ）も山形の「温海かぶ」や島根の「津田かぶ」など、様々な色や形をした品種が各地に存在する。

寺社が多く、精進料理が発達した京都からは土着の「京野菜」が多く誕生した。京野菜は第二次世界大戦後に一部途絶えたが、「加茂なす」、「九条ねぎ」、「伏見とうがらし」などが現在も残っている。全国にはそのほかにも北海道の「まさかりかぼちゃ」、秋田の「三関せり」、新潟の「巾着なす」、群馬の「下仁田ねぎ」、福井の「奥越さといも」、沖縄の「島にんじん」など様々な伝統野菜が存在する。

豆知識

1. 葱は東日本では白い部分を食べる白葱、関西では緑の葉を食べる葉葱になるなど、同じ作物でも地方によって姿形や食べ方が異なる。

308 哲学・思想 | 武士道

新渡戸稲造（1862～1933）の著書『武士道』（1900）によって、武士道の考え方は欧米でも知られるようになり、日本人観の源泉の一つとなっている。武士道とは武士の倫理観・生き様をいう言葉であるが、学術用語ではなく、用いる人によって意味合いが異なるため定義は難しい。しかし、死よりも名が汚されることを恐れる、不利になろうとも卑怯な行為はしない、武士道を尊ぶ者は敵であっても讃える、といった価値観は近世以降の文学・芸能のテーマとして繰り返し取り上げられ、日本人の意識に大きな影響を与えてきた。

◈

「武士道」という言葉は説明が難しい。使う人によって意味が異なるためだが、この言葉が今のような意味で用いられるようになったのは近世半ば以降のことで、すでに武士が武士らしい活躍の場をなくしてからということも説明を難しくしている。すなわち、「武士道」という言葉に込められた倫理観や美学といったものは、戦乱の世を生きた武士の実感に基づくものではなく、それらを美化した軍記物などに由来している面が少なくないのである。

「武士道」の最も古い使用例は武田信玄などの兵法を記録した『甲陽軍鑑』（江戸初期成立）だとされる。しかし、この書で述べられているのは戦国武将の必勝法・生き残り術で、「武士道」も「武士の生き方」「武士の処世術」程度の意味で語られており、後世の用法とは異なる。「武士道というのは、死ぬことと見つけたり」の言葉で有名な『葉隠』（佐賀藩士・山本常朝の聞き書き、1716年）も滅私奉公を説いているのではなく、自分の生き死にをまず考えると状況判断を誤るので、自分は死んでいるものと考えて判断せよといっているのである。

もっとも武士の美学のようなものは、すでに平安中期には現れていた。平将門の乱（939～940年）を題材とした軍記物『将門記（しょうもんき）』に、命より名を惜しむ武士の姿が描かれているからだ。源平の争乱期においても名乗りをあげている者には攻撃をしかけないといった戦いの作法が守られており、命をかけた戦いの場においても一種の美学が守られていたことがわかる。ただし先述したように、これらのことは正確な記録によるものではなく美化された歴史であるので、どの程度事実に即しているのかは慎重な判断が必要である。

「武士道」の現代的用法を広めたのは新渡戸稲造だ。新渡戸は英語でこの書を書き、アメリカで出版した。ドイツ語・フランス語・ポーランド語・ノルウェー語・ハンガリー語・ロシア語・イタリア語版も刊行され1908年には日本語訳も出た。この書で新渡戸は命を惜しまない武士の生き方を賞賛し、切腹を「真心を示す行為」であるとした。その一方で、命を軽んじ、時に責任の所在を曖昧にしたと、武士道の欠点も述べている。その後の武士道論は新渡戸の『武士道』によるところが大きかったが、後半の欠点に関する部分はともすると忘れられた。

豆知識

1. 古典文学には「武士道」という言葉は出てこないが、「兵（つわもの）の道」という表現は見られる。たとえば、『徒然草』には「法師は兵の道をたて、夷（えびす）は弓引くすべ知らず」（法師が武術の練習を行う一方で、武士は弓の引き方も知らない）という一節がある。

309 自然 | 豪雪地帯

北陸から東北、北海道にかけての日本海側の地域は、世界有数の豪雪地帯として知られる。豪雪は住民の生活水準の向上や産業の発展を阻害する、大きな自然災害となりうる。降っている時だけでなく、降り終わってからも起きるのが雪害である。

◈

豪雪地帯の合掌造り

気象庁の用語説明によれば、豪雪に数値的な定義はないが「著しい災害が発生した顕著な大雪現象」のこととされる。日本の豪雪地帯は、国土の約51％もの広大な面積を占める。これが人里離れた山奥の話かといえば、そうではなく、豪雪地帯には約2000万人、総人口の約15％の日本人が暮らしている。そのうち特別豪雪地帯指定を受けている地域は、国土の約20％で、人口約321万人の住民がいる。つまり日本経済において、豪雪地帯は都市部と同様、重要な位置を占めているのである。こうした状況に対し、政府は1962年に「豪雪地帯対策特別措置法」を制定した。豪雪地帯・特別豪雪地帯の指定を受けた地域には、除雪や交通、通信の確保、地域の振興などのための豪雪地帯対策基本計画が定められ、産業の振興と生活の安定向上を図るため、行財政上の特別の配慮がなされている。

世界有数の豪雪国である日本で、これまで気象庁が災害として認定したのは「昭和38年1月豪雪（38豪雪）」や「平成18年豪雪（18豪雪）」。近年も記録的な大雪が続き、2010年度は死者131名、重傷者636名、2011年度は死者134名、重傷者883名と、多くの人的被害が生じている。北海道や日本海側の北陸、東北地方は、平野部であっても大雪になりやすく、過去に何度も雪害を受けているのだ。

最近の気象研究所による地球温暖化研究のシミュレーションによると、21世紀末に予測される気候状態では、本州内陸部では、かつて10年に一度しか発生しなかったような豪雪が現在より高頻度で現れ、降雪量も増加する可能性が高いことがわかった。温暖化が進行すると、日本域の降雪は全体的には減少するが、気温が零度以下となる内陸部や山岳部では、大気中の水蒸気が増加するため降雪の割合が増大するのだという。

豆知識

1. 日本海には暖流の「対馬海流」が流れている。暖かい海水面に、大陸からの冷たい季節風が吹くと水蒸気が立ち上る。乾燥した季節風は多量の水蒸気を吸い込んだ雲になり、日本列島に流れてくる。そして標高の高い日本アルプスや越後山脈にぶつかり、上昇気流によって大量の雪雲が発生して豪雪になる。これが日本海側の豪雪のメカニズムだ。
2. 米気象予報会社AccuWeatherによれば、人口10万人以上の都市の年間降雪量を比較すると、トップ10に日本の都市が4カ所もランクインする。7位に秋田県秋田市、3位富山県富山市、2位北海道札幌市、1位は青森県青森市である。ニューヨーク市の毎年の平均降雪量は68cmなのに対し、青森市の平均は669cmなのだ。
3. 近年、雪の性質を利用したテクノロジー開発が進んでいる。雪が溶ける際に発するエネルギーを冷熱として取り出す雪氷熱システムは札幌市の一部で導入されている。
4. 豪雪地帯では、雪による建物の倒壊を防ぐための工夫が昔からなされている。岐阜県の白川郷は、「合掌造り」と呼ばれる、手のひらを合わせたような形の茅葺き屋根が特徴の日本家屋が有名だ。雪の重さで家が潰れないよう、急傾斜の屋根になっている。

310 歴史 ｜ 西郷隆盛

薩摩藩の下級藩士の家に生まれながら、名君と名高い藩主・島津斉彬（なりあきら）（1809～1858）に抜擢され、立身出世の機会を得た西郷隆盛（1827～1877）。その生涯には長く不遇に過ごす時期もあったが、幕末最後期には国内を縦横無尽に往来し、持ち前の交渉力と人徳で、徳川幕府から明治政府へのパラダイムシフトの実現に最も貢献した人物である。

◈

西郷隆盛

薩摩藩の第11代藩主である島津斉彬に重用されて江戸へも参向し、本格的な政界デビューを果たした西郷だったが、斉彬の急死、安政の大獄による奄美大島への蟄居、第12代藩主・島津久光（1817～1887）の怒りを買って徳之島・沖永良部（おきのえらぶ）島への遠島を受けるなど、30代のほとんどは不遇に過ごした。西郷が赦免されて、京都における薩摩藩責任者になったのは1864年、38歳の時だった。この年は、池田屋事件、禁門の変、第一次長州征伐などが起こっており、尊王思想の隆盛により京都は政治の中央舞台となりつつあった。

薩摩藩は公武合体派として、表面的には長州藩と対立していた。西郷は幕府による第一次長州征伐で参謀に任命され、総督である徳川慶勝（1824～1883）から長州処分を委任された。西郷は長州方と交渉を行い、長州藩三家老の切腹を条件に撤兵。この征討ではまったく戦闘は行われなかったが、これは西郷の狙いでもあった。翌年、幕府は再び長州征伐の兵を挙げて諸藩に出兵を命じた。西郷は薩摩藩にこの命令を拒否するよう工作。さらに坂本龍馬（1835～1867）を長州藩と接触させ、同藩が幕府によって妨害されているイギリスからの武器購入を薩摩藩の名義で行うこととした。この武器と奇兵隊の活躍などによって、長州軍は幕府軍に勝利した。薩摩と長州の信頼関係はこうして徐々に築かれ、1866年、西郷を含む７人の薩摩藩幹部と長州藩士・木戸孝允（1833～1877）が会談し、薩摩藩家老・小松帯刀（たてわき）（1835～1870）と木戸の間で６カ条の盟約が交わされる。これが事実上の薩長同盟締結といわれている。

その後、孝明天皇、将軍家茂が相次いで急逝し、明治天皇、徳川慶喜がそれぞれ後位に就いた。幕府と討幕派の対立が一触即発の状態となると、土佐藩主・山内豊重（容堂、1827～1872）が将軍慶喜に大政奉還を建白書で進言し、慶喜はこれを受諾した。政権は返上し薩長との武力衝突は避けるものの、諸藩のトップとして実質的な主導権は握れると慶喜は目論んでいた。しかしその後、王政復古の大号令により新政府の樹立が宣言されると、旧幕府軍は京都に攻め上った（鳥羽伏見の戦い）。西郷は新政府軍の先鋒として東海道を進み、江戸城総攻撃の命令を受けた。しかしもはや幕府側に勝機はないと考えていた慶喜は、和平交渉役に勝海舟を起用し、西郷に会談を申し込む。二人の二度にわたる会談では、海舟が巧みな交渉を展開し、西郷は翌日に控えた江戸城総攻撃を中止し、江戸城は無血開城された。

新政府樹立後、西郷は参議となったが、征韓論をめぐって政府を離脱する。鹿児島に帰郷し私学校を開き、士族生徒の不満に応えて反乱（西南戦争）を率いたが、戦闘中に自害した。

豆知識

1. 薩長同盟で交わされた６カ条の盟約は、木戸から龍馬への書簡で明文化され、龍馬はその裏に内容が間違いないことを署名入りで認め、木戸に返送した。この書簡は現存している。

311 文学 宮沢賢治

生前はまったくといっていいほど無名だった宮沢賢治（1896～1933）は、法華経への信仰と、農民とともに過ごす生活の中で詩や短歌、童話などを書き残した。没後、草野心平（1903～1988）や高村光太郎（1883～1956）などの詩人によって世間に紹介され、現在では国民的な作家の一人といえるほど、その名は広まっている。

◈

少年時代は学業優秀で、鉱物採集や昆虫の標本作成に熱中していた賢治は、盛岡高等農林学校に首席で入学した。この頃読んだ『妙法蓮華経』（法華経）の「如来寿量品（にょらいじゅりょうぼん）」に感激し、日蓮宗への入信を決意する。農学校には卒業後も残り、研究生として土壌の調査などをしていた。1921年１月、棚から落ちてきた座右の書『日蓮上人御遺文』が背中に当たり、これを仏のお告げと感じた賢治は家出同然に上京する。東京では、国柱会（日蓮宗の在家仏教団体）の伝道活動に加わり、滞在中に驚異のペースで童話を書き続けた。そのうちの１編が同年12月から翌年１月に『愛国婦人』という雑誌に掲載され、生前唯一の原稿料５円を得た。

1922年、賢治は岩手県花巻の農学校で教諭となり、後に刊行される詩集『春と修羅』の収録作品を書き始める。西洋音楽のレコード鑑賞が好きだった賢治は、詩の中にも音楽用語を多く用いた。また作品中には農学校で身につけた化学や地学の専門用語も散見される。同年11月、病気療養中だった妹のトシが亡くなった。この死は賢治にとって生涯忘れられない悲しみとなった。その日に一気に書き上げられた３編の長詩『永訣の朝』『松の針』『無声慟哭』は、賢治の全詩作品中の頂点に位置するという評価もある。翌年、樺太へ旅行した際にも、賢治は『青森挽歌』『オホーツク挽歌』というトシ（詩中では「とし子」）を悼む長い詩を書いている。トシは賢治の２歳下で日本女子大学を卒業した才女であり、1920年には賢治の短歌600首以上を集めた歌集も編纂している。この頃の賢治の詩には、音楽的な繰り返しなどはあるものの、これといった韻律や技法は見られない。強い感情が表現されていれば詩は成立することを、賢治は萩原朔太郎の作品などを通して学んでいたと考えられている。

1924年に『春と修羅』『イーハトヴ童話　注文の多い料理店』を刊行した。どちらもほとんど売れなかったが、一部の詩人の目に留まった。賢治の生前に刊行された著書はこの２冊のみである。同年、賢治は草野心平主宰の『銅鑼（どら）』の同人となった。

東北の貧しい農民たちの生活改善を目指し、自らも農業に従事するため、賢治は1925年に教職を辞して「羅須地人協会（らすちじん）」を設立した。この協会では、農民向けの技術教育や音楽会などの文化行事を催し、自身も東京でセロ（チェロ）、オルガン、タイプライター、エスペラント語などを学んだ。1928年、賢治は肺病にかかり、以降は一進一退の病状が続く。1931年、東京で再び病に倒れて帰郷。その頃、手帳に書きつけられたのが「雨ニモマケズ」の詩である。翌年、37歳で死去する。その前後には、多くの一流詩誌が賢治作品の掲載を希望していたという。

豆知識

1.「イーハトーブ」は、賢治の造語で、岩手県をモチーフにした架空の理想郷を指す。「イーハトヴ」「イーハトーボ」などとも表記される。ほかにも実在地名をベースとした、モリーオ（盛岡）、ハームキヤ（花巻）、センダード（仙台）、シオーモ（塩竈）、トキーオ（東京）などの造語が作品中に見られる。

312 科学・技術 野口英世

伝記物語の定番といえば、日本人なら誰でも知っている医師・野口英世（1876〜1928）だろう。子ども時代に手に負った大やけどという苦難を乗り越え、ほぼ独学のみの苦学の末に医師となり、アメリカに渡って細菌学の研究に従事した。アフリカの黄熱病の根絶に多大な貢献を果たした研究者として世界的な知名度も高く、日本銀行券の肖像にも採用された。

◈

野口英世

野口英世は、福島県耶麻郡三ツ和村（現・耶麻郡猪苗代町）の貧しい農家に生まれた（出生名は清作。22歳で英世と改名）。１歳の時に囲炉裏に落ちて左手に大火傷を負い、指が癒着するというハンディキャップを負った。三ツ和小学校に入学してからは手がうまく使えず「てんぼう」と馬鹿にされるが、学問で身を立てるよう母に諭され一念発起し、優秀な成績を修めたことで猪苗代高等小学校に進学できることとなった。この時、三ツ和小学校の教師や同級生らの間で手術費用を集める募金が行われ、英世は左手の手術を受けることができた。この手術に感激したことをきっかけに英世は医師を目指すようになるが、この時、執刀したのがサンフランシスコで開業した経験を持つ渡部鼎（わたなべかなえ）（1858〜1932）であった。英世は猪苗代高等小学校を卒業後、渡部の経営する会陽医院で書生として働きながら医学の基礎を学び、渡部の友人で歯科医の血脇守之助（1870〜1947）から援助を受けながら、1897年に21歳で医師免許を取得した。

とはいえ英世は真面目一徹ではなく、生来の放蕩癖が原因で様々なトラブルを生みながらも1900年、アメリカに留学する。その後、デンマーク、コペンハーゲンを経て、再びアメリカに戻り、ロックフェラー医学研究所に入所した。英世は同研究所で膨大な実験を繰り返しデータを得ていくというスタイルで、梅毒スピロヘータや小児麻痺、狂犬病を研究した。1914年には研究所正員に昇進し、この年から３年連続してノーベル生理学・医学賞候補となっている。1918年、英世はロックフェラー財団の意向を受け、まだワクチンのなかった黄熱病研究のため各国へ渡航し始める。1927年にはアフリカの英領ゴールド・コースト（現・ガーナ）へ出張するも、翌年、英世自身も黄熱病を発症し51歳で死去した。

実は、英世の研究は当時の顕微鏡の性能ではわからないことも多かったため、遺した研究成果の多くは後年の追試で否定されることも少なくない。しかし、多くの発展途上国で行った献身的な診療は現地の人々に感銘を与え、各地に野口英世の名を冠した研究機関や教育機関が現在でも残されている。

豆知識

1. ニューヨークのロックフェラー大学の図書館入り口には野口英世の胸像が建てられた。また、英世とメアリー夫人はマンハッタン島の北の端ブロンクスにあるウッドローン墓地に埋葬され、その偉業をたたえる碑も置かれている。
2. 英世の放蕩癖は大変なもので、人に借金をしてその金で放蕩を尽くすといったことを繰り返していた。アメリカ留学の費用も、日本で婚約をしてその女性が持ってきた持参金を充てたものだった。結局、留学後に婚約を解消してしまう英世だったが、この金は彼の支援者であった血脇守之助が返金している。
3. 日本の千円紙幣の肖像にもなった英世だったが、これは世界に認められた科学者の先人ともいえる功績を評価したものだった。加えて、肖像画として模造されにくいヒゲとシワがあることも、肖像画に選ばれた大きな理由だった。

313 芸術 | 講談

張り扇の音激しく、張り上げる声勇ましく語り聞かせる講談。「講」とは歴史を意味する言葉であるから、歴史を談じて講釈すること、それが講談である。起源は、戦国時代の御伽衆とも、徳川家康（1542〜1616）の御前で『源平盛衰記』を語り聞かせた赤松法印（生没年未詳）ともいわれるが、江戸時代の辻講釈や大道芸が原点であると思われる。

◈

落語は２人以上の人物の会話で成り立っているのに対し、講談はストーリーを語り聞かせるもので、地文（ト書き）を読み進めつつ、時折、人物の言葉が挟み込まれる。落語は気軽に聞いて笑うことを目的としているが、講談は身を引き締めて聞くところがある。だがそれは、堅苦しい雰囲気ではなく、物語を楽しむことを目的とする姿勢、雰囲気だといえよう。

講談の演目の多くは、戦国時代の合戦物や赤穂浪士の討入りなどの軍記物、歴史に材を取った物語である。ただ、史実に忠実というわけではなく、フィクションも多く含まれる。「講釈師見てきたような嘘を言い」という言葉もあるくらいである。

宝永年間（1704〜1711）には講談の常打ち小屋があったといわれ、文政年間（1818〜1830）には話芸として確立、各流派も生まれ、講談の人気演目が歌舞伎や人形浄瑠璃に舞台化されることもあった。江戸末期から明治になっても興隆は続き、東京では創作講談『鼠小僧』で人気を集め、「泥棒伯圓」と呼ばれた二代目松林伯圓（1832〜1905）が活躍した。明治末期には講談の内容を書籍化した「講談本」に人気が集まり、その出版を手がけた講談社は一気に大手出版社に成長した。上方講談では、立川文庫を創設した旅回りの講談師・三代目玉田玉秀斎（1856〜1919）によって最盛期を迎える。

講談の種類としては、歴史上の合戦に材を取った『太閤記』『真田三代記』『川中島合戦』などの「軍談」、『宮本武蔵』『塚原卜伝』などの「武芸物」、『伊達騒動』『加賀騒動』などの「騒動物」をはじめ、「政談物」「仇討物」「世話物」「白浪物」「侠客物」「道中物」「怪談物」に新作物など幅広い。とりわけ新作物では人物伝も多く、本田宗一郎（1906〜1991）からビル・ゲイツ（1955〜）、イチロー（1973〜）や将棋の藤井聡太（2002〜）まで取り上げられている。現在、東京の講談界は一龍斎、宝井、田辺、桃川、神田と５流派があり、上方講談は旭堂南陵（1858〜1911）に連なる系統であり、2016年に襲名した四代目玉田玉秀斎（1976〜）を除けば１流派だけになっている。講談師の総数は約80人で、東京に60人、上方に20人となっている。東京の講談界には若い女性の講談師が多く、いずれ女性講談師が席巻するようになると予想されている。

豆知識

1. 講談で美人を誉め立てる形容がある。「立てば芍薬　座れば牡丹　歩む姿は百合の花　沈魚落雁閉月羞花の一佳人　小野小町か楊貴妃か　はたまた、そちらのお嬢さん」。四文字熟語も入っているので、口頭だけではなかなか理解しづらい。講談にはこうした難しい用語がしばしば登場する。

314 伝統・文化 | 仮名(平仮名・片仮名)

仮名とは、日本で漢字を一部分省略するか、極度に草書化するかによって作り出した文字の総称である。平仮名、片仮名、および万葉仮名(真仮名)からなる。その昔、日本には文字がなく、漢字が最初の文字だった。したがって漢字を真名(本当の文字の意味がある)と呼び、真名を省略するもしくは草書化して作り出した簡略な文字を仮の文字ということで「仮り名」と呼んだ。その音便形が「かんな」で、それの詰まった形が「かな」である。

◈

仮名のルーツである漢字は、今から2300年ほど前の紀元前3世紀頃に中国から伝わったといわれている。日本の人々は自分たちの言葉と同じ意味を持つ漢字を当てはめることで、物事を書き表せるようになったが、もともとの中国の言葉を表す漢字だけでは、日本の言葉を十二分に書き記すことができなかった。そのため、漢字を本来の意味とは切り離してその音だけ借りることにした。こうして使われ始めたのが「万葉仮名」だ。漢字を使い日本語の音を表したものなので、いわゆる当て字である。

万葉仮名は、一つの音にいくつもの漢字を当てたため種類が多く、また形が複雑で書くのが難しいものが少なくなかったため、万葉仮名をくずして簡単にした文字が作られた。それが、9世紀頃から使われるようになったといわれる「平仮名」である。平安時代の貴族社会において、男性が公的な場面で用いるのは漢字であり、平仮名は主に私的な場面、あるいは女性が使う文字とされ、主に手紙や和歌、物語、随筆などに用いられた。藤原道綱母(936?〜995)の『蜻蛉日記』や清少納言(生没年未詳)の『枕草子』、紫式部(生没年未詳)の『源氏物語』などの女流文学の傑作は、平仮名を用いて書かれている。また、歌人の紀貫之(?〜945)も女性を装って平仮名で『土佐日記』を書いている。

一方、平仮名とほぼ同時期に万葉仮名から生まれたのが「片仮名」だ。平仮名が万葉仮名を崩したものであるのに対して、片仮名は万葉仮名の一部分を抜き出したものが起源である。片仮名の始まりは、僧侶の間で読まれていた経典(仏の教説を書きとどめた書物)に書き入れられたメモ書きだといわれている。経典はすべて漢文で書かれていたので、僧侶たちは行間に読み方などのメモを入れていた。その際に形の複雑な万葉仮名では狭い行間に書き入れるのが難しいため、万葉仮名の一部だけを抜き出して書いていたのである。それが定型化していき、片仮名になったといわれている。

平仮名と片仮名は、10世紀頃には世間一般に広まっていたという。現在、片仮名は、主に外来語や強調を示す時などによく用いられている。

豆知識

1. 片仮名の作者を奈良時代の学者・吉備真備(きびのまきび)(693?〜775)とする俗説もある。
2. 平仮名と片仮名を区別して教えるようになったのは、明治時代以降のことで、それ以前は一つの文章の中に同じ音の平仮名と片仮名が混在している例が多かった。
3. 仮名が出現したことによって、崩し字といわれる草書や行書などの技法が発達したという。

315 哲学・思想 本居宣長

本居宣長（1730〜1801）は江戸後期の国学者である。荷田春満（または契沖、1640〜1701）、賀茂真淵（1697〜1769）、平田篤胤（1776〜1843）とともに国学の四大人に数えられる。古語の研究に基づいて『源氏物語』や『古事記』などの古典解釈を行い、後世の古典研究に大きな影響を与えた。特に『古事記』の重要性を世に知らしめた功績は大きい。

◈

本居宣長は伊勢国松坂（現在の三重県松阪市）に木綿問屋の子として生まれた。両親が吉野山の吉野水分神社に願掛けをして生まれた子とも伝えられている。19歳の時に紙商などを営む今井田家の養子となるが、学問や和歌を愛好する気持ちが断ち切れず離縁して実家に戻る。兄の死去に伴い家業を継ぐが、間もなく廃業を決め、医者になるために京に出た。京都では医者となるための学問をする傍ら、漢学や国学を学ぶ。また、契沖の言語学的な古典研究を知り影響を受けている。1758年に松坂に帰った宣長は小児科を開業するとともに、『源氏物語』や『伊勢物語』などの講義を始めた。

1763年、宣長は伊勢参宮の帰りに松坂に立ち寄った賀茂真淵と対面し、『古事記』の注釈作りについて相談をした。真淵は宣長を励ますとともに、『古事記』の読解には万葉仮名の知識が必要であることを指摘し、まず『万葉集』の研究をすべきことを教えた。翌年、宣長は真淵の正式な弟子となり文通によって『万葉集』解釈についての指導を受けた。

『古事記』の注釈書『古事記伝』の執筆は1764年に始まっている。今では考えられないことであるが、当時『古事記』は忘れられた書物であった。平安時代以降、古代の神話・歴史を記した書といえば『日本書紀』であり、もっぱら『日本書紀』の研究がなされてきた。『古事記』の研究が進まなかった理由はそれだけではない。『古事記』独特の文体が読解をはばんでいた。古代日本語をできるだけ忠実に表現するため、『古事記』は和風の漢文と万葉仮名を組み合わせた独特の表記をしている。書かれた当時は難なく読めたのかもしれないが、日本語そのものが変化したこともあってどう読めばいいのかさえわからなくなった部分もある。宣長はこうした『古事記』に、真淵から教わった万葉仮名の知識と契沖に倣った言語学的な方法を用いて読解を試みたのである。

『古事記伝』は完成まで34年の時が必要であった。刊行にさらに時間がかかり、最終巻（『古事記伝』は全44巻ある）が出版されたのは、宣長の没後21年目のことであった。

現在、われわれが『古事記』に親しむことができるのは、宣長のこの努力のおかげといってよい。宣長は『古事記伝』の刊行を通して『古事記』の世界を広く知らしめるとともに、それを正しく理解するためには自分の意識・教養から「漢意」（中国思想や仏教の影響）を排除して読まなければならないことを説き、神道などに影響を与えた。

豆知識

1. 漢意の排除を説いた本居宣長であったが、葬式は遺言により仏式で行われた。戒名や墓のデザイン、墓所も自分で考えてあった。終活の先駆者といえるかもしれない。

316 自然 琵琶湖

琵琶湖は、滋賀県の6分の1の670.3km^{2}と湖としては日本最大の面積を持ち、同じく貯水量も日本最大の淡水湖である。この湖は、約600万〜400万年前に形成された古代湖で、『古事記』や『万葉集』『枕草子』といった多くの文学作品にも登場してきた。

◈

琵琶湖

滋賀県中央部に位置する琵琶湖が形成された時期は、約600万〜400万年前と推定されており、最初は地殻変動によって現在の三重県伊賀市あたりに生じた断層湖（大山田湖）であった。世界の中でも、バイカル湖やタンガニーカ湖に次いで成立が古い古代湖で、当初は現在の2倍ほどの面積があった。湖は約100万〜40万年前に、南東部の隆起と沖積作用のため北西へ移動し縮小。比良山系に止められる形で現在の位置に安定した。当時、鈴鹿山脈は隆起する前で、現在の琵琶湖の位置には古琵琶湖山脈があった。また、現在、東南部を流れる河川は伊勢湾へ流れ込んでいたようだ。

琵琶湖の水は様々に利用されており、京都市は琵琶湖疏水（そすい）から取水している。1890年に完成した第1疏水は、製造機械、運河事業、田畑の灌漑、精米や紡績、伸銅などの水力事業、京都御所や東本願寺の防火用、上水、下水、事業用水力発電などに使われている。その後、1912年には増大する電力の需要を満たすための第2疏水が完成。この電気によって幹線道路に市電が走り、市内に電灯が灯された。また第2疏水から取水する蹴上浄水場が完成し、京都市の水道事業が誕生した。

しかし沿岸の宅地化に伴って、湖水に流れ込むリン酸塩を含んだ合成洗剤などの生活排水の量が急増し、水質汚濁や富栄養化が進んだことで、いわゆる琵琶湖条例（滋賀県琵琶湖の富栄養化の防止に関する条例）が制定され公害対策が講じられた。その甲斐あって環境は改善され、1993年には湿地の保存に関するラムサール条約に登録、2007年には琵琶湖疏水や蹴上浄水場、蹴上発電所などが近代化産業遺産として認定された。

豊かな水の恵みにあふれた琵琶湖は、古くは「水の浄土」とされ、薬師如来への信仰とともに、湖周辺に数多くの寺社が建立された。また、1964年には南部の最狭部に琵琶湖大橋が架けられ、産業の振興と民生の安定をもたらした。加えて、湖全域は琵琶湖国定公園に指定されており、地域の文化的、精神的支柱にもなっている。

豆知識

1. 室町時代の宗長という歌人が、琵琶湖について「もののふの　矢橋の船は速けれど　急がば回れ　瀬田の長橋」との短歌を詠んだ。湖を渡る場合、南側では大きく回って瀬田川の唐橋まで行かなければならない。船で渡る方が速そうだが、比叡山から風が吹き下ろし、難破することもあったとか。そこで、できたことわざが「急がば回れ」である。
2. 琵琶湖は、縄文時代から交通路としても使われ、近隣の遺跡からは丸木舟なども出土している。江戸時代には、日本海の若狭湾沿岸から年貢や物資の輸送路としても利用された。明治以降も水運は隆盛であったが、陸上交通の発達によって次第に斜陽となった。
3. 琵琶湖にはマスやモロコ、アユ、シジミ、ハスなど、1000種類を超える動植物が生息している。長い間隔絶した環境だったため固有種も多い。琵琶湖は規模が大きいため、魚を誘い込んで逃げ場をなくして捕獲する「えり漁」など、特有の漁業が発達した。

317 歴史 近代国家への歩み

江戸幕府260年余りの時代が終わり、日本には天皇を中心とした新政府が発足した。欧米列強の脅威に屈せず、これまであまりに長く染みついた封建制度の悪弊を払拭していくその道の先には、「近代国家」樹立という目標があった。

◈

日本の開国は、欧米の圧力に屈した結果だった。日本が近代国家へ向かう最初の扉を、欧米が「開けてくれた」のだともいえる。江戸幕府が1858年に結んだ日米修好通商条約は、ほぼ同時期、同内容でオランダ、ロシア、イギリス、フランスとも締結されており、「安政五カ国条約」と総称する。国内における外国人犯罪を裁けず（治外法権）、関税自主権がない上に、５カ国を最恵国待遇とすることを承認していた。つまり日本がこの後、さらに不利な条件でどこかの国と締結した条約は、５カ国に同時に適用されることになる。

実際、1869年に日本がオーストリア・ハンガリー帝国と結んだ「日墺修好通商航海条約」には過去の条約よりも日本に不利な規定があり、上記のような理由で、この規定が５カ国にも適用された。

1874年、岩倉具視（ともみ）（1825～1883）を団長とする外交使節団がアメリカ、ヨーロッパへ派遣され、改正交渉を打診したが、不調に終わる。それは日本が欧米列強と対等な国家とみなされなかったからである。軍事や経済面だけでなく、憲法と議会がない国は近代国家とは認められなかったとも考えられる。自由民権運動の高まりもあり、1881年に「国会開設の詔」が出され、1889年に大日本帝国憲法が公布され、翌年には帝国議会が発足する。不平等条約の改正は1911年に達成された。

明治政府の国策として知られる「富国強兵」は、実は幕末から近代化を目指す維新の志士の間で共有されていた。まず地租改正によって土地の私的所有が認められ、所有する土地にかかる税は現金で納付することが定められた。財産権は資本主義の基礎となるものだ。また、政府主導で官営の機械製工場が創設され、八幡製鉄所、富岡製糸場、造幣局は日本三大官営工場とも呼ばれた。同時に、鉄道・電信網の整備、銀行や郵便制度の創設も進められた。さらに廃藩置県によって藩がなくなり、軍事力は国全体で整備するため、陸海の常設軍が徴兵制によって組織された。同じような理由で教育も全国一律の制度となり、全国各地に学校が建設された。

宗教については、キリスト教が徳川時代から引き続き禁止されていたが、これに対して欧米各国から厳しい非難を浴び、先述した条約改正交渉にも大きな障害となったため、1873年に解禁となっている。

豆知識

1. 1868年３月14日に示された、「広く会議を興し、万機公論に決すべし」で始まる五カ条の御誓文は、国家の近代化に関する明治政府の基本方針を示していたが、その翌日に高札で掲示された「五榜の掲示」は幕府のお触れと変わりない旧態依然たる内容だった。すなわち「五倫道徳順守／徒党・強訴・逃散禁止／切支丹・邪宗門厳禁／万国公法履行／郷村脱走禁止」の５項目である。

318 文学 ｜ 童謡

明治時代の「文部省唱歌」は、教訓的なものが多かったため学校教育の中だけにとどまっていた。これに不満を感じた詩人や作曲家が童謡運動を開始したのが大正時代の初めのことである。多くの児童文学雑誌が刊行され、芸術的にも価値のある童話や童謡が、有名な作家の筆によって次々と発表されていった。

◈

1905年の雑誌『ホトトギス』1月号で、夏目漱石は『吾輩は猫である』の連載を開始するとともに、『童謡』と題する詩を発表している。下記はその一節である。

「源兵衛が練馬村から／大根を馬の背につけ／お歳暮に持て来てくれた」(『童謡』より)

俳諧の連歌（連句）を模して、気軽に作られた詩だといわれているが、注目すべきはその題名である。「童謡」という言葉は、この詩以前にはほとんど使われたことはなく、子ども向けの歌は「童唄（わらべうた）」と呼ばれていた。この漱石の詩や、当時の教育界における「自由主義思潮」の流れも影響して、「童謡」の創作は徐々に始まっていった。1907年には野口雨情（うじょう）（1882～1945）の詩『山烏』が発表された。後に有名な童謡『七つの子』に改作される詩である。「烏なぜ鳴く烏は山に／可愛七つの子があれば」（『山烏』より）

1918年、漱石門下だった鈴木三重吉が児童文学誌『赤い鳥』を創刊する。同誌には多くの有名作家が寄稿した。例えば、芥川龍之介の代表作の一つである童話『蜘蛛の糸』は創刊号に掲載されている。鈴木は『童話と童謡を創作する最初の文学的運動』という小冊子も発行しており、同誌は「童謡運動」の拠点の一つとなった。『赤い鳥』の発行を追うように、『金の船』『コドモノクニ』などの児童文学誌が次々と創刊された。これらの雑誌に童謡詩を発表して「三大詩人」と評されたのが、先に紹介した野口雨情、そして北原白秋と西條八十（やそ）である。

白秋は明治末から『明星』に作品を発表するなど象徴主義の詩人として活躍しており、大正時代には詩壇の中心的存在だった。童謡『赤蜻蛉』を作詩した三木露風とともに活躍した時期は「白露時代」とも呼ばれる。白秋の代表的な童謡作品としては『雨降り』『ゆりかごのうた』『この道』『待ちぼうけ』などがある。

八十は大正初期から活動を始めた詩人で、童謡では『赤い鳥』に発表した『かなりや』が特に有名である。昭和に入ってからは、戦前戦後を通じて歌謡曲の作詞を多く手がけており、『東京行進曲』『蘇州夜曲』『青い山脈』『王将』などがよく知られている。

また、八十は近年再評価された詩人の金子みすゞ（1903～1930）を見出した人物でもある。1923年、みすゞが4つの雑誌で同時に詩作品を発表し、鮮烈なデビューを飾った際、八十は「若き童謡詩人の中の巨星」と絶賛した。

豆知識

1. 金子みすゞは20歳頃から詩の投稿を始め、26歳で自殺している。活動時期は短かったが、500編を超える詩を残した。没後、その作品は埋もれていたが、1984年に遺稿集が出版された後、多くの人に読まれるようになった。

319 科学・技術 理化学研究所

アジアで最初の、そして日本で唯一の自然科学の総合研究所として1917年に設立されたのが理化学研究所だ。この研究所は、成果を社会に還元普及することを目的として大学や企業との共同研究や受託研究などのほか、知的財産などの産業界への技術移転を積極的に進める組織である。理化学研究所の設立は日本の科学による近代化を進めるきっかけとなった。

◈

1913年、近代化の必要性を唱える科学者・高峰譲吉(1854~1922)によって、物理学、工学、化学、数理・情報科学、計算科学、生物学、医科学といった広い分野で研究を進める国民科学研究所の必要性が提唱された。そのコンセプトは1917年に渋沢栄一(1840~1931)、桜井錠二(1858~1939)ら官・財界人の協力を得て財団法人理化学研究所として結実する。

同所は若い科学者を海外留学させて人材を育て、鈴木梅太郎(1874~1943)、寺田寅彦(1878~1935)、長岡半太郎(1865~1950)、池田菊苗(1864~1936)、湯川秀樹(1907~1981)、朝永振一郎(1906~1979)など名だたる科学者を輩出した。しかし1922年、研究室制度が発足すると様々な研究が活性化したが、後先を考えない研究費の投入で理研は財政難に陥った。

同じ頃、鈴木梅太郎研究室所属の高橋克己(1892~1925)がタラの肝油から世界で初めてビタミンAの分離と抽出に成功。「理研ヴィタミン」として販売すると人気商品となり、財政難を克服することができた。1927年、そうした状況を鑑み、理研の発明を製品化する理化学興業が創設され、工作機械やマグネシウム、ゴム、飛行機用部品、合成酒などの発明品の生産企業を擁する理研コンツェルンが形成された。理化学研究所はその資金の潤沢さから「科学者たちの楽園」と呼ばれ、様々な研究が行われた。1937年にはサイクロトロン(円形加速器)を世界で2番目に完成させるなど日本の科学の先端にいたが、戦後はGHQによって解体される。その後、株式会社、特殊法人時代を経て、文部科学省所轄の独立行政法人として再発足。2015年、国立研究開発法人となっている。

現在も、全国各地に所在する科技ハブ産連本部、開拓研究本部/主任研究員研究室等、戦略センター、基盤センターの4つの体系に研究室が編成され、様々なプロジェクトが進められている。例えば、感染症研究やX線自由電子レーザー計画、テラヘルツ光研究プログラム、バイオ・ミメティクコントロール研究なども理研の仕事の一部だ。近年では、2004年に113番目の元素「ニホニウム」を発見。また2021年度には、スーパーコンピュータ「富岳」の運用が開始される予定である。

豆知識

1. 理化学研究所の本部がある埼玉県和光市の最寄り駅である和光市駅と理研を結ぶ1.1kmの歩道は、新元素ニホニウム発見を記念して「ニホニウム通り」と名付けられた。通りには原子番号と元素記号を記した青銅製のプレート113枚が敷設され、駅付近の1番から順にたどっていくと113番目で理研本部に到着する。
2. 初期の理研の財政面を支えた「理研ヴィタミン」だが、現在では販売されていない。しかし、理研を母体に理研ビタミン株式会社が生まれた。理研ビタミンには「ノンオイルドレッシング」や「ふえるわかめちゃん」などのヒット商品がある。
3. 様々な関連企業を持つ理研。1944年には新聞社が持っていたプロ野球チームが戦時の経営難のため1シーズンだけ理研工業の傘下に入り、球団名を「産業軍」に改称した。戦後、球団は中部日本新聞社が経営に復帰し、中日ドラゴンズとなった。

320 芸術 | 岡倉天心

岡倉天心（1862〜1913）は、本名を岡倉覚三といい、文久２年（1862）に横浜本町に生まれ、大正２年（1913）に亡くなった美術史家、文人、思想家である。世が文明開化に沸く中、天心は独自の広い視野で伝統的な日本美術の復興と再生を目指し、東洋文明の意義を西洋世界に説いた。『茶の本』（1906）をはじめ天心の著作の多くは英語で執筆されたものである。

◈

岡倉天心

開国当時の横浜は西洋文明に開いた「窓」の都市であり、幼少期をこの町で過ごした天心は英語を習得し、同時に漢学や仏教を含む日本文化の伝統も学んだ。そして、創設されたばかりの東京帝国大学（現・東京大学）で学び、在学中にハーバード大学から雇われ教師として来日したアーネスト・フェノロサ（1853〜1908）と出会う。通訳として奈良や京都の社寺宝物を調査するなか、法隆寺夢殿の秘仏である救世観音像を開扉したことが天心の行く末を大きく揺動させた。文明開化に沸くこの時代、天心は低迷した日本美術の復興と再生こそが、西洋文明に対し東洋文明の精神を対峙させることだと考えたのである。

1889年、天心は東京美術学校（現・東京藝術大学美術学部）を上野に開校させ、校長となり、帝国博物館美術部長も兼任する。美術学校では、菱田春草（1874〜1911）や横山大観（1868〜1958）など、後の日本画家の俊英を育てた。だが、西欧化一辺倒のこの時代、天心の日本伝統美術への傾注は認められず、渡米。ボストン美術館の東洋美術部門の責任者として古美術収集活動を行いながら、欧米に東洋文明の伝統を説いた。その中で執筆されたのが『茶の本』である。それ以前に天心は英文書である『東洋の理想』（1903）と『日本の覚醒』（1904）をロンドンで刊行していたが、欧米の物質主義文明に対し、東洋の伝統的精神文化を説く『茶の本』は、新渡戸稲造（1862〜1933）の『武士道』と並び、明治の日本人が英文で著した書物として重要であり、欧米各国で翻訳され読まれている。

『茶の本』の中に、「茶気がない」という一説が登場する。〔諸君はわれわれを「あまり茶気があり過ぎる」と笑うかもしれないが、われわれはまた西洋の諸君には天性「茶気がない」と思うかもしれないではないか。〕（村岡博訳／岩波文庫）。天心は茶道を禅、道教、花（華道）との関わりからとらえ、物質文明の限界を超えるためには、伝統的な東洋文明に還ることが重要であると主張したのである。晩年に天心が著した英文台本のオペラ『白狐』には、自然が犠牲となって人間を生かしているが、人間は自然を追いやるばかりというモチーフで、歌舞伎や浄瑠璃の『葛葉』を下敷きにした物語が描かれている。また、東洋と西洋にたとえた龍が、玉を奪い合う場面などが登場し、天心がそこに世界が調和することの理想を託したことが読み取れる。

天心は新潟県の赤倉に山荘を建て、この地で亡くなった。現在はリゾート地として有名な赤倉だが、天心がいた頃はひなびた湯治場であり、天心は妙高山麓の豊かな自然を愛しつつ、静かな最期を迎えた。

321 伝統・文化 | 方言

方言とは、一定の地域のみで用いられる独自の言葉である。言語学・国語学的にいうと、共通語・標準語が地域によって音韻、語彙、語法の上で相違が認められる時、その地域ごとの言語体系のことを指す。この相違は、言語がその地域の特殊性に応じて独自の発達を遂げた結果、音のアクセントや言葉の言い方などに変化が生じたためだといわれている。第二次世界大戦後、誰もが共通語を話せるようになったことで、方言は希少な価値を持つようになった。

◈

方言は大昔からあり、7世紀後半から8世紀後半にかけて編纂された現存する日本最古の歌集『万葉集』では、東国の歌を「東歌」として分類している。また、室町時代のことわざに「京へ筑紫に坂東さ」というものがあるが、これは方向を示す助詞が京都では「へ」、九州では「に」、関東では「さ」に変わるということを表したものである。

方言のもとになったのは、都や地域の文化の中心地で生まれた新しい言葉と考えられている。その言葉が地方へと広まり、やがてその言葉が都などの都市部で使われなくなったのちも地方で生き残り、それが方言になったという説だ。昔の日本人は今と違い、日本という国の中にそれぞれの地域があるという感覚はなく、それぞれの地域が一つの国という感覚を持っていた。その上、交通の便も悪く、情報の流通も限られていたため、都から入ってきた言葉が地域で独自の発展を遂げやすかったものと考えられる。都で生まれた新しい表現は、旧表現を円状に外側へ押しやったといわれており、その影響で鹿児島と青森に同じ語が分布するなど、遠隔地に似た語が存在する例もある。昔は新しい言葉が伝わるのは人づてだったので、京都から発信された場合、江戸に到達する時間と東北に到達する時間は異なる。その差も方言に影響を与えたといわれている。

日本語の方言は、「本土方言」と「琉球方言（琉球語）」の２つに大別され、本土方言は「東部方言」「西部方言」「九州方言」の３つに分類される。地域ごとの方言の中には「○○弁」「○○訛り」という分け方もされる。例えば、関西弁は大阪府内で使われる方言だが、この関西弁も、大阪府北摂地区と兵庫県阪神地区で使われる「摂津弁」、大阪府東部の河内地方で使われる「河内弁」、大阪府南西部の泉州地域で使われる「泉州弁」に分けられ、泉州弁も「堺弁」「泉北弁」「泉南弁」の３つに分けられる。また、方言に対する言葉は「標準語」といわれたが、戦後は「共通語」という概念が広がっている。

豆知識

1.「メダカ」は、全国で4600種類の言い方があるといわれている。
2. 地域によってまったく意味が変わってしまう言葉がある。例えば、「さげる」は広島では持ち上げるという意味に、「なおす」は関西では片づけるという意味に、「あまい」は北海道では味噌汁などの味が薄いという意味になる。
3. 関西の「モータープール」（駐車場の意味）や鹿児島の「ラーフル」（黒板消しの意味）など、公的な場で堂々と使われる言葉であるために、かえって地方の人たちが方言と気づかない言葉も数多くある。

322 哲学・思想 | 国学

国学は『古事記』や『万葉集』といった日本の古典の研究を通して日本古来の価値観や美意識などを明らかにしようとする思想運動をいう。彼らの研究成果は現代の古典研究の基礎となっているが、単なる文献研究は国学に含まない。文学研究から始まった運動ではあるが、次第に儒教や仏教などの外来思想の影響を受ける前の日本に戻ることを主張するものへと変化し、復古神道や神仏分離運動、さらには尊皇思想に大きな影響を与えた。

◈

江戸時代になって儒学が公認の学問となると、それへの反発もあって日本の古典が再評価されるようになった。それも社会的評価が固まっていた「八代集（はちだいしゅう）」（『古今和歌集』から『新古今和歌集』までの８つの勅撰和歌集のこと）ではなく、より古い日本人の心を伝えている『万葉集』などへの関心が高まった。ここに儒学の原典回帰運動である古学（古義学・古文辞学）の影響が加わって国学が成立した。

先駆的活動として木下勝俊（1569～1649）や戸田茂睡（もすい）（1629～1706）らの『万葉集』再発見が挙げられることがあるが、明確に国学といえるのは契沖（1640～1701）の『万葉集』研究以後のことである。真言宗の僧であった契沖は悉曇学（しったんがく）（サンスクリット語学）の方法を古典研究に用いて、古代の日本語を読み解く方法を確立した。

一方、伏見稲荷大社の社家出身の荷田春満（かだのあずままろ）（1669～1736）は、『万葉集』『古事記』『日本書紀』の研究を通して儒教や仏教が伝来する前の日本の儀礼などを明らかにし、その時代の神道に戻ることを主張した。こうした神道思想を復古神道という。

賀茂真淵（1697～1769）は儒教的な道徳を否定し、『万葉集』で詠われているような自然でおおらかな生き様を称揚した。なお、荷田春満は自分の学問を神職と一部の武士にしか教えなかったが、真淵は多くの門人をとって教えを広めた。特に女性にも門戸を開き、優秀な弟子を育てたことは注目される。本居宣長（1730～1801）（321ページ参照）はそれまでの国学の成果を集大成し、さらに他の分野の学問の知識も取り入れて『古事記』の詳細な分析を行った。また、『源氏物語』などを通して「もののあはれ」といった日本人本来の感性・価値観を明らかにした。

平田篤胤（ひらたあつたね）（1776～1843）は漢籍や仏典も駆使して古代日本の独自性・特殊性を明らかにしようとした。また、独特の世界観に基づいた神学論も展開した。篤胤の思想は尊王攘夷の活動家に強い影響を与え、明治以降の神道にも反映された。

このように国学は幕末の尊王攘夷運動などの政治思想の淵源となったのだが、明治維新前後に急速に衰退し、近代的な学問に取って代わられた。

豆知識

1. 平田篤胤は神隠しや妖怪といった超常現象などにも強い関心を持っていた。『仙境異聞』は神隠しにあって仙界に行ったという寅吉少年を家に住まわせ、彼から聞き取ったことをまとめたものである。

323 自然 | 砂丘

「日本三大砂丘」には実は明確な定義はないが、一番有名なものは鳥取砂丘だろう。鳥取県のランドマークというだけでなく、日本の豊かな自然を表す観光地の代表格である。

◈

鳥取砂丘

鳥取県の日本海海岸の広大な砂礫地が鳥取砂丘だ。海岸に南北2.4km、東西16kmに広がるが、植林や農地開発などが行われ、砂丘らしさが残るのは東西1.8km、千代川東側の545haの「浜坂砂丘」部分である。

鳥取砂丘は、一般的には「日本三大砂丘」の一つとされるが明確な定義はなく、鳥取のほかにも九十九里浜（千葉県)、吹上大砂丘（鹿児島県)、南遠大砂丘（静岡県)、中田島砂丘（静岡県）と３カ所以上が候補に挙げられる。

この砂丘形成には長い時間がかかっている。膨大な砂は中国山地を形成する花崗岩が風化したものだ。砂丘の砂は千代川に運ばれて日本海へ流出した後、潮流と内陸へ吹き込む卓越風の働きで海岸に集積したものである。このように自然の力を受け、砂丘は不思議な光景を作り出す。砂丘内の最大高低差は90mで、大きく窪んだ「すりばち」と呼ばれる地形や、風によって作られる風紋と呼ばれる筋状の模様、砂が崩れ落ちた形が簾（すだれ）を思わせる砂簾（されん）といった模様などが見られる。

明治時代には陸軍の演習場として使われた時期もあったが、第二次世界大戦後は砂丘開発が大規模に行われるようになった。しかし、砂丘の規模を縮小させ生態系を変える原因となったため、防風林の面積を減らすなど、民生とのバランスが図られるようになった。1955年に国の天然記念物に指定され、現在は山陰海岸国立公園の特別保護地区にも指定されている。

また文化的に鳥取砂丘が注目されたのは、1923年、自由大学講座の講師として招かれた作家・有島武郎（1878〜1923）が詠んだ「浜坂の　遠き砂丘のなかのして　さびしきわれを見出でつるかも」という歌からだといわれている。それまで単に「砂地」や「砂漠」といわれていた丘陵を、「砂丘」と表現したルーツである。ほかにも枝野登代秋や高浜虚子、与謝野晶子らが歌に詠み、現在に伝わっている。現在、観光地としても人気の高い鳥取砂丘は、様々な顔を持った日本の自然を表す代表格の一つといえるだろう。

豆知識

1. 鳥取砂丘の広さは545haだが、砂丘として日本一の広さではなく、最大のものは青森県にある1500haの猿ヶ森砂丘である。しかし猿ヶ森砂丘は防衛省の弾道試験場であり、一般人は立ち入り禁止区域のため、観光可能な砂丘としては鳥取砂丘が日本最大となる。
2. 鳥取砂丘には、独特の植物や動物が生息しており、研究対象になっている。対象の砂丘植物に、カヤツリグサ科のコウボウムギやビロードテンツキ、イネ科のオニシバやハマニンニクなどがある。砂丘の動物は、幅広い環境に生息するハサミムシや、ウスバカゲロウの幼虫アリジゴクなどだ。乾燥砂漠と地形的に似ているが、生態系的にはまったく別物なのだ。

324 歴史 日本の資本主義

「富国強兵」と「殖産興業」を両輪として走り出した明治政府の経済政策。西欧列強のスピードにしがみつくように日本は急速な資本主義化を進めていった。幕藩体制による封建社会から解き放たれた日本人の中には、実業家として新事業に果敢に挑戦した者もいた。

◈

明治の産業近代化は、まず軽工業が中心となった。特に輸出による外貨獲得産業として期待された絹糸の生産では、近年世界遺産にも登録された「富岡製糸場」が官営の模範工場として設立され、フランス式の蒸気動力を採用した繰糸機など新しい技術を導入して国内の産業発展にも寄与した。また、富岡製糸場で作られた製品は欧米で開催される万国博覧会にも出品され、海外から高い評価を受けた。

明治維新期から活躍した実業家として特に有名なのが岩崎弥太郎（1834～1885）と渋沢栄一（1840～1931）だろう。岩崎はもとは土佐藩の下級武士で、後の三菱財閥の創始者である。渋沢は現在の埼玉県深谷市の豪農出身で、2024年発行予定の新一万円札の肖像となることが決定している。

岩崎は政商から海運業へ転じて「三菱商会」を興し、1874年の台湾出兵、1877年の西南戦争において物資や人の運送を一手に引き受けて巨万の富を得た。海外の海運業者も日本に参入していたが、彼らが中立性や危険性を鑑みてリスクをとりたがらない場面で、岩崎は勝負をかけたのである。当時の三菱商会の収益力は、三井や住友といった江戸の豪商から続く財閥にもライバル視されるほどで、海運業をほぼ独占していた三菱に、三井が半官半民の「共同運輸」という会社で対抗した。両社は価格でしのぎを削り、運賃が２年で10分の１になるという激しい自由競争を繰り広げたが、岩崎はその最中に病死してしまう。しかし、その後を継いだ息子の弥之助が様々な事業を展開して成功し、三菱財閥を三井、住友と並ぶ、日本の三大財閥にまで育て上げた。

一方の渋沢栄一は、1867年にパリ万博使節団に加わり、欧米諸国を周遊した経験を持つ。渋沢はパリで銀行家と軍人が同じテーブルで対等に話す様子を見て、日本の身分制度が経済発展にとってどれほど障害となっているかを実感したという。帰国すると幕府はなくなり、渋沢が期待した四民平等の新政府ができていたため、渋沢はその新政府で働く道を選んだ。大蔵省（現・財務省）などで数年役人を務めた渋沢は、日本最初の銀行「第一国立銀行」を設立。名称に「国立」とあるが民間経営であり、日本最初の株式会社でもあった。その後、渋沢は500以上の会社創設に関わり、そのほかにも学校創立などの教育事業や社会福祉事業にも力を注いだ。渋沢は「道徳経済合一説」を唱え、倫理と利益の両立を目指した。岩崎や渋沢の後に続く実業家となる世代を学問の面から奮起させたのが福澤諭吉である。福澤の『学問のすゝめ』は当時の大ベストセラーだった。同書で福澤は、資本主義の副産物ともいえる貧富の格差について、新しい明治日本においては「学問のちからあるとなきとによりてその相違もできたるのみ」と断言した。

豆知識

1. 戦前の８大財閥（三菱、三井、住友、安田、浅野、大倉、古河、川崎）の中で、創業者の姓を冠していないのは唯一、岩崎の「三菱」だけである。

325 文学 中原中也

中原中也（1907～1937）は、短い生涯のほぼすべてを詩に捧げた。生前、中也と交流があった人々は、彼の人柄について好悪、善悪など様々な評価を与えているが、その作品は今も人々の心をとらえている。また、その独創的な作風は後世の作家や詩人に大きな影響を与えた。

◈

中也の詩における原体験は８歳の時、「亡くなつた弟を歌つたのが抑々の最初である」（1936『我が詩観』）と書き残している。小学校では詩の好きな教師に出会い、短歌を新聞に投稿するなどしていた。友人と歌集なども作っている。

もとは軍医で、後に開業医となった父は、長男である中也に医師になり家業を継ぐことを望んでいた。しかし、中也は文学に熱中するあまり、中学を落第してしまう。その後、山口県の家を出て単身、京都の中学に転校するが学業に励む気はなく、この頃、高橋新吉（1901～1987）の詩集『ダダイスト新吉の詩』を読み「中の数篇に感激」したという。

京都で、中也は女優の卵だった長谷川泰子と出会い、下宿先で同棲生活を始める。中也は18歳、泰子は３つ上だった。やがて中也の大学予科の受験のため、２人は東京へ移った。1925年、中也の受験は成功せず、仕送りを受けながら東京で同棲生活を送った。この頃、中也は小林秀雄（1902～1983）に出会った。小林は当時、東京帝大の学生で、後に日本を代表する評論家となる人物である。中也は小林に『朝の歌』という詩を見せた。それが高評価だったため「ほゞ方針立つ」と感じ、詩人として生きることを決意したという。しかし間もなく泰子が中也を捨て、小林と同棲を始める。この出来事について中也は、「私はたゞもう口惜しかつた。私は『口惜しき人』であつた」と書いている。一方の小林は、中也の死後、「悔恨の穴は、あんまり深くて暗い（中略）『口惜しい男』の穴も、あんまり深くて暗かったのに相違ない」（1949『中原中也の思ひ出』）と記した。中也の学業はまったく進まず、親には大学に通っていると嘘をつき、仕送りを受け取っていた。ただし、嘘が露見した後も仕送りは続いている。

1929年、中也は仲間とともに同人誌『白痴群』を創刊。廃刊後は『四季』『紀元』といった文芸誌に詩を発表している。1933年には地元山口の女性と結婚。この頃、中也と小林は再会を果たす。小林も泰子ではない、別の女性と結婚していた。中也の生前に刊行された唯一の詩集『山羊の歌』は、原稿は揃っていたが出版社が見つからず、1934年、小林が紹介した出版社から刊行された。また、小林が文芸誌『文学界』の編集責任者になっていたため、中也は同誌に新作詩の発表を続けた。『山羊の歌』は好評で、1936年には中也の訳による『ランボオ詩抄』も刊行された。詩作や訳詩の将来が見え始めた頃、長男が２歳で亡くなる。この死をきっかけに中也は精神に変調をきたし、入院する。1937年９月、中也は第二詩集『在りし日の歌』の原稿を小林に託し、10月に30歳で病死した。他の仕事には一切就かず、詩人としての生涯をまっとうした。

豆知識

1. 亡くなる年、中也訳の『ランボオ詩集』が刊行された。この本によって、中也は小林と並ぶアルチュール・ランボー（フランスの詩人、1854～1891）の訳者として認められるようになった。
2. 中也の母は長寿で、101歳で亡くなった。94歳の時「私も中也の詩を、まあいちおうは読んでおりましたけど、それがええやら悪いやら、私どもにはわかりません。やれやれ、こんなことを相変わらずつづけておるのかな、とがっかりした気持で読んでおりました」と語っている。

326 科学・技術 御木本幸吉

真珠は古来、「人魚の涙」などと呼ばれ世界各地で珍重されてきた。日本では縄文時代の遺跡から淡水真珠が出土し、歴史書『三国志』の「魏書」には、邪馬台国が曹魏に真珠5000個を贈ったと記されている。しかし、天然真珠は1000個の貝の中に1個あるかないかの希少価値のある産物であった。それを養殖技術によって世界に発信したのが、Pearl King(真珠王)と呼ばれた御木本幸吉(みきもとこうきち)(1858〜1954)だ。

◈

真珠養殖の歴史は古く、12世紀の中国で行われた記録があるほか、19世紀後半から20世紀初頭にかけての近代ヨーロッパでも盛んに研究されていた。日本では、御木本幸吉が1893年に養殖に成功し、世界中で高い評価を受けて真珠王とも称された。

志摩国鳥羽浦(現在の三重県鳥羽市)でうどんの製造・販売を営む家に生まれた御木本は、跡継ぎになるべく読み書きそろばんなどを習う幼少時代を送った。青年時代の御木本は青物の行商を皮切りに、米穀商、海産物商人へと転身。当時、世界の市場では天然真珠が高値で取引されていたことから、御木本は海軍軍人で大日本水産会の柳楢悦(やなぎならよし)(1832〜1891)を訪ね、東京帝大の箕作佳吉(みつくりかきち)(1858〜1909)と岸上鎌吉(1867〜1929)を紹介してもらって学理的な養殖の指導を受けた。

真珠は小石や寄生虫などの異物が貝の体内に侵入した際、これを真珠質で取り巻くことによって形成される凝固物である。そこで御木本は、アコヤ貝にどんな異物を入れるか、どこに入れるか、最適な生育環境などを調べる実験を開始する。1893年には、実験中の貝に半円真珠が付着している貝を発見し、1896年には半円真珠の特許を取得した。その後、御木本は真円真珠の養殖に成功し、黒蝶真珠や白蝶真珠の養殖にも取り組んだ。また、1899年には東京・銀座に御木本真珠店を開設した(これが現在の株式会社ミキモトである)。1920年頃、ロンドンの宝石市場にも供給できるようになると、翌年、ヨーロッパで起こされた、天然真珠と見分けのつかない養殖真珠をニセモノとした訴訟にも全面勝訴。市場を世界へと着実に広げることに成功する。また優秀な職人をヨーロッパへ派遣し、アール・ヌーヴォーやアール・デコといった最先端のジュエリーのデザインと製作技術を習得させたりもしている。

御木本は、真珠の養殖に成功した発明家としてだけでなく、日本の近代宝飾史にも大きな足跡を残し、1954年、老衰のため96歳で死去した。

豆知識

1. かつて天然真珠で世界の市場を独占していたのはクウェート沿岸地域などの中東諸国だった。だが、御木本の真珠養殖成功と世界進出によりクウェートの真珠漁業は破壊された。クウェート王家は真珠に頼らない経済を模索して油田開発を後押しし、外資による石油探鉱を許可することになる。
2. 1927年に御木本が欧米視察を行った際、アメリカで発明王と呼ばれたトーマス・エジソンと会見した。御木本が持参した真珠をプレゼントすると、エジソンは「これは養殖ではなく真の真珠である。私の研究所でできなかったものが二つある。一つはダイアモンド、もう一つは真珠だ。あなたが真珠を発明完成されたことは、世界の驚異だ」と絶賛したと伝えられている。
3. 御木本は月1回鰻丼を食べる会を開いて、ミキモトの従業員と意見交換を行った。これには商人はうなぎ昇りでなければならないという意味と、真珠養殖の天敵であるウナギを退治してしまおうという意味が込められていた。

327 芸術 | 横山大観

近代日本画壇を代表する横山大観（1868～1958）は、常陸国水戸藩士である酒井捨彦（生没年未詳）の長男として生まれた。横山秀麿（ひでまろ）が本名で、横山姓なのは母方縁者の養子となったからである。東京英語学校時代から絵画に傾倒し、岡倉天心（1862～1913）らが創立した東京美術学校に第１期生として入学した。卒業後は京都で教員を務めた頃、酒席でひらめき、「大観」の号を使い出した。その後、東京美術学校を失脚した天心を慕って、日本美術院の創設に加わった。

◈

「画は人なり」という大観の言葉がある。大観は「筆をもって絵を習うことはそう大騒ぎしなくてもよいのです。それよりも人物をつくることが大事で、それを土台にしないことにはいくらやっても駄目なことです。人間ができてはじめて絵ができる。それには人物の養成ということが第一で、まず人間をつくらなければなりません。」と書いている。つまり、描く技術である画力だけが重要なのではなく、豊かな人間力がなければいい絵は描けないというメッセージである。だが、これはそれ相当の画技が備わっている者への提言であり、画力と人間力の調和がとれていることで初めて画家として成り立つという、大観らしいブレのない自信から出た言葉ではないかと思われる。

大観の絵は没線描法（ぼっせんびょうほう）という技法で、「朦朧体（もうろうたい）」と評される。線描を抑えて空刷毛でぼかし、色彩だけで濃淡を使い分けることで光や風を表現する手法で、敬愛する岡倉天心に「空気を絵で表現する方法はないのか」と言われたことをきっかけに朋友の菱田春草（1874～1911）と西洋画の研究をした末にたどり着いたものだという。しかし、これが当時の画壇からは「曖昧で勢いがない」と批判を浴びた。「朦朧体」とは揶揄した表現だったのである。また、大観29歳の時の作品『無我』や、『屈原』などは、評論家から「幽霊画」だとか、「これは描いているのではなく、塗っているだけ」と酷評された。当時の画壇は、西洋の油彩画は絵具を塗りたくっているだけであり、大観の絵もその手法を用いただけで、日本画とはいえないと批判したのである。

保守的な風潮が蔓延する日本での活動に辟易した大観は、春草とともにインド、ニューヨーク、ボストン、ロンドン、ベルリン、パリなどを回り、展覧会を開く。そして高い評価を受けた。逆輸入される形で日本での評価も高まり、帰国後は色彩豊かな、琳派から影響を受けた作品を発表。低迷していた日本画壇を再興させ、1937年に制定された第１回文化勲章を受章した。

また、大観は生涯にわたって「富士山」を描き続けた画家でもあり、その点数は1500点以上にのぼる。多作であるが、今でも大観の富士は人気がある。

豆知識

1. 酒好きで知られた大観だが、若い頃はほとんど下戸であったという。岡倉天心から「酒の一升も飲めずにどうするんだ」と言われ、以降訓練を重ね、やがて主食が酒という日々を送った。85歳頃まで毎日酒一升を続け、90歳で天寿を全うしたのだから、よほど酒精の神に気に入られていたのであろう。

328 伝統・文化 | 芸妓(舞妓)、幇間

芸妓とは、唄や踊り、三味線などの芸で宴会の席に楽しさを添える仕事をする女性のことである。芸妓は京都での呼び名で関東では「芸者」と呼ばれる。「舞妓」とは芸妓の見習いのこと。「幇間」とは男芸者のことで、「太鼓持ち」「末社」とも呼ばれる。いずれも酒席で遊客に座興を見せ、遊興の取り持ちを行う。江戸の吉原に限り、「太夫」とも呼ばれた。

◈

舞妓

芸妓の起源は、江戸時代の京都・八坂神社のある東山周辺の水茶屋で働いていた茶汲女だといわれている。水茶屋では当初、お茶やだんごを出していたが、それに酒や料理が加わり、それを運んでいた茶汲女たちが歌舞伎芝居を真似て踊りを披露するようになり、いつしかそれが芸妓になっていったとされている。

芸妓とその見習いである舞妓は、京都の祇園をはじめとする花街の置屋に所属しており、そこから各お茶屋（お座敷と呼ばれる部屋をいくつか持ち、客の要望に応じて芸妓や酒、料理など、遊興に必要なものをすべて段取りする店のこと）へ送り出された。

まだ揚屋（遊郭）があった頃は、芸妓は指名した花魁（遊女）が到着するまでの場つなぎとして呼ばれ、唄や踊りなど、十八番の芸を披露して客を楽しませ、花魁と客が妓楼に去った後、めいめいの置屋に引き揚げた。

かつて芸妓になるためには、「仕込み」と呼ばれる厳しい修業期間が必要だった。芸妓志望の女性は、大体15歳頃から置屋で姉さん（先輩）たちと共同生活をしながら舞や行儀作法、着物の着付けなどの修業を積み、約１年後に舞妓としてデビューする。舞妓の期間である約５年のうちに一通りの舞や三味線、お囃子、お座敷での接待法を姉さんたちから学び、習得しなければならなかった。修業が終わると、舞妓時代の赤い衿から大人の芸妓の証である白い衿に替える「衿かえ」と呼ばれる儀式が行われ、晴れて芸妓になれたのである。

また、幇間は座敷において客と芸妓の間を取り持つのが主な仕事で、客に気持ちよく遊んでもらうためにあらゆる便宜を図り、太鼓持ちとも呼ばれる。幇間は、豊臣秀吉（1537～1598）の御伽衆（芸能に優れた側近）が起源との説もある。

1935年頃には幇間は全国に470人近くいたが、太平洋戦争などの影響でその数を減らし、現在、江戸時代からの芸を受け継ぐ見番（芸者衆の手配などを行う花街の中心施設）に所属する正式な幇間は数えるほどしかいなくなっている。

豆知識

1. 芸妓の帯はだらりの帯といわれ、足首の辺りまで垂れ下がり、歩くとゆらゆら揺れるのが特徴である。
2. きらびやかな芸妓のかんざしは四季折々の花をあしらっているのが特徴で、２月は梅、４月は桜、10月は菊である。
3. 舞妓は、「裾引き」というお引きずりの着物を着て座敷にあがる。帯から下の裾までの部分を褄と呼び、外を歩いたりする時は必ず左手で持って歩くのがしきたりである。

329 哲学・思想 | 神仏分離

神仏分離は神道と仏教を明確に分離することで、具体的には神社から堂塔や仏像・仏具などを排除し、神前での読経などを禁止することをいう。1868年に明治政府が発した「神仏分離令」に基づいて行われたものをいうことが多いが、藩によってはこれに先立って行っていたところがある。仏教に対する反発が強かった地域では寺院を破壊する廃仏毀釈（はいぶつきしゃく）も起こった。

◈

誤解されがちなことなのだが、「神仏分離令」または「神仏判然令」という法律ないし政令はない。1868年（この年に改元が行われ慶応４年から明治元年になった）３月から10月にかけて発布された太政官布告・太政官達（たっし）・神祇官達を総称して「神仏分離令」「神仏判然令」などと呼んでいるのである。

その内容は様々で、石清水八幡宮・宇佐神宮・筥崎（はこざき）宮などに「八幡大菩薩」などの神仏習合に基づく神号（神の称号）を用いるのを禁じるものもあるが、主な内容は神社から仏教的なもの（仏像・仏具・堂塔・仏典・仏教に基づく呼称など）を排し、僧が神社の祭祀や経営に関わることを禁じるというものである。

こうした法令が発布されたのは、明治政府が天皇を頂点とした国づくりを目指していたからで、天皇の権威の根拠となる神道を諸宗教の上に位置づける必要があった。しかし、実際には奈良時代から続く神仏習合のために神道の神々は仏の化身と考えられるようになっていた。神前で読経を行うのはごく普通のことであったし、社殿に仏像が安置されていることも珍しくなかった。社殿と並んで塔や堂が立っているのも、ごく普通の風景になっていた。それどころか主要な神社には神宮寺・別当寺と呼ばれる寺院が付属していて、神社の経営はその寺院に握られていることが一般化していた。神職は神社に勤める社僧より低く見られることもあり、こうした状況に不満を感じる者も少なくなかった。このため水戸藩・長州藩・会津藩など水戸学や平田派の国学（平田篤胤の系統の国学）の影響が強い藩では、明治維新以前に神仏分離が行われていた。そして、古代の天皇が直接統治を行っていた時代を理想と考えていた明治政府は、神社を神仏習合以前の姿に戻すべく「神仏分離令」を発したのだった。

「神仏分離令」では別当寺の廃止や別当（別当寺の住職）が還俗して神主になることは命じているが、神社とは関わりのない寺院の破壊や一般の僧の還俗までは命じていない。しかし、寺院の支配に反発が強かった地域や復古思想が普及した地域では首長や神職、有力者が令を拡大解釈し、寺院の破壊に及んだ。これを廃仏毀釈という。このため興福寺のような大寺院さえも廃絶の危機に直面する事態に陥った。

豆知識

1. 奈良では興福寺が神仏分離の影響を大きく受けた。主だった僧は春日大社の神主となってしまって無住状態となり、東金堂は仏像・仏具が運び出されて警察署として使われた。五重塔も売りに出され、再利用する金属のみを取り出すために焼かれそうになったという。

330 自然 ｜ 自然遺産

遺跡や自然の景観といった人類共通の財産を認定し、国際的な協力によって後世に残そうとするのが、1972年にユネスコ（国際連合教育科学文化機関）総会で決められた「世界の文化遺産及び自然遺産の保護に関する条約（世界遺産条約）」だ。日本では自然遺産に屋久島など４カ所が登録され、次の時代へ貴重な自然環境を残すための努力が続けられている。

◈

屋久島の縄文杉

世界遺産のジャンルは３つあり、人類が作り上げた「文化遺産」と、地球の歴史や動植物の進化を伝える「自然遺産」、両方の価値を併せ持つ「複合遺産」がある。いずれも「顕著な普遍的価値」を有するかどうかが判断の条件であり自然遺産では評価基準として「最上級の自然現象、又は、類まれな自然美・美的価値」「生命進化の記録や、地形形成における重要な進行中の地質学的過程、あるいは重要な地形学的又は自然地理学的特徴」「陸上・淡水域・沿岸・海洋の生態系や動植物群集の進化、発展において、重要な進行中の生態学的過程又は生物学的過程を代表する」「学術上又は保全上顕著な普遍的価値を有する絶滅のおそれのある種の生息地など、生物多様性の生息域内保全にとって最も重要な自然の生息地」の条件を満たす必要がある。

世界遺産の総数は1000件を超え、そのうち200件以上が自然遺産である。日本では、屋久島（鹿児島県）、白神山地（青森県、秋田県）、知床（北海道）、小笠原諸島（東京都）の４カ所が登録されている。鹿児島県の屋久島は1993年に登録された。屋久島については、中国の歴史書『隋書』の607年の記事における記述が最初の記録とされ、原生林に自生する樹齢1000年を超えるヤクスギの中でも、樹齢3000年以上の大王杉、7200年以上とされる縄文杉が有名だ。青森県から秋田県に広がる白神山地も1993年の登録である。白神山地は人の影響をほとんど受けていない世界最大規模の原生林で、この地には約１万年前にブナ林が形成されたと考えられている。知床は2005年の登録で、日本国内で初めて海洋を含む自然遺産となった。小笠原諸島は2011年、独自の生態系が高く評価され登録された。

自然遺産登録には、環境の整備だけでなく持続的な保護管理を可能にするシステム構築が重要であり、そのための人材や予算、時間の確保、国の法律や制度の整備などが不可欠である。これらは次の時代へ貴重な財産を残すために、必要な労力なのである。

豆知識

1. 富士山は1990年代、「自然遺産」での登録を目指していた。しかし当時はトイレが十分に整備されておらず、ゴミの不法投棄があり、開発も進んでいたことなどから、条件を満たせなかった。そのため「文化遺産」での登録に切り替え、2013年、関連する文化財群とともに「富士山 —— 信仰の対象と芸術の源泉」の名で世界文化遺産に登録された。
2. 政府は、奄美、沖縄地域の世界自然遺産登録に向け、ユネスコ世界遺産センターへ「奄美大島、徳之島、沖縄島北部および西表島」の推薦書を提出。2019年のIUCN（国際自然保護連合）の現地調査を経て、早ければ2020年夏には登録される見込みだ。
3. 2019年７月現在、日本の世界遺産は23カ所。文化遺産は2013年登録の「富士山」を皮切りに、2014年「富岡製糸場と絹産業遺産群」、2018年「長崎と天草地方の潜伏キリシタン関連遺産」、2019年「百舌鳥・古市古墳群」など19カ所だ。直近では７年連続で登録を果たしている。

331 歴史 自由民権運動

自由民権運動は、1873年の「明治六年の政変」で西郷隆盛（1827〜1877）とともに参議を辞した板垣退助（1837〜1919）らが中心となって始めた、国会開設要求を中心とする政治運動である。運動が絶頂期にあった1882年、暴漢に襲われた板垣が叫んだ「板垣死すとも自由は死せず」は名言として知られるが、発言の経緯、真相は不明である（暴行事件は事実）。

◈

板垣退助

板垣は、ともに参議を辞した後藤象二郎（1838〜1897）、江藤新平（1834〜1874）、副島種臣（1828〜1905）らと1874年に政治結社「愛国公党」を結成する。政変後に内務省が設けられると、大久保利通（1830〜1878）が参議のまま内務卿（長官）に就任した。他の各省でも卿を参議が兼任するようになり、あたかも藩閥政治家数名の合議で明治政府全体が運営されるような状況となった。愛国公党はこれを「有司専制」と呼んで批判し、『民撰議院設立建白書』を当時の立法機関にあたる「左院」に提出した。建白書は、冒頭で「臣等伏シテ方今政権ノ帰スル所ヲ察スルニ、上帝室ニ在ラズ、下人民ニ在ラズ」と、政治権力が天皇にも人民にもなく、「有司」に独占されていると指摘し、「民撰議院」を立てれば、「有司」の権力が制限され、天皇および人民の「安全幸福」が得られると主張している。

その後、愛国公党は解散したが、板垣は「立志社」や「愛国社」を設立して自由民権運動を継続した。1880年に全国規模の「国会期成同盟」が結成されると、国会開設を求める請願書や建白書が多数提出されるようになる。この運動には、不平士族や地租の重圧に苦しむ農村の指導者、都市住民など、政府の方針に不満を持つ多種多様な人々が参加した。

政府は、このような民権運動の盛り上がりを警戒し、新聞発行や集会の規制、名誉棄損処罰の法令布告といった言論弾圧を行った。1881年の「明治十四年の政変」では、参議の大隈重信（1838〜1922）が伊藤博文らによって罷免された。政府内で国会の早期開設を唱えていた大隈の追放は民権運動家から厳しい批判を浴びた。これをかわすように同年、天皇から10年後の国会開設を約す「詔（みことのり）」が出されたが、この期限を政府は運動の終息時期と予測していた。しかし、国会期成同盟はすぐに10年後を見据えて自由党を結党し、板垣が党首に就いた。大隈も立憲改進党を立ち上げ、国会開設への機運は高まるばかりだった。

一方、自由党の中には国会開設までの準備政党であることに不満を持つ急進派が現れ、全国各地でテロや蜂起を含む「激化事件」を多発させた。中でも数千人規模で事実上の反乱とされたのが1884年の「秩父事件」だ。1890年に第１回衆議院議員総選挙が執行され、300人が議員として初の帝国議会に送られた。以降、政府と政党は議会での対立を繰り広げることになる。

豆知識

1. 第１回総選挙には1243人が立候補した。有権者数は45万人余り（人口の約１％）で、投票率は93％を超えた。第１党には板垣の立憲自由党（130議席）、大隈の立憲改進党は41議席で第３党となった。
2. 板垣は1953年から発行された百円札の肖像に用いられている。
3. 大隈は早稲田大学の前身である東京専門学校の創立者である。

332 文学 中島敦

中島敦（1909～1942）の生涯は33歳と短いもので、生前に刊行された著書は2冊、残された作品数も20編余りと少ない。しかしその文学が後世に与えた影響は大きい。没後に発表され、高い評価を得た『李陵』や、現在、高校の国語教科書に最も多く採用されている『山月記』などで知られる。

◈

作家自身の言葉を借りれば、中島は「父祖伝来の儒家」（1942『狼疾記』）に生まれた。中島家は、江戸期には商家だったが、祖父が家業を嫌って明治初期に漢学塾を開いた。中島の父とその兄弟もこの塾で学び、中国の研究者、漢文教師、中国語通訳などの仕事に就いている。中島もまた幼い頃から漢学に親しみ、その教養の深さは異常なほどだったという。それは中島の没後、中国古典に題材を取った中島の作品が中国で翻訳出版された際、読者の賞賛を得たことでもうかがえる。中島の友人だった文芸評論家の中村光夫（1911～1988）は、「もし作者の学識や想像力が尋常なものにすぎなかつたら。中国の読者には何か滑稽な辻褄の合はぬところをすぐ看破されたに違ひない。その方がむしろ普通である。たとへば平安朝時代に題材をとつて僕等を感心させるやうな短篇を書いた外国人はこれまでに一人もゐないのである」と書いた。

中島は中学卒業まで朝鮮で育ち、旧制一高に入学した。この頃に『校友会雑誌』に小説を投稿するなど、文学活動に目覚めた。その後、東京帝大ではダンスや麻雀に熱中し、通っていた麻雀屋の店員が後に妻となる。執筆は停滞したが、読書量は膨大だったという。

1933年は就職難の年で、大学を卒業した中島は、ようやく高等女学校教員の職を得た。多くの小説を執筆したものの、発表の機会はなかった。またこの頃から持病の喘息発作がひどくなり教職を続けることが困難になる、妻タカが「毎年十一月初めから三月いっぱいは本当に辛い季節でした」と回想しており、寒さを逃れるため、当時日本統治下だったパラオの南洋庁へ赴任することとなった。パラオへの出発前に、中島は小説『ツシタラの死』『古譚』の原稿を友人の作家・深田久弥（1903～1971）に託す。1941年7月にパラオに移り、教科書編纂などの仕事に就いた。しかしここでも多雨が原因で喘息は改善せず、1年余りで帰国を決める。

1942年、『古譚』の中から『山月記』と『文字禍』が『文学界』2月号に掲載された。深田が託された原稿をすぐ読まなかったために発表が遅れ、中島は帰国の船上にいた。東京へ到着後、同誌5月号に『光と風と夢』（『ツシタラの死』を改題）が掲載され、芥川賞候補となる。川端康成、室生犀星の賞賛を得たが、この回は該当作なしという結果に終わった。

『文学界』での発表は好評で、1942年7月、第一創作集『光と風と夢』が刊行された。同年11月には第二創作集『南洋譚』が刊行される。生前に出版された著書はこの2冊のみである。病床で中島は、「もう一冊書いて、筆一本持つて、旅に出て、参考書も何も無しで、書きたい。俺の頭の中のものを、みんな吐き出してしまひたい」と妻に泣きながら訴えたという。没後、遺稿を含めて刊行された全集は、毎日出版文化賞を受賞した。

豆知識

1. 中島の墓は東京都府中市にある多くの作家が眠っている多摩霊園にある。

333 科学・技術 近代の発明品

日本は自然が豊かな国ではあるが、大きく発展するために必要不可欠なエネルギー資源や鉱物資源が乏しく、それらは外国からの輸入に頼らざるを得ない。日本が国を発展させるために選んだ資源は、日本人の持つアイデアと職人気質の器用さ、そして西洋から吸収した科学知識であった。今や日本人の発明品は世界で当たり前に使われる日用品にもなっている。

◈

日本人の発明品は、今でも広く世界中で使われているものが多い。戦前に発明されたものの中で代表的なのはインスタントコーヒーだ。1903年にアメリカで特許を取得したコーヒー抽出液をフリーズドライで粉末にする技術で、アメリカ在住の日本人化学者の加藤了（生没年未詳）の発明だった。その後、インスタントコーヒーはアメリカで軍事用品として製造され、第二次世界大戦後、一般で消費されるようになった。

錺(かざり)職人の早川徳次（1893〜1980）が1915年に実用新案特許を取ったのが金属製シャープペンシル「早川式繰出鉛筆」である。軸の後端を回転させると芯が出てくる仕組みで、早川は、それまでの外国製品を改良して金属軸にした。早川はその後、1924年に早川金属工業研究所（現・シャープ）を開業し、家電事業へ参入した。

戦後になると、特に1980年代以降のエレクトロニクスの発明は目覚ましい。1981年ホンダが世界初の商品化カーナビ「ホンダ・エレクトロ・ジャイロケータ」を発売。ジャイロ機構による方向センサーとタイヤ回転から、移動方向と移動距離を検出。マイクロコンピュータで演算してブラウン管に映し、ドライバーはセルロイドの地図を移動の都度、画面に張り替えて使用した。現在のGPS式以前の発明である。元祖ノート型パソコン、世界初のA4サイズのハンドヘルドコンピュータ「HC-20（海外ではHX-20）」は、1982年、エプソンから発売。プリンター機能も内蔵されていた。3Dプリンターは1980年、技術者・小玉秀男（1950〜）が光硬化性樹脂を用いた「ラピッドプロトタイピング技術」で特許出願したのが起源だ。しかし、当時はその意味が理解されずに、小玉自身も気落ちして「審査請求」手続きをしなかった。そのため特許は後発企業にさらわれるが、1996年に英国民間財団が優れた発明に贈る英国ランク賞を受賞した。

豆知識

1. 1990年代の発明も世界で使われている。1990年代初頭、赤崎勇、天野浩、中村修二が世界初の高輝度青色LEDを開発。消費電力の少ないLEDは、テレビや携帯端末、コンピュータのモニターなどに使われている。
2. 1990年代末、NTTドコモが開発したiモードの立ち上げメンバーの栗田穣崇が携帯電話に絵文字を導入した。当初、絵文字は簡単な天気予報やビジネス情報のために生み出されたものだった。栗田が企画・開発した絵文字はニューヨーク近代美術館のコレクションになっている。
3. 世界初の特許を取った自撮り棒「エクステンダー」は、1983年に日本で発売された。もちろんスマートフォン用ではなく、ディスクカメラ「ミノルタ・ディスク7」のオプション・キットの、リモートレリーズ付きの手持ち用一脚だった。1993年にはアメリカでの特許が失効している。

334 芸術 ｜ 日本画の始まり

日本画という呼称は近代に生まれたもので、それまではやまと絵や和画と呼ばれていた。西洋から絵画が入ってきたことで、「洋画」に対する概念として「日本画」が使われ始めたのだ。日本画の発展に注力したのがアーネスト・フェノロサ（1853～1908）で、彼の指導で多くの優れた日本画家が育っていった。

◈

フェノロサ

1878年、開国から維新を経て、日本社会は急速な西洋化が進み、従来の美術作品が価値を落とし、作家たちが困窮しているなか、日本美術の復興を目的に「龍池会」が結成された。その支援者がフェノロサであった。フェノロサは狩野芳崖（1828～1888）の画業に和洋折衷の新たな絵の可能性を感じ、1884年に岡倉天心（1862～1913）や政治家・官僚で、哲学者・九鬼周造（1888～1941）の父である九鬼隆一（1852～1931）らと「鑑画会」という日本画の研究会を発足させる。参加したのは狩野芳崖、小林永濯（えいたく）（1843～1890）、橋本雅邦（がほう）（1835～1908）、渡辺省亭（せいてい）（1852～1918）ら35名で、主な活動はフェノロサによる古美術鑑定や参加者の展覧会であった。

この鑑画会で評価を高めたのが狩野芳崖と橋本雅邦であった。芳崖に対しフェノロサは、伝統的な日本の画に西洋絵画の写実性、空間表現を指導し、芳崖は西洋顔料を使用した『仁王捉鬼図（におうそっきず）』を制作。この絵は「鑑画会」で一等となり、時の首相・伊藤博文（1841～1909）に鑑賞させて日本画が持つ可能性を説き、東京美術学校設立へとつながったのである。その後、芳崖は名作『悲母観音』を制作。近代日本画家の父と称された。橋本雅邦は、東京美術学校で教員となり、多くの後進を育てた。

花鳥画に洒脱さを取り入れた渡辺省亭が師事した菊池容斎（1788～1878）は、「鑑画会」以前の作家だ。容斎が長い年月をかけて完成させた『前賢故実（ぜんけんこじつ）』は、歴史上の人物585人を描いた肖像画で、その画法は「鑑画会」の近代日本画家たちに大きな影響を与えた。

小林永濯は、江戸狩野の奥絵師四家の一つ中橋狩野家で学んだ後、西洋画や司馬江漢（1747～1818）、円山応挙（1733～1795）の画を研究し、さらに当時普及し始めた写真を参考に描く技法で、日本画に新たな道を開いた。永濯も鑑画会第１回大会に『僧祐天夢に不動を見る図』を出品し一等賞を受賞。また、明治22年（1889）に創刊された日本初のグラフィック雑誌『風俗画報』で健筆をふるった。また、自らを「画鬼」と称した河鍋暁斎（かわなべきょうさい）（1831～1889）は、狩野派を基礎に、浮世絵と写生を織り交ぜた独自の画業を展開し、『大和美人図屏風』などの正統な作品から、骸骨や妖怪、亡霊などを描いた絵まで、多彩な持ち味を発揮している。

幕末から明治の新時代をまたいで活躍した画家たちによって、西洋画に対する新たな日本画の技法が誕生した背景には、フェノロサの支援活動や、独自の展開を志向した菊池容斎や河鍋暁斎の存在があった。こうして近代日本画に新たな息吹をもたらしていったのである。

335 伝統・文化 ｜ 飛脚

飛脚とは、信書、金銀、小貨物などを輸送する脚夫のことだ。江戸時代に特に発達し、幕府公用の「継飛脚」、諸大名の「大名飛脚」のほか、江戸の「定飛脚」、京都の「順番飛脚」、大坂の「三度飛脚」などの民間営業の町飛脚があった。1871年の郵便制度の成立により飛脚は姿を消していったが、それまで飛脚として活躍した人々は、郵便局員や人力車の車夫などに転じていったという。

◈

『近世義勇伝 町飛脚』（歌川芳艶）

飛脚のルーツは、中国の唐から流入した「駅制」にあるといわれている。駅制は都から各国の国府を結ぶ主要街道の30里ごとに「駅家」を設け、馬を使い使者や荷物、文書などを配達する交通・通信制度である。この駅制は奈良時代以前には日本にも存在していたといわれている。鎌倉時代に入り、武家社会が成立すると、馬による「鎌倉飛脚」「六波羅飛脚」などが整備され、駅に代わって各地域に宿が成立し、飛脚の中継点となっていく。

戦国時代に入ると、情報の秘密度が高まったため、商業としての飛脚ではなく、大名の家臣がその役割を果たしたりしていたという。その後、江戸時代になると、五街道や宿場などの交通基盤が整備され、飛脚の形態も変化を遂げる。幕府の用向きを行う「継飛脚」のほか、各地の大名の用事を引き受ける「大名飛脚」、また幕府の許可を得て商人が経営する「飛脚屋」や「飛脚問屋」などの制度が発達した。一般の武士や庶民たちに広く利用された。

一番スピードが速かったのが幕府公用の継飛脚で、夜間の関所を通過できたり、増水した川を特別に渡れたり、大名行列の横切りすら許されるなど様々な特権を有していたという。飛脚は江戸～大坂間を約７～25日間かけて届ける「普通便」から、幕府や藩の急用の場合などに同区間を昼夜交代で走り続けて３～４日程度で届ける「特急便」まで、何種類もの料金体系に分けられていたという。ちなみに、東海道にある大井川は、「箱根八里は馬でも越すが、越すに越されぬ大井川」と唄われたほど氾濫が多く、飛脚はそこで足止めを食らうケースが多かったらしい。

明治に入ると、官僚・前島密（1835～1919）が渡英して郵便制度を調査し、郵便切手の発行や郵便ポストの設置、全国均一料金を採用して郵便制度を確立させた。これにより、やがて飛脚は衰退していった。

豆知識

1. 時代劇などで見られる、黒塗りの箱を担ぎ奴の恰好で走る「御状箱」を担いだ飛脚は、継飛脚である。
2. 継飛脚は江戸から京都まで500km近くある距離を約３日（60～80時間）で走破するほど速かったといわれている。

336 哲学・思想 | 中江兆民

中江兆民（1847～1901）は近代の思想家・ジャーナリスト・政治家である。フランスに留学後、ルソー（1712～1778）の『社会契約論』（1762）などを翻訳し、新聞の主筆を務めて自由民権の主張をし、「東洋のルソー」と呼ばれた。1890年の第１回衆議院議員総選挙に立候補し当選するも間もなく辞職してしまう。その後ジャーナリストとして活躍しつつ事業も行うがいずれも失敗に終わった。兆民の功績は読みやすい文体で政治・経済・自由民権を語り、民衆に知識と行動の機会を与えたことにある。

◈

中江兆民

中江兆民は土佐藩士の子として高知城下（現・高知市はりまや町）に生まれた。藩の留学生として長崎に行きフランス語を学ぶ。その後、兵庫で通訳として働く。維新後に東京に移り、1871年には岩倉使節団に司法省の役人として同行、フランスに渡った。パリやリヨンで学び、1874年に帰国した。東京・麹町にフランス語の塾を開くとともに翻訳に関わった。翌年には元老院権少書記官（元老院は明治初期の立法府、権少書記官はその役職名）となるが、1877年に辞職した。

1881年に西園寺公望（1849～1940）と『東洋自由新聞』を創刊する。翌年にはルソーの『社会契約論』の訳である『民約訳解』を刊行した。1887年には３人の酔っぱらいの放談という体裁で民主化や国権について論じた『三酔人経綸問答』を出版したが、三大事件建白運動（言論の自由・地租軽減・外交の回復を要求する運動）に関わったことから保安条例違反で東京を追放された。

大阪に移った兆民は『東雲新聞』を創刊、その主筆として健筆をふるった。また、壮士芝居（自由党の党員や青年活動家らが自由民権思想普及のために行った演劇興行で、新派の起源ともされる）の旗揚げにも関わった。1889年には大日本帝国憲法発布の恩赦で追放が解除されるが大阪にとどまり、翌年の衆議院議員総選挙に立候補し当選する。しかし、党内の派閥活動などに腹を立て1891年には辞職してしまった。この時、衆議院を「無血虫の陳列場」と罵倒したと伝えられている。その年のうちに小樽に移り新聞を発刊するとともに、様々な事業を興すがいずれも軌道には乗らなかった。晩年には政界復帰を試みたが果たせぬうちに54歳で没した。最晩年の1901年３月、癌で余命１年半と宣告された兆民は、「生前の遺稿」と称して日本の政治風土を評した『一年有半』を著し、同年９月に刊行した。さらにその続編『続一年有半』を刊行し、12月に世を去った。兆民は様々な奇行でも知られ、没年の1901年には『中江兆民奇行談』という本も刊行されている。

豆知識

1. 中江兆民は「秋水」と号していたこともあった。しかし、弟子の幸徳伝次郎（後の幸徳秋水）に譲った。
2. 告別式は1901年に行われた兆民の無宗教葬が起源とされる。兆民は没後すぐに火葬するよう言い残していたが、友人たちがお別れの会として催したのが告別式であった。

337 自然 北方四島

北海道根室市の納沙布岬からほど近いところにあるのが北方四島だ。この地域の面積は約5036km^2で、千葉県とほぼ同じ広さである。これほど広大な地域だが、ロシアとの領土問題で、国民のほとんどが見たことのない近くて遠い島となっている。

◈

北海道根室市の東端、納沙布岬沖合から北東に所在する歯舞群島、色丹島、国後島、択捉島が北方四島だ。中でも択捉島は、本土を除くと、日本最大の島である。ソ連（現・ロシア）との領土紛争のために、この４つの島は北海道から最短でわずか3.7kmの位置にありながら、ほとんどの国民が見たことのない遠い領土になっている。

北方領土の東側は太平洋、西側はオホーツク海にそれぞれ面している。海域には暖流と寒流が流れており、季節によって気候に大きな影響を与えている。

北方領土近海は、世界の三大漁場の一つに数えられる魚の宝庫であり、サケ、マス、ニシン、カニ、エビなど寒流系の魚介類が多くすんでいる。また、四島の周辺にはオホーツク海の北部、ロシアの沿岸で凍り付いた氷が風や海流で運ばれてくる。この流氷がミネラルやプランクトンなどを大陸から運び、この海域を豊かな海とするのである。また、これらをエサとするトドやオットセイ、アザラシなどの海獣類も多い。

こうした自然豊かな北方四島は、江戸時代には幕府からも認知されていた。1644年作成の『正保御国絵図』には、すでに樺太、千島列島、国後島や択捉島が記載されていて、この基礎資料は、松前藩が1635年に行った樺太調査だと考えられている。江戸時代後期になると、江戸幕府普請役で探検家の最上徳内（1755～1836）が幕府の蝦夷地検分隊の一員として、北方四島を含めて生涯で９回の現地調査を敢行。1798年の蝦夷地探検は、幕府が蝦夷地を直轄地にするための調査で、蝦夷舟で択捉島に上陸した。その時、最上は「大日本恵登呂府」の標柱を建立し、史上初めて択捉島までの日本領土宣言を行った。

現在でも北方四島は、自然が手つかずのまま残されている地域が多い。これはロシアが北方四島に自然保護区を定め、厳格に管理してきたからだ。一方、択捉島北部は保護対象から外されており、レアメタル鉱山の開発も計画されている。また、周辺海域では漁業資源の乱獲も進んでいる。現在、日本とロシアの間で、新たに北方領土問題を見直そうとする動きがあるが、そうなれば四島の自然保護は新しいフェーズに入るだろう。

豆知識

1. 北方領土問題は、1945年、ソ連が降伏前の日本に侵攻し、南樺太と千島列島を占領したことに始まる。日本が結んだ1951年のサンフランシスコ講和条約では、四島のうち、国後、択捉島を放棄。1956年の日ソ共同宣言では、ソ連は条約締結後、歯舞と色丹２島を返還する取り決めを結んでいたが、日本が方向転換し、四島一括返還を主張したため、ソ連は解決交渉を打ち切り、実効支配を継続することになった。
2. 北方四島の気温は寒暑の差が緩慢。冬の平均気温は、零下５℃か６℃ほどで、寒さはそう厳しくない。夏の気温は８月でさえ平均16℃ほど。これは３月から９月にかけて発生する海霧のために日照時間が少なく、海から冷たい風が吹いてくるからだ。
3. 北方四島の陸上にはキタキツネ、ヒグマ、クロテン、エゾライチョウなどが生息。カムチャツカ半島で繁殖したオジロワシ、エトピリカ、ウトウなど珍しい渡り鳥も多い。

338 歴史 日清戦争・日露戦争

日清戦争は日本国民にとって初めて経験する海外での戦争だった。各地では義勇軍を結成する動きが生じ、これを戒める詔書が出されるほどだった。当然、勝利にも国民は沸き立ち、それだけに講和会議の結果に対する露・独・仏の「三国干渉」には強く憤慨した。特にロシアに対する日本の不信はさらに高まり、日清戦争から約10年を経て日露両国は開戦に至った。

◈

朝鮮半島で起こった東学党の乱（甲午農民戦争）の鎮圧のため、朝鮮政府が清国の出兵を求めた。日本政府はこれに反発し、一個旅団を朝鮮に派遣することを閣議決定した。1894年５月、日清両国が朝鮮半島に上陸するとすでに朝鮮軍と東学党軍は停戦しており、朝鮮は日清に撤退を要求するが、両軍はこれを拒否する。その理由には諸説があるが、両国の宣戦詔勅を見ると、日本は「朝鮮の独立と改革を推進したい」、清国は「朝鮮をこれまでの冊封関係から、近代的な植民地にしたい」という利害が衝突したと思われる。同年７月25日に朝鮮半島西岸の豊島沖で日本艦隊と清国艦隊が遭遇したため交戦し、日本が勝利した。これをきっかけに両国は宣戦布告し、日清戦争開戦となる。日本は陸軍が９月16日までに平壌を占領。海軍が同17日に黄海で清国北洋艦隊を撃破し、戦線が朝鮮から清国領に広がると清国側は戦意を喪失した。日本の勝利で1895年４月17日、下関講和条約が調印された。朝鮮独立、遼東半島、台湾、澎(ほう)湖(こ)列島の割譲、２億両の賠償金が主な内容であった。同23日、露・独・仏の公使が遼東半島の返還を外務省に要求したため政府は返還を決めた。これが「三国干渉」である。雑誌『太陽』が「臥薪嘗胆(がしんしょうたん)」と題した記事を載せ、この言葉は国民の合言葉となった。

日清戦争の敗北後、清国はロシアと密約を結んで満州の鉄道敷設権をロシアに与えた。朝鮮もロシアに接近して日本勢力の排除を求めた。日露は交渉で、朝鮮については対等であることを確認し、朝鮮は「大韓帝国」として独立。しかし、満州のロシア兵力は増大と南下を続け、朝鮮半島北部に軍事基地の建設を始めたことが報じられると日本国内に開戦論が強まっていった。1904年２月、日本は陸海で先制攻撃を仕掛け、両国が宣戦布告。陸上では旅順と奉天、海上では日本海を中心に激戦が行われた。日本海海戦のバルチック艦隊撃破と樺太（サハリン）島占領という日本軍の戦果を受け、1905年８月10日、和平を仲介したアメリカのポーツマスで講和会議が開かれた。９月５日に締結されたポーツマス条約（日露講和条約）は、樺太島南半分を日本領とし、中国東北部の権益は日本に譲渡、賠償金はなしという内容だった。日本は死傷者20万人以上という犠牲と国家予算の３倍近い20億円もの戦費を払っていたため講和内容は国民から猛烈な反発を受け、日比谷公園の抗議集会に集まった数万人の群衆が東京市内の警察署、交番、キリスト教会、路面電車などに放火する「日比谷焼き討ち事件」が起きた。その後も講和反対の集会は各地で開かれ、これが大正デモクラシーにつながる起点だったともいわれている。

豆知識

1. 日露戦争開戦時に詠まれた明治天皇の御製「よもの海　みなはらからと　思ふ世に　など波風の　たちさわぐらむ」は、1941年９月６日、条件付きの対米英蘭開戦方針を決定した御前会議において、昭和天皇によって引用された。
2. 日清戦争開戦時には、軍が保存食を大量に買い上げたため、梅干、味噌漬、佃煮、粕漬、ラッキョウなどの食品価格が高騰した。
3. 日露戦争時から、陸軍の軍服がカーキ色に改められた。

339 文学 | 芥川賞と直木賞

芥川賞と直木賞を創設したのは、小説家、劇作家、ジャーナリスト、また文藝春秋社（現・文藝春秋）を創業した実業家でもある菊池寛（1888～1948）である。両賞とも、1935年の第１回以来、戦中戦後の一時中断を除いて毎年２回表彰が行われており、2019年下半期で162回を数える。現在の選考と授賞は、公益財団法人「日本文学振興会」が行っている。

◈

菊池寛

菊池は1888年に香川県高松市で生まれ、中学を首席で卒業したのち学費免除の東京高等師範学校に進んだ。大学に進学しなかったのは経済的理由で、本人には教師になる気がなく、素行不良で除籍処分を受けたためだった。その後、明治大、早稲田大に入るがいずれも中退。1910年、22歳で旧制一高に入学。同期に芥川龍之介、久米正雄らがいた。しかし一高でも卒業直前に退学処分を受け、京都帝大英文科に入学。東京帝大の第３次、第４次『新思潮』活動には、京都から参加した。

芥川の華々しいデビューに比べ、若き日の菊池は不遇の時代を過ごしたが、1918年『無名作家の日記』が『中央公論』に掲載され、以降『忠直卿行状記』、翌年『恩讐の彼方に』などを立て続けに発表。1920年、新聞小説『真珠夫人』のヒットで流行作家の仲間入りを果たした。

1923年、菊池は私財を投じ、若い作家の活動場所として『文藝春秋』を創刊。当初は出版社に発売を依頼していたが、売り上げは好調で、３年後には文藝春秋社から刊行されるようになった。毎号、同誌の巻頭を飾ったのは、芥川の『侏儒の言葉』である。その芥川が1927年に自殺し、菊池寛は悲嘆に暮れた。

『文藝春秋』に創刊当時から参加し、無署名の雑文のほとんどを引き受けていたのは菊池の友人でもある直木三十五だった。直木はその後、『南国太平記』など時代小説の大衆作家として人気を博したが、1934年２月に病死する。同年４月の『文藝春秋』に菊池は次のように記した。「……親しい連中が、相次いで死んだ。身辺うたゝ荒涼たる思ひである（中略）亡友を紀念すると云ふ意味よりも、芥川直木を失つた本誌の賑やかしに亡友の名前を使はうと云ふのである。もつとも、まだ定つてゐないが」（「話の屑籠」『文藝春秋』1934年４月号）

菊池の孫である菊池夏樹（高松市菊池寛記念館名誉館長）は、祖父が不遇の時代を経て作家になった経験から、「苦しまなくても作家になれる方法はなにか」というのが菊池の本音ではなかったかと述べる。この本音が、両賞を発想した端緒かもしれない。

翌年の『文藝春秋』新年号に「芥川・直木賞宣言」が掲載された。どちらも「無名若しくは新進作家」を選考の対象にしていて、直木賞には「大衆文芸」という規定が付されている。

豆知識

1. 両賞とも正賞は時計。副賞は当初500円だった。その後、５万円（1949上～）、10万円（1954下～）、20万円（1967上～）、30万円（1971下～）、50万円（1978下～）、100万円（1988下～現在）と金額が上がっている。
2. 現在は各種メディアで大きく扱われる両賞だが、第１回の授賞後、菊池は次のように嘆いている。「新聞社の各位も招待して、礼を厚ふして公表したのであるが、一行も書いて呉れない新聞社があつたのには、憤慨した」

340 科学・技術 | 戦闘機・戦艦

明治維新後、日本は日清戦争を経て農業立国から工業立国へ大きくシフトした。しかし、エネルギー資源や鉱物資源は海外からの輸入に頼っており、太平洋戦争は、その利権争いでもあった。日本はこの戦争に、開国以来約80年の間積み上げてきた科学技術を投入。欧米列強に工業立国となったことを証明すべく、技術力での戦いを挑んだ。

◈

零戦

明治維新後、様々な発明品を発表し、国外の科学界を驚かせてきた日本の技術力だったが、何より世界を震撼させたのは軍事技術だった。例えば開国から80年も経たずして太平洋戦争に投入されたのが、1940年制式の日本海軍の艦上戦闘機「零戦」だ。日中戦争から太平洋戦争初期にかけての日本海軍航空隊の主力機で、堀越二郎(1903〜1982)、曽根嘉年らによって設計された零戦は、速力、上昇力、航続力に優れ、20mm機関砲2門の重武装で米英の戦闘機と戦い、恐れられた。しかし、徹底した軽量化のため、防弾燃料タンクや防弾板などが搭載されておらず、アメリカ軍の大型エンジンを積んだ新鋭戦闘機が投入されると劣勢となった。大戦末期に編成された「神風特別攻撃隊」で主に使用されたのも零戦だった。

1941年に就航した日本海軍の超弩級戦艦「大和」も世界を驚かせた。戦艦として史上最大の排水量に加え、当時、世界最大の46cm主砲3基9門を備えた連合艦隊旗艦だった。レーダーが未発達だった時代、敵の砲弾の届かないところから遠距離攻撃ができる主砲は世界最強で、最大射程は4万2026mにも及んだ。防御性能も堅固で、不沈艦だと思われていたが、時代が進むとアメリカ軍が新戦術の要となる航空母艦を充実させたため、対抗できずに撃沈されてしまった(ただし世界初の新造空母も日本の「鳳翔」だった)。新兵器であるレーダーの性能を向上させたのは、1920年代に宇田新太郎(1896〜1976)と八木秀次(1886〜1976)が発明した指向性短波長アンテナ「八木・宇田アンテナ」だった。ただし、その性能の優越性に気づいたのは日本ではなく欧米の軍であった。八木・宇田アンテナは、電気技術史に残る発明として1995年に電気・情報工学分野の学術研究団体が認定する賞「IEEEマイルストーン」に選ばれている。

しかし結局、ABCD(アメリカ・イギリス・中国・オランダ)包囲網によって工作機械の輸入が停止されたため精密機械が造れず、整備するための熟練エンジニアの人数も限られた状況で、日本は科学技術戦というべき近代戦争を勝ち抜くことはできなかった。

豆知識

1. カレーライスは日本海軍の兵食から普及したといわれる。明治時代初期、海軍では脚気(かっけ)の病死数が多かった。そこでイギリス海軍の兵食を参考に栄養バランスを考えて作られたレシピがカレーライスだった。これを地方まで流行させたのは、軍を退役して故郷に帰った地方出身者だったと考えられている。
2. 日本は多くの最新機器を欧米から輸入して分析し、新たに設計していったが、戦争末期になると、戦場でそれを整備する整備兵が存在せず宝の持ち腐れとなっていった。熟練整備兵まで戦闘に駆り出され、戦死していたからである。
3. 現存する最後の大日本帝国海軍の船が、1956年から1962年まで南極観測船を務めた海上保安庁の砕氷船「宗谷」である。もともとはソ連向けに建造されたもので、砕氷、耐氷能力を備え、ソナーを装備した最新鋭船だった。現在も船籍を残し、東京都江東区の船の科学館前に保存展示されている。

341 芸術 高村光雲と高村光太郎

高村光雲（1852〜1934）は仏師で彫刻家であり、高村光太郎（1883〜1956）は彫刻家、画家、詩人でもあり、２人は父と子の関係である。光太郎は、妻をモチーフとした1941年発表の詩集『智恵子抄』で有名で、詩人だと思われがちだが、日本を代表する彫刻家、画家としての功績は大きい。父の光雲の彫刻で最も著名な作品としては、上野恩賜公園の「西郷隆盛像」が挙げられる。東京下谷（台東区）生まれ、町人出身の芸術家である。

◈

高村光雲

光雲は11歳で仏師・高村東雲（たかむらとううん）（1826〜1879）の徒弟となるが、折しも明治維新後の廃仏毀釈により仏師としての仕事がない日々が続く。時代は文明開化の世で、来日する西洋人の購買欲をそそる象牙細工が制作されたが、これらは商業主義の産物であり、本来仏師が作りたいものではなかったと推察される。

光雲は西洋美術を学びながら、伝統の木彫に写実主義を取り入れて近代でも通用する作品づくりに専念する。そもそも「彫刻」という概念が本格的に日本に伝えられたのは明治30年前後のことで、西洋絵画よりも遅れた伝播だった。この「彫刻」作品に触れた光雲は、新しい表現による芸術作品を模索し始めた。そして制作されたのが1893年発表の『老猿』である。右上部を見据え、左膝を立てて岩に座る老いた猿は、左手に鷲の羽を握っている。鷲と格闘した直後の一瞬をとらえた造形は激しい動きの後の静けさを切り取るように造られている。この作品の制作背景には、長女・咲子（さくこ）の早世という悲劇があり、光雲の怒りと哀しみが木彫の老猿に込められているかのようである。この作品はシカゴ万国博覧会に出品され優等賞を受賞した。

高村光太郎は1897年に東京美術学校彫刻科に入学し、後に西洋画科に学んだ。1906年、ニューヨーク、ロンドン、パリにそれぞれ１年余り留学し、西洋美術全般を学ぶ。特にフランスのオーギュスト・ロダン（1840〜1917）が革新的な彫刻作品を発表していたことに影響を受け、帰国後は生命の造形化を志向する彫刻作品を制作し、日本の彫刻に新風を吹き込んだ。光太郎自身は保守的な日本画壇を嫌い、父・光雲に反抗して、『麗子像』で有名な岸田劉生（りゅうせい）（1891〜1929）らと「フュウザン会」（フランス語のfusain＝木炭の意）を結成。表現主義的な美術運動として、先駆的な活動を展開した。

だが、光太郎の生活は退廃し、酒を飲んで暴れるという日々が続いていた。そんな時に出会ったのが後に妻となる智恵子である。奈落から救い上げられるように光の世界へ上がった光太郎は、「僕の前に道はない　僕の後ろに道は出来る」で有名な『道程』を1914年に発表。智恵子との生活は光太郎に創作力を与え、1918年にブロンズ塑像の代表作『手』、1926年に木彫『鯰（なまず）』などを発表する。しかし、智恵子が1938年に亡くなった後、光太郎は日本軍の真珠湾攻撃を称賛し、戦意高揚の詩を数多く作った。だが、日本は敗戦。光太郎は花巻市郊外に粗末な小屋を建て、自給生活を７年間送る。戦争協力への悔恨からの行動であった。そして、1956年、東京で73年の生涯を閉じた。

342 伝統・文化 ｜ 銭湯

銭湯とは、料金をとって不特定多数の客を入浴させる浴場である。公衆浴場、風呂屋、湯屋とも呼ばれる。広く親しまれるようになったのは江戸時代からで、当初は「入り込み湯」と呼ばれ男女混浴だったが、混浴の禁止令が出されたことで徐々に男風呂と女風呂に分かれた。現代では地域住民の保健衛生を確保する役割を担い、物価統制令に基づいて都道府県で入浴料金が定められているものが銭湯とされている。

◈

6世紀、寺院に浴堂が設けられ、仏教の布教活動として庶民に「功徳風呂」と呼ばれる入浴を施したことが銭湯の始まりとされる。仏教において、入浴は病を退けて福を招来するものとされており、寺院などにおいて貧しい人々や病人・囚人らを対象に浴室を開放し入浴を施すことを「施浴(せよく)」と呼んでいた。有名なものとしては、鎌倉時代に源頼朝（1147〜1199）が後白河法皇（1127〜1192）の追福（死者の冥福を祈ること）に鎌倉山で行った100日間の施浴や、幕府が北条政子（1157〜1225）の供養に行った長期間の施浴がある。

鎌倉時代末には、京都の祇園社内に銭湯があったという記録がある。室町時代には市中の施設として、銭湯はある程度普及していたようである。

室町幕府第8代将軍・足利義政（1436〜1490）の夫人の日野富子（1440〜1496）は、毎年末に両親の追福の風呂を催し、縁者たちを招待したといわれている。この頃から風呂のある家では、人を招いて風呂をふるまい、入浴後には茶の湯や、酒宴を開いたりしていたという。いわゆる「風呂ふるまい」である。その他、地方でも村内の薬師堂や観音堂に信者が集まって風呂を沸かして入り、入浴後は持参した酒と肴で宴会をする「風呂講」が行われていたという。

銭湯の創始者といわれているのが、江戸時代の商人の伊勢与市（生没年未詳）である。与市は1591年に銭瓶橋(ぜにがめばし)（現在の東京都千代田区丸の内）近くに江戸初の銭湯を開業し、大いに流行ったという。この頃も銭湯はまだ蒸し風呂タイプで、現在のようにたっぷりの湯に首までつかる「据風呂(すえふろ)」ができたのは慶長年間（1596〜1615）の末頃だったようだ。また、銭湯は当初、湯を桶に入れるくみ込み式だったが、後に桶の中に鉄の筒を入れて下で火を焚く方法が開発され、これは「鉄砲風呂」と呼ばれた。

近代以降、家風呂が普及し、銭湯の減少が続く一方で、公衆浴場を開放して自治体がサービスを提供するコミュニティ銭湯や娯楽性のあるスーパー銭湯などの形態が登場した。

豆知識

1. 寺院は浴堂を七堂伽藍の一つに数えており、奈良の東大寺や法華寺には、今でも大湯屋や浴堂が残っている。
2. 江戸時代、桶の底に平釜をつけ、湯を沸かすいわゆる「五右衛門風呂」は、関西で行われていることが多かったようだ。

343 哲学・思想 西田幾多郎

西田幾多郎（にしだきたろう）（1870〜1945）は日本の哲学者であり、古代ギリシャに始まり近世ヨーロッパで確立された哲学を、日本的知性でいかに理解するか（あるいは日本・東洋的知をいかに西洋哲学の言葉で表すか）を考え、禅の思想を取り入れることで独特の哲学を作り上げた。また、彼の教えを受け継ぐ一派を京都学派という。

◈

西田幾多郎

西田幾多郎は加賀国河北郡森村（現在の石川県かほく市森）に庄屋の家の子として生まれた。第四高等中学校（四高）在学中に哲学や自由民権に目覚めるが、学制の変更に伴い校風が変わったことに抗議して退学する。その後、東京帝国大学専科に入学し哲学を学ぶ。学習院教授、豊山大学（現在の大正大学）講師などを経て、1910年に京都帝国大学文科大学助教授となった。四高の同級生に仏教学者の鈴木大拙（1870〜1966）がおり、その影響で若い頃から坐禅に親しんでいた。『善の研究』をはじめとした西田の著作には、その参禅体験が活かされている。1928年、京都帝大を退官し、1940年に文化勲章を受章している。主な著作に『善の研究』（1911）、『自覚に於ける直観と反省』（1917）、『哲学の根本問題』（1933）などがある。西田が活動したのは西洋哲学の受容が一段落つき、日本独自の哲学の誕生が待たれている時期であった。しかし、西洋哲学はヨーロッパ言語を前提としユダヤ・キリスト教の教義を根幹とした思想であり、言語体系がまったく異なり、宗教的風土も違っている日本人には理解するだけでも難しく、独自の哲学を生み出すのは容易ではなかった。この問題に対して西田は哲学を人生の問題として考えることで超克しようとした。それは「人生の問題が中心であり、終結であると考えたから」（『善の研究』）だという。西田が「人生の問題」にこだわったのは、自由民権運動の挫折により当時の若者たちが体験した近代的自我の危機があったという。また、『善の研究』執筆中に体験した娘の死も関係していた。

西田が日本的哲学の創造に用いたもう一つの方法が、禅をはじめとした東洋の宗教・思想の方法で、特に禅の理性的な判断を介さずに対象を直感的に把握する方法であった。西洋哲学ではまず対象を分析することから思索を始める。それはAであるか否か、１個か多数か、生きているのかいないのかなど、分析は二項対立として理解されることが多い。しかし、実際の体験はそのように分析的に起きるのではないと西田は考えた。まず体験があり、その後に知性による分析が起こって体験者（主体）と体験されたもの（客体）が明らかになるのである。つまり、体験の瞬間には主体と客体は未分化なのだ。こうした体験を西田は純粋体験と呼び、この観点から西洋哲学が重視してきた価値観、善・悪、有・無、生・死などは「一なるもの」の２つの側面にすぎないとした。晩年の西田はこの哲学をさらに深化させて「絶対矛盾的自己同一」という概念に行き着いた。これは、決して相容れない対立事項、例えば生と死、善と悪などが、実は相補的な存在であり、根源的には同一だということである。

豆知識

1. 京都市東山区の永観堂付近から銀閣寺付近まで続く琵琶湖疎水沿いの道は「哲学の道」と呼ばれるが、これは西田幾多郎が好んで散策したことからつけられたといわれる。

344 自然 伊豆諸島・小笠原諸島

本州寄りの伊豆大島から、日本領土の最南端の沖ノ鳥島まで、東京都の行政区画に属する。遠く離れてはいるが、縄文時代から人が暮らしていた痕跡がある太平洋沖の島々は、日本人の生活圏だった。様々な歴史の舞台となった伊豆諸島・小笠原諸島は、京都や江戸から来た人々によって豊かな文化を成立させ、現在も重要な島嶼(とうしょ)地域となっている。

◈

伊豆諸島は、本州に一番近い有人島の伊豆大島から、最南端の巨大な岩・孀婦岩(そうふがん)までの間にある100余りの島嶼だ。島々はいずれも火山、あるいはカルデラ式海底火山の外輪山が海面上に出たもので、現在も活発な火山活動を繰り返す島もある。

縄文遺跡も発見される三宅島は、平安時代には伊豆大島などが流刑地になり、公家や武家が流されたことで、京の文化や風俗が多く流入した。江戸時代に幕府の直轄地となったため、1878年に東京府に編入されたことが現在の行政区画の基礎となっている。

小笠原諸島は、東京都特別区の南南東約1000kmの30余の島嶼だ。海洋地殻の上に形成された海洋性島弧で、太平洋プレートがフィリピン海プレートの下へ潜り込むことで誕生した。1861年、江戸幕府によって開拓が始まり、入植者が送り込まれた。第二次世界大戦中は硫黄島が激戦地となり、戦後は1945年から1968年までGHQの占領下となった。諸島は2011年に世界自然遺産に登録されている。

この小笠原諸島の島の一つが南鳥島だ。本州から1800km離れた日本最東端に位置する島で、一辺の長さがおよそ２kmの正三角形に近い形である。この島には、気象庁職員と海上自衛隊南鳥島航空派遣隊の職員などが常駐している。

東京都から1740kmの日本領土の最南端に位置する沖ノ鳥島は、小笠原諸島に属する周囲約11kmのサンゴ礁の島である。干潮時には環礁が海面上に出ているが、満潮時には礁池内の東小島と北小島以外が海面下となる。沖ノ鳥島の周囲は「排他的経済水域」に設定され、日本の国土面積を上回る40万km^2の権益をもたらすが、島自体が水没の危機に瀕しているため、コンクリートによる護岸工事が行われている。

豆知識

1. 伊豆諸島と小笠原諸島では生物相が大きく異なる。伊豆諸島の生物相は本州に近く、生息するシマヘビやアオダイショウ、マムシなどは、本州と同種とされる。小笠原諸島にはヘビはいない。小笠原諸島は形成から大陸と隔絶していたため、生物は独自の進化を遂げ固有種が非常に多く、「東洋のガラパゴス」とも呼ばれている。
2. 2010年、政府は沖ノ鳥島西側に港湾設備や臨港道路などを整備することを決定。排他的経済水域の無効化を狙う中国の「単なる岩」という異論を退けるためである。東京都は年に４回、沖ノ鳥島周辺で海洋調査を行い、侵入する中国の海洋調査船の活動に抗議を行っている。
3. 海溝付近のプレートの境界域に形成される列島は、島弧と呼ばれる。フィリピン海と太平洋の境界をなしている「伊豆・小笠原・マリアナ島弧」は、伊豆諸島、小笠原諸島（南鳥島・沖ノ鳥島を除く）、マリアナ諸島、ヤップ島を含む、世界的にも大規模なものだ。

345 歴史 ｜ 軍部の台頭

大日本帝国憲法の第11条には「天皇ハ陸海軍ヲ統帥ス」とある。戦争映画などで政治家や官僚が軍の行動に意見すると「統帥権干犯！」と一喝されるのはこの条文が根拠となっている。神聖な「天皇」と直結した「軍」の台頭により、戦前・戦中の日本はどこまでも翻弄されることとなった。

◈

2.26事件

昭和初期の日本で軍部が台頭したきっかけとしてよく知られるのは、「満州事変」だろう。その始まりとされる「柳条湖事件」が勃発したのは1931年９月18日である。日本が所有する特殊会社南満州鉄道（満鉄）の線路が、奉天郊外の柳条湖で何者かにより爆破された。関東軍（日本）は、張学良が指揮する国民党軍（中国）の犯行だと断定し、すぐに「自衛」の行動を開始。翌日までに奉天、長春などを占領した。日本政府は「不拡大方針」を決定したが、関東軍はそれを無視し、軍事行動を拡大する。太平洋戦争終結まで一般の国民には知らされなかったが、現在は、線路を爆破したのは関東軍であったことが明らかになっている。いわば「自作自演」である。満州を中国から切り離し、独立または直接統治することが目的だったようだ。「柳条湖事件」を報道で知った国民は、関東軍の行動を熱烈に支持したという。日露戦争から30年足らずであり、満州はロシアから得た日本の権益なのだから当然だという感覚もあったのかもしれない。1932年１月に、関東軍は満州全体の占領を終え、同年３月１日、清朝最後の皇帝・溥儀（ふぎ）を執政とする傀儡国家「満州国」の建国、独立を宣言した。約２カ月後、日本では「5.15事件」が起こる。海軍の青年将校により犬養毅首相が殺害され、政党政治は終わった。

国際連盟総会でリットン調査団の「満州は中国に返還すべき」という報告書が審議されると、圧倒的な賛成多数で採決され、反対は日本の１票のみであった。日本全権の松岡洋右（ようすけ）が総会会場を退去する映像は日本の国際的孤立を象徴していた。これにより日本は正式に国際連盟を脱退。ちなみに、「満蒙は日本の生命線」というスローガンを1931年に初めて唱えたのは、当時外相だった松岡だとされている。

1936年、陸軍青年将校らが1500名近い下士官兵を率いて首相邸、大臣邸、６つの新聞社、警視庁などを襲撃し、一部を占拠した。この「2.26事件」では、蔵相、内大臣、教育総監が殺害された。これを聞いて激怒した昭和天皇は、戒厳司令官に叛乱軍将校以下を原隊復帰させるよう「奉勅命令」を下した。これは天皇が統帥権をもって発する最高位の命令で、極めて異例のことであった。事件後、叛乱軍に参加した将校らは軍法会議にかけられ、17名が死刑となった。

作家の保阪正康は、戦前、戦中の日本は「軍事が政治をコントロールした、当時唯一の国」だと指摘している。軍は莫大な機密費で政治家を買収し、金になびかない政治家には暴力で訴えた。当時、国会での反軍的な演説や発言に拍手する議員を軍人がチェックするなど、軍部の政治関与と監視体制は強化されていく。このようにコントロールできなくなった軍部によって、日本は戦争へ突入していった。

346 文学 | 太宰治

太宰治（1909〜1948）は「無頼派」の作家といわれる。ほかには坂口安吾（1906〜1955）、織田作之助（1913〜1947）などが無頼派の代表とされる。太宰はこの言葉に「リベルタン」というルビを振り、「私は無頼派です」と書簡に記してもいる。小説『パンドラの匣（はこ）』（1945）では、リベルタンは「時の権力に反抗して、弱きを助ける」存在だと書いている。

◈

太宰は青森県下有数の大地主の家に生まれ、旧制弘前高校入学までは優秀な成績を収めていた。当時の太宰は芥川龍之介や菊池寛らの小説を好み、井伏鱒二の小説『山椒魚』には「坐っておられなかったくらいに興奮した」という（1948『井伏鱒二選集後記』）。17歳の頃から小説を書き始めて同人誌を発行、やがて小説家を志すようになった。東京帝大で仏文科に進んだのは無試験だったからだという。偶然その年は試験があったが入学は認められた。しかし大学の授業には出ず、共産党の非合法活動の手伝いをしていた。逮捕時に刑事から「おめえみたいなブルジョアの坊ちゃんに革命なんて出来るものか。本当の革命は、おれたちがやるんだ」と言われたという（1946『苦悩の年鑑』）。1932年、特高警察が長兄・文治を訪れ、太宰の活動について警告した。青森検事局で太宰は誓約書に署名し、活動から完全に離脱した。こうして左翼運動から脱落・転向し、太宰は作家生活に入った。

1936年、太宰は第一創作集『晩年』を刊行。1933年から1935年に書かれた小説15編を集めたもので、そのうちいくつかはすでに雑誌に発表されていた。中でも1935年、雑誌『文藝』に掲載された『逆行』は第１回芥川賞の候補となるも落選した。鎮痛剤の中毒で借金生活の太宰は副賞の500円に期待し、選考委員の川端康成（1899〜1972）、佐藤春夫（1892〜1964）に書簡を送ったが、第３回から「以前に候補者となった作家は候補にしない」と決まった。「『晩年』は、私の最初の小説集なのです。もう、これが、私の唯一の遺著になるだろうと思いましたから、題も、『晩年』として置いたのです」と、太宰は『「晩年」に就いて』という文章にそう書いている。刊行の４カ月後、鎮痛剤中毒がひどくなり強制入院。翌1937年には妻の初代と自殺未遂に及び、離別した。しかし1938年、太宰は新しい妻を迎え、精神的にも安定した。この年から『富嶽百景』『女生徒』（1938）、『駈込み訴へ』『走れメロス』（1940）などの短編を次々に発表している。特に『女生徒』は川端から賞賛され、太宰のもとへは原稿の依頼が急増。『新ハムレット』（1941）、『右大臣実朝』（1943）、『津軽』（1944）などの長編小説も刊行された。

終戦後は、1947年に長編小説『斜陽』を発表。この単行本はベストセラーになり、「斜陽族」という流行語が生まれるなど、太宰は大人気作家となった。しかし、この頃には健康と生活はともに悪化し、1948年に『人間失格』『桜桃』などを発表した後、愛人の山崎富栄と玉川上水で入水自殺する。連載中の『グッド・バイ』が未完の遺作となった。没年38歳だった。

豆知識

1. 太宰と富栄の遺体が発見された６月19日は「桜桃忌」と名付けられ、毎年多くのファンが東京都三鷹市禅林寺にある太宰の墓に参る。この日は太宰の誕生日でもある。

347 科学・技術 自動車

近年、対立が激化している日米貿易交渉の根底には、日本からの一方的な自動車輸出の黒字がある。それだけ日本の自動車は海外で売れているのだ。日本車の信頼性や性能、価格に対抗できる外国車はそうはない。日本における自動車産業の歴史は、明治時代に始まった。

◈

「G1型トラック」

日本の自動車産業の歴史は、明治時代の1911年に始まる。技術者・橋本増治郎（1875〜1944）が「快進社自動車工場」を創立。1914年、上野で開催された東京大正博覧会に日本の純国産自動車の１号車「脱兎号」を出品し、銅牌を受賞したのである。快進社は、その後、1926年に「実用自動車製造株式会社」と合併し、「ダット自動車製造株式会社」と改名、1933年の日産自動車誕生につながっていく。一方、豊田佐吉（1867〜1930）の豊田自動織機製作所内には、1933年に自動車部が開設された。豊田自動織機製作所は、織機製作の鋳造・機械加工技術のノウハウを使って、1935年「G1型トラック」を発表。翌年９月に初の乗用車「AA型乗用車」を発表した。これがトヨタ自動車の前身である。

やがて太平洋戦争を経て、1945年に日本は敗戦。日本はGHQに自動車製造を禁止され、それが解除されたのが1947年だった。日産は、同年には早くも吉原工場を稼働させた。戦後生産第１号のダットサンは、車体も戦前の製法のままで、木骨の骨格に手叩き板金作業で鉄板を張って仕上げられていた。トヨタも、1947年に戦後初の完全新設計開発の乗用車「トヨペット・SA型小型乗用車」を発売している。ただ、生産された乗用車は個人に売ることが禁止され、売り先は公共機関、病院、タクシー会社という制限付きだった。当時、日本は公共交通機関が発達していたので、欧米のような自動車大衆化（モータリゼーション）は起きないとする見解が支配的で、自動車は商用車が主流だったのだ。

そのような状況に変化の兆しが見えたのは1960年代中盤だった。1966年、静岡県に富士スピードウェイがオープンし、自動車レースに脚光が当たったのだ。また、当時の外国車は大使館、報道機関、国内の富裕層に顧客が限定されていたが、1965年の自動車輸入完全自由化で、民間でも購入できるようになった。こうした状況の変化から、1960年代半ば以降は国産車が大衆化され、外国産スポーツカーが街中を走るようになった。日本の自動車産業の隆盛は1960年代にようやく幕を開けた。

豆知識

1. ダットサン１号車の性能はV型２気筒10馬力エンジンで、３人乗り、最高速度は32km/h。脱兎＝DATとは、「脱兎のごとく素早い」という意味と、橋本の協力者であった田(でん)健治郎（後の第８代台湾総督）、安中電機製作所（現・アンリツ）社長の青山禄郎、コマツの創業者である竹内明太郎の、３人のイニシャルを並べたものでもある。
2. 戦前、小型乗用車の代名詞的存在になっていた日産は、戦後は小林千代子や能勢妙子といった流行歌手を起用した斬新な宣伝・広告を展開して売り上げを伸ばした。
3. 1966年に開業した富士スピードウェイは、日本の自動車レースの聖地としてファンの喝采を浴びた。開業イベント「第４回クラブマンレース富士大会」ではF1世界チャンピオンのジム・クラークがF3マシンで展示走行を行い、「第３回日本グランプリ」では９万人以上の観客を集めた。

348 芸術 藤田嗣治(レオナール・フジタ)

藤田嗣治（1886～1968）は東京都牛込（現・新宿区）の軍医の家に生まれた。幼少期から絵を描き始め、中学を卒業する頃にはパリへの留学を希望。東京美術学校西洋画科で学び、1913年にパリへと留学した。エコール・ド・パリを代表する画家・藤田は20世紀の新しい美術ムーブメントの中で活動し、一躍時代の寵児となった。

◈

藤田嗣治

東京美術学校に入学したのは森鷗外（1862～1922）の勧めによるものだったが、当時の美術界はフランス帰りの黒田清輝（1866～1924）などによる印象派や写実主義の作風が主流であり、出品しても落選するばかりであった。1910年に発表した卒業制作の『自画像』は、黒田が嫌った黒を多用した挑発的な表情のタッチで描かれている。卒業後、結婚するが単身パリ留学を決意し別離。1913年、パリ・モンパルナスに暮らした。隣人に画家のアメデオ・クレメンテ・モディィリアーニ（1884～1920）がいて親友となり、その後、パブロ・ピカソ（1881～1973）やジャン・コクトー（1889～1963）と知り合い、交友する。当時のパリはキュビズムやシュールレアリスムなど新しい波が寄せていて、藤田もその波に乗って作画に励んだ。特に、ピカソのアトリエを訪ねてキュビズムの洗礼を受けた体験は強烈だったという。

第一次世界大戦中は貧困に苦しんだが、戦後になると、好転した景気に乗って藤田の絵は売れ始める。藤田独自の画法により、透き通るような「乳白色」で描かれた裸婦の絵である。その「乳白色の裸婦」シリーズの第１作目である、1921年発表の『横たわる裸婦と猫』が登場したのは、パリで開催された展覧会だったという。モデルはモンパルナスの女王と呼ばれ、シュールレアリスト、マン・レイ（1890～1976）の愛人でもあった歌手・女優・画家のキキ（本名：アリス・プラン、1901～1953）だった。乳白色に輝く肌と、対照的な黒色、そして肌の輪郭を描く墨の線は人々を驚愕させたという。以降、藤田は乳白色の裸婦シリーズを連作していく。美しい裸婦は、戦争が終結しパリの街が再生し成長していく姿を象徴していると、人々に好意的に受け取られた。

その後、南米で個展を開いた後、帰国する。1938年頃から洋画家・小磯良平（1903～1988）らとともに従軍画家として日中戦争へ協力することとなる。第二次世界大戦勃発後は、陸軍美術協会の理事長を務め、『哈爾哈河畔之戦闘』や『アッツ島玉砕』の戦争画を描いた。これにより終戦後は戦争賛美者と批判され、1949年にフランスへ渡ると、1955年にはフランス国籍を取得した。藤田は 「私が日本を捨てたのではない。日本に捨てられたのだ」と語ったという。1959年にカトリックの洗礼を受け、「レオナール・フジタ」として晩年を生きた。渡仏してからは、一度も日本の土を踏むことなく、1968年にチューリッヒでその生涯を閉じた。

豆知識

1. 藤田は生涯において５回結婚した。作品には女性と猫がしばしば登場するが、藤田はインタビューでこう答えている。「女はまったく猫と同じ。可愛がればおとなしくしているが、そうでなければ引っかいたりする。女にヒゲとシッポをつければ、そのまま猫になるじゃないですか」。現代なら問題になる発言である。

349 伝統・文化 海女

2013年、岩手県で海女(あま)として活動しながらアイドルを目指す女子高生を主人公とするNHKの連続テレビ小説『あまちゃん』が人気を集めた。海女とは、身一つで海に潜り、魚介類や海藻を採取する女性の職業である。男性の場合は「海士」と表記する。日本では、太平洋岸の岩手、千葉、静岡、三重、徳島、日本海側の長崎、福井、石川、新潟の地方に多く、中でも千葉県の太平洋岸と三重県の志摩が有名だ。高齢化と後継者不足から従事者が減少しつつある。女性の素潜り潜水漁が行われているのは日本と韓国だけとされ、近年では観光名物としても注目を集めている。

◈

海女

日本の海女（海人）に関する現存する最古の記録は、３世紀末に編纂されたという中国の歴史書『魏志倭人伝』にある。そのほか『万葉集』などでは、讃岐国、伊勢国、肥前国、筑紫国、志摩国などで潜水を行う海人の記述が確認できる。また、古代の九州の一部では、海人は「白水郎(はくすいろう)」と呼ばれていた。当時、中国・四国地方より東では潜水する漁師を「海人」と呼び、九州地方では「白水郎」と呼ぶのが一般的だったようだ。能登国や佐渡国の海人は、筑紫国の宗像地域から対馬海流に乗って移動し漁をしていたという。また、福岡県宗像市鐘崎には「海女発祥の地」という碑があり、韓国の済州島に行った地元の漁師が島の海女と結婚して郷里に連れ帰り、海女漁を広めたという伝承が残っている。

海女（海人）は主として、アワビ、サザエ、イガイ、トコブシ、マナマコ、ウニなどの貝類や海産動物、テングサ、エゴノリ、ワカメ、コンブなどの海藻類を採取していた。真珠の海女などは比較的新しい。アワビは古代より珍重されており、近世に入ってからは干しアワビが俵物（俵詰めにしたもの）の一つとして海外に輸出されていた。19世紀頃からは、寒天の材料としてテングサやエゴノリの需要が増し、比較的浅い海でテングサを採取する海女が増加した。

日本では、「あま」というと女性が一般的だが、なぜ女性なのかに関しては様々な説がある。代表的な説を挙げると、男性に比べ、女性の方が皮下脂肪の量が多いので寒さに長く耐えられるからという説だ。そのほか、男性より女性の方が我慢強く、水中で長く息を止められるから。漁業の発達に伴い男性が船で沖へ出るようになったため、磯で行う潜水は自然と女性の仕事になっていったから。朝廷や神宮へ神饌(しんせん)としてのアワビを奉るという役割は、伝統的に女性が果たしていたからなどの説がある。

豆知識

1. 古書では、潜水作業のことを「かづき」、それをする女性を海女ではなく「かづきめ」などと呼んでいた。
2. 2017年３月、「鳥羽・志摩の海女漁の技術」が国の重要無形民俗文化財に指定された。それに先駆け、韓国・済州島特有の海女の文化は、2016年に「済州の海女文化」としてユネスコの無形文化遺産に登録されている。

350 哲学・思想 | 平塚らいてう

平塚らいてう（1886〜1971）は社会運動家・婦人運動家である。日本初の女性による女性向けの文芸雑誌『青鞜』を創刊、婦人解放運動に関わる意見の発表の場とする。その後、日本初の婦人運動団体である新婦人協会を設立して婦人参政権と母性の保護を政府に要求し、女性の社会進出を後押しした。戦後は婦人団体連合会初代会長、新日本婦人の会代表委員などを歴任した。

◈

平塚らいてう

平塚らいてう（雷鳥）は会計検査院高官であった平塚定二郎の三女として東京に生まれた。本名は平塚明。現在の日本女子大学家政学部に入学するが教育方針に失望して宗教書や哲学書を読むようになり、参禅なども行う。卒業後も英語などの勉強を続け、成美女子英語学校に入学。夏目漱石の弟子の森田草平（1881〜1949）が主催する「閨秀文学会」に参加するが、森田と心中未遂事件を起こしてしまう。この事件が新聞などにスキャンダラスに取り上げられ、平塚は不名誉な形で有名になってしまう。しかし、この事件を通して婦人が社会から不当に扱われていることを痛感し、後の婦人解放運動へと結びついていく。

1911年、女性のための文芸誌『青鞜』を創刊。この誌名は18世紀半ばのイギリスの婦人活動「ブルーストッキング」に由来する。雑誌には与謝野晶子（1878〜1942）などが賛助員として参加しており、表紙は長沼智恵子（後の高村光太郎の妻）が描いた。平塚は創刊号の「元始女性は太陽であった ——『青鞜』発刊に際して」に「私共は隠されて仕舞った我が太陽を今や取り戻さねばならぬ」と書き、女性解放を宣言した。『青鞜』は多くの女性の賛同を得る半面、保守的な人々の反発を招き、時に揶揄するような記事にされることもあったが、社会に対して問題提起するという意味では成功であったといえる。しかし、やがて洋画家である奥村博史（1889〜1964）との事実婚生活との両立が難しくなり、『青鞜』の編集から離れた。

奥村との間に２人の子を持ったことや、エレン・ケイ（スウェーデンの社会思想家、1849〜1926）の著作に触れたこともあって、育児も社会的な仕事だと考えるようになり母性の保護を訴え始める。1918年には与謝野晶子が『婦人公論』に「女子の徹底した独立」を発表したことをきっかけに、同誌を舞台に「母性保護論争」を繰り広げた。

また、1920年には市川房枝、奥むめおらの協力を得て新婦人協会を設立。婦人参政権の要求・女性に不利な封建的な法律の改廃、母性保護制度の実現などを要求した。特に治安維持法による女性の政党加入の禁止・公開の政談集会の主催および参加の禁止を撤廃することを主張した。平塚は戦後も婦人解放運動の前線で活動を続けた。1962年には、野上弥生子、いわさきちひろ、岸輝子らとともに新日本婦人の会を結成している。

豆知識

1. 女性の年下の恋人のことを「若いツバメ」と呼ぶのは、平塚らいてうが『青鞜』で奥村博史のことをそう表現したことに由来する。

351 自然 | 佐渡島・隠岐諸島

「日本書紀」の神話では、日本海に浮かぶ佐渡島と隠岐諸島は日本列島の中で５番目に双子として生まれたとされている。江戸時代に海路の中継地点として栄えたことや、古くから遠流（おんる）の地となったことで商人や貴族、知識人など様々な身分の人々が日本全国の文化を伝えた。また地殻変動によって生まれた独特の地形には、日本有数の豊かな自然が今も息づいている。

◈

佐渡島は新潟県西部に位置する周囲約280kmの日本海側最大の島である。日本海が形作られ始めた約3000万年前、地殻変動で海底に力が加わり、隆起によって形成された。その後、島周辺では約1300万年間、火山活動が続いていた。島を形成した地殻変動は、島内にある佐渡金山にも表れている。佐渡の金は平安時代末期の説話集『今昔物語集』にも記述が見られるが、本格的に知られるのは1601年、佐渡島が徳川家康（1542〜1616）の所領となり、金脈が発見されてからである。以来、江戸時代を通して幕府の重要な財源となり、最盛期には金を１年間に約400kg 以上、銀を１年間に約37.5トン産出。当時としては世界最大級の金山であった。

江戸期に西廻り航路が開かれると、佐渡島には西日本や北陸の文化が伝播し、また京都から流罪となった文人・政治家などが都の文化を伝え、様々な伝統芸能や歴史的な神社仏閣が保存されてきた。例えば能の大成者・世阿弥（1363？〜1443？）が流されたことで発展した能楽や、九州にルーツを持つ民謡・おけさなどが有名だ。

一方、隠岐諸島は島根半島の北方約50kmにある諸島だ。約600万年前に活動した火山であり、２万年前の氷河期には半島と陸続きとなっていた。その後、約１万年前に海面上昇によって離島となった。島後（どうご）が産出する「隠岐片麻岩」は、この島がユーラシア大陸の一部であったことを示す日本最古の「石」として知られる。冬の日本海を象徴する北西季節風による海食地形が発達し、島外周の崖はかつての火山活動を読み取ることができる景勝地にもなっている。隠岐は、平安時代初期の歴史書『続日本紀』にも記述されているように、古くから遠流の島として知られ、小野篁（802〜852）、源義親（？〜1108）、後鳥羽上皇（1180〜1239）、後醍醐天皇（1288〜1339）などが流された。江戸時代に入ると北前船の西廻り航路の風待ち港、補給港として繁栄し、佐渡島同様に各地の文化が流入、独自の文化を形作った。新潟県にルーツを持つ民謡・しげさ節や、承久の乱で配流となった後鳥羽上皇を慰めるために始まったといわれる「牛突き」（闘牛）は今も隠岐諸島に受け継がれている。日本海の佐渡島・隠岐諸島は雄大な自然と、日本全国からもたらされた様々な文化を感じられる島々として、人気の観光地となっている。

豆知識

1. 佐渡島は、暖流と寒流の接点にあるため、島内には北海道と沖縄両地方特有の植物や、暖流に乗ってくるカツオ、アオリイカ、寒流に乗ってくるブリなど多様な海生生物を見ることができる。独自の進化をとげた固有種および亜種も生息し、サドノウサギ、サドカケス、サドガエル、サドマイマイカブリなど、佐渡の名前を冠する数多くの生物がいる。
2. 隠岐諸島も、日本海を北上する暖かい対馬海流の海に、大陸からの冷たい風や寒流が流れ込み、変化に富んだ生物相を育んでいる。固有種では、１万年の進化の過程を観察できるオキノウサギ、オキタゴガエル、オキサンショウウオがいる。

352 歴史 太平洋戦争

大本営から海軍機動部隊に「ニイタカヤマノボレ一二〇八」の暗号電文が送られたのは1941年12月3日、決定した開戦の日を知らせる電文だった。12月8日未明（日本時間）日本軍はハワイ・真珠湾攻撃を行い、太平洋戦争が開戦した。以降1945年8月15日まで、日本では1346日の戦争状態が続くことになった（以降、日時は断りのない場合は日本時間で表記）。

◈

真珠湾攻撃で日本軍は2波の攻撃を行い、多くの米軍戦艦や航空機に損害を与えたものの、空母はすべて湾外へ出ており1隻も沈めることができなかった。開戦序盤、日本軍の進撃は破竹の勢いで、資源確保を目的とした東南アジア侵攻では、フィリピン、マレー半島、オランダ領東インド、シンガポール、ビルマ（現・ミャンマー）などを次々に占領。第1段作戦は予定よりも早く終了し、第2段作戦である「米豪遮断作戦」に移行したが、ソロモン諸島、ニューギニアの戦闘では足止めされ、日本軍は消耗を強いられた。

日本にとって転換点となったのは、1942年6月のミッドウェー海戦であった。この戦いで日本軍は空母4隻と多くの艦載機、搭乗員を失って機動部隊が壊滅し、ここから戦況が悪化していった。大本営海軍部は当時、この敗戦を国民に対して隠ぺいしていた。米軍はここから反攻に転じる。その最初となったガダルカナル島の戦いでは8月から12月にわたる長期の一大消耗戦が継続され、日本軍兵士は多くの餓死者を出すことになった。1943年4月18日、連合艦隊司令長官の山本五十六（1884〜1943）が前線視察中に撃墜され戦死。大本営はこの情報を1カ月隠ぺいした。5月、アリューシャン列島のアッツ島に米軍が上陸し、日本軍守備隊は全滅。ここで初めて「玉砕」という言葉が使用された。アメリカの反攻作戦は、「①補給路の封鎖・切断、②日本諸都市への継続的な空襲、③本土への上陸」と計画されていた。当時日本の戦線は長くのびすぎており、兵士の補給、兵器の生産、軍需物資の補給には大きな困難が生じていた。1944年6月、日本が設定した「絶対国防圏」守備の重要地、マリアナ諸島に米軍が来襲。この海戦で日本は空母3隻、艦載機395機を失い、空母機動部隊は壊滅した。7月にはサイパン、テニアン、グアムを米軍に占領され、これで日本のほぼ全土がB29による爆撃可能圏に入る。このサイパン島陥落の責任をとって東条内閣は総辞職した。10月から始まったフィリピンの戦いでは、レイテ、ルソン、ミンダナオなどで日本は敗れてフィリピンを失い、マレー半島、インドシナからの物資輸送は断たれることになった。11月以降、完成したサイパン基地から米軍の爆撃機が日本へ出撃。日本国内は連日のように空襲を受ける。

1945年3月10日、東京大空襲で10万人が、6月の沖縄戦では10数万人が、8月の広島、長崎への原爆投下では20万人以上が死亡。同15日、日本はポツダム宣言を受諾し敗戦を認めた。

豆知識

1. 日本の駐米大使と全権大使が米国務長官に事実上の宣戦布告となる最後通牒を手交したのは、現地時間で1941年12月7日14時。真珠湾攻撃開始から6時間近く経っていた。
2. ルーズベルト大統領はラジオ演説で、真珠湾攻撃について「アメリカ合衆国にとって恥辱の日」と述べた。演説翌日の新聞には「REMEMBER PEARL HARBOR！（真珠湾を忘れるな！）」のフレーズが掲載され、すぐにアメリカ全土のスローガンとなった。

353 文学 三島由紀夫

三島由紀夫（1926～1970）は、戦後の日本文学を代表する作家の一人だが、その作品だけでなく、生涯や人格も含めて語られることが多い。

◈

三島由紀夫

三島の本名は平岡公威（きみたけ）という。昭和元年（1926）に満１歳になり、昭和45年（1970）に満45歳で亡くなった。偶然とは言え、満年齢が昭和の年数と一致しているため、「昭和」という激動の時代を象徴する人物の一人として語られることもあるようだ。「詩を書く少年」（1954年の短編小説より）だった三島が、そのペンネームで世に出たのは16歳の時だった。学習院の文芸誌に寄稿するために書いた小説『花ざかりの森』が教師の目に留まり、その教師が参加していた同人誌『文藝文化』に掲載されることになった。部数は少ないが全国に読者がおり、戦時中、未成年を本名で突然文壇に出すのは両親にもはばかられるため、筆名を用いることになったという。三島本人は当初反発したが、教師の説得に従った。これが「三島由紀夫」の誕生である。数編の短編小説とともに本作は1944年に単行本化され、わずか１週間で初版の4000部が売り切れたという。同年、学習院高等科を首席で卒業し、東京帝大法学部に進む。時はまさに、日本が敗戦へと向かう時期で、三島も勤労動員で群馬や神奈川に赴いているが、三島は戦時下でも小説を書き続けた。ちなみに、1946年11月に発表した『岬にての物語』はある岬に避暑に来ていた少年が、年上の若い男女とかくれんぼをするうちに、男女が投身自殺してしまうというあらすじで、「戦争」も「敗戦」もまったく関係ない。

1947年に大学を卒業、大蔵省銀行局に入るが、執筆に専念するため１年余りで退職する。1949年に書き下ろし長編『仮面の告白』を刊行し、新進作家としてその地位を確立した。出版社からの原稿依頼は後を絶たず、三島もそれに応えて純文学から通俗小説まで幅広い作品を発表。時代と合致したのか、三島の作品は映画やテレビドラマに翻案されることが多く、『潮騒』（1954)、『金閣寺』（1956）など、その例は枚挙にいとまがない。三島が日本の伝統に執着し始めたのは、1960年から始まった安保闘争がきっかけだといわれている。翌年、「2.26事件」に題材を取った『憂国』を発表している。同作は1965年に自作自演の映画にもなった。最後の長編小説『豊饒の海』の連載は1965年から始まった。『春の雪』『奔馬』『暁の寺』『天人五衰』の４部作で構成されており、本多という人物が、転生する主人公に各巻で出会う壮大な物語である。この頃、三島は毎年のように自衛隊に体験入隊をしている。最初は単身だったが、後に学生も加わるようになり「楯の会」の結成へとつながる。1970年11月25日、三島は『天人五衰』の完結原稿を編集者に渡し、「楯の会」のメンバーとともに陸上自衛隊市ヶ谷駐屯地を訪れて東部方面総監を拘束した。バルコニーで演説した後、総監室で割腹自殺した。

豆知識

1. 1945年２月、召集令状を受け、三島は遺書を書いた。その中には弟へ「兄ニ續キ一日モ早ク皇軍の貔貅（ひきゅう）（勇ましい兵士）トナリ／皇恩ノ万一ニ奉ゼヨ」と遺言し、末尾には「天皇陛下萬歳」と大書した。三島は入隊検査で風邪による気管支炎を肺浸潤と誤診されて不合格となり、即日帰郷となった。この連隊は後にフィリピンに送られ、多数が戦死している。

354 科学・技術 | 公害

現在の日本の「公害」の定義は、「事業活動その他の人の活動に伴って生ずる大気の汚染、水質の汚濁、土壌の汚染、騒音、振動、地盤の沈下、悪臭によって、人の健康または生活環境に係る被害が生ずること」をいう。日本では、明治時代からの近代工業化による経済成長を達成するにあたり、多くの自然環境が犠牲になってきた。特に戦後日本では、社会問題にまで発展した公害事件が数多く発生した。

◈

日本の急速な近代化、工業化は、様々な自然環境を犠牲にして達成された。こうした公害は、近年のことだけではない。記録に残る有名な事件では、明治時代初期から栃木県と群馬県の渡良瀬川周辺で起きた足尾銅山鉱毒事件がある。銅山開発で、排煙、鉱毒ガス、鉱毒水などの有害物質が飛散した事件だ。被害はまず、1878年と1885年、渡良瀬川の鮎の大量死という形で表面化し、1899年の群馬栃木両県鉱毒事務所の報告では、鉱毒のカドミウム中毒による死者と死産は推計で1064人に達した。佐野出身の衆議院議員・田中正造（1841～1913）は1891年以降、たびたび国会で鉱毒の責任を追及し、鉱毒被害を訴える活動を展開した。

戦後になると、1950～1960年代にかけて高度経済成長へと向かおうとする機運の中で、工場などの生産性も向上。同時に水俣病や四日市喘息などの公害病が発生し、1967年には公害対策基本法が公布・施行された。この時、熊本県水俣市にあるチッソ水俣工場が引き起こした有機水銀による中枢神経系疾患の水俣病を追い続けたカメラマンに、世界的写真家集団マグナム・フォトのメンバー、ウィリアム・ユージン・スミス（1918～1978）がいる。1972年、スミスは会社側の妨害工作で暴力団の暴行を受け、脊椎を折られ片眼を失明するという重傷を負うが、それでも彼は公害の被害を世界に発信し続けた。

田子の浦港ヘドロ公害は、静岡県の浦港で1960年代から1970年代前半に発生した。製紙工場由来で発生した公害は海洋と大気を汚染して周辺住民に気管支喘息などの呼吸器疾患を引き起こし、一時期は富士市内の公害健康被害者認定者数が1000人を超えた。こうした公害の事例はほんの一握りで、その被害は現在も続いている。また近年では、過去に建造された施設のダイオキシン類やアスベストの汚染、昼夜を問わない照明による光害、過剰な取水による地盤沈下、マイクロプラスチックによる海洋汚染などの新たな公害が発生しており、根本的な解決策がないままイタチごっこのような対応が続いている。

豆知識

1. 生物学者レイチェル・カーソンが1962年の著書『沈黙の春』によって農薬などの化学物質の危険性を告発し、環境汚染の問題が世界的に注目された。現在、問題視されている環境ホルモンが及ぼす影響についてをすでに警告を発していたのである。
2. 水俣病の惨状を世界に配信したユージン・スミスをモデルとした映画『ミナマタ』（2020年公開予定）は、スミスの『写真集 水俣』が原作。ジョニー・デップがスミスを演じる。製作スタッフは日本で水俣病患者や家族への面会や取材を行った。
3. 1971年公開の怪獣映画『ゴジラ対ヘドラ』は、「四日市喘息」や「田子の浦港ヘドロ公害」を題材にした作品。公害が生み出した汚染物質を栄養とする怪獣ヘドラとゴジラが戦う。ヒッピーや学生運動を彷彿させる若者文化も描かれ、異色のカルト映画として人気がある。

355 芸術｜大正ロマン

近代国家建設の明治から、個人主義台頭の大正時代への流れは、画家たちにも大きな影響を与えた。西洋の美術動向をいち早くとらえ、フォービズムからキュビズム、ダダイズムなど新しい潮流を貪欲なまでに取り込んだ若き芸術家たち。彼らがそこで咲かせたのが、大正ロマンという名の退廃的で虚無的な時代の花であった。

◈

竹久夢二『黒船屋』

国内の工業化が進み、流通経済が整備されて経済発展が進んだ大正時代には、文化面でも西洋の影響を受け、新たな文芸、音楽、演劇などが展開した。新聞や雑誌など大衆文化が花開いた時期でもあり、街にはニューオリンズジャズが流れ、最先端のファッションに身を包んだモボ・モガ（モダンボーイ&モダンガール）が闊歩し、古典的な落語より新しい漫才に人気が集まった。

文学の世界では、1913年（大正２年）から新聞連載が始まった中里介山（1885～1944）の『大菩薩峠』は大衆娯楽小説の先駆的作品で、大佛次郎（1897～1973）の『鞍馬天狗』など、日本にサブカルチャーが誕生した。広告業界では、日本初のヌードポスターとなった寿屋（現・サントリー）赤玉ポートワインの写真広告が発表され、大きな反響を呼んだ。絵画の世界でも若い才能が台頭する。岸田劉生（1891～1929）や高村光太郎（1883～1956）らによるフュウザン会は、感情を作品に投影する表現主義を打ち出し、藤田嗣治（1886～1968）や国吉康雄（1889～1953）のように海外へ向かう者も現れた。急速な文化の変容に不安を感じた村山槐多（1896～1919）や関根正二（1899～1919）など、様々な表現をする画家たちが登場した。また、東京小石川に1909年に設立された川端画学校は日本画家の川端玉章（1842～1913）が創設した画学校で、多くの画家や映画監督の黒澤明（1910～1998）などが学んだ。

こうした自由闊達な雰囲気の中、大正ロマンを代表する画家が竹久夢二（1884～1934）である。「夢二式美人」と呼ばれる抒情的で可憐な女性を描いた夢二は、絵画だけでなく詩歌や童話から、書物の装丁や宣伝広告、浴衣のデザインまで手がけ、グラフィック・デザインの先駆者でもあった。夢二は中央画壇から認められた画家ではなく、大衆に受ける商業美術家であった。夢二の代表作である1919年発表の『黒船屋』は、エコール・ド・パリの画家・キース・ヴァン・ドンゲン（1877～1968）の『猫を抱く女』を参考にしたといわれている。一方、画壇では絵画や彫刻などの枠を超えた過激な表現活動を行う若者たちは、「新興美術」と称した活動を展開した。彼らの一部は、当時台頭してきた共産主義と革命に傾注し、プロレタリア美術運動へと進んでいく。

大正時代末期1923年の関東大震災から、新時代・昭和、1929年の世界大恐慌を経て、大正ロマンの系譜は昭和ロマンへと引き継がれていくが、時代は次第に軍靴の音が激しくなり、1931年の満州事変を経て日中戦争、太平洋戦争へと突き進んでいくことになる。

356 伝統・文化 ｜ 忍者

忍者は、忍術を使って敵方に忍び入り、密偵・謀略・後方攪乱などを行う。別名、忍術使い、忍びの者とも呼ばれる。敵と戦うのが目的ではなく、スパイとして身を隠し、敵地に侵入、場合によっては暗殺も行っていたという。しかし、忍者という存在は、影に忍び、闇の実行部隊として活躍していたため、その実態は謎に包まれた部分が多い。

◈

忍者

忍者は忍術と呼ばれる特殊な術を使い、医療的知識などにも秀でていたといわれている。忍術の源流は、紀元前500年頃に書かれた中国の兵法書『孫子』で、その兵法が中国から日本に伝わり独特の発達をして、間（かん）（調査や謀略の意）を用いる術、すなわち忍びの術を特別に修業する忍者が生まれたという。

史料上確実に忍者の存在が確認できるのは、南北朝時代（1336〜1392）以後で、起源は13世紀後半に荘園制支配に抵抗した伊賀・甲賀の「悪党」にあるといわれている。

戦国時代、悪党の血を引いた地侍たちは各地の戦国大名に従軍して、傭兵として京都や奈良、滋賀、和歌山へ出陣し、夜襲や放火などの仕事を行っていたが、最も重要な仕事は敵方の状況を主君に伝えることだったという。この頃より、地侍たちは「忍び」と呼ばれるようになったといわれている。

伊賀・甲賀の忍び（忍者）たちは自治を行っていたが、織田信長（1534〜1582）の軍によって壊滅的打撃を与えられる。しかし、1582年の本能寺の変後に徳川家康（1542〜1616）が堺（現・大阪府堺市）から伊賀・甲賀を越えて本拠地である岡崎（現・愛知県岡崎市）に逃れる際に活躍したことから、家康は伊賀者・甲賀者を取り立てることになったといわれている。江戸幕府が開かれると、伊賀者・甲賀者は江戸城下に住み、大奥や無人の大名屋敷などの警備、普請場の勤務状態の観察などを行うほか、隠密（江戸時代の探偵）としても活動したという。甲賀と伊賀に伝わる忍術をまとめた集大成の書とされるのが江戸期の作といわれる『萬川集海（まんせんしゅうかい）』である。忍術を伝える22巻と、兵法書である『萬川集海 軍用秘記』からなり、22巻の中には、「家忍之事」（第13巻、家の中に忍び込むこと）や「忍夜討」（第15巻、夜襲すること）といった特殊任務から、「登器」（第18巻、壁などを登る道具）や「火器」（第21・22巻、火薬や火を使った道具）などの忍器と呼ばれる道具まで広く紹介されている。

豆知識

1. 女性の忍者は「くの一」と呼ばれた。これは女という漢字を分解すると、くノ一になるからである。
2. 忍者という呼び名が定着したのは、実は昭和30年（1955）代になってからのことである。
3. 1980年代にショー・コスギ（1948〜）が出演する忍者映画『燃えよNINJA』が大ヒット。世界中でニンジャブームが起こった。「ニンジャ」は現在、世界の共通語になっている。

357 哲学・思想 | 内村鑑三

内村鑑三（1861～1930）はキリスト教伝道者、社会運動家、ジャーナリストであり、無教会主義を標榜して教会にこだわらない『聖書』による信仰を説いた。日露戦争の際には非戦論を主張し、足尾銅山鉱毒事件にも関心を示すなど社会運動にも関与した。その姿勢は必ずしも一貫したものではなかったが、雑誌『聖書之研究』刊行は生涯にわたるライフワークであった。

◈

内村鑑三は高崎藩士の子として江戸で生まれた。東京外語学校卒業後、札幌農学校に入学。この時、新渡戸稲造（1862～1933）、宮部金吾（1860～1951）もともに東京外語学校から札幌農学校に入っており、彼らとは終生親交を持った。内村ら３人は札幌農学校時代にウィリアム・スミス・クラークが創設したキリスト教の信仰組織に加わることになり、これがきっかけで信仰に目覚める。1878年には洗礼を受け、学生信者同士で札幌バンドを結成する。札幌バンドは横浜バンド、熊本バンドとともに日本プロテスタントの発祥とされている。農学校で水産を学んだ内村は北海道開拓使民事局、次いで農商務省に勤めて水産振興の仕事を行う傍ら教会の設立に努める。1884年、最初の結婚が半年で破綻したこともあってアメリカに留学、アーモスト大学やハートフォード神学校で学ぶ。信仰体験もあったものの神学（キリスト教の教理や信仰生活を研究する学問）には失望して1888年に帰国した。帰国後は新潟の北越学館、東京の東洋英和学校などに勤めるが、第一高等中学校に舎監として勤めていた時、「教育勅語」の明治天皇の署名に最敬礼しなかったことが不敬であると問題になり退職に追い込まれた。流行性感冒（インフルエンザ）で寝込んでいた内村の代わりに抗議にあたった２度目の妻も身体を壊し先立ってしまう。不敬事件の影響で就職がままならなくなった内村は、千葉、熊本、名古屋、京都などを転々としつつ『基督信徒(きりすと)の慰(なぐさめ)』『余は如何にして基督信徒となりし乎(か)』などの著作を執筆した。内村は『基督信徒の慰』で初めて「無教会」という言葉を使っているが、これは教会を否定するものではない。教会よりも『聖書』に書かれていること、イエスに対する信仰を重視するという意味で、教会に行かなくても信仰は守れることを示している。

1897年には『万朝報(よろずちょうほう)』（当時の日刊新聞）の記者となり足尾銅山鉱毒事件などを記事にしている。日清戦争の際には戦争を肯定していた内村だが、日露戦争が起こると非戦論を主張。『万朝報』に反戦記事を掲載したが、会社が主戦論に転向したため退社。『東京独立雑誌』を創刊し自ら主筆として活動するが、１年ほどで廃刊にし、1900年に生涯の仕事となる『聖書之研究』を創刊した。1912年に娘を病気で亡くしたことをきっかけに再臨運動（最後の審判の前にキリストが再臨するという教えを広めること）に没入していった。内村の活動は日本人には馴染みの薄かったキリスト教を、自らの心の問題として定着させていった。特に若者に与えた影響は大きかった。哲学者・田辺元(はじめ)は内村の思想に触れた時のことをこう回想している。「信ずるにせよ、信ぜざるにせよ、キリスト教はこの時代の一高青年にとって、のっ引きならぬ問題であった」（『キリスト教の弁証』）。このほか有島武郎、志賀直哉、八木重吉、中里介山などが影響を受けている。

豆知識

1. 内村鑑三、新渡戸稲造、宮部金吾の３人は、札幌農学校卒業時に「２つの『J』に仕えること」を誓ったという。「２つの『J』」とはJapan（日本）とJesus（キリスト）である。

358 自然 対馬諸島・五島列島

九州周辺に浮かぶ諸島は、長い歴史と固有の自然を持っている。古くから大陸と日本列島の交通の要衝だった対馬諸島には、日本本土系種と対馬固有種が混在し、独自の生態系を確立している。大小の島々が連なる五島列島には、旧石器時代から人間が定住するようになった。やはり大陸との交易に関わる歴史があり、独自の文化圏を築いている。これらの地域は、かつて日本の外交の最前線だった。

◈

長崎県に属する対馬諸島は玄界灘にある島で、東京23区の合計よりも大きい面積を持っている。その地質は、1800万～1600万年前の日本海形成期に海底に降り積もった堆積岩である。島のあちこちで泥岩と砂岩が互層になった地層が見られ、それらが褶曲して垂直に切り立っている場所もある。また部分的に火山活動の影響を受けており、内山盆地周辺の岩盤は花崗岩の熱で熱変性を受けた変成岩で、対馬最高峰の矢立山（648m）や天然記念物指定の龍良山(たてらやま)（558m）などの山脈を形成している。

生物相では、ツシマヤマネコに代表される大陸系種の動植物や、日本本土系種、対馬固有種と対馬固有亜種が混在する。大陸と本州の間の対馬諸島に閉じ込められ、ある種は環境の変化に適応し、ある種は絶滅して独自の生物相を形成していったと考えられる。また、島の面積の約88%は照葉樹などの山林が占めている。

対馬諸島は古くから大陸との行き来が盛んで、朝鮮半島と日本列島の交通の要衝であった。同時に、大陸の賊船50隻の襲撃や元寇などの被害を受けた歴史もある。また、豊臣秀吉（1537～1598）の朝鮮出兵では、対馬藩は最先鋒部隊の一番隊に配属され、朝鮮軍や明軍と戦い、江戸時代には朝鮮通信使を迎えるなど、日朝外交の窓口としての役割を担った。

五島列島は、長崎港から西に100kmに位置し、大小合わせて140余りの島々が連なる。約1700万～1500万年前に堆積した大陸からの砂泥堆積層が基盤となり、800万～600万年前には、沖縄トラフの拡大による断層運動で、現在の形に分断されていった。この列島に人が定住したのは旧石器時代であったという。また、地理的に中国に近いため、古代より大陸との交易や遣唐使などと深く関わってきた。

豆知識

1.『万葉集』には防人(さきもり)とその近親者の詠んだ和歌が100首以上も収められている。「韓衣裾に　取りつき泣く子らを　置きてそ来ぬや　母なしにして」は「母親もいないのに、すそにすがりついて泣く子どもを置いてきてしまった」という歌。防衛のための兵士である防人は徴兵制の労働税で、対馬諸島に行くと生きて帰れないことも多かった。

2. 五島列島には、1566年にイエズス会宣教師のルイス・デ・アルメイダらが来島してキリスト教を布教している。その直後、キリスト教は、禁教令で一度は衰退。キリシタンへの迫害が始まると、一部が潜伏キリシタンとなった。その数は3000名以上にものぼったといわれる。2018年、「長崎と天草地方の潜伏キリシタン関連遺産」として、世界文化遺産に登録された。

359 歴史 原爆投下

1945年8月、日本は人類史上初にして唯一、二度の原爆投下に見舞われた。「ヒロシマ・ナガサキ・ヒバクシャ」はそのままの言葉で、世界中で知られており、核兵器がもたらす悲惨さと、その廃絶を訴えるシンボルとなっている。

◈

原爆投下後に発生したきのこ雲(長崎)

「ポツダム宣言」がアメリカ、中国、イギリスの連名によって発表されたのは1945年7月26日のことだった。無条件降伏に応じない場合は、迅速かつ完全な破壊を行うとしていた。7月28日、鈴木貫太郎首相(1868〜1948)はポツダム宣言を「黙殺」すると述べた。

アメリカではすでに原爆投下目標の選定委員会を同年5月に開催していた。選定基準は、①直径3マイル(約5km)以上の大きな都市にある軍事目標、②爆風によって効果的に被害を与えられること、③8月まで通常爆撃されずに残されそうな場所、という3点だった。どれも初めて実戦使用する原爆の効果について検証することが目的となっていた。特に③の基準に照らすと、東京、名古屋、大阪といった主要都市はすでに空襲で焼け野原になっており、建物等の破壊状況を知ることができない。そのため委員会では、最終的に京都、広島、小倉、新潟を選び、この4都市への通常爆撃が禁止された。

ポツダム宣言への日本の回答はなく、8月2日に米軍は原爆投下の作戦命令を出した。命令書によれば、攻撃日は8月6日。攻撃目標は広島市中心部と工業地域。予備第2目標は小倉造兵廠ならびに同市中心部。予備第3目標は長崎中心部。投下高度は8000〜9000mとされた。また「目視による投下」を特別に指令したが、これは記録を残すためだったようだ。

8月6日午前8時15分。B29爆撃機「エノラゲイ」は、広島に人類史上初の原爆(ウラン原料)、通称「リトルボーイ」を投下。その死者数は現在も正確にはわかっていない。広島市では、放射線による急性障害が一応治まった12月末までに約14万人が死亡したと推計している。8月9日、翌日からの天候悪化が予想されるため、B29爆撃機「ボックスカー」は当初の予定より2日早くテニアン島を出発。小倉市上空に達したが視界不良で目視投下ができず、第2目標の長崎へ向かい、雲の穴から原爆を目視投下した。11時2分、プルトニウム原料の通称「ファットマン」は一瞬にして地上を3000〜4000℃の高熱と爆風でおおった。広島市と同様、長崎市は12月末までに7万3884人が死亡したと推計している。

日本政府はすぐに原爆の被害調査団を派遣。ただし戦意喪失を恐れ、国民には原爆を「新型爆弾」とのみ伝える方針をとった。8月9日深夜の御前会議でも陸軍大臣は戦争継続を主張。天皇の裁断によりポツダム宣言受諾を決定したが、政府は「天皇の国家統治の大権を変更する要求」が含まれていなければ受諾するという確認の電報を打ち、連合国側の返事を待った。宣言受諾が最終決定されたのは8月14日の御前会議においてであった。

豆知識

1. アメリカの委員会が当初、京都を候補地に挙げたが、歴史と伝統のある古都を破壊することで日本人の怨みを買うのを恐れ、長崎に変更されたという。

360 文学 ノーベル文学賞受賞者

ノーベル文学賞の選考過程は50年間非公開の扱いになっている。2018年に日本の新聞、通信各社が、スウェーデンのノーベルアカデミーに情報公開を請求したところ、1968年、日本初のノーベル文学賞受賞者、川端康成（1899〜1972）の選考過程が明らかになった。

◈

川端康成のノーベル賞受賞時

川端康成は1961年に初めてノーベル文学賞の候補となり、1966年と1967年には最終候補に残っている。1968年に「日本人の心の精髄を、すぐれた感受性をもって表現、世界の人々に深い感銘を与えたため」という授賞理由で、日本人初のノーベル文学賞を受賞した。受賞記念講演の演題は「美しい日本の私 —— その序説」で、日本語で行った。

1968年の選考では、三島由紀夫、西脇順三郎（1894〜1982）も候補に挙がっていたが、最終候補に残ったのは川端だけだった。フランスの作家アンドレ・マルロー、イギリス出身の詩人W・H・オーデン、フランスの劇作家サミュエル・ベケットの中から、川端が選ばれた。ちなみに、ベケットは翌1969年の受賞者となっている。50年の非公開期間を過ぎ、川端のほかに、賀川豊彦（1888〜1960）、谷崎潤一郎、西脇順三郎、三島由紀夫の4名が日本人として候補に挙がっていたことが判明した。

1994年、「詩趣に富む表現力を持ち、現実と虚構が一体となった世界を創作して、読者の心に揺さぶりをかけるように現代人の苦境を浮き彫りにしている」という理由で、大江健三郎（1935〜）が日本人2人目となるノーベル文学賞を受賞した。川端の受賞から26年ぶりのことである。記念講演の演題は「あいまいな日本の私」で、川端の演題をもじったものと思われる。大江は東京大学文学部仏文科在学中の1958年に『飼育』で芥川賞を受賞した後、『個人的な体験』（1964）、『万延元年のフットボール』（1967）などが英訳され、国際的な作家として知られていた。両作はノーベル賞の対象作品となっている。

長崎県出身の日系イギリス人小説家、カズオ・イシグロは2017年にノーベル文学賞を受賞している。イシグロは両親ともに日本人だが、幼い頃に渡英し、成人になってイギリス国籍を取得した。ノーベル財団の公式プレスリリースでは、「英文学作家のカズオ・イシグロ（English author Kazuo Ishiguro）」となっていて、出生国は発表されていない。

その他、選考過程は公開されていないが、安部公房（1924〜1993）が生前、たびたび有力候補に挙げられたといわれている。同じく近年では、村上春樹（1949〜）の名前が毎回取り沙汰されるが、これは村上が2006年にアジア圏で初となる「フランツ・カフカ賞」を受賞したためで、2004年、2005年の同賞受賞者は両名ともノーベル文学賞に選ばれている。

豆知識

1. 1961年の選考にあたって、川端は三島に推薦文を依頼した。三島は「日本の多くの作家にとって、伝統と新文学確立はほぼ両立し得ないが、川端はこの矛盾を超越している」という書簡を選考委員会に送った。
2. 1968年の選考では、三島について「彼の今後のさらなる向上が再検討には必要」として、次回以降への検討継続について含みを持たせている。

361 科学・技術 湯川秀樹

1907年、地質学者・京都帝大教授の息子として生まれた湯川秀樹（1907〜1981）は、京都府京都市で幼年期、青年期を過ごす。あまりにも無口な子どもだったため父親から疎んじられ、兄弟の中でも能力を低く見られていたという。

◈

湯川秀樹

1929年に京都帝大を卒業後、同大学講師、大阪帝大講師、東京帝大教授を歴任。1934年に中間子理論構想を、翌年には論文『素粒子の相互作用について』を発表し、中間子の存在を予言した。この世に存在するすべての物質は原子から成り立ち、その中心にある原子核の中にプラスの電気を持つ陽子と、電気を持たない中性子が存在している。このプラスの陽子同士がどうして結びつくのかは、研究者たちの長年の研究テーマであった。湯川は、この中性子の中に電子と陽子との中間の質量を持ち、マイナスの電気を持つ中間子が存在し、原子核を構成しているとの仮説を打ち出したのだ。そして1937年、アメリカの学者カール・デイビッド・アンダーソン（1905〜1991）が宇宙線の研究中に中間子を発見したことで、湯川の説は証明された。1939年、湯川は物理学研究者が集まるソルベー会議に招かれるが、第二次世界大戦が始まったことで会議は中止。湯川の研究の検証も見送られてしまった。しかし、この会議で湯川はアルバート・アインシュタイン（1879〜1955）と出会い、親交を深めることができた。

戦後の1947年、イギリスの物理学者セシル・パウエル（1903〜1969）は実験によって電荷を持つパイ中間子を発見した。これらの業績から、1949年に湯川秀樹、1950年にパウエル自身もノーベル物理学賞を受賞した。湯川のノーベル賞受賞は日本人として初めてであった。

ノーベル賞受賞のためには専門分野の研究者たちからの推薦状が必要だ。湯川の業績に対しては海外の研究者たちからも多くの推薦状が集まった。それは彼の説が世界的に認められていたことを物語っている。湯川のノーベル賞受賞は個人としての栄誉だけでなく、日本の科学界全体が国際社会の舞台に復帰したことの証明でもあった。

豆知識

1. 京都第一中学校（現・洛北高校）時代の湯川は物静かでおとなしい青年で、あまりにも無口なので「イワン（言わん）ちゃん」というニックネームがつけられたという。京都帝大卒業後は京都帝大や大阪帝大の講師となるが、講義の声が小さく聞きとりにくかったため、学生たちからは不評だったという。
2. 湯川は、ソルベー会議で交流を持ったアインシュタインが日本への原爆投下を避けられなかったことを悔やんでいると聞き、平和運動にも力を注いだ。世界連邦建設や反戦と核兵器の完全廃止を訴え続け、1966年にはノーベル平和賞候補にも推薦されていたことがノーベル財団の候補者リストによってわかっている。
3. 広島県の広島平和公園にある平和の像「若葉」の台座には、湯川が詠んだ短歌「まがつびよふたたびここにくるなかれ平和をいのる人のみぞここは」が刻まれている。

362 芸術 民藝運動

民藝運動とは、1926年に思想家の柳 宗悦（1889〜1961）を中心として始まった、日本各地の日用品である焼き物、漆器、木工など無名の職人たちが作ったものを収集研究する運動である。柳は同人雑誌の『白樺』（「白樺派」268ページ参照）の同人であり、日本美術界が無視していた日常雑器に真の美を見出した。1936年に東京の駒場に「日本民藝館」を開館。現在も民藝運動の拠点となっている。

◈

柳宗悦は東京都麻布区市兵衛町（現・港区六本木）の海軍少将の三男として生まれ、高校卒業の頃から『白樺』に参加。東京帝国大学卒業後は宗教哲学者として活動しながら西洋美術を紹介する文章などを執筆した。

『白樺』が西洋美術館建設を計画すると、フランスの彫刻家・オーギュスト・ロダン（1840〜1917）と文通するなど西洋美術に精通していた柳だが、朝鮮で18世紀前半に作られた『染付秋草文面取壺』を見て、「民藝」の持つ世界に魅了され、これを契機として「民藝運動」を始めることになる。柳が主催した朝鮮・李朝の陶磁展「朝鮮民族美術展」を見た陶芸家の河井寛次郎（1890〜1966）が民藝理論に賛同する。自らが実用的な作陶を行いながら、民藝運動に深い関わりを持つようになる。

関東大震災（1923年）後、柳は京都に移住し、河井たちとともに日本各地の日常雑器、民芸品を収集し、東京の帝室博物館（現・東京国立博物館）に寄贈しようとするが拒否される。その後、実業家の大原孫三郎（倉敷・大原美術館創設者、1880〜1943）から経済援助を受けて建設されたのが「日本民藝館」である。

民藝運動の社会的評価は、歓迎と黙殺に二分されることになる。ただ、真っ向から批判したのが陶芸家で美食家、画家、書道家などの肩書を持つ北大路魯山人（1883〜1959）であった。北大路は、「柳氏は豊かな生活をしており、民衆の生活とはかけ離れている。家、服装、持ち物、乗り物など、すべてが民衆レベルではない」と、柳の生活と仕事との乖離そのものを批判した。これに対し、柳は完全無視を貫いたという。

民藝運動はその後も柳の独特の価値観、宗教観に対して離反していく者もいたが、「民藝」という言葉を創り出し、定着させた柳宗悦の功績は大きい。

都会の名店で売られている民芸品の出自をたどれば、それらは地方の職人の手によって作られ、さらにその糸をたどれば無名の山の民、海の民の手仕事に行き着く。柳が見つけたのは、そうした名もなき人々が作り、日々の営みの中で使われる「用の美」という価値であり、それは現在にも継続している。

豆知識

1. 柳宗悦の造語である「民藝」は、現在でも「民芸品店」や「民芸調家具」「民芸料理」「民芸酒場」など多様な使われ方をしている。

363 伝統・文化 | 妖怪

日本人にとって妖怪は、水木しげる（1922～2015）の漫画『ゲゲゲの鬼太郎』やアニメ『妖怪ウォッチ』、映画や小説などでもお馴染みの存在である。妖怪とは、日本で伝承される民間信仰において、人間の理解を超えた不思議な現象、あるいはそれらを起こす不可思議な力を持つ非日常的・非科学的な存在のことだ。物の怪（け）、魔物、あやかしなどとも呼ばれる。民俗学者の柳田國男（1875～1962）は、妖怪を人間たちの信仰が衰えて零落した神だと唱えた。妖怪の特徴は、憑依霊のように特定の人を選んで現れるようなことがなく、多くの場合、出現の場所や時間が一定しているところである。

◈

アマビエ（京都大学附属図書館所蔵）

古代では、生物・無生物にかかわらず、自然物にはすべて精霊が宿っていると信じられており、誰のせいにもできない災禍は、妖怪などの人間を超越する存在が起こしたものと考えられていた。『古事記』や『日本書紀』といった歴史書の中に鬼や大蛇、怪奇現象に関する記述が見られ、妖怪は昔から日本人にとって、畏怖の対象だったと考えられる。また、平安時代に編纂された『今昔物語集』などにも怪異にまつわる説話がいくつか登場する。しかし、この時代にはまだ妖怪の姿形を描いた書物は存在しなかった。

やがて中世になると、絵巻や御伽草紙の登場により、妖怪たちの姿が描かれるように。室町時代に描かれた絵巻物『百鬼夜行絵巻』を見ると、登場する妖怪はあどけない姿をしている。当時の妖怪は、人間に自ら接触するものとして描かれていた。

江戸時代に入ると、妖怪の伝承に基づいた「百物語」など怪談会が大ブームとなった。中国の小説を翻案したり、伝承や物語を混ぜ合わせることが行われ、創作された妖怪譚やそれを紹介する書籍も増えていった。また、葛飾北斎（1760～1849）、佐脇嵩之（すうし）（1707～1772）、歌川国芳（1797～1861）など名だたる浮世絵師たちによって、妖怪はより具体的な存在として描かれるようになっていった。

妖怪は主に以下の種類に分けられるといわれている。山の怪（け）（山の神信仰が衰えたことにより生まれたと考えられる妖怪で、代表的なのはあまのじゃくや天狗）、路傍の怪（代表的なのは一つ目小僧や雪女）、家屋敷の怪（屋敷神の衰退したものだとされる妖怪で、代表的なのは座敷わらし）、海の怪（代表的なのは海坊主）、川の怪（水神信仰が衰えたことにより生まれたとされる妖怪で、代表的なのは河童）、村内をめぐる怪（代表的なのは首切り馬）、それ以外のもの（疫病神など神と妖怪の境にあり妖怪化しつつあるとされるもの）の７種類だ。

豆知識

1. 妖怪研究家・作家の多田克己（1961～）は、鬼・河童・天狗の３種族を「日本三大妖怪」と定義した。これらの妖怪は日本各地で広く伝承されている種族で、これに狐と狸を加えて「日本五大妖怪」とする説もある。
2. アマビエは、江戸時代の肥後国（現・熊本県）に現れたと言い伝えられる疫病退散のご利益がある妖怪だ。江戸時代の瓦版に、その姿のイラストが残されている。

364 哲学・思想 「いき(粋)」

日本的価値観の代表とされながら、それまで正面から意味づけがされてこなかった「いき(粋)」を哲学的に分析した書が哲学者・九鬼周造(くきしゅうぞう)(1888〜1941)による『「いき」の構造』だ。九鬼はこれを媚態・意気地・諦めの三徴表からなるとする。最も日本的であるがゆえに最も哲学的ではない「いき」の解釈であるため、この書への評価は分かれるが、以後の日本文化論に多大な影響を与えた。

◈

九鬼周造は、文部少輔(現在の文部科学省事務次官)・駐米特命全権公使・宮中顧問官・帝国博物館総長を歴任し、貴族院議員・枢密顧問官ともなった九鬼隆一の四男として東京に生まれた。周造の母・波津子は京都の花柳界出身で、周造を妊娠中に隆一の部下だった岡倉天心と不倫関係になり、これが原因で後に離婚している。こうした経験が九鬼周造の考え方に影響を与えたと考えられており、主著『「いき」の構造』にも色濃く反映しているといわれる。

第一高等学校卒業後、東京帝国大学哲学科に入学。大学卒業後、8年間のヨーロッパ留学に出る。初めは新カント派を学ぶが、フランス遊学を経てマルティン・ハイデッガー(1889〜1976)に師事して現象学を学ぶ。このハイデッガーに学んだことも、日本文化分析に向かうきっかけになったと思われる。ハイデッガー自身は東洋思想の影響を受けていないが、彼の『存在と時間』などの現象学は禅の思弁に通じるところがあり、鈴木大拙などの宗教者も注目している。ハイデッガーの教えの中に九鬼が『「いき」の構造』のヒントをつかんだ可能性は高い。1929年に帰国し、京都帝国大学に奉職。以後、1941年に没するまで京都帝大で哲学を教えた。同僚に『善の研究』の西田幾多郎(1870〜1945)がいる。

主な著作に『時間論』(1928)、『「いき」の構造』(1930)、『偶然性の問題』(1935)、『人間と実存』(1939)などがある。九鬼の著作の中でも最もよく知られた『「いき」の構造』は、江戸時代の遊郭などで尊ばれた「いき(粋)」を現象学の方法を用いて分析したものである。これは新渡戸稲造(1862〜1933)の『武士道』、西田幾多郎の『善の研究』に通じる研究といえるが、武士道や善とは違い、表立って語られることのない「いき」を取り上げたことが当時は驚きをもって受け止められた。九鬼は「いき」に媚態・意気地・諦めという3つの要素を見出した。相手を誘い、より近づこうとする媚態と、美意識を守るために通す意気地(意地)、そして変えられぬ運命に対する諦め、この三徴表のバランスがとれたときに生じる自由が「いき」だという。九鬼は三徴表の背後に仏教や武士道を見る。すなわち、遊郭でのほんのひとときの気持ちのやりとりにも日本文化の歴史の存在を見出しているのだ。こうした今まで言語化されなかったものを現代の言葉で読み解いていく方法は、哲学の分野に限らず、民俗学や民族学、歴史学、文学や芸術にも応用されている。

豆知識

1. 九鬼の2番目の妻は祇園の芸妓であった。このため授業に遅刻すると、祇園から人力車で登校するためと噂された。

365 自然 宮古諸島・八重山諸島

日本の南西に位置する先島諸島の島々は、日本本土とは別系統の、琉球文化と外国文化の影響下にある古来の文化、そして豊かな自然を持っている。更新世後期には、すでに人類がいたと考えられる宮古島は、有史になってからは、琉球王府と薩摩藩のせめぎあいの影響を受けた。日本よりも台湾に近い八重山諸島は、独自の勢力を誇っていたが、やがて琉球王府の拡大によって支配下に入ったのだった。

◈

沖縄県西部に位置する宮古諸島、八重山諸島を先島諸島と呼ぶ。北東部の沖縄諸島に比べて人口は少ないが、豊かな自然と古来の文化に富んでいる。

宮古諸島は、沖縄本島から南西に約290kmに位置する宮古島、伊良部島、池間島、大神島、下地島、来間島、多良間島、水納島の８島と小島の計12島から構成される。「宮古」という地名は、もとは「ミヤク」であったと考えられ、600年以上の歴史を持つ宮古方言での民謡「アヤグ」によれば、「人（自分）の住むところ」との意味である。いずれも赤土、隆起サンゴ礁の琉球石灰岩、島尻層泥岩からなる台地状の島々で、山地は樹木に乏しく、保水力の少ない土壌である。産業はサトウキビの単作農業が中心だ。かつてピンザアブ洞人と呼ばれる約２万6000年前の化石人骨が発見され、更新世の後期には宮古島に人類がいた可能性が指摘されている。1609年に薩摩藩が琉球侵攻を行った際、琉球王府の貢租確保の手段として、宮古島から先島へ開拓のための移住が、たびたび行われたようだ。

八重山諸島は、行政、経済、文化の中心地である石垣島をはじめ、竹富島、西表島、波照間島などの島々と、日本最西端の与那国島の合計12の有人島、尖閣諸島など多くの無人島から構成される。石垣島から沖縄本島までは約411km、台湾までの距離は約277kmである。15世紀末、豪族オヤケアカハチと琉球王府に従属的な長田大主が覇を競っていたが、1500年、尚真王（1465～1527）に討伐され、八重山諸島は琉球王府の支配下に入ったという。現在は、先島諸島はリゾート産業の代表地として、世界中から多くの観光客を集めると同時に、近接する台湾との防空識別圏の運用や尖閣諸島防衛といった、国際的にも難しいかじ取りを担う地となっている。

豆知識

1. 八重山諸島は、かつて近海を震源として発生した巨大地震に見舞われている。1771年の八重山地震だ。推定マグニチュードは7.4～8.7で地震動の被害はなかったが最大遡上高30mという「明和の大津波」で大被害を受けた。宮古、八重山両諸島で死者、行方不明者約１万2000人、家屋流失2000戸以上。八重山では住民の３分の１が死亡している。
2. 宮古方言は、2009年、ユネスコにより消滅危機言語の「危険」レベルに分類された。方言は島によって異なり、大きく宮古島方言、伊良部島方言、多良間島方言に分けられる。地域の「標準語」宮古島の平良方言も、伊良部島や多良間島では通じにくいという。
3. 歴史書『続日本紀』には、714年に「信覚」などの人々が来朝したとの記述がある。「信覚」は石垣島を指すと考えられている。13世紀頃までは、先島諸島は南琉球先史文化圏に属し、中国や台湾、フィリピン文化圏の影響が色濃いものだったようだ。

365日間、読み切ったあなたへ

◈

おめでとう！

今日まで、本当にお疲れさまでした。1日1ページ、365日の教養の長い旅もこれで終わりです。1年間、毎日この本を開き新たな知識を吸収しようとしたあなたは、大変素晴らしいことを成し遂げました。毎日新たな学びと出会うことで、あなたが世界に向ける視点も日ごとに変わっていったのではないでしょうか。

この本は、あくまでも興味を広げ、新たな習慣を身につけるきっかけです。今後もこの本で得た知識にとどまらず、日々知らないことに関心を持ち、それについて調べることを続けてください。知的好奇心こそが、何歳になっても自分の心を豊かに保つために一番大切なことであり、人生の教養の旅に終わりはないのです。

◈

この本を読んであなたが獲得したもの

- □ 人生がもっと楽しくなる知識
- □ 毎日５分間の読書の習慣
- □ １年間やり通せたという自信
- □ 新たな学びへの知的好奇心

数字

あ行

か行

さ行

た行

な行

は行

ま行

や行

ら行

わ行

科学・技術

芸術

自然

哲学・思想

伝統・文化

文学

歴史

ページ数 **クレジット**

10 写真：月岡陽一／アフロ
11 提供：akg-images／アフロ
14 提供：Geoscience
20 写真：月岡陽一／アフロ
22 写真：萩野矢慶記／アフロ
27 写真：KENJI GOSHIMA／アフロ
29 写真：坂本照／アフロ
30 提供：首藤光一／アフロ
34 提供：akg-images／アフロ
41 写真：角田展章／アフロ
44 写真：毎日新聞社／アフロ
45 写真：アフロ
48 写真：首藤光一／アフロ
51 提供：首藤光一／アフロ
54 提供：PPA／アフロ
55 写真：12か月／アフロ
57 写真：三木光／アフロ
58 提供：PPA／アフロ
60 写真：杉山文英／アフロ
62 写真：高橋猛／アフロ
63 写真：小川秀一／アフロ
65 提供：首藤光一／アフロ
67 写真：首藤光一／アフロ
71 提供：アフロ
72 提供：akg-images／アフロ
73 写真：山岡正剛／アフロ
75 提供：PPA／アフロ
76 写真：宇苗満／アフロ
79 提供：akg-images／アフロ
83 写真：高橋猛／アフロ
90 提供：akg-images／アフロ
96 提供：PPA／アフロ
97 写真：GRANGER.COM／アフロ
102 写真：読売新聞／アフロ
107 提供：首藤光一／アフロ
109 写真：山口淳／アフロ
111 提供：Bridgeman Images／アフロ
113 提供：首藤光一／アフロ
115 写真：田中幸男／アフロ
120 写真：GRANGER.COM／アフロ
123 提供：akg-images／アフロ
124 写真：Ullstein bild／アフロ
131 提供：PPA／アフロ
132 写真：早山信武／アフロ
136 写真：三木光／アフロ
137 Photo by Yukitaka Iha on Unsplash
139 写真：KONO KIYOSHI／アフロ
143 写真：首藤光一／アフロ
149 提供：首藤光一／アフロ
150 Photo by Svetlana Gumerova on Unsplash
152 提供：白井成樹／アフロ
153 Photo by Jan Gottweiss on Unsplash
154 写真：アフロ
155 提供：Alamy／アフロ
159 写真：日刊スポーツ／アフロ
160 写真：小川秀一／アフロ
161 Photo by Gary Bendig on Unsplash
162 提供：Bridgeman Images／アフロ
163 提供：PPA／アフロ
165 写真：田口郁明／アフロ
167 写真：坂本照／アフロ
175 写真：田中光常／アフロ
179 写真：近現代 PL／アフロ
181 写真：アフロ
182 提供：PPA／アフロ
184 写真：古岩井一正／アフロ
190 写真：鷹野晃／アフロ
191 提供：首藤光一／アフロ
192 提供：首藤光一／アフロ
194 写真：田中庸介／アフロ
200 写真：田上明／アフロ
201 写真：坂本照／アフロ
205 提供：akg-images／アフロ
206 提供：PPA／アフロ
210 写真：学研／アフロ
211 写真：三木光／アフロ
217 写真：中野誠志／アフロ
218 提供：GRANGER.COM／アフロ
220 写真：読売新聞／アフロ
224 Photo by Fausto García on Unsplash
225 写真：GRANGER.COM／アフロ
226 写真：TopFoto／アフロ
227 提供：Science Photo Library／アフロ
229 写真：Hibi Sadao／アフロ
232 提供：akg-images／アフロ
233 写真：近現代 PL／アフロ
235 写真：首藤光一／アフロ
239 提供：嵯峨釈迦堂所蔵／アフロ
241 写真：渡辺広史／アフロ
242 提供：akg-images／アフロ
243 Photo by David Dvořáček on Unsplash
253 提供：山田和成／アフロ
254 写真：akg-images／アフロ
255 写真：首藤光一／アフロ
256 提供：PPA／アフロ
263 提供：DeA Picture Library／アフロ
265 写真：山口博之／アフロ
267 提供：akg-images／アフロ
271 Photo by Luigi Pozzoli on Unsplash
272 提供：PPA／アフロ
275 写真：近現代 PL／アフロ
276 写真：Universal Images Group／アフロ
277 提供：PPA／アフロ
281 写真：田北圭一／アフロ
283 写真：近現代 PL／アフロ
284 提供：福間秀典／アフロ
285 写真：アフロ
286 写真：Imaginechina／アフロ
288 提供：首藤光一／アフロ
291 提供：PPA／アフロ
293 写真：Imaginechina／アフロ
298 提供：アフロ
299 写真：渡辺広史／アフロ
302 写真：Science Photo Library／アフロ
304 写真：近現代 PL／アフロ
305 提供：アフロ
309 写真：土岐三雄／アフロ
313 写真：田中秀明／アフロ
316 提供：近現代 PL／アフロ
318 写真：Science Photo Library／アフロ
322 写真：田中重樹／アフロ
326 写真：akg-images／アフロ
334 写真：首藤光一／アフロ
337 写真：近現代 PL／アフロ
340 写真：Alamy／アフロ
341 提供：PPA／アフロ
342 写真：近現代 PL／アフロ
345 写真：近現代 PL／アフロ
346 写真：Science Photo Library／アフロ
347 写真：近現代 PL／アフロ
349 写真：近現代 PL／アフロ
351 写真：毎日新聞社／アフロ
353 写真：毎日新聞社／アフロ
354 写真：Ullstein bild／アフロ
355 写真：柴谷浩也／アフロ
356 写真：毎日新聞社／アフロ
359 写真：AP／アフロ
362 写真：アフロ
365 写真：AP／アフロ
366 写真：AP／アフロ
367 写真：GRANGER.COM／アフロ
369 京都大学附属図書館所蔵

カバー：「凱風快晴」葛飾北斎
ⓒ(公財)アダチ伝統木版画技術保存財団／
アマナイメージズ

【参考文献】
『日本地理データ年鑑2019』松田博康監修（小峰書店）／『読むだけですっきりわかる「やり直しの日本地理」』後藤武士著（宝島社）／『NHKスペシャル　列島誕生　ジオ・ジャパン　激動の日本列島　誕生の物語』NHKスペシャル「列島誕生　ジオ・ジャパン」制作班監修（宝島社）／『図解　日本列島100万年史②　大地のひみつ』山崎晴雄、久保純子監修（講談社）／『天気と海の関係についてわかっていることいないこと』杉本周作、万田敦昌、小田僚子、猪上淳、川合義美、吉岡真由美著（ベレ出版）／『日本の海洋資源――なぜ、世界が目をつけるのか』佐々木剛著（祥伝社）／『日本動物大百科１　哺乳類Ⅰ』（平凡社）／『日本動物大百科２　哺乳類Ⅱ』（平凡社）／『最新　日本の外来生物』（平凡社）／『決定版　日本の両生爬虫類』（平凡社）／『詳説日本史』老川慶喜、加藤陽子、五味文彦、坂上康俊、桜井英治、笹山晴生、白石太一郎、鈴木淳、高埜利彦、吉田伸之著（山川出版社）／『いっきに学び直す日本史　古代・中世・近世　教養編』安藤達朗著（東洋経済新報社）／『新　もういちど読む山川日本史』平野邦雄、五味文彦、児玉幸多、鳥海靖、荒井晴夫編・執筆（山川出版社）／『詳説日本史研究』加藤陽子、倉本一宏、五味文彦、桜井英治、佐々木恵介、佐藤信、設楽博己、白石太一郎、高埜利彦、鳥海靖、藤田覚、本郷和人、山形眞理子著（山川出版社）／『山川　詳説日本史図録（第６版）』詳説日本史図録編集委員会編（山川出版社）／『大学で学ぶ日本の歴史』木村茂光、小山俊樹、戸部良一、深谷幸治編（山川出版社）／『日本史用語集　改訂版　A・B共用』全国歴史教育研究協議会編（山川出版社）／『岩波日本史辞典』永原慶二監修（岩波書店）／『「理系」で読み解くすごい日本史』竹村公太郎監修（青春出版社）／『「桶狭間」は経済戦争だった』武田知弘著（青春出版社）／『江戸学入門　江戸の理系力』洋泉社編集部編（洋泉社）／『読める年表日本史』川崎庸之、原田伴彦、奈良本辰也、小西四郎監修（自由国民社）／『別冊歴史読本　歴代天皇・皇后総覧』（新人物往来社）／『日本中世史事典』阿部猛・佐藤和彦編（朝倉書店）／『日本古代史事典』阿部猛編（朝倉書店）／『徳川歴代将軍事典』大石学編（吉川弘文館）／『日本の時代史１　倭国誕生』白石太一郎編（吉川弘文館）／『日本の時代史２　倭国と東アジア』鈴木靖民編（吉川弘文館）／『日本の時代史３　倭国から日本へ』森公章編（吉川弘文館）／『面白いほどよくわかる江戸時代』山本博文監修（日本文芸社）／『日本文学の歴史１～18』ドナルド・キーン著（中央公論社）／『あなたに語る日本文学史』大岡信著（新書館）／『奇と妙の江戸文学事典』長島弘明編（文学通信）／『童謡　心に残る歌とその時代』海沼実著（NHK出版）／『万葉集事典　万葉集　全訳注原文付　別巻』中西進編（講談社）／『群像　日本の作家12　宮澤賢治』三木卓著（小学館）／『群像　日本の作家18　三島由紀夫』秋山駿著（小学館）／『芥川賞・直木賞150回全記録』（文藝春秋）／『記憶の中の源氏物語』三田村雅子著（新潮社）／『蜻蛉日記　角川ソフィア文庫――ビギナーズ・クラシックス』右大将道綱母著（角川グループパブリッシング）／『古代日本の超技術』志村史夫著（講談社）／『古代世界の超技術』志村史夫著（講談社）／『酒の日本文化　知っておきたいお酒の話』神崎宣武著（KADOKAWA）／『城の科学』萩原さちこ著（講談社）／『戦国の山めぐり』萩原さちこ監修（GB）／『古墳の地図帳　古代史めぐりの旅がもっと楽しくなる！』（辰巳出版）／『日本美術誌』山下裕二、高岸輝監修（美術出版社）／『美術１』酒井忠康ほか著（光村図書）／『大仏をめぐろう』坂原弘康著（イースト・プレス）／『正倉院宝物　181点鑑賞ガイド』杉本一樹著（新潮社）／『庭と日本人』上田篤著（新潮社）／『蒔絵』NHK「美の壺」制作班編（NHK出版）／『宮内庁楽部　雅楽の正統』『皇室Our Imperial Family』編集部編（扶桑社）／『雅楽入門』増本伎共子著（音楽之友社）／『図解　日本音楽史』田中健次著（東京堂出版）／『マンダラ事典　100のキーワードで読み解く』森雅秀著（春秋社）／『別冊太陽　日本美術史入門』河野元昭監修（平凡社）／『別冊太陽　やまと絵』村重寧監修（平凡社）／『別冊太陽　平等院王朝の美』神居文彰著（平凡社）／『すぐわかる　日本の絵画』守屋正彦著（東京美術）／『すぐわかる　日本の美術』田中日佐夫著（東京美術）／『鳥獣戯画の謎』上野憲示監修（宝島社）／『運慶にであう』山本勉著（小学館）／『はじめての日本美術史』山本陽子著（山川出版社）／『大江戸まるわかり事典』大石学編（時事通信社）／『新訳・茶の本－ビギナーズ日本の思想』岡倉天心著、大久保喬樹訳（角川書店）／『日本庭園　鑑賞のポイント55』宮元健次著（メイツ出版）／『京都名庭を歩く』宮元健次著（光文社）／『京都奈良の世界遺産』（JTBパブリッシング）／『面白いほどよくわかる能・狂言』三浦裕子著（日本文芸社）／『日本の伝統文化・芸能事典』日本文化いろは事典プロジェクトスタッフ著（汐文社）／『日本の伝統文化しきたり事典』中村義裕著（柏書房）／『日本文化ビジュアル解体新書』山本素子著（SBクリエイティブ）／『おもしろ大江戸生活百科』北村鮭彦著（新潮社）／『江戸時代のすべてがわかる本』大石学編著（ナツメ社）／『図解　日本の漆工』加藤寛監修（東京美術）／『南九州の伝統文化〈１〉祭礼と芸能、歴史』下野敏見著（南方新社）／『「日本橋はいばら」がおくる四季の暮らしの心得帖』岩下宣子監修（自由国民社）／『世界のエリートが学んでいる教養としての日本哲学』小川仁志著（PHP研究所）／『日本思想史の名著30』苅部直著（筑摩書房）『史上最強カラー図解　古事記・日本書紀のすべてがわかる本』多田元監修（ナツメ社）

【参考ウェブサイト】

経済産業省　資源エネルギー庁（https://www.enecho.meti.go.jp/）
環境省　日本の外来種対策（http://www.env.go.jp/nature/intro/index.html）
環境省　日本の世界自然遺産（http://www.env.go.jp/seisaku/list/sekaiisan.html）
環境省　いきものログ（https://ikilog.biodic.go.jp/）
水産庁　捕鯨の部屋（https://www.jfa.maff.go.jp/j/whale/）
水産庁　ウナギに関する情報（https://www.jfa.maff.go.jp/j/saibai/unagi.html）
国土交通省　地方振興（https://www.mlit.go.jp/kokudoseisaku/chisei/index.html）
外務省　北方領土（https://www.mofa.go.jp/mofaj/area/hoppo/index.html）
一般財団法人国土技術研究センター（http://www.jice.or.jp/）
公益社団法人日本犬保存会（https://www.nihonken-hozonkai.or.jp/）
国立科学博物館　日本の多様性ホットスポットの構造に関する研究
（https://www.kahaku.go.jp/research/activities/project/hotspot_japan/）
福井県立恐竜博物館（https://www.dinosaur.pref.fukui.jp/）
青空文庫（https://www.aozora.gr.jp/）
国立国会図書館デジタルコレクション（https://dl.ndl.go.jp/）
国立公文書館アジア歴史資料センター（https://www.jacar.go.jp/）
原水爆禁止日本協議会（http://www.antiatom.org/）
理化学研究所（https://www.riken.jp/）
日本酒造組合中央会（http://japansake.or.jp/）
キャリアガーデン　宮大工の仕事（https://careergarden.jp/miyadaiku/）
株式会社金剛組（https://www.kongogumi.co.jp/）
宇治紬物語（https://tumugi-monogatari.com/）
一般財団法人日本時計協会（https://www.jcwa.or.jp/index.html）
株式会社豊田自動織機（https://www.toyota-shokki.co.jp/index.html）
一般社団法人鈴木梅太郎博士顕彰会（https://suzukiumetarou.web.fc2.com/index.html）
大阪大学総合学術博物館湯川記念室（https://www-yukawa.phys.sci.osaka-u.ac.jp/）
南方熊楠記念館（http://www.minakatakumagusu-kinenkan.jp/）
株式会社ミキモト（https://www.mikimoto.com/jp/）
日本珠算連盟　そろばん学習（http://www.shuzan.jp/gakushu/）
一般社団法人愛鱗会　錦鯉を知ろう（http://www.zna.jp/nishikigoi/index.html）
ワゴコロ　こけしの意味と由来（https://wa-gokoro.jp/traditional-crafts/Kokeshi/）
牛久大仏（https://daibutu.net/）

1日1ページ、読むだけで身につく日本の教養365

2020年10月13日　第1刷発行
2023年3月1日　第4刷発行

監修
齋藤孝

装丁
石間淳

本文デザイン
稲永明日香

本文組版
株式会社キャップス

制作
小芝俊亮（株式会社G.B.）

制作協力
上野卓彦、渋谷申博、高貝誠、平谷悦郎、
幕田けいた、米良厚、合同会社オフィステイクオー

編集
野本有莉、曽我彩

発行者
山本周嗣

発行所
株式会社文響社
〒105-0001　東京都港区虎ノ門2丁目2-5　共同通信会館9F
ホームページ　http://bunkyosha.com
お問い合わせ　info@bunkyosha.com

印刷・製本
中央精版印刷株式会社

ISBNコード：978-4-86651-210-5　Printed in Japan
この本に関するご意見・ご感想をお寄せいただく場合は、
郵送またはメール（info@bunkyosha.com）にてお送りください。